# 40 leçons pour parler **italien**

# Langues pour tous

Collection dirigée par Jean-Pierre Berman,
Michel Marcheteau et Michel Savio

## ITALIEN

☐ Pour débuter ou tout revoir :
- **40 leçons pour parler italien** [••] (CD)

☐ Pour se perfectionner et connaître l'environnement :
- **Pratiquez l'italien** [••]

☐ Pour se débrouiller rapidement :
- **L'italien tout de suite** [••]

☐ Pour évaluer et améliorer votre niveau :
- **Score italien : testez votre niveau** (200 tests)

☐ Pour aborder la langue spécialisée :
- **L'italien économique & commercial**

☐ Pour s'aider d'ouvrages de référence :
- **Grammaire italienne pour tous**
- **Dictionnaire de l'italien d'aujourd'hui**

☐ Pour prendre contact avec des œuvres en version originale :
- **Série bilingue :**

➧ **Niveaux :** ☐ facile (1er cycle) ☐ ☐ moyen (2e cycle) ☐ ☐ ☐ avancé

Buzzati Dino : • Nouvelles ☐ ☐
- Nouvelles italiennes d'aujourd'hui : ☐ ☐
  V. Brancati, D. Buzzati, I. Calvino, G. Celati, A. Moravia, L. Pirandello, L. Sciascia.
- 100 ans de prose italienne ☐ ☐ ☐
  I. Svevo, E. Vittorini, T. Landolfi, etc. (2e semestre 1993)

[••] = Existence d'un coffret : Livre + K7
**Attention !** Les cassettes ne peuvent être vendues séparément du livre.
➧ Le livre seul est disponible.

Autres langues disponibles dans les séries
de la collection **Les langues pour tous**

**ALLEMAND - ANGLAIS - AMÉRICAIN - ARABE - CHINOIS
CORÉEN - ESPAGNOL - FRANÇAIS - GREC - HÉBREU
HONGROIS - JAPONAIS - LATIN - NÉERLANDAIS - POLONAIS
PORTUGAIS - RUSSE - TCHÈQUE - TURC - VIETNAMIEN**

# 40 leçons pour parler **italien**

par

**Pierre Noaro**
*Agrégé d'italien*
*Inspecteur général honoraire de l'Éducation nationale*
*ex-conseiller linguistique de l'ÉNA*

**Paolo Cifarelli**
*Diplômé de l'Institut d'Études Politiques de Paris*
*Maître de conférences à l'École Nationale d'Administration*

**Henri Louette**
*Agrégé d'italien*

4ème édition revue et corrigée

# Sommaire

# Avant-propos

**40 leçons pour parler italien** est un outil d'auto-apprentissage complet appelé « tout en un » car il propose à son utilisateur :

- **une présentation méthodique, déjà mise au point avec succès dans sa précédente version, pour acquérir les bases de la langue, accompagnée d'une série d'exercices calibrés avec corrigés destinés à ancrer solidement les connaissances;**
- **une batterie de tests permettant de mesurer les acquisitions;**
- **un ensemble de repères géographiques, historiques et culturels pour mieux connaître et comprendre l'Italie et les italiens et donc mieux communiquer avec eux;**
- **des dialogues vivants pour l'entraînement à la compréhension;**
- **un guide pratique pour la vie de tous les jours;**
- **une grammaire et un lexique bi-lingue.**

**A qui s'adresse cet ouvrage?**

- à ceux, en premier lieu, qui *commencent à zéro* l'étude de l'italien, et qui pourront progresser à leur rythme avec une totale autonomie;
- à ceux qui n'ont pu accorder à l'étude de l'italien le temps nécessaire, avec, pour conséquence, *un manque de structuration de leur apprentissage*;
- enfin, à ceux qui ont étudié l'italien dans de bonnes conditions *mais qui n'ont pu pratiquer* pendant des années et ont besoin de rafraîchir leurs connaissances.

**Les auteurs ont donc choisi :**

- d'assurer *la connaissance claire et nette des bases principales* de la langue, en veillant à ce que tous les éléments présentés soient définitivement assimilés;
- d'illustrer les mécanismes décrits par *des formules de grande fréquence* et d'une utilisation courante;
- d'éveiller *l'intérêt pour la langue et le pays* de ceux qui la parlent.

Ces caractéristiques font également de **40 leçons pour parler italien** *un ouvrage de complément*, tant pour les élèves et les étudiants, que pour les participants aux sessions de formation continue.

La description et les conseils qui suivent vont vous permettre d'utiliser cette méthode et d'organiser votre travail de façon efficace.

# 0 Présentations et conseils

## Plan des leçons

Vous retrouverez dans toutes les leçons une organisation identique destinée à faciliter l'auto-apprentisage ; elles comportent 4 parties :

**A**, **B**, **C** et **D** de 2 pages chacune.

Ainsi vous pourrez travailler au rythme qui vous conviendra. Même si vous n'avez pas le temps d'apprendre l'ensemble d'une leçon, vous pourrez l'aborder et en étudier une partie seulement, sans perdre pied et avoir le sentiment de vous disperser.

→ **A** et **B** présentent les éléments de base.

→ **C** propose des exercices avec corrigés et des points de civilisation.

→ **D** offre des dialogues en situation et un guide pratique.

■ **Parties A et B :**
**elles se subdivisent en 4 sections :**

**A 1** et **B 1** — PRESENTATION

Cette 1re section vous apporte les matériaux de base nouveaux *(grammaire, vocabulaire, prononciation)* qu'il vous faudra connaître et savoir utiliser pour construire des phrases.

**A 2** et **B 2** — APPLICATION

A partir des éléments présentés en **A 1** et **B 1** vous est proposée *une série de phrases modèles* (qu'il faudra par la suite vous entraîner à reconstruire par vous-même).

**A 3** et **B 3** — REMARQUES

Diverses *remarques* portant sur les phrases de **A 2** et **B 2** précisent tel ou tel point de grammaire, vocabulaire, prononciation.

**A 4** et **B 4** — TRADUCTION

Cette dernière section apporte la *traduction intégrale* de **A 2** et **B 2**.

**Partie C :**
**elle est également subdivisée en 4 sections :**

**C 1** — EXERCICES

ils servent à *contrôler l'acquisition* des mécanismes appris en **A** et **B**.

**C 2** — VOCABULAIRE, CIVILISATION ET CULTURE

Consacrée, pour l'essentiel, à *des expressions* ou à *des explications* qui complètent l'apport de **A** et **B**, avec, lorsque le contexte l'impose, une mise en évidence de réalités typiques.

**C 3** — CORRIGES

On y trouve, en vis à vis, la solution complète des exercices de **C 1**, ce qui permet une *auto-correction* immédiate et, donc, efficace.

**C 4** — VOCABULAIRE, CIVILISATION ET CULTURE

Rédigée en français, cette section fournit des *informations géographiques, historiques et culturelles.* Elle permet de mieux connaître et comprendre vos futurs interlocuteurs. Par ses apports de mots nouveaux, elle est une introduction à la partie **D**. Elle peut, aussi, être lue en dehors de la progression imposée, au gré de votre curiosité.

**Partie D :**
**également subdivisée en 4 parties :**

**D 1** et **D 3** proposent, respectivement, un *dialogue vivant* qui reprend le vocabulaire déjà acquis en **A** et **B**, enrichi de nouveaux termes relatifs au sujet traité, et sa *traduction.*

**D 2** et **D 4** accordent une importance particulière aux *informations pratiques,* si utiles dans la vie quotidienne. Elles sont illustrées par de brèves incursions dans les domaines de la civilisation et de la culture aux fins d'en mieux comprendre le contexte.

# 0 Présentations et conseils

## ■ Tests des leçons 1-10, 11-20, 21-30, 31-40

■ Effectuez chaque série de tests *sans vous reporter aux leçons* et en moins de cinq minutes.

■ Reportez-vous aux corrigés, en fin de volume, et sachez revenir systématiquement sut tout ce qui n'est pas maîtrisé.

▶ Si nous n'êtes pas débutant faîtes l'ensemble des tests, *sans vous reporter au livre*, en 10 à 15 minutes et établissez votre diagnostic.

## ■ Précis grammatical et lexique bilingue :

■ Le **précis** présente une sélection des règles de grammaire essentielles à connaître pour une bonne pratique de la langue.

■ Le **lexique bilingue** reprend tout le vocabulaire utilisé en **A**, **B**, **C** et **D**.

**Conseils généraux**

■ **Travaillez régulièrement :** consacrer 20 à 30 minutes par jour à l'étude d'une partie de leçon est plus profitable que d'étudier plusieurs leçons pendant pendant 3 heures tous les 10 jours.

■ **Programmez l'effort :** ne passer pas en **B** sans avoir bien retenu **A**.

■ **Revenir en arrière :** n'hésitez pas à refaire plusieurs fois les mêmes exercices :

pour les parties **A** et **B**; après avoir pris connaissance de **A 1** ou **B 1**, bien lu **A 2** ou **B 2**, reportez-vous aux remarques **A 3** ou **B 3**. Essayez de reconstituer les phrases **A 2** ou **B 2** en partant de **A 4** ou **B 4**.

■ **Partie C** (EXERCICES) : faites les exercices par écrit avant de regarder le corrigé (10 minutes par leçon).

■ **Parties C 4, D 2** et **D 3**, riches de textes relatifs à la VIE PRATIQUE, à la CIVILISATION et à la CULTURE : vous pouvez les lire au fur et à mesure ou au hasard si cela peut stimuler votre intérêt.

■ **Partie D** (DIALOGUE) : voir **Version sonore**.

# 0 Présentations et conseils

## VERSION SONORE

Le coffret **40 leçons** comporte un enregistrement
réalisé en son numérique
**à l'identique** sur 2 supports : 4 K7 et 2 CD

Vous trouverez sur chacun d'eux :

— l'intégralité des parties **A 2** et **B 2**, portant les symboles

— une sélection des exercices **C 1**, les plus à même de vous permettre de dominer les difficultés de prononciation et de grammaire et de développer les réflexes qui donnent du nerf à l'élocution.

— l'intégralité des dialogues **D 1** pour un entraînement, au naturel.

■ **La version K7 :** elle vous permettra de travailler chez vous, mais aussi en déplacement (voiture, métro, train, etc.) Des blancs sont ménagés pour vous permettre de répéter et le dialogue est repris deux fois (de la leçon 6 à la leçon 21) pour faciliter votre entraînement à l'expression.

■ **La version CD :** elle vous offre un grand confort d'écoute et facilite le recherche des leçons et l'accès rapide à ce que vous souhaitez réécouter.
Elle vous permettra un bon entraînement à la compréhension orale.
Elle ne comporte pas de blancs pour la répétition mais en utilisant la touche « pause » vous pourrez également vous entraîner à répéter.

**Conseils :**

- Dans un premier temps, écoutez l'enregistrement en vous aidant de votre livre.
- Puis, petit à petit, efforcez-vous de répéter et de comprendre sans votre livre.

Pour faciliter l'assimilation de la prononciation, la syllabe accentuée a été systématiquement soulignée jusqu'à la leçon 20.

# 1 Il signore è italiano

## A 1 PRÉSENTATION

- Une des formes de l'article défini masculin singulier est **il**.
- L'adjectif s'accorde en genre (masculin, féminin) et en nombre (singulier, pluriel) avec le nom auquel il se rapporte.
- La plupart des mots masculins se terminent par **-o** ou par **-e** au singulier.
- Le verbe *est* se traduit par **è**.

| | | |
|---|---|---|
| **il ragazzo** | [ra**gat**tso] | *le garçon, l'enfant* |
| **il signore** | [si**gno**ré] | *monsieur* |
| **il nome** | [**no**mé] | *le prénom* |
| **il cognome** | [ko**gno**mé] | *le nom (de famille)* |
| **il padre** | [**pa**dré] | *le père* |
| **italiano** | [ita**lia**no] | *italien* |
| **napoletano** | [napolé**ta**no] | *napolitain* |
| **americano** | [améri**ka**no] | *américain* |
| **Rossi** | [**ros**si] | *Rossi (nom propre)* |
| **Sandro** | [**san**dro] | *Alexandre, Alex* |

## A 2 APPLICATION

1. **Il signore è italiano.**
2. **Il cognome è Rossi.**
3. **Il signor Rossi è napoletano.**
4. **Il ragazzo è italiano.**
5. **Il nome è Sandro.**
6. **Sandro è italiano.**
7. **Il padre è americano.**

## A 3 REMARQUES

### ■ Prononciation

• En italien, toutes les lettres (sauf h) se prononcent distinctement. Elles se prononcent comme en français, sauf cas particuliers que nous verrons plus loin.
Les doubles consonnes sont clairement articulées :
Ex. : **sete** avec un **t** signifie *soif*, **sette** avec deux **t** signifie *sept*. D'où la nécessité de bien prononcer **sette** pour bien se faire comprendre.

• Tous les mots ont un accent (la syllabe accentuée est représentée en lettres grasses dans les formules entre crochets pour vous aider à bien articuler; elle est soulignée dans les textes).
La plupart des mots ont l'accent sur l'avant-dernière syllabe. Dans les premières leçons vous ne trouverez que des mots appartenant à cette catégorie.

• Le **z** de **ragazzo** se prononce comme *ts* dans *tsé-tsé*. Bien prononcer la double consonne.
Le **gn** de **signore** se prononce comme dans le mot *digne*.

### ■ Grammaire

• Devant **signore** on met l'article : **il** signore.
De plus, la voyelle finale de **signore** disparaît devant les noms, les prénoms, les titres :
**il signor** Rossi *Monsieur Rossi*.

• Ne pas confondre **nome** *prénom*, et **cognome** *nom de famille*.

## A 4 TRADUCTION

1. Monsieur est italien.
2. Le nom est Rossi.
3. Monsieur Rossi est napolitain.
4. Le garçon est italien.
5. Le prénom est Sandro.
6. Sandro est italien.
7. Le père est américain.

# 1 La signora è italiana

## B 1 PRÉSENTATION

- L'article défini féminin singulier est **la**, correspondant au français *la* : **la ragazza** *la jeune fille*, **la madre** *la mère*.
Il s'élide devant les mots qui commencent par une voyelle :
Ex. : **l'Italiana** *l'Italienne.*

- Les adjectifs qui se terminent au masculin singulier par **-o** prennent la voyelle **-a** au féminin singulier.

| | | | |
|---|---|---|---|
| italian-**o** | italian-**a** | *italien* | *italienne* |
| american-**o** | american-**a** | *américain* | *américaine* |

Exemples d'accord :

| | |
|---|---|
| **il** signor**e** è italian**o** | **la** signor**a** è italian**a** |
| **il** ragazz**o** è american**o** | **la** ragazz**a** è american**a** |

| | | |
|---|---|---|
| **la ragazza** | [ra**gat**tsa] | *la jeune fille* |
| **la signora** | [si**gno**ra] | *madame* |
| **la signorina** | [signo**ri**na] | *mademoiselle* |
| **la madre** | [**ma**dré] | *la mère* |
| **Sandra** | [**san**dra] | |
| **Firenze** | [fi**rén**tsé] | *Florence* |
| **veneziano, -a** | [vénét**sia**no] | *vénitien, -enne* |
| **fiorentino, -a** | [fiorent**ti**no] | *florentin, -e* |
| **bello,-a** | [**bel**lo] | *beau, belle* |

## B 2 APPLICATION

1. **La signora è italiana.**
2. **Il nome è Sandra.**
3. **La madre è veneziana.**
4. **La signora Rossi è veneziana.**
5. **La signorina è fiorentina.**
6. **Firenze è bella.**

## B 3 REMARQUES

### ■ Prononciation

• En italien les voyelles se prononcent comme en français. Mais attention : le **u** se prononce [ou] comme dans le mot français *soupir.*
Le **e** italien n'est jamais muet.
Il n'y a pas de son nasal. Le **m** et le **n** se prononcent distinctement de la voyelle qui les précède : **sa-n**dro, fioré-n**ti**no, fi**rè-n**tsé.

• Accent. Une voyelle ou une syllabe accentuée a trois caractéristiques qui la différencient de la voyelle ou de la syllabe atone ou non accentuée :
1. elle est plus intensément accentuée,
2. elle est plus longue,
3. elle est plus haute.

L'accent n'est jamais écrit, sauf sur les mots accentués sur la dernière syllabe, comme nous le verrons par la suite.

### ■ Grammaire

• Devant **signora** et **signorina**, ainsi que devant **signore**, comme nous l'avons vu en A 3, on met l'article :

**la signora** Rossi — *Madame Rossi*
**la signorina** Sandra — *Mademoiselle Sandra*

• La plupart des mots féminins se terminent par la voyelle **-a** au singulier :

**il signore** → **la signora**
**il ragazzo** → **la ragazza**

## B 4 TRADUCTION

1. Madame est italienne.
2. Le prénom est Sandra.
3. La mère est vénitienne.
4. Madame Rossi est vénitienne.
5. Mademoiselle est florentine.
6. Florence est belle.

# 1 Exercices

## C 1 EXERCICES

**A. Entraînez-vous à lire les mots suivants :**

Il ragazzo, il signor Rossi, veneziano, la ragazza, fiorentino, bello.

**B. Compléter :**

1. Il ......... è Rossi.
2. Il ......... è Sandra.
3. ..... signora è veneziana.
4. Il ..... Rossi è italiano.
5. Il nome ..... Sandro.

**C. Traduire :**

1. Madame est florentine.
2. Monsieur Rossi est italien.
3. Sandro est italien.
4. Le père est vénitien.
5. La mère est américaine.
6. Mademoiselle Sandra est belle.

## C 2 VOCABULAIRE

| | | |
|---|---|---|
| **Arrivederci** | [arrivé**dér**tchi] | *au revoir* |
| **buon giorno** | [**bouo**n **djor**no] | *bonjour* |
| **buona sera** | [**bouo**na **sé**ra] | *bonsoir* |
| **buona notte** | [**bouo**na **not**té] | *bonne nuit* |
| **ciao** | [**tcha**o] | *au revoir, salut* |

**Ciao** signifie bien *salut! bonjour! au revoir!* Mais savez-vous pourquoi? Eh bien ce petit mot vient de **schiavo**, /**skia**vo/, *esclave, serviteur,* qui vient à son tour de **slavo**, /**zla**vo/, *slave.* Cette série de modifications de forme et de sens s'est passée à Venise, où il y avait, depuis le Moyen Âge, beaucoup de Slaves.
Une fois le mot **slavo** transformé en **schiavo,** celui-ci a été utilisé, beaucoup plus tard, au sens figuré, pour « saluer » quelqu'un : **sono vostro schiavo,** *je suis votre serviteur.* Puis on a dit : **vostro schiavo**, *votre serviteur,* et enfin, tout simplement, **schiavo,** *serviteur,* qui est devenu **ciao**, après une longue et lente évolution.

## C 3 CORRIGÉ

**A.** Attention à la prononciation des doubles consonnes (zz, ss, ll).

**B. Compléter :**

1. Il cognome è Rossi.
2. Il nome è Sandra.
3. La signora è veneziana.
4. Il signor Rossi è italiano.
5. Il nome è Sandro.

**C. Traduire :**

1. La signora è fiorentina.
2. Il signor Rossi è italiano.
3. Sandro è italiano.
4. Il padre è veneziano.
5. La madre è americana.
6. La signorina Sandra è bella.

## C 4 VOCABULAIRE

■ Le **c** de **arrivederci** et de **ciao** se prononce [tch] comme dans *Tchad.*
Le **g** de **giorno** se prononce [dj] comme dans *Djibouti.*

■ Attention aux différences avec le français!
— Bien prononcer les mots **fiorentino, veneziano,** et ne pas se laisser influencer par les mots français correspondants.
— **Nome** signifie *prénom* et **cognome** veut dire *nom de famille* **(Sandro è il nome — Rossi è il cognome)**.
— Ne pas oublier l'article devant **signore, signora, signorina (il signor Rossi, la signora Rossi, la signorina Sandra)**.

■ **Ragazzo, ragazza** signifient respectivement *garçon* et *jeune fille.* Dans le langage des jeunes, ils désignent aussi celui ou celle pour qui on éprouve une certaine affection et avec qui on « sort » au cinéma, au bal, etc., mais sans qu'il s'agisse forcément d'un *fiancé* ou d'une *fiancée.*

■ Le nom **Rossi** correspond aux noms français *Roux, Leroux.* C'est le nom de famille le plus courant en Italie. Et pourtant il n'y a que fort peu d'Italiens qui aient les cheveux roux!

# 1 Civilisation

## D 1 DU ROYAUME D'ITALIE...

De l'Unité italienne à aujourd'hui : **Il Regno d'Italia** *Le Royaume d'Italie*

Il est proclamé officiellement le 17 mars 1861. Les Italiens sont à ce moment-là 25 millions, dont 21 777 000 seulement à l'intérieur du Royaume. Les autres se trouvent dans *la Vénétie* **il Veneto** (avec **Venezia** *Venise* ), qui deviendra italien en 1866, à **Roma** *Rome* (qui deviendra italienne en 1870) et dans les provinces de **Trento** *Trente* et de **Trieste** *Trieste* , qui seront annexées à l'Italie après la première guerre mondiale, et précisément en 1919 après la signature du traité de Saint-Germain, par lequel l'Autriche cède à l'Italie la province de Trente, la Vénétie Julienne (avec Trieste) et le Haut-Adige (Tyrol du Sud), avec Bolzano, achevant ainsi l'unité italienne.
La capitale d'Italie, en 1861, est **Torino** *Turin.* Elle est transférée à **Firenze** *Florence* en 1864 (à cette époque-là, aussi bien Rome que Venise n'étaient pas encore italiennes) par Victor-Emmanuel II, en attendant le transfert définitif à **Roma** *Rome* en 1871, après la « conquête » de la capitale, en 1870, qui met fin ainsi, par ailleurs, au pouvoir temporel des Papes (qui avait commencé en 754). La Monarchie a duré 85 ans, du 17 mars 1861 au 13 juin 1946. Tous les rois ont appartenu à la *maison de Savoie* **Casa Savoia.** Il y en a eu quatre : **Vittorio Emanuele II** *Victor Emmanuel II* (17 mars 1861-9 janvier 1878), **Umberto I** *Humbert Ier* (9 janvier 1878-29 juillet 1900) qui est assassiné par un anarchiste, **Vittorio Emanuele III** *Victor Emmanuel III* (29 juillet 1900- 9 mai 1946), **Umberto II** *Humbert II* (9 mai 1946-13 juin 1946).

## D 2 ROIS D'ITALIE

**Vittorio Emanuele II et Umberto I**

Il convient de remarquer que le premier roi d'Italie, **Vittorio Emanuele II**, garde le même nom qu'il avait précédemment, quand il était roi du Royaume de Sardaigne (qui comprenait le Piémont, la Savoie, le duché de Nice, la Ligurie avec Gênes et la Vallée d'Aoste), pour bien signifier que l'unité italienne, du point de vue de la maison de Savoie, n'était autre qu'une...extension du Royaume de Sardaigne!
Par contre, **Umberto I**, règne sous ce nom, malgré l'existence d'ancêtres portant le même nom, pour bien signifier, cette fois-ci, le caractère nouveau de l'Etat unitaire par rapport au Royaume de Sardaigne, d'autant plus que, lorsqu'il devient roi, l'unité italienne, par rapport à 1861, était plus complète.

## D 3 ... À LA RÉPUBLIQUE ITALIENNE

**carte d'Italie avec les étapes de l'unité (1859/70/1918-19)**
**Les étapes de l'unité italienne**

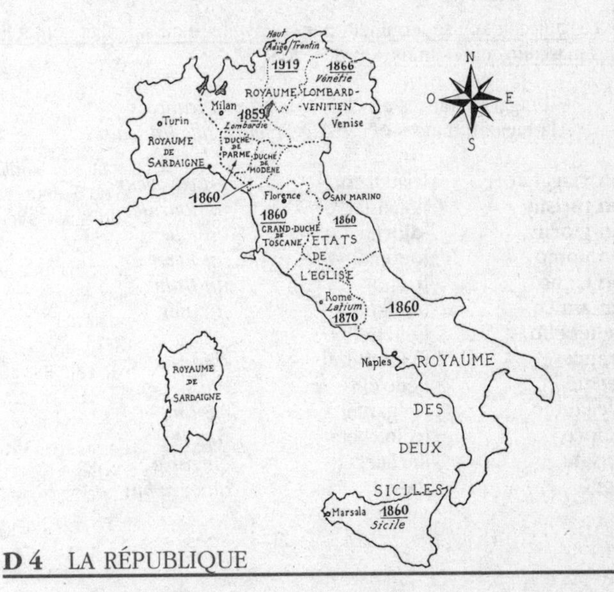


## D 4 LA RÉPUBLIQUE

**La Repubblica italiana** *La République italienne*
La République est proclamée le 18 juin 1946, suite au **referendum istituzionale** du 2/3 juin 1946 : les Italiens choisissent la République (12 717 913 voix contre 10 719 824 pour la Monarchie. Une **Assemblea costituente** *Assemblée constituante* vote une nouvelle constitution (22/12/47), après avoir élu **capo provvisorio dello Stato** *chef provisoire de l'Etat* **Enrico De Nicola**. La Constitution approuvée, il devient le premier **Presidente della Repubblica** *Président de la République, suivi de :* **Luigi Einaudi** (1948-1953), **Giovanni Gronchi** (1955-1962), **Antonio Segni** (1962-1964), **Giuseppe Saragat** (1964-1971), **Giovanni Leone** (1971-1978), **Sandro Pertini** (1978-1985), **Francesco Cossiga** (1985-1992), **Oscar Luigi Scalfaro** (1992-1999), **Carlo Azeglio Ciampi** (1999-...).

# 2 E' un uomo elegante

## A 1 PRÉSENTATION

- **Un** est une des formes de l'article indéfini masculin singulier.
- *C'est* se traduit par **è**.
- Les adjectifs qui se terminent par la voyelle **-e** au singulier sont à la fois masculins et féminins. On dira donc :

| | |
|---|---|
| **il** ragazz**o** frances-**e** | *le garçon français* |
| **la** ragazz**a** frances-**e** | *la jeune fille française* |

| | | |
|---|---|---|
| **un viaggiatore** | [viaddja**to**ré] | *un voyageur* |
| **un turista** | [tou**ri**sta] | *un touriste* |
| **un giorno** | [**djor**no] | *un jour* |
| **un uomo** | [**ouo**mo] | *un homme* |
| **un treno** | [**trè**no] | *un train* |
| **un amico** | [a**mi**ko] | *un ami* |
| **Settebello** | [setté**bel**lo] | |
| **francese** | [fran**tché**zé] | *français, -e* |
| **fedele** | [fé**dé**lé] | *fidèle* |
| **elegante** | [élé**gan**té] | *élégant, -e* |
| **veloce** | [vé**lo**tché] | *rapide* |
| **feriale** | [fé**ria**lé] | *ouvrable* |
| **oggi** | [**od**dji] | *aujourd'hui* |

## A 2 APPLICATION

1. **Il signor Rossi è un uomo.**
2. **E' un uomo elegante.**
3. **Il viaggiatore è un turista.**
4. **E' un turista francese.**
5. **Sandro è un amico.**
6. **E' un amico fedele.**
7. **Il Settebello è un treno.**
8. **E' un treno veloce.**
9. **Oggi è feriale.**
10. **E' un giorno feriale.**

# 2 C'est un homme élégant

## A 3 REMARQUES

### Prononciation

- Bien prononcer : setté-**bel**lo, **og**-gi, un [oun].

Prononcer [ou], comme dans le mot français *soupir*, le **u** de **turista, uomo, un**.
Le **s** de **francese** se prononce comme dans le mot *hasard*.
Tous les mots de cette leçon, ainsi que ceux de la leçon précédente, ont l'accent sur l'avant-dernière syllabe : ele**gan**te, viaggia**to**re, tu**ri**sta, fran**ce**se.
Bien prononcer la syllabe accentuée : ele**gan**te ; **gan** (la syllabe accentuée) doit être prononcée avec plus d'intensité ; il faut s'y arrêter plus longuement que sur les autres syllabes (voir leçon 1, B 3, §2).

### Grammaire

- On emploie **un** devant :

— tous les noms masculins qui commencent par une *voyelle* **(un uomo, un autunno)** ;
— la plupart des noms masculins qui commencent par une *consonne* **(un turista, un giorno)**.

- Ne pas confondre **feriale** et **festivo**. Le premier signifie *ouvrable* et le second *férié*.
- Au début d'une phrase **è** s'écrit **E'**.

## A 4 TRADUCTION

1. Monsieur Rossi est un homme.
2. C'est un homme élégant.
3. Le voyageur est un touriste.
4. C'est un touriste français.
5. Sandro est un ami.
6. C'est un ami fidèle.
7. Le « Settebello » est un train.
8. C'est un train rapide.
9. Aujourd'hui est un jour ouvrable.
10. C'est un jour ouvrable.

# 2 E' una donna elegante

## B 1 PRÉSENTATION

• **Una** est l'article indéfini féminin singulier : **una donna, una ragazza**. Il s'élide devant les mots qui commencent par une voyelle : **un'amica** (notez l'apostrophe).

• Rappel : les adjectifs qui se terminent par la voyelle **-e** au singulier ont une même forme pour le masculin et pour le féminin.

| | | |
|---|---|---|
| **una donna** | [**don**na] | *une femme* |
| **una regione** | [ré**djo**né] | *une région* |
| **un' amica** | [a**mi**ka] | *une amie* |
| **Fabbri** | [**fab**bri] | |
| **Giovanna** | [djo**van**na] | *Jeanne* |
| **la Lombardia** | [lombar**di**a] | *la Lombardie* |
| **industriale** | [indoustri**a**lé] | *industriel, -le* |
| **inglese** | [in**glé**sé] | *anglais, -e* |
| **milanese** | [mila**né**sé] | *milanais, -e* |
| **settentrionale** | [settentrio**na**lé] | *septentrional, -e, du nord* |
| **felice** | [fé**li**tché] | *heureux, heureuse* |
| **gentile** | [djen**ti**lé] | *gentil, -le* |

Essayez, dès le début, de bien maîtriser l'accent et le rythme de la langue italienne et, donc, de bien... chanter! Car bien accentuer un mot ou un groupe de mots, cela revient à « chanter », ou presque. D'ailleurs, **accentare** *accentuer* et **cantare** *chanter*, **accento** *accent* et **canto** *chant* n'ont-ils pas la même étymologie?

## B 2 APPLICATION

1. **La signora Fabbri è milanese.**
2. **E' una donna elegante.**
3. **Giovanna è felice.**
4. **E' una ragazza gentile.**
5. **E' una turista inglese.**
6. **E' un' amica.**
7. **La Lombardia è una regione settentrionale.**
8. **E' una regione industriale.**

## 2 C'est une femme élégante

### B 3 REMARQUES

■ Prononciation et accent

• Bien prononcer les doubles consonnes : **don**-na.
Le **s** de **turista** doit être prononcé comme le **s** de *soir.*

• L'accent met en relief une syllabe par rapport aux autres grâce à :
— son intensité, sa hauteur, sa durée.

• **L'accent de chaque mot doit être bien nettement marqué et à sa juste place. Notez que les Français ont tendance à accentuer la syllabe finale. C'est à ce détail qu'ils sont reconnus quand ils séjournent en Italie. Ne pas dire, donc,**
bra**vo**, mais **bra**vo, signo**ra**, mais si**gno**ra, elegan**te** mais ele**gan**te...

• Notez également que dans un groupe de mots ou dans une phrase, tous les mots, certes, sont accentués ; mais il y a toujours un mot, — le plus important ou le plus significatif —, qui est plus fortement accentué.
Dans la phrase :
**La signora Fabbri è milanese**,
**Fabbri** et **milanese** sont plus accentués que les autres, car ils « portent » le sens de la phrase : La signora **Fab**bri / è mila**ne**se.

■ Grammaire

• **Turista** est à la fois masculin et féminin : **un turista, una turista**.

• Les adjectifs comme **francese, inglese, gentile,** etc., ont une seule terminaison au masculin et au féminin.

**un** ragazz**o** frances**e** **una** ragazz**a** frances**e**

Par contre, les adjectifs comme **italiano, bello,** etc., ont deux terminaisons : une pour le masculin, l'autre pour le féminin.

**un** ragazz**o** italian**o** **una** ragazz**a** italian**a**

### B 4 TRADUCTION

1. Madame Fabbri est milanaise.
2. C'est une femme élégante.
3. Jeanne est heureuse.
4. C'est une jeune fille gentille.
5. C'est une touriste anglaise.
6. C'est une amie.
7. La Lombardie est une région du nord (ou : septentrionale).
8. C'est une région industrielle.

## C 1 EXERCICES

**A. Répétez les mots suivants :**

Giovanna, donna, Fabbri, elegante, Lombardia.

**B. Traduire :**

1. La Lombardie est une région du Nord.
2. C'est une région industrielle.
3. Jeanne est une amie.
4. C'est une belle touriste anglaise.

**C. Mettre au masculin :**

1. Un' amica fiorentina.
2. Una turista inglese.
3. La signora è bella e elegante.
4. E' una donna felice.

## C 2 VOCABULAIRE : le temps

| | | |
|---|---|---|
| **Il tempo** | [**tè-m**po] | *le temps* |
| **la primavera** | [prima**vè**ra] | *le printemps* |
| **l'estate** (f.) | [é**sta**té] | *l'été* |
| **l'autunno** | [aou**toun**no] | *l'automne* |
| **l'inverno** | [i-n**vèr**no] | *l'hiver* |
| **primaverile** | [primavé**ril**é] | *printanier, de printemps* |
| **estivo** | [é**sti**vo] | *estival, d'été* |
| **autunnale** | [aoutoun**na**le] | *automnal, d'automne* |
| **invernale** | [i-nver**na**lé] | *hivernal, d'hiver* |
| **in primavera** | [i-n prima**vè**ra] | *au printemps* |
| **in estate, d'estate** | [i-n é**sta**té, d'é**sta**té] | *en été* |
| **in autunno, d'autunno** | [i-n aou**toun**no] | *en automne* |
| **d'inverno** | [d'i-n**vèr**no] | *en hiver* |
| **la stagione** | [sta**djo**ne] | *la saison* |
| **la giornata** | [djor**na**ta] | *la journée* |
| **caldo, freddo** | [**kal**do **fred**do] | *chaud, froid* |

## C 3 CORRIGÉ

**A.** Bien détacher toutes les lettres!

**B. Traduire :**

1. La Lombardia è una regione settentrionale.
2. E' una regione industriale.
3. Giovanna è un' amica.
4. E' una bella turista inglese.

**C. Mettre au masculin :**

1. Un amico fiorentino (attention! pas d'apostrophe au masculin).
2. Un turista inglese.
3. Il signore è bello e elegante.
4. E' un uomo felice.

## C 4 CULTURE : **feriale e festivo**

Ne pas confondre **feriale**, *ouvrable* avec **festivo**, *férié* . Pour éviter les effets d'un contresens possible, notez ceci :
a) à l'époque des Romains, la « feria » était un jour pendant lequel le travail était interdit par la religion; c'était un « jour de fête ». D'où le sens actuel du mot français *férié*. Notez que le mot **fiera** *foire* vient du même mot, car les foires avaient lieu les jours de fêtes religieuses. Par ailleurs, le mot « **feria** » n'indique-t-il pas de nos jours encore la « fête » qui a lieu à Nîmes et dans le Midi de la France et qui est synonyme de « fête taurine » (courses de taureaux, corridas...)?
b) dans la liturgie catholique la « feria » signifie *jour de la semaine, donc jour de travail, jour ouvrable; férial* . D'où le sens actuel du mot italien **feriale**.

## 2 Civilisation

### D 1 L'ITALIE, RÉGIONS, DÉPARTEMENTS

**L'Italia** *L'Italie*

— **superficie** *superficie* : 301 000 **chilometri quadrati** km$^2$ ;
— **popolazione** *population* : 57 333 000 (1995) **abitanti** *habitants*. La vie moyenne est de 80 ans pour les femmes et 74 pour les hommes ; densité moyenne : 188 habitants ;
— **regioni** *régions* : 20 ; **province** *départements* : 103 ; **comuni** *communes* : 8103 ;
— **Camera dei deputati** *chambre des députés* : 630 **deputati** *députés* ; **Senato** *Sénat* : 315 **senatori** *sénateurs* ; le mandat des députés et des sénateurs est de 5 ans ;
— **PNL (Prodotto Nazionale Lordo)** *PNB* : 5ème puissance mondiale après **Stati Uniti** *Etats-Unis*, **Giappone** *Japon*, **Germania** *Allemagne*, **Francia** France ;
— **reddito pro capite** *revenu par tête* : 28 000 000 de lires (18 000 dollars) ;
— **risparmio** *épargne* **:** 20 % du revenu national (2ème pays après le Japon) (1995).
— **quotazione della lira** *cour de la lire* : : 1 F = 290 lires (1997)

### D 2 RÉGIONS ET CHEFS-LIEUX

**Le regioni italiane** *Les régions italiennes* En Italie, il y a 20 régions, divisées en 103 **province** *provinces* ou *départements*. Chaque région a son propre « statut » (constitution), son propre « parlement » et son propre « gouvernement ». Ci-dessous : les régions, le nombres de provinces par région (entre parenthèses), les provinces de chaque région et le **capoluogo** *chef-lieu* (souligné) :

**Abruzzo** (4) : L'Aquila, Chieti, Pescara, Teramo
**Basilicata** (2) : Potenza, Matera
**Calabria** (5) : Catanzaro, Cosenza, Crotone, Reggio Calabria, Vibo-Valentia
**Campania** (5) : Napoli, Caserta, Benevento, Avellino, Salerno
**Emilia-Romagna** (9) : Bologna, Ferrara, Forlì, Modena, Parma, Piacenza, Ravenna, Reggio Emilia, Rimini
**Friuli-Venezia Giulia** (4) : Trieste, Gorizia, Pordenone, Udine
**Lazio** (5) : Roma, Frosinone, Latina, Rieti, Viterbo
**Liguria** (4) : Genova, Imperia, La Spezia, Savona
(Suite p. 48, 49)

## D 3/D 4 CARTE DES RÉGIONS DE L'ITALIE

# 3 C'è molta gente

## A 1 PRÉSENTATION

- A *il y a* correspond **c'è**, qui signifie « ici est ».
- **Gente** est singulier et féminin. On dira donc **la gente** *les gens.*
- *Beaucoup de, peu de* se traduisent par **molto, poco,** qui sont des adjectifs et, par conséquent, s'accordent.

| | | |
|---|---|---|
| **poco** | [**po**ko] | *peu de* |
| **molto** | [**mol**to] | *beaucoup de* |
| **rapido** | [**ra**pido] | *rapide* |
| **privato** | [pri**va**to] | *privé* |
| **Milano** | [mi**la**no] | *Milan* |
| **Torino** | [to**ri**no] | *Turin* |
| **la gente** | [**djen**té] | *les gens* |
| **la benzina** | [ben**dzi**na] | *l'essence* |
| **la macchina** | [**mak**kina] | *la voiture* |
| **la strada** | [**stra**da] | *la route* |
| **l'autostrada** | [aouto**stra**da] | *l'autoroute* |
| **la Ferrari** | [fer**ra**ri] | |
| **tra** | | *entre* |
| **e** | | *et* |

## A 2 APPLICATION

1. **C'è poca gente : è un giorno festivo.**
2. **C'è molta gente : è un giorno feriale.**
3. **C'è poca benzina.**
4. **C'è una macchina veloce. E' una Ferrari.**
5. **C'è un treno per Milano. E' il Settebello.**
6. **E' un treno rapido.**
7. **C'è un' autostrada tra Milano e Torino.**
8. **E' un' autostrada privata.**

# 3 Il y a beaucoup de gens

## A 3 REMARQUES

### Prononciation

• Le **z** de **benzina** se prononce [dz]. On dit qu'il est sonore. **Mac**china, **ra**pido ont l'accent sur la troisième syllabe en partant de la fin.

### Grammaire

• Attention ! **c'è** *il y a*, mais **è** *c'est*.
Ne pas confondre ces deux structures :

**c'è un libro interessante** *il y a un livre intéressant*
**è un libro interessante** *c'est un livre intéressant*

• En italien il y a deux groupes d'adjectifs.
a) Premier groupe : au singulier, chaque adjectif a la terminaison **-o** pour le masculin et **-a** pour le féminin.

italian-**o** *italien*
italian-**a** *italienne*

L'accord est facile à faire :

**il** ragazz**o** italian**o** **il** padr**e** italian**o**
**la** ragazz**a** italian**a** **la** madr**e** italian**a**

b) Deuxième groupe : au singulier, chaque adjectif, qu'il soit masculin ou féminin, se termine par **-e**.
L'accord est facile à faire, mais peut paraître surprenant :

**il** ragazz**o** frances**e** **il** padr**e** frances**e**
**la** ragazz**a** frances**e** **la** madr**e** frances**e**

• *Beaucoup de* et *peu de* se traduisent en italien **molto, poco,** qui sont des adjectifs du même groupe que **italiano, fiorentino** :

**c'è poca benzina** *il y a peu d'essence*
**c'è poco tempo** *il y a peu de temps*
**c'è molta gente** *il y a beaucoup de gens*

## A 4 TRADUCTION

1. Il y a peu de monde : c'est un jour férié.
2. Il y a beaucoup de monde : c'est un jour ouvrable.
3. Il y a peu d'essence.
4. Il y a une voiture rapide. C'est une Ferrari.
5. Il y a un train pour Milan. C'est le Settebello.
6. C'est un train rapide.
7. Il y a une autoroute entre Milan et Turin.
8. C'est une autoroute privée.

# 3 Ci sono molte macchine

## B 1 PRÉSENTATION

- *Il y a* = **ci sono,** si le sujet est au pluriel.

Le pluriel de l'article **il** est **i**, le pluriel de **la** est **le**.

- La marque du pluriel est toujours **-i,** sauf pour les mots féminins se terminant par **-a** au singulier et dont le pluriel sera en **-e**.

| | | | | |
|---|---|---|---|---|
| | **il** ragazz**o** | **i** ragazz**i** | **la** madr**e** | **le** madr**i** |
| mais | **la** ragazz**a** | **le** ragazz**e** | bel**la** | bel**le** |

- **Specialità** *spécialité* a l'accent sur la syllabe finale. Il est invariable au pluriel : **la specialità, le specialità**.

| | | |
|---|---|---|
| **il cappuccino** | [kappout**tchi**no] | *le café crème* |
| **la specialità** | [spétchali**ta**] | *la spécialité* |
| **autonomo** | [aou**to**nomo] | *autonome* |
| **giapponese** | [djappo**né**sé] | *japonais* |
| **buono** | [**bouo**no] | *bon* |
| **Italia** | [**ita**lia] | *Italie* |
| **in** | [in] | *en, dans* |

## B 2 APPLICATION

1. **Ci sono molti turisti.**
2. **Sono turisti francesi.**
3. **Ci sono molte turiste.**
4. **Sono turiste inglesi.**
5. **Ci sono molte macchine.**
6. **Sono macchine italiane e giapponesi.**
7. **Ci sono molte regioni in Italia.**
8. **Sono regioni autonome.**
9. **I cappuccini sono buoni.**
10. **Sono una specialità italiana.**

# Il y a beaucoup de voitures

## B 3 REMARQUES

### Prononciation

• Prononcer distinctement les doubles consonnes de **cap-puc-cino**.

### Grammaire

• A *il y a* correspond **c'è** ou **ci sono** selon que le sujet est au singulier ou au pluriel :

| | |
|---|---|
| *il y a une voiture italienne* | **c'è una macchina italiana** |
| *il y a des voitures italiennes* | **ci sono macchine italiane**. |

• *C'est* = **è**; *c'est une spécialité italienne* **è una specialità italiana**
*Ce sont* = **sono**; *ce sont des régions autonomes* **sono regioni autonome.**

• Le partitif est beaucoup moins employé en italien qu'en français :

| | |
|---|---|
| *il y a des voitures italiennes* | **ci sono macchine italiane** |
| *ce sont des régions autonomes* | **sono regioni autonome**. |

• Le pluriel : le pluriel de **è** est **sono**.
Le pluriel des noms et des adjectifs est en **-i**, sauf pour les mots féminins singuliers en **-a** qui ont leur pluriel en **-e**.

| | |
|---|---|
| **Il** ragazz**o** è italian**o** | **i** ragazz**i** sono italian**i** |
| **il** turist**a** è napoletan**o** | **i** turist**i** sono napoletan**i** |
| **il** padr**e** è frances**e** | **i** padr**i** sono frances**i** |
| **l'**estat**e** è bell**a** | **le** estat**i** sono bell**e** |
| **la** turist**a** è napoletan**a** | **le** turist**e** sono napoletan**e** |
| **la** ragazz**a** è frances**e** | **le** ragazz**e** sono frances**i** |

## B 4 TRADUCTION

1. Il y a beaucoup de touristes.
2. Ce sont des touristes français.
3. Il y a beaucoup de touristes.
4. Ce sont des touristes anglaises.
5. Il y a beaucoup de voitures.
6. Ce sont des voitures italiennes et japonaises.
7. Il y a beaucoup de régions en Italie.
8. Ce sont des régions autonomes.
9. Les cafés-crèmes sont bons.
10. C'est une spécialité italienne.

## 3 Exercices

### C 1 EXERCICES

**A. Lire :**

autonomo, macchina, rapido, una stazione, delizioso, la ragazza, la benzina.

**B. Traduire :**

1. Il y a beaucoup de voitures françaises en Italie.
2. Les spécialités italiennes sont bonnes.
3. Ce sont des jeunes filles gentilles.
4. Il y a beaucoup de gens aimables.

**C. Mettre au pluriel :**

1. C'è una turista : è una turista francese.
2. C'è una grande macchina : è una macchina inglese.

**D. Traduire :**

1. Ci sono pochi turisti : sono giapponesi.
2. Ci sono molte regioni in Italia : sono regioni autonome.

### C 2 VOCABULAIRE : LES BOISSONS

| | | |
|---|---|---|
| **L'aranciata** | [aran**tcha**ta] | *l'orangeade* |
| **la birra** | [**bir**ra] | *la bière* |
| **il latte** | [**lat**té] | *le lait* |
| **la cioccolata** | [tchokko**la**ta] | *le chocolat (qu'on boit)* |
| **il cioccolato** | [tchokko**la**to] | *le chocolat (qu'on croque)* |
| **caldo** | [**kal**do] | *chaud* |
| **freddo** | [**fred**do] | *froid* |

**Il cappuccino :** c'est une boisson chaude faite avec du café très fort et un peu de lait. Sa couleur rappelle celle du froc des capucins d'où son nom.

• **Barzelletta** *(plaisanterie, blague, histoire drôle).*

— **Qual è il colmo per una suora?** *(Quel est le comble pour une religieuse?)*

— **Far colazione a letto con un cappuccino.** *(Prendre son petit déjeuner au lit avec un « capucin ».)*

(**Cappuccino** ayant ici le double sens de *café-crème* et de *capucin.*)

## 3 Civilisation

### D 3 LE CAFÉ

1. Le café est une boisson délicieuse.
2. Le café express est excellent.
3. Le café serré est une boisson chaude ou froide.
4. Le café arrosé (litt. « corrigé ») est un café avec un peu d'alcool.
5. Le café « macchiato » (litt. « taché ») est un café avec un nuage de lait.
6. Le « cappuccino » est un café avec du lait qui mousse (litt. « avec de la mousse ») et avec du cacao ou du chocolat en poudre.
7. Un « cappuccino », s'il vous plaît!
8. Un café serré, s'il vous plaît!
9. Un café avec un nuage de lait, s'il vous plaît!

### D 4 VOCABULAIRE ET CULTURE

| | | |
|---|---|---|
| **Un caffè, per favore!** | | *un café, s'il vous plaît!* |
| **il caffè corretto** | [kor**rèt**to] | *le café arrosé* |
| **il caffè macchiato** | [mak**kia**to] | *le café avec un soupçon de lait* |
| **il caffè espresso** | [é**sprès**so] | *le cafè express* |
| **il caffellatte** | [kaffel**lat**té] | *le café au lait* |
| **il cappuccino** | [kappout**tchi**no] | *le « cappuccino »* |
| **l'alcool** | [**al**kool] | *l'alcool* |
| **la schiuma** | [**skiou**ma] | *la mousse* |
| **per piacere** | [pèr pia**tché**ré] | *s'il vous plaît!* |
| **per cortesia** | [pèr korté**zi**a] | *s'il vous plaît!* |
| **ottimo** | [**ot**timo] | *excellent, très bon* |
| **un po' di latte** | [oun **po** di **lat**te] | *un peu de lait* |

**Il caffè Florian** de Venise : « On s'asseoit au café Florian, dans de petits cabinets lambrissés de glaces et de riantes petites figures allégoriques, les yeux mi-clos, on suit intérieurement les images de la journée qui s'arrangent et se transforment comme un rêve, on laisse fondre dans sa bouche des sorbets parfumés, puis on les réchauffe d'un café exquis, tel qu'on n'en trouve point ailleurs en Europe et on voit arriver des bouquetières en robes de soie, gracieuses, parées, qui posent sans rien dire sur la table des narcisses ou des violettes » (*Voyage en Italie* , Taine)

# 4 Questi turisti sono in vacanza?

## A 1 PRÉSENTATION

• Alors qu'en français la phrase interrogative se caractérise par l'inversion sujet-verbe, en italien l'ordre des mots est, en général, le même que dans la phrase affirmative.
Comment distingue-t-on une interrogation d'une affirmation?
a) dans la langue écrite par un point d'interrogation :
— **sono treni veloci e moderni** (phrase affirmative) *ce sont des trains rapides et modernes.*
— **sono treni veloci e moderni?** (phrase interrogative) *est-ce que ce sont des trains rapides et modernes?*
b) dans la langue parlée, par la façon de prononcer les phrases (voir A 3).

• **Sì** indique une réponse affirmative.

| | | |
|---|---|---|
| **questo** | [**koué**sto] | *ce, cet* |
| **tedesco** | [té**dé**sko] | *allemand* |
| **straniero** | [stra**nie**ro] | *étranger* |
| **essere in vacanza** | [**es**séré in va**kan**tsa] | *être en vacances* |
| **sì** | [**si**] | *oui* |
| **anche** | [**an**ké] | *aussi* |
| **o** | [**o**] | *ou* |

## A 2 APPLICATION

1. — **Questi turisti sono italiani o stranieri?**
2. — **Sono stranieri.**
3. — **Sono in vacanza?**
4. — **Sì, sono in vacanza.**
5. — **Sono tedeschi?**
6. — **Sì, sono tedeschi.**
7. — **Anche questi viaggiatori sono stranieri?**
8. — **Sono francesi?**
9. — **Sì, sono francesi.**

## A 3 REMARQUES

### Prononciation

• L'intonation est le seul moyen de caractériser une phrase interrogative dans la langue parlée et, par conséquent, de la distinguer d'une phrase affirmative. Ex. :
a) **sono francesi :** phrase affirmative
Chaque mot a son accent. L'intonation de la phrase est sans relief.
b) **sono francesi ? :** phrase interrogative
Chaque mot a son accent. L'intonation de la phrase est montante sur la fin.

### Grammaire

• **Questo** (déterminant démonstratif) correspond à *ce, cet* en français. Il ne peut être précédé ou suivi d'un article. On dira donc :
**Questo turista** ou **il turista** ou **un turista**.

• Le pronom personnel sujet n'est pas obligatoire :

**Sono tedeschi?** *Sont-ils allemands?*
**Sì, sono tedeschi.** *Oui, ils sont allemands.*

• Conjonctions : **e** = *et* **o** = *ou.*
Adverbes : **Sì** = *oui*
**Anche** = *aussi* — Il se place devant le nom :
**Anche il turista** = *le touriste aussi.*

• **Essere in vacanza** = *être en vacances* (remarquez l'emploi du singulier dans l'expression italienne).

## A 4 TRADUCTION

1. — Ces touristes sont-ils italiens ou étrangers?
2. — Ils sont étrangers.
3. — Sont-ils en vacances?
4. — Oui, ils sont en vacances.
5. — Est-ce que ce sont des Allemands?
6. — Oui, ce sont des Allemands.
7. — Ces voyageurs aussi sont-ils étrangers?
8. — Sont-ils français?
9. — Oui, ils sont français.

# 4 Non sono fiorentine

## B 1 PRÉSENTATION

• La forme négative d'une phrase affirmative s'obtient en mettant l'adverbe de négation **non** devant le verbe.

a) phrase affirmative : **S**(ujet) + **V**(erbe) + **C**(omplément)
b) phrase négative : **S + non + V + C**

Ex. : **Sandro è un ragazzo** *Sandro est un garçon.*
**Giovanna non è francese** *Jeanne n'est pas française.*

• **No** indique la réponse négative. C'est le contraire de **sì** (voir B 3).

• Attention à l'emploi de **anche** *aussi*, **neanche** *non plus*, **invece** *en revanche* :

| | | |
|---|---|---|
| a) | Sandro è studente. | *Alexandre est étudiant.* |
| | Anche Pietro è studente. | *Pierre aussi est étudiant.* |
| b) | Sandro non è francese. | *Alexandre n'est pas français.* |
| | Neanche Pietro è francese. | *Pierre non plus n'est pas français.* |
| c) | Sandro è studente. | *Alexandre est étudiant.* |
| | Pietro, invece, non è studente. | *Pierre, en revanche, n'est pas étudiant.* |

| | | |
|---|---|---|
| **la studentessa** | [stouden**tes**sa] | *l'étudiante* |
| **bolognese** | [bolo**gné**sé] | *bolognais, de Bologne* |
| **neanche** | [né**an**ké] | *(pas) non plus* |
| **né... né...** | **[né... né...]** | *ni... ni...* |

## B 2 APPLICATION

1. — **Queste signorine sono in vacanza?**
2. — **No, non sono in vacanza.**
3. — **Sono studentesse?**
4. — **No, non sono neanche studentesse.**
5. — **Sono bolognesi o fiorentine?**
6. — **Non sono bolognesi.**
7. — **Non sono neanche fiorentine.**
8. — **Non sono né bolognesi, né fiorentine.**
9. — **Sono milanesi.**

# Elles ne sont pas florentines

## B 3 REMARQUES

■ Grammaire

• Ne pas confondre :

| | | | |
|---|---|---|---|
| **Non** | *ne... pas* | **né... né** | *ni... ni* |
| **No** | *non* | **neanche** | *(pas) non plus* |

a) **non** est un adverbe de négation qu'on trouve devant le verbe d'une phrase négative :
Ex. : **E' italiano? Non è italiano, è francese.**

b) **no** sert à répondre négativement :
Ex. : **E' italiano? No.**
Le simple **no** remplace ici la phrase négative **non è italiano**. On peut néanmoins trouver les deux formes dans une phrase comme celle-ci :
**— E' italiano? No, non è italiano.**

c) **né... né** est une double négation dans une phrase négative.
Ex. : **Non è né romano né milanese.**
*Il n'est ni romain ni milanais.*
On pourrait dire la même chose avec deux phrases négatives :
Ex. : **Non è romano. Non è milanese.**

d) **neanche** est employé dans une deuxième phrase négative et accentue la négation de la première phrase.
Ex. : **Sandro, non è francese.**
*Alexandre n'est pas français.*
**Neanche Pietro è francese.**
*Pierre non plus n'est pas français.*

## B 4 TRADUCTION

1. — Ces demoiselles sont-elles en vacances?
2. — Non, elles ne sont pas en vacances.
3. — Sont-elles (des) étudiantes?
4. — Non, ce ne sont pas non plus des étudiantes.
5. — Sont-elles bolognaises ou florentines? (ou : de Bologne ou de Florence?)
6. — Elles ne sont pas bolognaises.
7. — Elles ne sont pas non plus florentines.
8. — Elles ne sont ni bolognaises ni florentines.
9. — Elles sont milanaises.

## 4 Exercices

### C 1 EXERCICES

**A. Traduire :**

1. Queste studentesse sono inglesi o italiane?
2. Questi stranieri non sono tedeschi; non sono neanche inglesi.
3. Queste turiste non sono né francesi né italiane.
4. E' bello questo treno? Sì, è anche rapido.
5. Non c'è un treno per Torino? Sì, ci sono treni per Torino e anche per Bologna.

**B. Placer comme il convient :** anche, neanche, **et traduire :**

1. Sì, ......... questo treno è veloce.
2. ......... il Palatino è veloce.
3. Questa studentessa non è inglese; non è ......... tedesca; è francese.

### C 2 CIVILISATION : **hymne national**

**Fratelli d'Italia** (1847). Paroles de Goffredo Mameli (1827-1849), musique de Michele Novaro (1822-1885). Hymne national italien, appelé aussi **Inno di Mameli**.

1.

| | |
|---|---|
| Fratelli d'Italia | *Frères d'Italie* |
| l'Italia s'è desta | *l'Italie s'est réveillée;* |
| dell'elmo di Scipio | *du heaume de Scipion* |
| s'è cinta la testa. | *elle a ceint sa tête.* |
| Dov'è la vittoria? | *Où est la victoire?* |
| le porga la chioma; | *Qu'elle lui tende sa chevelure;* |
| ché schiava di Roma, | *car esclave de Rome,* |
| Iddio la creò. | *Dieu l'a créée (m. à m. la créa).* |
| | |
| Stringiamoci a coorte, | *Serrons-nous en cohortes,* |
| siam pronti alla morte; | *soyons prêts à mourir;* |
| l'Italia chiamò. | *l'Italie (nous) a appelés (m. à m. : appela).* |

## C 3 CORRIGÉ

**A. Traduire :**

1. Ces étudiantes, sont-elles anglaises ou italiennes?
2. Ces étrangers ne sont pas allemands; ils ne sont pas non plus anglais.
3. Ces touristes ne sont ni françaises ni italiennes.
4. Est-il beau, ce train? Oui, il est rapide aussi.
5. N'y a-t-il pas un train pour Turin? Oui, il y a des trains pour Turin et aussi pour Bologne.

**B. Placer comme il convient :** anche, neanche, **et traduire :**

1. **Sì, anche questo treno è veloce.**
   *Oui, ce train aussi est rapide.*
2. **Anche il Palatino è veloce.**
   *Le Palatino aussi est rapide.*
3. **Questa studentessa non è inglese; non è neanche tedesca; è francese.**
   *Cette étudiante n'est pas anglaise; elle n'est pas non plus allemande; elle est française.*

## C 4 CIVILISATION : **hymne national** (suite)

2.

| | |
|---|---|
| Noi siamo da secoli | *Nous sommes depuis des siècles* |
| calpesti e derisi, | *foulés aux pieds et tournés en dérision,* |
| perché non siam popolo, | *parce que nous ne sommes pas un peuple,* |
| perché siam divisi. | *parce que nous sommes divisés.* |
| Raccolgaci un'unica | *Qu'un seul drapeau,* |
| bandiera, una speme; | *qu'un même espoir nous rassemblent;* |
| di fonderci insieme | *de nous fondre ensemble* |
| già l'ora suonò. | *l'heure a déjà sonné (m. à m. sonna).* |

# 4 Dialogues et civilisation

## D 1 Dov'è la stazione?

**1. Turista : Scusi, dov'è Piazza San Marco?**
**2. Passante : Sempre diritto e poi a sinistra.**
**3. Turista : E il museo, dov'è il museo?**
**4. Passante : Lì, in fondo, a destra.**
**5. Turista : Un'altra domanda, per piacere. Dov'è il ristorante « Pinocchio »?**
**6. Passante : Ecco. E' qui, a sinistra. E' un ottimo ristorante.**
**7. Turista : E il mercato, è lontano?**
**8. Passante : No, non è lontano; è qui vicino, a sinistra.**
**9. Turista : E la stazione, dov'è la stazione?**
**10. Passante : Sempre avanti e poi a destra.**
**11. Turista : Grazie mille.**
**12. Passante : Prego.**

## D 2 CIVILISATION : **hymne national**

**Fratelli d'Italia** *Frères d'Italie* : Génois comme **Mazzini**, le poète **Goffredo Mameli** (1827-1849) a trouvé, à vingt-deux ans, une mort héroïque en défendant la « République romaine » (6-7-1849) qui avait été proclamée le 9 fevrier 1849 et qui ne devait durer que cinq mois. C'est lui l'auteur de ce poème célèbre, **Fratelli d'Italia**, dit aussi **Inno di Mameli**, mis en musique en 1847 par un autre Génois, **Michele Novaro**, et chanté probablement pour la première fois le 7-11-1847 pendant les émeutes de Gênes. Ce cri de ralliement des patriotes italiens pendant les guerres et les révolutions de 1848-1849 est devenu, depuis 1946, l'hymne de la République italienne et le « Chant des Italiens ». Le jeune âge de Mameli, chantre de l'Indépendance et de l'Unité italiennes, explique en grande partie l'enthousiasme, l'idéalisme et le lyrisme de ce beau poème. Il a la « foi » d'un vrai patriote et la clairvoyance d'un jeune visionnaire. Il a surtout la conscience claire et aiguë de la tragédie italienne, qui lui vient notamment de la connaissance de l'histoire de la Rome antique et de la constatation de l'abîme politique où se trouvait la péninsule depuis la chute de l'Empire romain. Goffredo Mameli est, en cela, dans le sillage de toute une tradition « patriotique » qui de **Dante** à **Foscolo**, en passant par **Petrarca**, **Machiavelli** et **Leopardi**, n'a pas cessé de rappeler aux Italiens la nécessité et le devoir de faire tout ce qu'il fallait pour rétablir l'unité politique.

## D 3 Où est la gare?

1. Touriste : S'il vous plaît, où est la Place Saint-Marc?
2. Passant : Toujours tout droit et puis à gauche.
3. Touriste : Et le musée, où est le musée?
4. Passant : Là-bas, au fond, à droite.
5. Touriste : Une autre question, s'il vous plaît. Où est le restaurant « Pinocchio »?
6. Passant : Le voici. Il est là (ici), à gauche. C'est un très bon restaurant.
7. Touriste : Et le marché, est-il loin?
8. Passant : Non, il n'est pas loin; il est près d'ici, à gauche.
9. Touriste : Et la gare, où est la gare?
10. Passant : Toujours tout droit et puis à droite.
11. Touriste : Merci beaucoup!
12. Passant : Je vous en prie.

## D 4 INFORMATIONS PRATIQUES : **se diriger**

**A destra, a sinistra...** *à droite, à gauche...*

• Pour vous repérer et demander votre chemin :

| | | |
|---|---|---|
| **il mercato** | [mer**ka**to] | *le marché* |
| **il museo** | [mou**zè**o] | *le musée* |
| **il ristorante** | [risto**ra-n**té] | *le restaurant* |
| **la piazza** | [**piat**tsa] | *la place* |
| **la stazione** | [sta**tsio**ne] | *la gare* |

• Pour situer dans l'espace et dans le temps :

| | | |
|---|---|---|
| **dove?** | [**do**vé] | *où?* |
| **avanti** | [a**va-n**ti] | *tout droit* |
| **diritto** | [di**rit**to] | *tout droit* |
| **lì, là** | [**li, la**] | *la-bas* |
| **qui, qua** | [**koui, koua**] | *ici* |
| **lontano** | [lo-n**ta**no] | *loin* |

• Quelques termes de courtoisie :

| | | |
|---|---|---|
| **grazie** | [**gra**tsié] | *merci* |
| **prego** | [**prè**go] | *je vous en prie* |
| **(mi) scusi** | [**skou**zi] | *s'il vous plaît, excusez-moi* |
| **scusa(mi)** | [**skou**zami] | *excuse-moi.* |

# 5 Sei libera stasera?

## A 1 PRÉSENTATION

- Présent de l'indicatif du verbe **essere**, *être*, au singulier :

| | | | |
|---|---|---|---|
| **io** | **sono** | *je* | *suis* |
| **tu** | **sei** | *tu* | *es* |
| **lui, esso** / **lei, essa** | **è** | *il* / *elle* | *est* |

- Le pronom personnel sujet **(io, tu, lui, esso, lei, essa)** peut être omis. Il n'est pas obligatoire comme en français.

Ex. : **Sono italiano** *Je suis italien.*

| | | |
|---|---|---|
| **ingegnere** | [indjé**gné**ré] | *ingénieur* |
| **Graziella** | [gra**tsiel**la] | *Graziella* |
| **Bologna** | [bo**lo**gna] | *Bologne* |
| **fortunato** | [fortu**na**to] | *chanceux* |
| **siciliano** | [sitchi**lia**no] | *sicilien* |
| **libero** | [**li**béro] | *libre* |
| **scusa** | [**skou**za] | *excuse-moi (dis-moi)* |
| **allora** | [al**lo**ra] | *alors* |
| **stasera** | [sta**sé**ra] | *ce soir* |
| **sera** (f.) | [**sé**ra] | *soir* (m.) |
| **mattina** (f.) | [mat**ti**na] | *matin (m.)* |

## A 2 APPLICATION

1. **Sandro — Sei in vacanza?**
2. **Graziella — Sì, sono in vacanza; e tu?**
3. **Sandro — Anch'io sono in vacanza.**
4. **Graziella — Sei studente?**
5. **Sandro — No, sono ingegnere. E tu, sei studentessa?**
6. **Graziella — Sì, io sono studentessa.**
7. **Sandro — Scusa, sei libera stasera?**
8. **Graziella — Sì, sono libera.**
9. **Sandro — Allora, a stasera. Ciao!**
10. **Graziella — Arrivederci!**

## A 3 REMARQUES

### Grammaire

- Une **phrase emphatique** est celle où l'on insiste sur un des éléments de la phrase pour la mettre en évidence.
Cette emphase est marquée par une certaine intensité en énergie dans l'expression. Si l'insistance porte sur un pronom personnel (**io, tu,** etc.), la présence de celui-ci dans la phrase est indispensable.

Ex. : **E tu, sei italiano?** *Et toi, tu es italien?*
**E lui, è italiano?** *Et lui, il est italien?*

- **Esso, lui** sont des pronoms personnels masculins de la troisième personne du singulier.
**Essa, lei** sont des pronoms personnels féminins de la troisième personne du singulier.
**Lui** et **lei** sont des pronoms personnels qui se rapportent à des personnes; **esso** et **essa** se rapportent aux choses et aux animaux.

- **Scusa** = *excuse-moi* (impératif, 2e personne du singulier). Le sujet est **tu**. On dira **scusa (scusami)** lorsqu'on tutoie l'interlocuteur.

- Les mots accentués sur la dernière syllabe portent un accent écrit et sont invariables au pluriel :

| **la specialità** | **le specialità** |
| --- | --- |
| *la spécialité* | *les spécialités* |

## A 4 TRADUCTION

1. Sandro — Tu es en vacances?
2. Graziella — Oui, je suis en vacances; et toi?
3. Sandro — Moi aussi, je suis en vacances.
4. Graziella — Tu es étudiant?
5. Sandro — Non, je suis ingénieur. Et toi, tu es étudiante?
6. Graziella — Oui, je suis étudiante.
7. Sandro — Excuse-moi, es-tu libre ce soir?
8. Graziella — Oui, je suis libre.
9. Sandro — Alors, à ce soir. Au revoir!
10. Graziella — Au revoir!

# 5 Siete contenti di visitare Roma?

## B 1 PRÉSENTATION

• Présent de l'indicatif du verbe **essere**, *être*, au pluriel :

| | | | |
|---|---|---|---|
| **noi** | **siamo** | *nous* | *sommes* |
| **voi** | **siete** | *vous* | *êtes* |
| **essi, loro** / **esse, loro** | **sono** | *ils* / *elles* | *sont* |

• **Molto** (adverbe) = *beaucoup* (pour **molto** adjectif, voir leçon 3 et en particulier A 3).

| | | |
|---|---|---|
| **il bambino** | [bam**bi**no] | *le petit enfant* |
| **un albergo** | [al**ber**go] | *un hôtel* |
| **la moglie** | [**mo**lié] | *l'épouse* |
| **fine settimana** f. ou m. | [**fi**né setti**ma**na] | *le week-end* |
| **stanco** | [**stan**ko] | *fatigué* |
| **contento** | [kon**ten**to] | *content* |
| **quanto** | [**kouan**to] | *combien* |
| **adesso** | [a**des**so] | *maintenant* |
| **di** | [**di**] | *de* |
| **ma** | [**ma**] | *mais* |
| **ora** | [**o**ra] | *maintenant* |
| **essere in tre** | [**es**séré] | *être trois* |
| **visitare** | [visi**ta**ré] | *visiter* |
| **Roma** | [**ro**ma] | *Rome* |

## B 2 APPLICATION

***(La sera in albergo)***

**1. — Buona sera, signora e signori.**
**2. — Buona sera.**
**3. — Quanti siete?**
**4. — Siamo in tre.**
**5. Mia moglie, il bambino ed io.**
**6. — Per quanto tempo siete qui?**
**7. — Siamo qui per la fine settimana.**
**8. — Siete contenti di visitare Roma?**
**9. — Sì, molto. Siamo felici. Ma adesso siamo stanchi.**

## B 3 REMARQUES

### Prononciation

• Le **c** se prononce [tch] comme dans *Tchad* devant les voyelles **e** et **i**.
Le **c** se prononce [k] comme dans *commune* devant les voyelles **a, o** et **u**.
Le **c** se prononce [k] comme dans *commune* lorsqu'il est suivi d'un **h**.

| Ex. : | stan**co** | [**stan**ko] | (masculin singulier) |
|---|---|---|---|
| | stan**chi** | [**stan**ki] | (masculin pluriel) |
| | stan**che** | [**stan**ké] | (féminin pluriel) |
| | feli**ce** | [fé**li**tché] | (masculin et féminin singulier) |
| | feli**ci** | [fé**li**tchi] | (masculin et féminin pluriel) |

### Grammaire

• **Loro** est un pronom personnel de la troisième personne du pluriel. Il indique aussi bien le genre masculin que le genre féminin. Il est surtout employé dans les formes emphatiques, pour insister.

Ex. : **Loro,** sono stanchi; **io,** non sono stanco.
*Eux, ils sont fatigués; moi, je ne suis pas fatigué.*

• **Quanto** *combien* s'accorde comme **molto**; **quale** *lequel, laquelle* , par contre, suit le modèle des adjectifs du deuxième groupe :

• Ex. : **Quante sono le regioni italiane.** *Combien sont les régions italiennes?*

**Quali sono?** *Quelles sont-elles?*

## B 4 TRADUCTION

*(Le soir à l'hôtel)*

1. — Bonsoir, Madame et Messieurs.
2. — Bonsoir.
3. — Combien êtes-vous?
4. — Nous sommes trois.
5. Ma femme, le petit et moi.
6. — Vous êtes ici pour combien de temps?
7. — Nous sommes ici pour le week-end.
8. — Êtes-vous contents de visiter Rome?
9. — Oui, très. Nous sommes heureux. Mais pour l'instant nous sommes fatigués.

# 5 Exercices

## C 1 EXERCICES

**A. Traduire :**

1. Mio marito è a Bologna per poco tempo.
2. Tu sei fiorentino o bolognese?
3. Scusa, sei libero stasera? Allora, ciao! A stasera!
4. Voi siete qui per le vacanze?

**B. Traduire :**

1. Moi je suis étudiant, et toi?
2. Mon frère n'est pas ici; il n'est pas en vacances.
3. Graziella est florentine; elle en a de la chance!

## C 2 CIVILISATION : **le regioni italiane**

In Italia ci sono 20 regioni. Le regioni italiane sono autonome. Le regioni settentrionali sono ricche. Non sono regioni povere. Sono regioni industrializzate. Sono tutte regioni sviluppate. Non sono sottosviluppate. Anche le regioni centrali sono ricche. Le regioni meridionali non sono sottosviluppate. Sono meno sviluppate. La Lombardia è una regione settentrionale. Anche il Veneto è una regione settentrionale. Il capoluogo è Venezia. La Toscana è una regione centrale. Il capoluogo è Firenze. La Sicilia è un'isola. Anche la Sardegna è un'isola. Sono tutte e due regioni meridionali. La capitale d'Italia è Roma .

**Liste des régions** (suite)

**Lombardia** (11) : Milano, Bergamo, Brescia, Como, Cremona, Lecco, Lodi, Mantova, Pavia, Sondrio, Varese
**Marche** (4) : Ancona, Ascoli Piceno, Macerata, Pesaro-Urbino
**Molise** (2) : Campobasso, Isernia
**Piemonte** (8) : Torino, Alessandria, Asti, Biella, Cuneo, Novara, Verbano-Cusio-Ossòla, Vercelli
**Puglia** (5) : Bari, Foggia, Brindisi, Lecce, Taranto
**Sardegna** (4) : **Cagliari**, Nuoro, Oristano, Sassari
**Sicilia** (9) : Palermo, Agrigento, Caltanisetta, Catania, Enna, Messina, Ragusa, Siracusa, Trapani

## C 3 CORRIGÉ

**A. Traduire :**

1. Mon mari est à Bologne pour peu de temps.
2. Toi, tu es florentin ou bolognais?
3. Excusc-moi, es tu libre ce soir? Alors, au revoir! A ce soir.
4. Vous, vous êtes ici pour les vacances?

**B. Traduire :**

1. Io sono studente, e tu?
2. Mio fratello non è qui; non è in vacanza.
3. Graziella è fiorentina; è fortunata!

## C 4 CIVILISATION : *les régions italiennes*

*En Italie il y a 20 régions. Les régions italiennes sont autonomes. Les régions du Nord sont riches. Ce ne sont pas des régions pauvres. Ce sont des régions industrialisées. Elles sont toutes des régions développées. Elles ne sont pas sous-développées. Même les régions centrales sont riches. Les régions méridionales ne sont pas sous-développées. Elles sont moins développées. La Lombardie est une région du Nord. La Vénétie aussi est une région du Nord. Le chef-lieu est Venise. La Toscane est une région centrale. Le chef-lieu est Florence. La Sicile est une île. La Sardaigne aussi est une île. Elles sont toutes les deux des régions méridionales. La capitale de l'Italie est Rome.*

**Liste des régions** (suite et fin)

**Toscana** (10) : Firenze, Arezzo, Pisa, Pistoia, Lucca, Livorno, Siena, Grosseto, Prato, Massa Carrara
**Trentino-Alto Adige** (2) : Trento, Bolzano
**Umbria** (2) : Perugia, Terni
**Valle d'Aosta** (1) : Aosta
**Veneto** (7) : Venezia, Belluno, Padova, Rovigo, Treviso, Verona, Vicenza

## 5 Dialogues et culture

### D 1 I giorni della settimana

**1. Maestro : Quanti sono i giorni della settimana?**
**2. Pierino : I giorni della settimana sono sette.**
**3. Maestro : Quali sono?**
**4. Pierino : I giorni della settimana sono : lunedì, martedì, mercoledì, giovedì, venerdì, sabato e domenica.**
**5. Maestro : Che giorno è oggi?**
**6. Pierino : Oggi è domenica.**
**7. Maestro : E' un giorno feriale?**
**8. Pierino : No, non è un giorno feriale. E' un giorno festivo.**

### D 2 VOCABULAIRE

| **I giorni della settimana** | | *Les jours de la semaine* |
|---|---|---|
| **lunedì** | [lounédi] | *lundi* |
| **martedì** | [martédi] | *mardi* |
| **mercoledì** | merkolédi] | *mercredi* |
| **giovedì** | [djovédi] | *jeudi* |
| **venerdì** | [vénerdi] | *vendredi* |
| **sabato** | [sabato] | *samedi* |
| **domenica** | [doménika] | *dimanche* |

**Les racines de notre civilisation**

On remarquera que l'ensemble des jours de la semaine, aussi bien en français qu'en italien, constituent une synthèse des religions greco-judéo-chrétiennes :

les cinq premiers jours sont « consacrés » aux divinités de la mythologie grecque :

| | | | |
|---|---|---|---|
| lune**dì** | = | **giorno della luna** | *jour de la lune* , |
| marte**dì** | = | **giorno di Marte** | *jour de Mars* , |
| mercole**dì** | = | **giorno di Mercurio** | *jour de Mercure,* |
| giove**dì** | = | **giorno di Giove** | *jour de Jupiter* |
| vener**dì** | = | **giorno di Venere** | *jour de Venus*; |

— le sixième — **il sabato** *le samedi* — rappelle le « schabbat » juif, « le jour de repos » (correspondant au dimanche des Chrétiens et au vendredi des Musulmans);

— le septième — **la domenica** *le dimanche* — est un hommage à la civilisation chrétienne : do**me**nica = du latin « do**me**nica **di**es » (jour du Seigneur).

Etonnant raccourci de nos racines et de notre civilisation et, donc, de notre culture gréco-romano-judéo-chrétienne!

## 5 Dialogue et vie pratique

### D 3 Les jours de la semaine

1. Maître : Combien sont les jours de la semaine?
2. Pierrot : Les jours de la semaine sont sept.
3. Maître : Quels sont-ils?
4. Pierrot : Les jours de la semaine sont : lundi, mardi, mercredi, jeudi, vendredi, samedi, dimanche.
5. Maître : Quel jour est-ce aujourd'hui?
6. Pierrot : Aujourd'hui, c'est dimanche.
7. Maître : Est-ce un jour de travail / ouvrable?
8. Pierrot : Non, ce n'est pas un jour ouvrable. C'est un jour férié.

### D 4 VIE PRATIQUE : **les chiffres**

| **I numeri cardinali** | | *Les nombres cardinaux* |
|---|---|---|
| **uno** | [**ou**no] | *un* |
| **due** | [**dou**é ] | *deux* |
| **tre** | [**tré**] | *trois* |
| **quattro** | [**kouat**tro] | *quatre* |
| **cinque** | [**tchi-n**koué ] | *cinq* |
| **sei** | [**sèi**] | *six* |
| **sette** | [**set**té ] | *sept* |
| **otto** | [**ot**to] | *huit* |
| **nove** | [**no**vé] | *neuf* |
| **dieci** | [**diè**tchi] | *dix* |
| **undici** | [**oun**ditchi] | *onze* |
| **dodici** | [**do**ditchi] | *douze* |
| **tredici** | [**tré**ditchi] | *treize* |
| **quattordici** | [kouat**tor**ditchi] | *quatorze* |
| **quindici** | [**koui-n**ditchi] | *quinze* |
| **sedici** | [**sé**ditchi] | *seize* |
| **diciassette** | [ditchas**set**té] | *dix-sept* |
| **diciotto** | [di**tchot**to] | *dix-huit* |
| **diciannove** | [ditchan**no**vé] | *dix-neuf* |
| **venti** | [**vé-n**ti] | *vingt* |

Retenez les expressions suivantes :

— **tutti e due, tutti e tre**... *tous les deux, tous les trois...*
— **in quattro e quattro otto** *en un tour de main / En moins de deux.*

## 6 Scusi, ha un documento (di riconoscimento)?

### A 1 PRÉSENTATION

- Indicatif présent de l'auxiliaire **avere**, *avoir*, au singulier :

| | | | | |
|---|---|---|---|---|
| **io** | | **ho** | *j'* | *ai* |
| **tu** | | **hai** | *tu* | *as* |
| **lui, esso** / **lei, essa** | **Lei** | **ha** | *il* / *elle* | *a* |

- **Lei** est le pronom sujet de politesse. Il s'écrit avec un **L** majuscule. Il correspond à *vous*.

Ex. : **Lei è italiano?** *Vous êtes italien?*

Il est suivi du verbe à la troisième personne du singulier.

| | |
|---|---|
| **l'aeroporto** | *l'aéroport* |
| **Leonardo da Vinci** | *Léonard de Vinci* |
| **il documento (di riconoscimento)** | *la pièce d'identité* |
| **il passaporto** | *le passeport* |
| **il doganiere** | *le douanier* |
| **la patente** | *le permis de conduire* |
| **l'origine** | *l'origine* |
| **il passeggero** | *le passager* |
| **i franchi, la lira** | *les francs, la lire* |
| **eppure** | *et pourtant* |

### A 2 APPLICATION

***(Aeroporto Leonardo da Vinci, Roma : un doganiere, un passeggero.)***

1. — **Scusi, ha un documento di riconoscimento?**
2. — **Sì, ho il passaporto e la patente.**
3. — **Il passaporto, per favore... Ma Lei è italiano!**
4. — **No, non sono italiano, sono francese.**
5. — **Eppure ha un cognome italiano!**
6. — **Sono di origine italiana.**
7. — **Ha molti franchi?**
8. — **No, ho pochi franchi.**
9. — **Quante lire ha?**
10. — **Non ho molte lire.**

## A 3 REMARQUES

### Prononciation

- Le **h** de **ho, hai, ha** n'a pas de valeur phonétique. Par conséquent il faut prononcer ces formes verbales comme s'il n'y avait pas de h : (h) **o**, (h) **ai**, (h) **a**.

### Grammaire

- **Lei** est le pronom sujet de politesse ; il correspond à *vous*. Il est très employé en italien (voir B 3 et C 3).
- Ne pas confondre **Lei** et **lei**.

Le pronom **Lei** (avec un L majuscule) est le pronom de politesse qu'on emploie pour s'adresser aussi bien à un homme qu'à une femme.
Par contre le pronom **lei** (avec un l minuscule) est un pronom sujet féminin qu'on peut employer pour remplacer un nom féminin.

| | | |
|---|---|---|
| **Lei è italiano** | *Vous êtes italien* | (**Lei** est ici la personne à laquelle on s'adresse, homme ou femme.) |
| **Lei è italiana** | *Vous êtes italienne* | |
| **lei è italiana** | *Elle est italienne* | (**lei** est ici une personne différente de celle à laquelle on s'adresse) |
| • **Scusi, mi scusi** | *Excusez-moi* | (on l'emploie avec le pronom de politesse) |

## A 4 TRADUCTION

*(Aéroport Léonard de Vinci, Rome : un douanier, un passager.)*

1. — Pardon, avez-vous une pièce d'identité?
2. — Oui, j'ai mon passeport et mon permis de conduire.
3. — Votre passeport, s'il vous plaît... Mais vous êtes italien!
4. — Non, je ne suis pas italien, je suis français.
5. — Et pourtant, vous avez un nom italien.
6. — Je suis d'origine italienne.
7. — Avez-vous beaucoup de francs?
8. — Non, j'ai peu de francs.
9. — Combien de lires avez-vous?
10. — Je n'ai pas beaucoup de lires.

## 6 Scusate, c'è un posto libero?

### B 1 PRÉSENTATION

■ Présent de l'indicatif du verbe **avere**, au pluriel :

| | | | |
|---|---|---|---|
| **noi** | **abbiamo** | *nous* | *avons* |
| **voi** | **avete** | *vous* | *avez* |
| **essi** / **loro Loro** / **esse** | **hanno** | *ils* / *elles* | *ont* |

• **Perché :** *pourquoi* et *parce que.*

| | |
|---|---|
| **la riduzione** | *la réduction* |
| **il controllore** | *le contrôleur* |
| **il posto** | *la place* |
| **il biglietto** | *le billet* |
| **avere diritto** | *avoir droit* |
| **grave** | *grave* |
| **prenotato** | *réservé, loué* |
| **essere in pensione** | *être à la retraite* |
| **essere pensionato** | *être retraité* |
| **anziano** | *âgé; personne âgée* |
| **trenta per cento** | *trente pour cent* |

### B 2 APPLICATION

***(Una signora anziana e un controllore.)***

**1. — Scusate, c'è un posto libero?**
**2. — Sì, signora, qui.**
**3. — Quanti posti ci sono?**
**4. — Ci sono due posti non prenotati.**
**5. — Voi siete il controllore?**
**6. — Sì, signora. Perché?**
**7. — Non ho il biglietto.**
**8. — Non è grave. E' in pensione?**
**9. — Sì, sono pensionata.**
**10. — Allora ha diritto a una riduzione.**
**11. — Quanto?**
**12. — Trenta per cento.**

## B 3 REMARQUES

### Prononciation

- Le **h** de **hanno** ne se prononce pas (voir A 3).

### Grammaire

- Le pluriel de **Lei**, pronom de politesse, est **Loro**. Entre **Loro** et **loro** il y a les mêmes différences qu'entre **Lei** et **lei** avec également la même particularité que **loro** est à la fois masculin et féminin, comme le pronom de politesse.

- Le pronom **tu** exprime la familiarité, l'amitié, le rapprochement, l'intimité, l'égalité dans les rapports entre les interlocuteurs.
Le pronom **voi** est d'abord le pluriel de **tu**. Toutefois il peut, dans certains cas, avoir le même usage que **Lei**, pronom de politesse (lettres commerciales, zones rurales, quelques personnes âgées. Voir C 2, C 4. Il reste que le **Lei** l'emporte sur le **voi**. Employez donc le couple **tu — Lei** suivant la qualité de vos rapports avec votre interlocuteur.

- **Perché** signifie aussi bien *pourquoi* que *parce que.*

| | |
|---|---|
| **— Perché non sei contento?** | *Pourquoi n'es-tu pas content?* |
| **— Perché non ho il biglietto.** | *Parce que je n'ai pas de billet.* |

## B 4 TRADUCTION

*(Une dame âgée et un contrôleur.)*

1. — Pardon, y a-t-il une place libre?
2. — Oui, madame, ici.
3. — Combien y a-t-il de places?
4. — Il y a deux places non réservées.
5. — Vous êtes le contrôleur?
6. — Oui, madame. Pourquoi?
7. — Je n'ai pas mon (de) billet.
8. — Ce n'est pas grave. Vous êtes à la retraite?
9. — Oui, je suis retraitée.
10. — Alors, vous avez droit à une réduction.
11. — De combien?
12. — De trente pour cent.

# Exercices

## C 1 EXERCICES

**A. Traduire :**

1. Ce nom est d'origine italienne. Ce prénom aussi.
2. A propos, combien de francs français avez-vous?
3. Pourquoi ai-je droit à une réduction?
4. Parce que vous êtes retraité. Vous avez droit à une belle réduction.
5. Cette personne âgée a une place réservée.

**B. Traduire :**

1. Lei ha la patente? — Sì. Ecco.
2. Scusi, c'è una banca? — Là, dopo l'uscita.
3. Dove sono i biglietti?
4. Perché non hai i biglietti?
5. Qui, c'è un posto prenotato.

**C. Changer de personne :** tu → Lei ou Lei → tu

1. Lei ha un documento?
2. Hai diritto a una riduzione.
3. Scusi, Lei ha denaro italiano?
4. Quante lire hai?

## C 2 CIVILISATION ET VIE PRATIQUE

• Emploi de **voi** et de **Lei**

En Italie il y deux, voire trois formes de politesse :
**Lei**, la forme de politesse la plus courante. Elle date du XV^e siècle et s'est imposée sous l'influence espagnole. Sous le fascisme (1922 — 1943), elle a été considérée comme une forme non « virile » (**Lei**, en effet, est à l'origine un pronom personnel féminin!) et pas tout à fait......digne d'être employée par les descendants des......Romains! La forme conseillée était « voi ».
**Voi** est employé dans les régions rurales, dans la correspondance commerciale et administrative, par des personnes âgées ou par des personnes qui n'ont pas fait beaucoup d'études et dans certaines familles où les enfants « vouvoient » les parents.

## C 3 CORRIGÉ

**A. Traduire :**

1. Questo cognome è di origine italiana. Anche questo nome.
2. A proposito, quanti franchi francesi ha?
3. Perché ho diritto a una riduzione?
4. Perché Lei è in pensione (pensionato). Lei ha diritto a una bella riduzione.
5. Questo anziano ha un posto prenotato.

**B. Traduire :**

1. Vous avez votre permis? — Oui, voici.
2. Excusez-moi, y a-t-il une banque? — Là, après la sortie.
3. Où sont les billets?
4. Pourquoi n'as-tu pas de (= les, tes) billets?
5. Ici, il y a une place réservée.

**C. Changer de personne :** tu → Lei, Lei → tu

1. Tu hai un documento?
2. Ha diritto a una riduzione.
3. Scusa, tu hai denaro italiano?
4. Quante lire ha?

## C 4 CIVILISATION ET VIE PRATIQUE

- Emploi de **voi** et de **Lei** *(suite)*

Il y a, enfin, **Ella**, dont l'emploi est très formel, comme, par exemple, lorsqu'on s'adresse au Président de la République Italienne, au Pape etc...
Au pluriel tout est beaucoup plus simple, car dans 97 % des cas on utilise **voi,** aussi bien lorsque, au singulier, on tutoie, que dans les cas où l'on utilise **Lei** ou **voi**.
La forme de politesse **Loro** est très formelle et, donc, rare. Par contre, elle est couramment utilisée au... restaurant!
(singulier) **Che cosa ordina / beve?**
*Que commandez-vous / buvez-vous?*
(pluriel) **Che cosa ordinano / bevono?**
*Que commandez-vous / buvez-vous?*

**Expressions idiomatiques**
— **Sbagliando, s'impara.** *C'est en forgeant qu'on devient forgeron. (En se trompant, on apprend)*
— **A buon intenditore, poche parole!** *A bon entendeur, salut!*

# 6 Dialogues et civilisation

## D 1 E Pierino, come sta?

1. **Professore : Come state, ragazzi? State bene, oggi?**
2. **Alunni : Sì, professore, stiamo bene.**
3. **Professore : Avete il libro d'italiano?**
4. **Alunni : Sì, professore, ecco.**
5. **Professore : E Pierino, come sta? Sta meglio oggi?**
6. **Pierino : Sì, professore, oggi sto meglio. Sono contento di non essere più malato. Oggi è il mio compleanno.**
7. **Professore : Auguri, Pierino! Quanti anni hai?**
8. **Pierino : Ho quindici anni.**
9. **Professore : Buon compleanno!**
10. **Pierino : Grazie.**

## D 2 CIVILISATION : **les régions**

Voici le nom des habitants de chaque *région*, **regione**, de ses *habitants*, **abitanti**, et de son *chef-lieu*, **capoluogo**.

| | Regione | abitanti | capoluogo |
|---|---|---|---|
| 1. | Abruzzo | abruzzese | L'Aquila |
| 2. | Basilicata | lucano | Potenza |
| 3. | Calabria | calabrese | Catanzaro |
| 4. | Campania | campano | Napoli |
| 5. | Emilia-Romagna | emiliano romagnolo | Bologna |
| 6. | Friuli-Venezia Giulia | friulano giuliano | Trieste |
| 7. | Lazio | laziale | Roma |
| 8. | Liguria | ligure | Genova |
| 9. | Lombardia | lombardo | Milano |
| 10. | Marche | marchigiano | Ancona |
| 11. | Molise | molisano | Campobasso |
| 12. | Piemonte | piemontese | Torino |
| 13. | Puglia | pugliese | Bari |
| 14. | Sardegna | sardo | Cagliari |
| 15. | Sicilia | siciliano | Palermo |
| 16. | Toscana | toscano | Firenze |
| 17. | Trentino-AltoAdige | trentino altoatesino | Trento |
| 18. | Umbria | umbro | Perugia |
| 19. | Valle d'Aosta | valdostano | Aosta |
| 20. | Veneto | veneto | Venezia |

## D 3 Comment va Pierrot?

1. Professeur : Comment allez-vous, les enfants? Vous allez bien, aujourd'hui?
2. Elèves : Oui, monsieur, ça va bien.
3. Professeur : Est-ce que vous avez votre livre d'italien?
4. Elèves : Oui, monsieur. Le voici.
5. Professeur : Et Pierrot, comment va-t-il? Il va mieux aujourd'hui?
6. Pierrot : Oui, monsieur, aujourd'hui je vais mieux. Je suis content de ne plus être malade. Aujourd'hui c'est mon anniversaire.
7. Professeur : Tous mes vœux, Pierrot! Quel âge as-tu?
8. Pierrot : J'ai quinze ans.
9. Professeur : Bon anniversaire!
10. Pierrot : Merci.

## D 4 INFORMATIONS PRATIQUES : **se présenter**

**Formule di cortesia e di presentazione** *Formules de politesse et de présentation :*

- Lorsque vous rencontrez quelqu'un, vous lui demanderez :

**Come sta?** *Comment allez-vous?*
**Come stai?** *Comment vas-tu?*
Avec la première on vouvoie; avec la seconde on tutoie.

- Il y a différentes façons de répondre :

**Bene, grazie e Lei?** *Bien, merci et vous?*
**Bene, grazie e tu?** *Bien, merci et toi?*

- Il est possible, bien entendu, de nuancer les réponses. En voici quelques-unes, correspondant à vos différents états d'âmes :

| | |
|---|---|
| **Benissimo, grazie e Lei?** | *Très bien, merci et vous?* |
| **Molto bene, grazie e Lei?** | *Très bien, merci et vous?* |
| **Assai bene, grazie e Lei?** | *Très bien, merci et vous?* |
| **Benone** | *Très bien.* |
| **Bene, grazie e Lei?** | *Bien, merci et vous?* |
| **Abbastanza bene** | *Assez bien* |
| **Benino** | *Assez bien.* |
| **Così, così** | *Comme ci, comme çà* |
| **Non c'è male** | *Pas mal* |

# 7 Quanti ne abbiamo oggi?

## A 1 PRÉSENTATION

- Voici quelques expressions temporelles :

| | |
|---|---|
| **quanti anni hai?** | *quel âge as-tu* |
| **quanti ne abbiamo oggi?** | *le combien sommes-nous aujourd'hui?* |
| **in che mese siamo?** | *(en) quel mois sommes-nous?* |

| | |
|---|---|
| **il compleanno** | *l'anniversaire* |
| **un anno** | *un an, une année* |
| **il mese** | *le mois* |
| **febbraio** | *février* |
| **aprile** | *avril* |
| **mio** | *mon* |
| **dunque** | *donc* |
| **quasi** | *presque* |
| **meno** | *moins* |

**i mesi dell'anno** — *les mois de l'année*

| | | | |
|---|---|---|---|
| **gennaio** | *janvier* | **luglio** | *juillet* |
| **febbraio** | *février* | **agosto** | *août* |
| **marzo** | *mars* | **settembre** | *septembre* |
| **aprile** | *avril* | **ottobre** | *octobre* |
| **maggio** | *mai* | **novembre** | *novembre* |
| **giugno** | *juin* | **dicembre** | *décembre* |

## A 2 APPLICATION

1. — **Quanti anni hai?**
2. — **Ho sedici anni e dieci mesi.**
3. — **Dunque hai quasi diciassette anni.**
4. — **Sì. Quanti ne abbiamo oggi?**
5. — **Ne abbiamo tredici.**
6. — **In che mese siamo?**
7. — **Adesso siamo in febbraio.**
8. — **Il quattordici aprile è il mio compleanno.**
9. — **Dunque oggi hai diciassette anni meno due mesi.**

# Le combien sommes-nous aujourd'hui?

## A 3 REMARQUES

### ■ Grammaire

• Le **ne** de l'expression **quanti ne abbiamo oggi** est un pronom qui signifie *en.* La traduction, mot à mot, de cette expression serait :

*combien en avons-nous aujourd'hui?*

**Ne** représentant *jours,* la traduction complète serait :

*combien avons-nous de jours aujourd'hui?*

• L'adjectif possessif **mio** exige d'être précédé de l'article dans la plupart des cas (voir leçon 17, A 3).

• **Quanto?** est un adjectif ou pronom interrogatif. Il traduit le français *combien? Il s'accorde comme un adjectif du premier groupe (***bello, buono,** etc.).

| Ex. : | | |
|---|---|---|
| | **quanti anni hai?** | *combien d'années as-tu?* *(quel âge as-tu?)* |
| | **quante persone ci sono?** | *combien de personnes y a-t-il?* (voir leçon 10, A 3) |

• **Che?** est un adjectif interrogatif invariable (voir B 3).

• Pour remercier, on dit :

| | |
|---|---|
| **grazie** | *merci,* |
| **grazie mille/grazie infinite** | *merci infiniment,* |
| **grazie molte** | *merci beaucoup* |

• Pour répondre aux remerciements, on dit :

| | |
|---|---|
| **prego** | *je vous en prie,* |
| **non c'è di che** | *il n'y a pas de quoi* |

## A 4 TRADUCTION

1. — Quel âge as-tu ?
2. — J'ai seize ans et dix mois.
3. — Donc tu as presque dix-sept ans.
4. — Oui. Le combien sommes-nous aujourd'hui ?
5. — Nous sommes le treize.
6. — (En) quel mois sommes-nous?
7. — Maintenant nous sommes en février.
8. — Le quatorze avril c'est mon anniversaire.
9. — Donc aujourd'hui tu as dix-sept ans moins deux mois.

## 7 Scusi, che ore sono?

### B 1 PRÉSENTATION

- Voici une autre expression temporelle :

**che ora è?**
**che ore sono?** } *quelle heure est-il?*

| | |
|---|---|
| **la banca** | *la banque* |
| **il pomeriggio** | *l'après-midi* |
| **Via Dante, 5** | *5, rue Dante* |
| **aperto** | *ouvert* |
| **a sinistra** | *à gauche* |
| **certo** | *certain* |
| **certamente** | *certainement* |
| **fino a** | *jusqu'à* |
| **dove** | *où* |
| **dov'è?** | *où est? où se trouve?* |
| **qui vicino** | *près d'ici* |
| **lontano** | *loin* |
| **lì** | *là-bas* |
| **il passante** | *le passant* |

### B 2 APPLICATION

1. **Turista — Scusi, che ore sono?**
2. **Passante — Sono le dieci meno un quarto.**
3. **Turista — La banca è aperta oggi?**
4. **Passante — Certamente, signore.**
5. **Turista — Fino a che ora è aperta?**
6. **Passante — Fino a mezzogiorno.**
7. **Turista — E il pomeriggio?**
8. **Passante — Fino alle diciassette.**
9. **Turista — Dov'è? E' lontana?**
10. **Passante — No, è qui vicino. E' in via Dante, 5, lì, a sinistra.**
11. **Turista — Grazie mille.**

## B 3 REMARQUES

### Grammaire

• **Che?** est un adjectif interrogatif invariable. Il est l'équivalent de **quale?** (*quel?, quelle?,* etc.).

Ex. : **che giorno è oggi?** — *quel jour est-ce aujourd'hui?*
**che ora è?** — *quelle heure est-il?*

**Che?** est plus employé que **quale?** comme adjectif.

• Pour demander l'heure il y a deux manières :

a) **che ora è?**
b) **che ore sono?**

Pour répondre on met toujours l'article et le verbe au pluriel sauf pour indiquer qu'il est une heure, midi ou minuit, car en italien le mot **ora** ou **ore** est sous-entendu :

Ex. : **sono le (ore) cinque** — *il est cinq heures.*
**è l'(ora) una** — *il est une heure.*

• Dans les adresses, le numéro suit l'indication du nom de la rue :

Ex. : **Via Dante, 5** — *5, rue Dante*
**Via Manzoni, 14** — *14, rue Manzoni*

• **A + le = alle** (voir leçon 18, B 3)

## B 4 TRADUCTION

1. Touriste — Pardon, quelle heure est-il?
2. Passant — Il est dix heures moins le quart.
3. Touriste — La banque est-elle ouverte aujourd'hui ?
4. Passant — Certainement, monsieur.
5. Touriste — Jusqu'à quelle heure est-elle ouverte ?
6. Passant — Jusqu'à midi.
7. Touriste — Et l'après-midi ?
8. Passant — Jusqu'à dix-sept heures.
9. Touriste — Où est-elle ? Est-elle loin ?
10. Passant — Non, elle est près d'ici. Elle est au 5, rue Dante, là-bas à gauche.
11. Touriste — Merci beaucoup.

## 7 Exercices

### C 1 EXERCICES

**A. Traduire :**

1. Quel âge as-tu?
2. J'ai dix-sept ans.
3. Le combien sommes-nous?
4. Nous sommes le seize ; donc la banque est ouverte.

**B. Poser la question qui convient :**

1. Sono le tredici.
2. La banca è qui vicino, a destra.
3. No, non è lontana.
4. E' aperta fino alle dodici.
5. Oggi ne abbiamo tre.

### C 2 REMARQUES : **l'accent**

Il y a trois catégories de mots italiens :
— **le parole tronche** *les mots tronqués :* l'accent est sur la *dernière syllabe* **ultima sillaba** (ces mots ont perdu une syllabe; c'est pour cette raison qu'on les appelle « tronqués »; en fait, autrefois ils appartenaient à la catégorie suivante) :
la specialit**à** , de « specialita(te) »; la libert**à**, de « liberta(te) »;
— **le parole piane** *les mots plats* : l'accent est sur *l'avant-dernière syllabe* **penultima sillaba** (la plupart des mots italiens appartiennent à cette catégorie) :
il docu**ment**o, la pa**ten**te, il **tre**no, ve**lo**ce;
— **le parole sdrucciole** *les mots « glissants »* : l'accent est sur *l'antépénultième syllabe* **terzultima sillaba** : lo **scio**pero, **quin**dici, **se**dici, **ra**pido, **Na**poli, **Pa**dova.

## C 3 CORRIGÉ

**A. Traduire :**

1. Quanti anni hai?
2. Ho diciassette anni.
3. Quanti ne abbiamo?
4. Ne abbiamo sedici ; dunque la banca è aperta.

**B. Poser la question qui convient :**

1. Che ore sono?
2. Dov'è la banca?
3. E' lontana?
4. Fino a che ora è aperta?
5. Quanti ne abbiamo oggi?

## C 4 REMARQUES : **l'accent** *(suite)*

Tout cela peut vous paraître du « charabia »; en fait, c'est très utile pour apprendre à bien accentuer un mot. Donc, sachez (mais vous commencez déjà à le savoir) qu'en italien l'accent ne doit pas être placé systématiquement sur la dernière syllabe! Ecoutez bien l'enregistrement (si, bien entendu, vous l'avez) et faites attention à la place de l'accent!
Toutefois, si d'un côté vous devez prononcer avec plus de force les syllabes accentuées, vous ne devez pas pour autant vous arrêter sur chaque mot! Car il faut bien faire attention à dégager aussi le rythme de la phrase et l'intonation. Aussi, pour la phrase suivante :
**C'è un buon ristorante qui vicino?** *Y a-t-il un bon restaurant près d'ici?*
ne dites pas **tch'è** / **ou-n** / **bouo-n** / risto**ra-n**té / **koui** / vit**chi**no?
mais : **tch'è** / ou-n bouo-n risto**ra-n**té / koui vit**chi**no?
ou, mieux encore : tch'è ou-n bouo-n risto**ra-n**té / koui vit**chi**no?

## 7 Dialogues et vie pratique : la lire

### D 1 E' aperta la banca?

**(un turista e un cameriere)**

1. **Turista : Un cappuccino, per favore.**
2. **Cameriere : Tenga.**
3. **Turista : Quant' è?**
4. **Cameriere : Milletrecento lire.**
5. **Turista : Ecco diecimila lire.**
6. **Cameriere : Non ha spiccioli?**
7. **Turista : No, mi dispiace; ho solo questo biglietto e... franchi francesi. A proposito, domani la banca è aperta?**
8. **Cameriere : Il sabato non tutte le banche sono aperte. Ma qui vicino, a sinistra, c'è una banca sempre aperta; anche il sabato. E il cambio è buono.**
9. **Turista : Grazie.**
10. **Cameriere : Prego!**

### D 2 CIVILISATION ET INFORMATIONS PRATIQUES

**La lira italiana** *la lire italienne*

La **lira** lire est l'unité monétaire italienne (mais aussi de l'Etat du Vatican et de la République de Saint-Marin). Elle a été utilisée dans différents Etats italiens, Venise (1472), Milan (1474), Gênes (1498), Florence (1539, Turin (1561) et de la République italienne créée par Napoléon, avant de devenir la monnaie légale du Royame d'Italie, en 1862, un an après l'Unification (1861). La lire a fait à nouveau partie du Système Monétaire Européen fin novembre 1996, lorsque un *franc français* **franco francese** valait à peu près 292 lires et un *mark allemand* **marco tedesco** 990 lires.
L'abréviation de la lire est **LIT** qui signifie : « Lira ITaliana ». Il y a en effet d'autres « lires » :
**la lira sterlina** *livre sterling* , **la lira israeliana** *livre israélienne* , **la lira australiana** *livre australienne* etc...
D'autres **valute europee** *devises européennes* :
**il franco belga** *le franc belge,* **il franco svizzero** *le franc suisse,* **la peseta spagnola** *la peseta espagnole,* **il fiorino olandese** *le florin hollandais* sans oublier bien sûr, **l'euro**, *la monnaie européenne.*

Retenez quelques mots relatifs à la monnaie :

| | |
|---|---|
| **il biglietto, la banconota** | *le billet* |
| **moneta spicciola, spiccioli** | *petite monnaie* |
| **i soldi, il denaro / il danaro** | *les sous* |
| **la valuta** | *la devise* |

## D 3 La banque est-elle ouverte?

(un touriste (T.) et garçon de café (G.)

1. T. : Un « cappuccino », s'il vous plaît!
2. G. : Tenez!
3. T. : C'est combien?
4. G. : Mille trois cent lires.
5. T. : Voilà dix mille lires.
6. G. : Vous n'avez pas de la monnaie?
7. T. : Non, je regrette; je n'ai que ce billet et... des francs français! A propos, demain la banque est-elle ouverte?
8. G. : Le samedi toutes les banques ne sont pas ouvertes. Mais près d'ici, à gauche, il y a une banque toujours ouverte; même le samedi. Et le change est avantageux.
9. T. : Merci.
10. G. : Je vous en prie!

## D 4 INFORMATIONS PRATIQUES : **l'heure**

**L'ora**

Apprenez maintenant à demander l'heure et à comprendre ce que l'on vous répondra.

• Pour demander l'heure, vous pouvez dire indifféremment :

— **Che ora è? / Che ore sono?** *Quelle heure est-il?*

• Pour répondre on met toujours l'article et le verbe au pluriel, sauf pour indiquer qu'*il est une heure, midi* ou *minuit,* car on sous-entend le mot **ora** ou **ore** :

— **Sono le (ore) cinque.** *Il est cinq heures.*
— **E' l'(ora) una.** *Il est une heure.*
— **Sono le due meno un quarto.** *Il est deux heures moins le quart.*
— **Sono le due meno dieci.** *Il est deux heures moins dix.*
— **Sono le tre e dieci.** *Il est trois heures dix.*
— **Sono le nove e un quarto.** *Il est neuf heures un quart.*
— **Sono le otto e mezzo.** *Il est huit heures et demie.*

Par contre, on dira :

— **E' l'una** *Il est une heure*
— **E' mezzogiorno** *Il est midi*
— **E' mezzanotte** *Il est minuit.*

# 8 Lo sciopero è finito

## A 1 PRÉSENTATION

- **Lo** est l'autre forme de l'article défini. Le pluriel est **gli** :
  **lo sciopero** *la grève* **gli scioperi** *les grèves*

| | |
|---|---|
| **lo sportello** | *le guichet* |
| **lo studente** | *l'étudiant* |
| **lo sciopero** [**cho**péro] | *la grève* |
| **lo zero** | *le zéro* |
| **l'ufficio postale** | *le bureau de poste* |
| **la posta** | *la poste* |
| **il telegramma** | *le télégramme* |
| **finito** | *fini* |
| **nazionale** | *national* |
| **a destra** | *à droite* |
| **per la strada** | *dans la rue* |

## A 2 APPLICATION

***(Per la strada : un turista inglese e un passante.)***

**1. Turista — Scusi, dov'è l'ufficio postale?**
**2. Passante — La posta è lì, a destra.**
**3. Turista — Lo sportello « telegrammi » è aperto oggi?**
**4. Passante — Certamente, signore.**
**5. Turista — Ma non c'è lo sciopero nazionale?**
**6. Passante — Lo sciopero è finito.**
**7. Passante — Lo sportello è aperto fino a mezzogiorno.**
**8. Turista — Grazie mille.**

# 8 La grève est finie

## A 3 REMARQUES

• L'article **lo** (pluriel **gli**) s'emploie devant les mots masculins qui commencent :

1. par un **s** suivi d'une consonne (**s** « impur ») :

| | |
|---|---|
| **lo sportello / gli sportelli** | *le guichet / les guichets* |
| **lo studente / gli studenti** | *l'étudiant / les étudiants* |
| **lo sciopero / gli scioperi** | *la grève / les grèves* |

2. par un **z** :

| | |
|---|---|
| **lo zio / gli zii** | *l'oncle / les oncles* |
| **lo zero / gli zeri** | *le zéro / les zéros* |

3. par une voyelle ; mais dans ce cas l'article s'élide, seulement au singulier, (**l'**) :

| | |
|---|---|
| **l' impiegato / gli impiegati** | *l'employé / les employés* |
| **l' indirizzo / gli indirizzi** (m) | *l'adresse / les adresses* |

4. Par **gn**, **ps**, **pn** et **x** :

| | |
|---|---|
| **lo gnocco / gli gnocchi** | *le gnocco / les gnocchi* |
| **lo psicanalista / gli psicanalisti** | *le psychanalyste / les psychanalystes* |
| **lo pneumatico / gli pneumatici** | *le pneu / les pneus* |
| **lo xilofono / gli xilofoni** | *le xylophone / les xylophones* |

**Rappel :** sont soulignées surtout les syllabes ayant l'accent sur l'antépénultième syllabe (**parole sdrucciole**) et celles dont l'accentuation peut poser quelques problèmes.

## A 4 TRADUCTION

*(Dans la rue : un touriste anglais et un passant.)*

1. Touriste — Pardon (s'il vous plaît), où est le bureau de poste?
2. Passant — La poste est là-bas, à droite.
3. Touriste — Le guichet des télégrammes est-il ouvert aujourd'hui?
4. Passant — Certainement, monsieur.
5. Touriste — Mais n'y a-t-il pas grève générale (nationale)?
6. Passant — La grève est finie.
7. Passant — Le guichet est ouvert jusqu'à midi.
8. Touriste — Merci beaucoup.

# 8 E' in vigore l'orario estivo

## B 1 PRÉSENTATION

• L'article **lo** s'élide devant les mots qui commencent par une voyelle :

**l'ufficio postale** *le bureau de poste*
**l'impiegato** *l'employé*
**l'orario estivo** *l'horaire d'été*

**chiuso** *fermé*
**che sbadato!** *quel étourdi!*
**caro** *cher*
**essere in sciopero** *être en grève*
**in vigore** *en vigueur*
**esattamente** *exactement*
**esatto** *exact*
**ma come!** *mais comment!*
**allora** *alors*
**già** *déjà*
**oh!** *oh!*

## B 2 APPLICATION

***(Ufficio postale : un impiegato, una turista.)***

1. **Turista — Perché l'ufficio postale è chiuso? Che ore sono?**
2. **Impiegato — Che ora è? Sono le dodici e cinque.**
3. **Turista — Ma come, sono le undici e dieci! Siete in sciopero?**
4. **Impiegato — No, non siamo in sciopero, ma lo sportello è aperto fino a mezzogiorno.**
5. **Turista — E allora? Non sono neanche le undici e un quarto!**
6. **Impiegato — Cara signora, è già mezzogiorno.**
7. **Impiegato — Sono esattamente le dodici e sette.**
8. **Impiegato — In Italia è in vigore l'orario estivo.**
9. **Turista — Oh! Che sbadata!**

## B 3 REMARQUES

■ Grammaire

• N'oubliez pas de mettre l'article et le verbe au pluriel quand vous indiquez l'heure :

| Ex. : | **sono le tre meno dieci** | *il est trois heures moins dix* |
|---|---|---|
| | **sono le due e un quarto** | *il est deux heures et quart* |
| | **sono le venti e trenta** | *il est vingt heures trente* |
| | **sono le dodici e dieci** | *il est douze heures dix* |

Le verbe et l'article se mettent au singulier dans les cas suivants :

| | |
|---|---|
| **è l'una** | *il est une heure* |
| **è mezzanotte** | *il est minuit* |
| **è mezzogiorno** | *il est midi* |

Mais dans ces trois cas on peut dire aussi :

**sono le tredici**
**sono le ventiquattro**
**sono le dodici**

■ Attention

• Savez-vous que, d'un point de vue astronomique, entre Rome et Paris il y a une différence d'une heure? Si, dans la pratique, il en est autrement, c'est que la France vit toujours avec une heure d'avance sur son heure astronomique; lorsqu'il y a l'heure d'été, il y a pratiquement deux heures d'avance.

## B 4 TRADUCTION

*(Bureau de poste : un employé, une touriste.)*

1. Touriste — Pourquoi le bureau de poste est-il fermé? Quelle heure est-il?
2. Employé — Quelle heure est-il? Il est midi cinq.
3. Touriste — Mais comment, il est onze heures dix! Vous êtes en grève?
4. Employé — Non, nous ne sommes pas en grève, mais le guichet est ouvert jusqu'à midi.
5. Touriste — Et alors? Il n'est même pas onze heures et quart!
6. Employé — Chère madame, il est déjà midi.
7. Employé — Il est exactement midi sept.
8. Employé — En Italie, c'est l'heure d'été qui est en vigueur.
9. Touriste — Oh! Quelle étourdie!

## 8 Exercices

### C 1 EXERCICES

**A. Répondre à la question :** Che ora è? Che ore sono? :

— 4 h 05, 5 h 10, 1 h 15,
— 10 h moins le quart, 8 h moins 7.

**B. Traduire :**

1. Où est le guichet des télégrammes, s'il vous plaît?
2. Les guichets ne sont pas ouverts aujourd'hui.
3. Et pourquoi?
4. Parce que les employés sont en grève.

**C. Traduire :**

1. Scusi, qui non c'è un impiegato?
2. Perché questo sportello è chiuso?
3. Perché oggi c'è lo sciopero.
4. C'è un ufficio postale in questa strada, per favore?

### C 2 INFORMATIONS PRATIQUES

• Si vous avez à souffrir du mauvais fonctionnement d'un service postal, ou autre, vous pouvez toujours :

1. Vous plaindre, en disant :
— **Povero me!** *Pauvre de moi!* **Mamma mia!** *Mon Dieu!* **Dio mio!** *Mon Dieu!* **Che barba! Uffa!** *Quelle barbe! Oh la, la!*
2. Vous résigner, en disant :
— **Pazienza!** *Tant pis!*
3. Regretter, en disant :
— **Peccato!** *Dommage!*
4. Exprimer votre surprise, en disant :
— **Possibile?** [possibilé] *Est-ce possible?* **E' incredibile!** [inkrédibilé] *C'est incroyable!* **Davvero?** *Vraiment?*

## C 3 CORRIGÉ

**A. Répondre à la question :** Che ora è? Che ore sono? :
— sono le quattro e cinque, sono le cinque e dieci, è l'una e un quarto,
— sono le dieci meno un quarto, sono le otto meno sette.

**B. Traduire :**
1. Dov'è lo sportello « telegrammi », per favore?
2. Gli sportelli non sono aperti oggi.
3. E perché?
4. Perché gli impiegati sono in sciopero.

**C. Traduire :**
1. Pardon, il n'y a pas d'employé ici?
2. Pourquoi ce guichet est-il fermé?
3. Parce que aujourd'hui il y a grève.
4. Y a-t-il un bureau de poste dans cette rue, s'il vous plaît?

## C 4 CIVILISATION : la Befana

Le 6 janvier c'est la fête de l'Epiphanie, c'est même « l'Epiphanie ». En effet, le mot **befana** est une déformation de **epifania** *épiphanie.* Et puisque le jour de l'Epiphanie, dans la tradition chrétienne, on célèbre la fête des « Roi Mages » qui portent des *cadeaux* **regali** à l'enfant Jésus, avec le temps on a créé la tradition de donner des cadeaux aux enfants (bien avant que le *Père Noël* **Babbo Natale** n'arrive).
On a... inventé, ainsi, un « personnage », la Befana, justement —, qui est représenté comme *une vieille sorcière* **una vecchia strega** chevauchant un balai et qui est censée porter des cadeaux aux enfants, la nuit, entre le 5 et le 6 janvier, en descendant par la cheminée de la maison et en les déposant dans une chaussette que les enfants auront accrochée au pied du lit. Les enfants qui ne sont pas sages ne reçoivent que du *charbon* **carbone.**
La **befana** signifie, donc, aujourd'hui deux choses : l'épiphanie (la fête de l'épiphanie) et la sorcière.
Les enfant italiens sont *choyés* **coccolati**, car ils reçoivent des cadeaux aussi bien le jour de la « befana », que le 1er janvier (**la strenna** *les étrennes)*, mais également à *Noël* **Natale** (**Babbo Natale**) et le 6 décembre (dans quelques régions du Nord), le jour de la Saint-Nicolas.

# 8 Dialogues et vie pratique : fêtes

## D 1 I giorni festivi

1. **Mara : Quanti sono i giorni festivi in Italia?**
2. **Silvia : Ci sono molti giorni festivi : Capodanno, la Befana...**
3. **Mara : La Befana?**
4. **Silvia : Sì, la Befana, il 6 gennaio. E' l'Epifania, la festa dell'Epifania.**
5. **Mara : Ma la Befana non è una strega?**
6. **Silvia : Sì, la Befana è anche una buona strega. I bambini hanno regali anche il 6 gennaio.**
7. **Mara : Insomma, la Befana è come Babbo Natale....**
8. **Silvia : Esattamente.**
9. **Mara : I bambini italiani sono veramente coccolati.**
10. **Silvia : Sì, infatti hanno regali a Natale, il 6 gennaio e, molti, anche il 6 dicembre e a Capodanno.**
11. **Mara : La famosa strenna....**
12. **Silvia : Brava!**

## D 2 VIE PRATIQUE : les jours de fête

**A) I giorni festivi**

En Italie, les jours de fête sont :

- **Feste civili** *Jours de fête civile*

— le 1er janvier : **Capodanno** *Jour de l'an*
— le 25 avril : anniversaire de la libération de l'Italie (25 avril 1945)
— le 1er mai : **Festa del lavoro** *Fête du travail*
— le 2 juin : anniversaire de la proclamation de la République italienne à la suite du référendum du 2 juin 1946
— le 4 novembre : anniversaire de l'armistice de la Première Guerre mondiale

Ces deux dernières fêtes sont célébrées le dimanche suivant la date considérée.

- **Feste religiose** *Jours de fête religieuse* :

— le 6 janvier : **Epifania** *Epiphanie* ou **Befana**
— le lundi de Pâques : dit aussi « **Pasquetta** »
— le 15 août : **Assunzione** *Assomption*
— le 1er novembre : **Ognissanti** *Toussaint*
— le 8 décembre : **Immacolata Concezione** *Immaculée Conception*
— le 25 décembre : **Natale** *Noël*
— le 26 décembre : **Santo Stefano** *Saint Etienne*

## D 3 Les jours fériés

1. Mara : Combien sont les jours chomés en italie?
2. Sylvie : Il y a beaucoup de jours chomés : le Jour de l'An, la « Befana »...
3. Mara : La « Befana » ?
4. Sylvie : Oui, la « Befana », le 6 janvier. C'est l'Epiphanie. C'est la fête de l'Epiphanie.
5. Mara : Mais la « Befana » n'est-ce pas une sorcière?
6. Sylvie : Oui, la « Befana » est aussi une bonne sorcière. Les enfants ont des cadeaux même le 6 janvier.
7. Mara : En somme, la « Befana » c'est comme le Père Noël...
8. Sylvie : Exactement.
9. Mara : Les enfants italiens sont vraiment choyés!
10. Sylvie : Oui, en effet ils ont des cadeaux à Noël, le 6 janvier et, beaucoup, même le 6 décembre et le Jour de l'An.
11. Mara : Les fameuses étrennes.
12. Sylvie : Bravo!

## D 4 VOCABULAIRE : **les nombres cardinaux**

**I numeri cardinali**

| **a) Le decine** | *Les dizaines* | **b) Le centinaia** | *Les centaines* |
|---|---|---|---|
| **dieci** | *dix* | **cento** | *cent* |
| **venti** | *vingt* | **duecento** | *deux cents* |
| **trenta** | *trente* | **trecento** | *trois cents* |
| **quaranta** | *quarante* | **quattrocento** | *quatre cents* |
| **cinquanta** | *cinquante* | **cinquecento** | *cinq cents* |
| **sessanta** | *soixante* | **seicento** | *six cents* |
| **settanta** | *soixante-dix* | **settecento** | *sept cents* |
| **ottanta** | *quatre-vingts* | **ottocento** | *huit cents* |
| **novanta** | *quatre-vingt-dix* | **novecento** | *neuf cents* |

| **c) Le migliaia** | *Les milliers* | | |
|---|---|---|---|
| **mille** | *mille* | **duemila** | *deux mille* |
| **tremila** | *trois mille* | **quattromila** | *quatre mille* |
| **cinquemila** | *cinq mille* | **seimila** | *six mille* |
| **settemila** | *sept mille* | **ottomila** | *huit mille* |
| **novemila** | *neuf mille* | **diecimila** | *dix mille* |

# 9 E' uno Stato indipendente

## A 1 PRÉSENTATION

• **Uno** est l'autre forme de l'article indéfini. Il s'emploie devant les mots commençant par **s** + consonne, **z, ps**.

Ex. : **uno Stato** *un État* **uno Svizzero** [**zvit**tséro] *un Suisse*
**uno zio** *un oncle* **uno psicologo** *un psychologue*

| | | | |
|---|---|---|---|
| **la lingua** | *la langue* | **appunto** | *justement* |
| **il Vaticano** | *le Vatican* | **qui** | *ici* |
| **la guardia** | *la garde* | **indipendente** | *indépendant* |
| **il museo** | *le musée* | **ancora** | *encore* |
| **il negozio** | *le magasin* | **domani** | *demain* |
| **l'Ascensione** | *l'Ascension* | **dopodomani** | *après-demain* |
| **più** | *plus* | **nossignore** | *non, monsieur* |

## A 2 APPLICATION

***(Vaticano : una guardia svizzera e un turista svizzero di lingua italiana.)***

1. **Turista — Scusi, perché i musei sono chiusi? Non sono aperti tutti i giorni feriali?**
2. **Guardia — Che giorno è oggi?**
3. **Turista — Oggi è giovedì. E' un giorno feriale.**
4. **Guardia — Nossignore, oggi è un giorno festivo.**
5. **Turista — Ma a Roma tutti i negozi sono aperti. Anche i musei sono aperti.**
6. **Guardia — Oggi è l'Ascensione.**
7. **Turista — Ma in Italia l'Ascensione non è più un giorno festivo.**
8. **Guardia — Appunto : qui non siamo in Italia. Il Vaticano è uno Stato indipendente. Qui l'Ascensione è ancora un giorno festivo.**
9. **Turista — E domani?**
10. **Guardia — Domani, venerdì, e dopodomani, sabato, i musei sono aperti!**
11. **Turista — Grazie e scusi!**

# 9 C'est un État indépendant

## A 3 REMARQUES

■ Grammaire

• L'article indéfini **uno** est employé dans les mêmes cas où on emploie **lo,** sauf devant les mots commençant par une voyelle (dans ce cas l'article indéfini est **un**) :

| | | | |
|---|---|---|---|
| **lo** studente | **uno** studente | **lo** zio | **uno** zio |
| **lo** gnocco | **uno** gnocco | **lo** psicologo | **uno** psicologo. |

Mais on dira : **l'**indirizzo **un** indirizzo, **l'**italiano **un** italiano.

• Vous avez déjà noté que l'on dit : **buon giorno** ou **buongiorno.** Autrement dit, **buono bouo**no *bon* , pour des raisons d'euphonie, c'est-à-dire de bon son, modifie sa forme devant certains mots. Exactement comme l'article indéfini masculin **un / uno.** Il y a, donc, parallélisme d'emploi entre l'article indéfini masculin **un / uno** et l'adjectif **buon / buono.** Aussi, lorsqu'un mot exige l'emploi de l'article défini **un**, vous devez utiliser la forme tronquée de **buono**, c'est-à-dire **buon :**

**— un ristorante → buon ristorante → un buon ristorante.**

Mais il faut dire : **Il vino è buono** *Le vin est bon*
**La pasta è buona** *Les pâtes sont bonnes.*

## A 4 TRADUCTION

*(Au Vatican : un garde suisse et un touriste suisse de langue italienne.)*

1. Touriste — Pardon, pourquoi les musées sont-ils fermés? Ne sont-ils pas ouverts tous les jours ouvrables?
2. Garde — Quel jour est-ce aujourd'hui?
3. Touriste — Aujourd'hui c'est jeudi. C'est un jour ouvrable.
4. Garde — Non, monsieur, aujourd'hui, c'est un jour férié.
5. Touriste — Mais à Rome tous les magasins sont ouverts. Les musées aussi sont ouverts.
6. Garde — Aujourd'hui c'est l'Ascension*.
7. Touriste — Mais en Italie l'Ascension n'est plus un jour férié.
8. Garde — Justement : ici nous ne sommes pas en Italie. Le Vatican est un État indépendant. Ici l'Ascension est encore un jour férié.
9. Touriste — Et demain?
10. Garde — Demain, vendredi, et après-demain, samedi, les musées sont ouverts.
11. Touriste — Merci! et excusez-moi!

---

* En Italie, la fête de l'Ascension a été reportée, après accord entre l'État italien et le Vatican, au dimanche suivant. (Cela fait un « pont » de moins...!)

# 9 Gli spaghetti sono al dente?

## B 1 PRÉSENTATION

- Le pluriel de **lo** est **gli**.

| | |
|---|---|
| **gli spaghetti** | *sorte de pâtes, en forme de « petites ficelles »* (**uno spago :** *une ficelle*) |
| **gli gnocchi** | *sorte de quenelles* |
| **lo spezzatino** | *le ragoût* |
| **il conto** | *la note, l'addition* |
| **la ricevuta fiscale** | *le reçu (voir C 4)* |
| **al dente** | *« à la dent », pas trop cuit* |
| **sempre** | *toujours* |
| **sissignore** | *oui, monsieur* |
| **ecco** | *voici* |
| **il piatto** | *le plat* |
| **il secondo** | *le deuxième plat (plat de résistance)* |
| **il contorno** | *la garniture* |
| **l'insalata** | *la salade* |
| **il pomodoro** | *la tomate* |
| **come** | *comme* |
| **la frutta** | *les fruits* |
| **il dolce** | *le gâteau* |
| **per finire** | *pour finir* |
| **per me** | *pour moi* |

## B 2 APPLICATION

**(Al ristorante : un signore, una signora, un cameriere)**

1. **Signora : Un piatto di spaghetti al dente, per favore!**
2. **Cameriere : Gli spaghetti italiani sono sempre al dente, signora!**
3. **Signore : Per me, invece, un piatto di gnocchi. Sono buoni gli gnocchi?**
4. **Cameriere : Gli gnocchi sono ottimi, signore.**
5. **Signore : C'è uno spezzatino come secondo?**
6. **Cameriere : Certamente; abbiamo anche scampi fritti...**
7. **Signore : Per me allora un piatto di scampi fritti.**
8. **Cameriere : E per Lei, signora?**
9. **Signora : Per me una bistecca alla fiorentina con patatine.**
10. **Cameriere : Poi un po' di frutta, un dolce ...?**
11. **Signore : No, grazie, due caffè e... per finire il conto e la ricevuta fiscale!**

# Les spaghetti sont-ils « à la dent » ?

## B 3 REMARQUES

■ REMARQUES

● L'article défini : rappel des diverses formes.

| | singulicr | pluriel |
|---|---|---|
| masculin | **il turista**<br>**lo sportello**<br>**l'Italiano** | **i turisti**<br>**gli** { **sportelli**<br>**Italiani** |
| féminin | **la** { **turista**<br>**specialità**<br>**l'Italiana** | **le** { **turiste**<br>**specialità**<br>**Italiane** |

● **Lo** s'emploie devant les mots masculins, commençant par :
— **s** suivi d'une consonne : **lo studente, gli studenti**
— **z : lo zero, gli zeri** — **gn : lo gnocco, gli gnocchi**
— **ps : lo psicologo, gli psicologi**
— une voyelle, mais dans ce cas l'article s'élide et s'écrit **l' : l'impiegato, gli impiegati.**

● Dans tous les autres cas, au masculin, on emploie **il : il conto.**

● **La** s'emploie devant les mots féminins : **la ragazza, la studentessa**.

## B 4 TRADUCTION

(au restaurant : un monsieur, une dame, un serveur)

1. Madame : Un plat de spaghetti « à la dent », s'il vous plaît!
2. Serveur : Les spaghetti italiens sont toujours à point madame!
3. Monsieur : Pour moi, en revanche, un plat de gnocchi. Est-ce que les gnocchi sont bons?
4. Serveur : Les gnocchi sont excellents, monsieur.
5. Monsieur : Y a-t-il un ragoût comme plat de résistance?
6. Serveur : Bien sûr, nous avons aussi des langoustines frites...
7. Monsieur : Pour moi, alors, un plat de langoustines frites.
8. Serveur : Et pour vous, madame?
9. Madame : Pour moi un bifteck à la florentine avec des pommes frites.
10. Serveur : Ensuite un peu de fruits, un gâteau ...?
11. Monsieur : Non, merci, deux cafés et... pour finir l'addition et le « reçu fiscal ».

# Exercices

## C 1 EXERCICES

**A. Mettre au pluriel :**

1. Lo Stato indipendente.
2. Lo scampo non è fritto.
3. L'Italiano è straordinario.
4. Lo studente è pronto.

**B. Répondre aux questions :**

1. Perché i musei sono chiusi oggi?
2. Perché in Vaticano sono aperti e non a Roma?
3. Come sono gli spaghetti?
4. E' pronto lo spezzatino?

## C 2 VOCABULAIRE : **que manger ?**

■ **Cosa mangiare ?**

**l'antipasto** *le hors-d'œuvre*
**il primo (piatto)** *le plat principal*
**la pasta** *les pâtes*
**la pastasciutta** *les pâtes (égouttées)*
**il brodo** *le bouillon*
**il secondo** *le plat de résistance*
**la bistecca** *le bifteck*
**l'arrosto** *le rôti*
**il pesce** *le poisson*
**il contorno** *la garniture (de légumes)*
**la frutta** *les fruits*
**la fragola** *la fraise*
**il lampone** *la framboise*
**il dolce** *le gâteau*
**la frutta e il dolce** *le dessert*
**il panino** *le petit pain*
**il panino imbottito** *le sandwich*

● Les Italiens adorent les histoires drôles. Lorsqu'elles sont difficilement crédibles, ils ajoutent à la fin, d'un air entendu : **Se non è vero, è ben trovato** *Si ce n'est pas vrai, c'est bien trouvé* . Témoin celle-ci : il est arrivé une fois, à la gare de Milan, qu'un vendeur de boissons et de journaux à force de répéter « **panini imbottiti ! giornali illustrati !** « *sandwiches, journaux illustrés !* » se soit trompé et ait crié « **panini illustrati ! giornali imbottiti !** ».

## C 3 CORRIGÉ

**A. Mettre au pluriel :**

1. Gli Stati indipendenti.
2. Gli scampi non sono fritti.
3. Gli Italiani sono straordinari.
4. Gli studenti sono pronti.

**B. Répondre aux questions :**

1. Perché oggi è un giorno festivo.
2. Perché il Vaticano è uno Stato indipendente.
3. Sono sempre al dente*.
4. Sissignore, è pronto (ou : Nossignore, non è pronto).

* Notez qu'en Italie les pâtes sont servies moins cuites qu'en France.

## C 4 CIVILISATION : **les repas**

**I pasti :** Il y a actuellement un peu de confusion dans les termes, en ce domaine. L'usage le plus répandu est le suivant : le matin on parle de **colazione** *petit déjeuner*; le repas de midi est **il pranzo** *le déjeuner* et celui du soir s'appelle **cena** *dîner* . Un jour, un toscan qui se trouvait à Milan, avait été invité par des amis. Il s'était présenté, bien sûr, à neuf heures du matin. Mais, à sa grande surprise, il s'aperçut que, en fait, ses amis avaient voulu l'inviter pour le déjeuner et non pour le petit déjeuner! Le mystère s'éclaircit, si l'on sait qu'au Nord le matin on parle très souvent de **piccola colazione** *petit déjeuner* , à midi de **colazione** *déjeuner* et le soir de **pranzo** *dîner* et, à minuit, de **cena** *souper*. Or cette nouvelle terminologie se répand de plus en plus.

**La « ricevuta fiscale »** : Un reçu est donné, après avoir payé **il conto** *l'addition* , qui est appelé « **ricevuta fiscale** ». A garder précieusement, car en cas de contrôle, à la sortie du restaurant, de la part de la Brigade Financière (**la Guardia di Finanza**, mot à mot *Garde de Finance*), si vous ne l'avez pas sur vous, vous êtes en contravention et vous risquez de payer une amende!

## 9 Dialogues et vie pratique : manger

### D 1 Un aperitivo?

1. **Cameriere : Buongiorno, signorine! Desiderano un aperitivo?**
2. **Angela : Un Martini bianco, per piacere!**
3. **Cameriere : E per Lei, signorina?**
4. **Caterina : Qualcosa di fresco, di gradevole e di originale...**
5. **Cameriere : Un analcolico San Pellegrino, un Asti spumante, un Bellini, un Rossini...**
6. **Caterina : Che cos'è il Bellini?**
7. **Cameriere : E'un aperitivo veneziano, fresco e gradevole, con vino bianco e succo di pesca.**
8. **Caterina : E il Rossini?**
9. **Cameriere : E'un altro aperitivo veneziano con vino bianco e succo di fragola, lamponi...**
10. **Caterina : Allora un Verdi, per favore...!**
11. **Cameriere : Lei è una vera musicista! Ma non c'è ancora un aperitivo chiamato Verdi!**
12. **Caterina : Peccato!**

### D 2 CIVILISATION : **où manger et que manger?**

**Dove mangiare?** *Où manger?* Vous pouvez choisir **il ristorante** *le restaurant*. Mais il y a d'autres endroits, comme **l'osteria,** petit restaurant typique. Il est parfois synonyme de **trattoria**, restaurant plus populaire et moins cher. Vous avez aussi **la pizzeria**, **la rosticceria** *rôtisserie* , **la tavola calda** *snack* ou *self-service* etc......

**La pasta** *Les pâtes*: Ne pas confondre **una pasta** *un gâteau* (individuel), **il dolce** *le gâteau* (qui se partage), et **la pasta** qui, illustrée de cent manières en Italie, correspond en tellement mieux, à nos pâtes françaises. Voici quelques variétés de pâtes : **gli spaghetti**, **le tagliatelle** (en forme de longs rubans), **le fettuccine** (qui sont moins larges), **i ravioli** (garnis de viande), **i tortellini** (entortillés sur eux-mêmes), **gli gnocchi**, **le lasagne** (en forme de larges rubans), **le penne** etc...

**Carpaccio e Bellini :** Le « Bellini » est un *apéritif* **aperitivo** fait avec du jus de pêche et du vin blanc (c'est un peu le « kir » vénitien!). Le nom vient d'un peintre vénitien du XIV$^{e}$, **Giovanni Bellini**. Le « Carpaccio » est un plat constitué de tranches de viande crue et d'écailles de parmesan, servies avec de l'huile d'olive et du jus de citron.

## D 3 Un apéritif?

1. Garçon : Bonjour, mesdemoiselles! Désirez-vous un apéritif?
2. Angela : Un Martini « bianco », s'il vous plaît!
3. Garçon : Et pour vous, mademoiselle?
4. Catherine : Quelque chose de frais, d'agréable et d'original...
5. Garçon : Un apéritif sans alcool « San Pellegrino », un « Asti spumante », un Bellini, un Rossini...
6. Catherine : Qu'est-ce le Bellini?
7. Garçon : C'est un apéritif vénitien, frais et agréable, à base de vin blanc et de jus de pêche.
8. Catherine : Et le Rossini?
9. Garçon : C'est un autre apéritif vénitien avec du vin blanc et du jus de fraises, framboises...
10. Catherine : Alors un « Verdi », s'il vous plaît...!
11. Garçon : Vous êtes une vraie musicienne! Mais il n'y a pas encore d'apéritif appelé « Verdi »!
12. Catherine : Dommage!

## D 4 INFORMATIONS PRATIQUES : les mots de la table

— **il tavolo** et **la tavola** : le féminin — **la tavola** *la table* — a un sens plus précis; c'est la table où l'on mange. On dit : **mettere la tavola, apparecchiare la tavola** *mettre la table,* **sparecchiare la tavola** *débarasser la table.* Pour une table, au restaurant, vous devez dire : **Un tavolo, per favore!** *Une table, s'il vous plaît!* **Il tavolino** est *la (petite) table* d'un bar.
— **la tovaglia** *la nappe*; **il tovagliolo** *la serviette de table.*
— **il pane** *le pain* ; il **panino** c'est *le sandwich.* **Il panettone**, mot à mot « le gros pain », est le gâteau typique de Milan, dont on fait une grande consommation à Noël.
— **il bicchiere** *le verre.*
— **la bottiglia di vino** *la bouteille de vin.*
— **il piatto** *l'assiette* ; c'est aussi bien le récipient dans lequel on mange — *l'assiette* — que ce qu'on mange —*le plat* — .
— **le posate** *le couvert* : **il cucchiaio** *la cuiller,* mais pas pour manger les spaghetti : les Italiens utilisent la seule fourchette, **il coltello** *le couteau,* **la forchetta** *la fourchette* . Le mot **forchetta** *fourchette* est le diminutif de **forca** *fourche.* Cette *petite fourche,* a été considérée comme un symbole de civilisation et de progrès à la Renaissance **il Rinascimento.** Les ambassadeurs écrivaient, avec admiration, dans leurs rapports que les Italiens « mangeaient avec une petite fourche »!

# 10 Quante sono le regioni italiane?

## A 1 PRÉSENTATION

● **Quanto** est un adjectif ou un pronom interrogatif. Il traduit le français *combien.*

| | |
|---|---|
| **novanta** | *quatre-vingt-dix* |
| **novantatré** | *quatre-vingt-treize* |
| **novantacinque** | *quatre-vingt-quinze* |
| **Pierino** | *Pierrot* |
| **la Sicilia** | *la Sicile* |
| **la Sardegna** | *la Sardaigne* |
| **maestro** | *instituteur* |
| **somaro** | *âne (bâté)* |

■ Attention!

| | |
|---|---|
| ● **ventuno** | *vingt-et-un* |
| **ventidue** | *vingt-deux* |
| **ventitré** | *vingt-trois* |
| **ventiquattro** | *vingt-quatre* |
| **venticinque** | *vingt-cinq* |
| **ventisei** | *vingt-six* |
| **ventisette** | *vingt-sept* |
| **ventotto** | *vingt-huit* |
| **ventinove** | *vingt-neuf* |

● **trentuno / trentotto**
**quarantuno / quarantotto**
**cinquantuno / cinquantotto**
**sessantuno / sessantotto**
**settantuno / settantotto**
**ottantuno / ottantotto**
**novantuno / novantotto**

## A 2 APPLICATION

***(Il maestro e Pierino.)***

1. **Maestro — Quanti sono i giorni feriali?**
2. **Pierino — I giorni feriali sono sei.**
3. **Maestro — Quante sono le stagioni?**
4. **Pierino — Le stagioni sono quattro.**
5. **Maestro — Quante sono le regioni italiane?**
6. **Pierino — Le regioni italiane sono venti.**
7. **Maestro — E le province italiane, quante sono?**
8. **Pierino — Sono... novantatré... novantacinque...**
9. **Maestro — No, Pierino, sono centotré.**
10. **Pierino — Ah! sì, con la Sicilia e la Sardegna!**
11. **Maestro — Somaro! La Sicilia e la Sardegna non sono province, sono regioni.**

## A 3 REMARQUES

### Grammaire

• **Quanto** est différent de **quale** (voir B 3) et définit la quantité. Il s'accorde comme un adjectif du premier groupe (**italiano, romano,** etc.) (voir leçon 7, A 3).

| Ex. : | **quanti sono i comuni italiani?** | *combien y a-t-il de communes italiennes?* |
|---|---|---|
| | **quante sono le regioni italiane?** | *combien y a-t-il de régions italiennes?* |

• **Comune** est masculin en italien : **il comune di Roma**.

### Attention

• Etat, régions, provinces et communes : L'Italie est un Etat indépendant depuis 1861. La République italienne a plus de 50 ans (1946). Le Président de la République a un mandat de 7 ans. L'Italie a la forme *d'une botte* **uno stivale**. Elle est divisée en **regioni** *régions*, **province** *provinces* et **comuni** *communes*. Les régions italiennes sont 20. Les provinces (= les départements français) sont 103. Les communes sont environ 8000. Par contre, en France il y en a beaucoup plus, environ 36000.

## A 4 TRADUCTION

*(L'instituteur et Pierrot.)*

1. L'instituteur — Combien y a-t-il de jours ouvrables?
2. Pierrot — Il y a six jours ouvrables.
3. L'instituteur — Combien y a-t-il de saisons?
4. Pierrot — Il y a quatre saisons.
5. L'instituteur — Combien y a-t-il de régions en Italie?
6. Pierrot — Il y en a vingt.
7. L'instituteur — Et les provinces italiennes : combien y en a-t-il?
8. Pierrot — Il y en a... quatre-vingt-treize... quatre-vingt-quinze...
9. L'instituteur — Non, Pierrot, il y en a cent trois.
10. Pierrot — Ah! oui, avec la Sicile et la Sardaigne.
11. L'instituteur — (Tu n'es qu'un) âne! La Sicile et la Sardaigne ne sont pas des provinces mais des régions.

# 10 Qual è la capitale d'Italia?

## B 1 PRÉSENTATION

- **Quale** diffère de **quanto** et définit la qualité (voir A 1).
- **Città** *ville* est invariable au pluriel : **la città, le città**.

| | |
|---|---|
| **la capitale** | *la capitale* |
| **l'abitante** | *l'habitant* |
| **il lago (Maggiore, di Garda)** | *le lac (Majeur, de Garde)* |
| **la città** | *la ville* |
| **un milione** | *un million* |
| **maggiore** | *majeur, plus grand* |
| **lungo** | *long* |
| **bravo!** | *c'est bien, bravo!* |
| **Ventimiglia** | *Vintimille* |
| **evidente** | *évident* |

## B 2 APPLICATION

***(Il maestro e Pierino.)***

1. **Maestro — Pierino, qual è la capitale d'Italia?**
2. **Pierino — Roma, signor maestro.**
3. **Maestro — Quali sono le città con un milione di abitanti?**
4. **Pierino — Roma, Milano, Napoli.**
5. **Maestro — Bravo, Pierino. Qual è la città più lunga?**
6. **Pierino — La città più lunga? Ventimiglia, è evidente!**
7. **Maestro — Qual è il lago maggiore?**
8. **Pierino — Signor maestro, è evidente! Il lago Maggiore!**
9. **Maestro — No, Pierino. Il lago maggiore è il lago di Garda. Sei un somaro!**

## B 3 REMARQUES

### Grammaire

• **Quale** définit la qualité, **quanto** définit la quantité :

Ex. : **quante sono le stagioni?** *combien y a-t-il de saisons?*
**quali sono?** *quelles sont-elles?*

**Quale** s'accorde comme un adjectif du deuxième groupe (**milanese, francese,** etc.).

Ex. : **quali sono i mesi estivi?** *quels sont les mois d'été?*

Notez que **quale** a une seule désinence au masculin et au féminin, qu'il s'agisse du singulier (**quale**) ou du pluriel (**quali**).

• **Les mots tronqués** (accentués sur la dernière syllabe) sont invariables au pluriel :

Ex. : **la città** *(la ville)* **le città** *(les villes)*
**la libertà** *(la liberté)* **le libertà** *(les libertés)*

Ces mots avaient autrefois la marque du pluriel :

la liberta**te** le liberta**ti**

mais, la dernière syllabe ayant disparu, la marque du pluriel en a fait tout autant.

• **Bravo** est un adjectif qualificatif qui doit s'accorder.

**bravo** *(pour un homme)* **brava** *(pour une femme)*
**bravi** *(au pluriel masculin)* **brave** *(au pluriel féminin)*

## B 4 TRADUCTION

*(L'instituteur et Pierrot.)*

1. L'instituteur — Pierrot, quelle est la capitale d'Italie?
2. Pierrot — Rome, monsieur.
3. L'instituteur — Quelles sont les villes d'un million d'habitants?
4. Pierrot — Rome, Milan, Naples.
5. L'instituteur — C'est bien, Pierrot. Quelle est la ville la plus longue?
6. Pierrot — La ville la plus longue? Vintimille! C'est évident! (Jeu de mots : vingt milles).
7. L'instituteur — Quel est le plus grand lac?
8. Pierrot — Monsieur, c'est évident! C'est le lac Majeur (jeu de mots : majeur, le plus grand).
9. L'instituteur — Non, Pierrot. Le plus grand lac est le lac de Garde. Tu n'es qu'un âne!

# 10 Exercices

## C 1 EXERCICES

**A. Poser les questions qui conviennent :**

1. Ci sono venti regioni in Italia.
2. No, la Sicilia non è una provincia.
3. Si, è una regione.
4. I giorni feriali sono sei.
5. No, le province italiane sono centotré.

**B. Compléter :**

1. Domenica, ..., ..., mercoledì, giovedì, ..., ...
2. Il lago maggiore è...
3. La Sardegna non è... ma...
4. L'Ascensione, in Italia, non è più un giorno...

## C 2 VOCABULAIRE

■ Voici quelques mots importants qui peuvent vous aider lors de votre séjour en Italie :

● Pour remercier, vous direz :

| | |
|---|---|
| **grazie** | *merci* |
| **grazie mille** | *mille fois merci* |
| **grazie infinite** | *merci infiniment* |

● Pour prendre congé ou donner rendez-vous, **dare appuntamento :**

| | |
|---|---|
| **a domani** | *à demain* |
| **a più tardi** | *à plus tard* |
| **a presto** | *à bientôt* |
| **a stasera** | *à ce soir* |
| **ci vediamo!** | *on se verra!* |
| **ci sentiamo!** | *on se téléphone!* |

● Comment *épeler* **compitare** les mots? Voir le tableau qui se trouve page 342 et amusez-vous à épeler les sigles des villes italiennes (D2, D4)

## C 3 CORRIGÉ

**A. Poser les questions qui conviennent :**
1. Quante regioni ci sono in Italia?
2. La Sicilia è una provincia?
3. E' una regione?
4. Quanti sono i giorni feriali?
5. Sono novantacinque le province italiane?

**B. Compléter :**
1. ..., lunedì, martedì, ..., venerdì, sabato.
2. Il lago maggiore è il lago di Garda.
3. La Sardegna non è una provincia, ma una regione.
4. L'Ascensione, in Italia, non è più un giorno festivo.

## C 4 CIVILISATION : **immatriculation**

• **Targhe automobilistiche** *Plaques d'immatriculation*

En Italie, *les départements* (**le province**) où sont immatriculées les voitures, sont indiqués sur *la plaque d'immatriculation* (**la targa**) avec deux lettres prélevées dans le nom du département. La seule exception est le département de Rome dont le nom figure en entier. Ces lettres sont suivies de chiffres.
Dans les départements les plus peuplés les deux lettres du département sont suivies d'une autre lettre qui indique le nombre de millions de véhicules immatriculés.
Ex. **MI A 135 780** signifie que cette voiture est immatriculée à Milan et qu'elle est la 1135780e circulant dans cette « **provincia** ».

Actuellement ce système d'immatriculation est abandonné. Au lieu d'avoir une immatriculation par province, avec le sigle de chacune de celles-ci, il y en a une seule, au niveau national, avec un seul numéro progressif. Les vieilles plaques qui identifiaient les voitures par leur province d'origine, ont disparu. Avec l'ancien on repérait facilment l'origine d'une voiture. Avec le nouveau ce n'est plus possible. Quoi qu'il en soit, toutes les anciennes voitures circulant avec l'ancien système d'immatricualtion, sont encore là! Alors autant s'amuser à reconnaître les sigles lorsqu'on circule en Italie sur les routes ou les autoroutes (suite p. 90-91).

# 10 Dialogue et vie pratique : les départements

## D 1 Regioni, province e comuni

1. **Maestro : Quante sono le regioni italiane?**
2. **Pierino : Le regioni italiane sono venti.**
3. **Maestro : Quante sono le province italiane?**
4. **Pierino : Le province italiane sono centotré.**
5. **Maestro : Quante città italiane sono di origine romana?**
6. **Pierino : Ci sono molte città italiane di origine romana.**
7. **Maestro : Per esempio?**
8. **Pierino : Roma, Aosta, Torino, Bologna, eccetera......**
9. **Maestro : Quanti sono i comuni italiani?**
10. **Pierino : I comuni italiani sono circa 8000.**
11. **Maestro : Che forma ha l'Italia?**
12. **Pierino : L'Italia ha la forma di uno stivale.**
13. **Maestro : Bravo, Pierino! Fantastico!**

## D 2 VIE PRATIQUE : immatriculations...

**Province, targhe, codici postali e prefissi telefonici (prima parte)**
*Départements, plaques d'immatriculation, code postal et indicatifs téléphoniques (première partie)*

| targhe | cod. post. | pref. telef. | provincia | targhe | cod. post. | pref. telef | provincia |
|---|---|---|---|---|---|---|---|
| AG | 92100 | 0922 | Agrigento | AL | 15100 | 0131 | Alessandria |
| AN | 60100 | 071 | Ancona | AO | 11100 | 0165 | Aosta |
| AR | 52100 | 0575 | Arezzo | AP | 63100 | 0736 | Ascoli Piceno |
| AT | 14100 | 0141 | Asti | AV | 83100 | 0825 | Avellino |
| BA | 70100 | 080 | Bari | BL | 32100 | 0437 | Belluno |
| BN | 82100 | 0824 | Benevento | BG | 24100 | 035 | Bergamo |
| BI | 13051 | 015 | Biella | BO | 40100 | 051 | Bologna |
| BZ | 39100 | 0471 | Bolzano | BS | 82100 | 030 | Brescia |
| BR | 72100 | 0831 | Brindisi | CA | 09100 | 070 | Cagliari |
| CL | 93100 | 0934 | Caltanissetta | CB | 86100 | 0874 | Campobasso |
| CE | 81100 | 0823 | Caserta | CT | 95100 | 095 | Catania |
| CZ | 88100 | 0961 | Catanzaro | CH | 66100 | 0871 | Chieti |
| CO | 22100 | 031 | Como | CS | 87100 | 0984 | Cosenza |
| CR | 26100 | 0372 | Cremona | KR | 88074 | 0962 | Crotone |
| CN | 12100 | 0171 | Cuneo | EN | 94100 | 0935 | Enna |
| FE | 44100 | 0532 | Ferrara | FI | 50100 | 055 | Firenze |
| FG | 71100 | 0881 | Foggia | FO | 47100 | 0543 | Forlì |
| FR | 03100 | 0775 | Frosinone | GE | 16100 | 010 | Genova |

## D 3 Régions, départements et communes

1. Maître : Combien y a-t-il de régions en Italie?
2. Pierrot : Il y a vingt régions.
3. Maître : Combien y a-t-il de provinces (départements) en Italie?
4. Pierrot : En Italie, il y a cent trois provinces (départements).
5. Maître : Combien y a-t-il de villes d'origine romaine?
6. Pierrot : Il y a beaucoup de villes italiennes d'origine romaine.
7. Maître : Par exemple?
8. Pierrot : Rome, Aoste, Turin, Bologne etc......
9. Maître : Combien sont les communes italiennes (combien y a-t-il de communes en Italie)?
10. Pierrot : Les communes italiennes sont environ 8000.
11. Maître : Quelle forme a l'Italie?
12. Pierrot : L'Italie a la forme d'une botte.
13. Maître : Bravo, Pierrot! C'est fantastique!

## D 4 VIE PRATIQUE : immatriculations... (suite)

**Province, targhe, codici postali e prefissi telefonici (seconda parte)** (suite p. 98 et 106)
*Départements, plaques d'immatriculation, code postal et indicatifs téléphoniques (deuxième partie)*

| targhe | cod. post. | pref. telef. | provincia | targhe | cod. post. | pref. telef | provincia |
|---|---|---|---|---|---|---|---|
| GO | 34170 | 0481 | Gorizia | GR | 58100 | 0564 | Grosseto |
| IM | 18100 | 0183 | Imperia | IS | 86170 | 0865 | Isernia |
| AQ | 67100 | 0862 | L'aquila | SP | 19100 | 0187 | La Spezia |
| LT | 04100 | 0773 | Latina | LE | 73100 | 0832 | Lecce |
| LC | 22053 | 0341 | Lecco | LI | 57100 | 0586 | Livorno |
| LO | 20075 | 0371 | Lodi | LU | 55100 | 0583 | Lucca |
| MC | 62100 | 0733 | Macerata | MN | 46100 | 0376 | Mantova |
| MS | 54100 | 0585 | Massa Carrara | MT | 75100 | 0835 | Matera |
| ME | 98100 | 090 | Messina | MI | 20100 | 02 | Milano |
| MO | 41100 | 059 | Modena | NA | 80100 | 081 | Napoli |
| NO | 28100 | 0321 | Novara | NU | 08100 | 0784 | Nuoro |
| OR | 09170 | 0783 | Oristano | PD | 35100 | 049 | Padova |
| PA | 90100 | 091 | Palermo | PR | 43100 | 0521 | Parma |
| PV | 27100 | 0382 | Pavia | PG | 06100 | 075 | Perugia |
| PS | 61100 | 0721 | Pesaro-Urbino | PE | 65100 | 085 | Pescara |
| PC | 29100 | 0523 | Piacenza | PI | 56100 | 050 | Pisa |
| PT | 51100 | 0573 | Pistoia | PN | 33170 | 0434 | Pordenone |

# 1-10 Tests

**A. Complétez avec les articles définis :** Score :......... / 7

1......... gelato
2......... spaghetti
3......... appuntamento
4......... amici
5......... amiche
6......... uffici postali
7......... sciopero

**B. Mettez au pluriel les phrases suivantes :** Score :......... / 6

1. La piazza è piccola o grande?
2. E' una signorina tedesca.
3. C'è una banca qui vicino?
4. Che ora è?
5. C'è una macchina veloce.
6. L'ufficio postale è chiuso o aperto?

**C. Complétez les phrases qui suivent :** Score :......... / 6

1......... giorno è oggi?
2......... l'una o......... le due?
3. Che ore.........?
4. Che ora.........?
5. Sono...... due......... quarto.
6......... ne abbiamo oggi?.

**D. Traduisez :** Score :......... / 6

1. L'été est une belle saison.
2. Les régions italiennes sont autonomes.
3. Il y a un restaurant près d'ici?
4. Quel âge a-t-il?
5. Qu'y a-t-il?
6. Qu'est-ce?

**E. Mettez au masculin :** Score :......... /6

1. la turista
2. le studentesse
3. la signora
4. le professoresse
5. tedesche
6. poche

# Tests

**F. Donnez un synonyme :** Score :......... / 4

1. la bibita
2. per cortesia
3. grazie infinite
4. rapido

**G. Complétez les phrases suivantes :** Score :......... / 5

1. C'è.........gente in questa stazione. (molto)
2. ......... sono le regioni italiane? (quanto)
3. ......... sono le regioni italiane? (quale)
4. C'è un......... ristorante qui vicino. (buono)
5. Ci sono......... turiste tedesche. (poco)

**H. Traduisez :** Score :......... / 4

1. Quelle heure est-il?
2. Il est 2 h 15.
3. Quel jour est-ce aujourd'hui?
4. Quel âge a-t-il?

**I. Traduisez :** Score :......... / 5

1. Il conto, per favore.
2. Che c'è?
3. Sempre diritto e poi a sinistra
4. Lo sciopero è finito.
5. Un caffè macchiato, per piacere.

**L. Traduisez les phrases suivantes :** Score :......... / 5

1. Là-bas, au fond, à droite.
2. Où est le restaurant?
3. Ce n'est pas loin; voici, c'est ici.
4. Je vous en prie!
5. C'est près d'ici, à gauche.

**M. Mettre au féminin :** Score :......... / 6

1. E' un turista fiorentino.
2. Sono turisti fiorentini e milanesi.
3. E' un signore francese.
4. Ci sono signori italiani e francesi.
5. I signori sono belli e eleganti.
6. Il signore è bello e elegante.

Score total :......... /60 – Résultats p. 340-341

# 11 Che cos'è questo palazzo ?

## A 1 PRÉSENTATION

- *Qu'est-ce qui...?* et *qu'est-ce que...?* se traduisent :

**Che cosa...?**
**Che...?**
**Cosa...**

- **Cosa** peut s'élider devant une voyelle : **Cos'è..?**
On peut employer indifféremment l'une ou l'autre de ces formes.

| | |
|---|---|
| **la mano** | *la main* |
| **la guida** | *le guide* |
| **il palazzo** | *le palais, l'hôtel particulier, l'immeuble* |
| **Palazzo Chigi** | *le Palais, l'Hôtel Chigi* |
| **la sede** | *le siège* |
| **il governo** | *le gouvernement* |
| **la bandiera** | *le drapeau* |
| **il colore** | *la couleur* |
| **verde** | *vert* |
| **bianco** | *blanc* |
| **rosso** | *rouge* |

## A 2 APPLICATION

***(A Roma.)***

1. **— Che hai in mano?**
2. **— E' una guida.**
3. **— Che cos'è? Una guida di Roma?**
4. **— Sì, è una guida di Roma.**
5. **— E' in italiano o in francese?**
6. **— E' in italiano.**
7. **— Che cos'è questo palazzo?**
8. **— E' Palazzo Chigi. E' la sede del governo italiano.**
9. **— Cos'è questa bandiera?**
10. **— E' la bandiera italiana.**
11. **— Quanti colori ha?**
12. **— Ha tre colori : verde, bianco, rosso.**

# Qu'est-ce que c'est que ce palais?

## A 3 REMARQUES

### ■ Prononciation

• Les deux **z** de **palazzo** se prononcent comme dans *tsé-tsé.* **Chigi** se prononce [**ki**dji] avec le [k] de *Kléber* et le [dj] de *Djibouti.*

### ■ Grammaire

• Attention à la différence entre :
— **Che cosa c'è?/ Cosa c'è? / Che c'è?** *Qu'est-ce qu'il y a? / Qu'y a-t-il?*
et
— **Che cos'è? / Che è? / Cos'è?** *Qu'est-ce? / Qu'est-ce que c'est?*

• **E' la sede del governo italiano** = *C'est le siège du gouvernement italien;*
(**del** = *du*; voir leçon suivante).

• **Guida** est féminin, qu'il s'agisse d'un homme exerçant ce métier ou d'un livre : **la guida**, *le guide.*
**Colore**, par contre, comme, d'ailleurs, tous les mots italiens qui se terminent en **-ore** (correspondant au français *-eur* ), est masculin :
**il colore** *couleur,* **il dolore** *la douleur,* **il sapore** *la saveur,* **il fiore** *la fleur...*

## A 4 TRADUCTION

*(A Rome.)*

1. — Qu'est-ce que tu as à la main?
2. — C'est un guide.
3. — Qu'est-ce que c'est? Un guide de Rome?
4. — Oui, c'est un guide de Rome.
5. — Est-il en italien ou en français?
6. — Il est en italien.
7. — Qu'est-ce que c'est que ce palais?
8. — C'est le Palais Chigi. C'est le siège du gouvernement italien.
9. — Qu'est-ce que c'est que ce drapeau?
10. — C'est le drapeau italien.
11. — Combien de couleurs a-t-il?
12. — Il a trois couleurs : vert, blanc, rouge.

# 11 Chi è questo personaggio?

## B 1 PRÉSENTATION

- Le pronom interrogatif français *qui*? se traduit **chi**. Il se réfère aux personnes, contrairement à **che cosa?**.
- **Qui** = *ici* (près de la personne qui parle).
  **Là** = *là-bas* (loin de la personne qui parle).

| | |
|---|---|
| **vicino a** | *près de* |
| **Palazzo Farnese** | *Palais Farnese* |
| **la fame** | *la faim* |
| **la sete** | *la soif* |
| **avere fame, sete** | *avoir faim, soif* |
| **l'osteria** | *le bistrot, le petit restaurant* |
| **dietro** | *derrière* |
| **il monumento** | *le monument* |
| **il personaggio** | *le personnage* |
| **ehi!, là** | *hé!, là!* |
| **oh!** | *oh!* |
| **Giovanna** | *Jeanne* |
| **il filosofo** [filozofo] | *le philosophe* |

## B 2 APPLICATION

***(Vicino a Palazzo Farnese.)***

1. **— Che ore sono?**
2. **— E' mezzogiorno.**
3. **— Hai fame?**
4. **— Sì, ho fame e sete.**
5. **— C'è un'osteria qui vicino?**
6. **— Sì, c'è un'osteria dietro il monumento.**
7. **— Chi è questo personaggio?**
8. **— E' Giordano Bruno.**
9. **— Ma chi è Giordano Bruno?**
10. **— E' un filosofo italiano.**
11. **— Ehi! Che hai? Che c'è?**
12. **— Chi c'è là?**
13. **— Oh! E' Giovanna!**
14. **— Giovanna! Giovanna!**

## B 3 REMARQUES

■ Grammaire

*Qui?* (français) = **chi?** (italien) : même son, orthographe différente. Ne pas confondre :
**chi**? **/ki/** = *qui?* et **qui /koui/** = ici :
**Chi è questo personaggio?** *Qui est-ce ce personnage?*
**Qui vicino c'è un'osteria.** *Il y a un restaurant près d'ici.*

• Les pronoms démonstratifs : **questo** est à la fois adjectif et pronom. Pour **quello** voir leçon 19, B 1.

| | | | |
|---|---|---|---|
| Singulier | **questo**<br>**questa** | *ce*<br>*cette* | *celui-ci*<br>*celle-ci* |
| Pluriel | **questi**<br>**queste** | *ces*<br>*ces* | *ceux-ci*<br>*celles-ci* |

■ Note : **Giordano Bruno** fut un philosophe dominicain, accusé d'hérésie par le tribunal de l'Inquisition et condamné au bûcher en 1600 à Rome.
— **Palazzo Farnese** abrite, à Rome, le siège de l'ambassade de France en Italie. A Paris, c'est *l'Hôtel Chateaubriand* qui abrite le siège de l'ambassade d'Italie en France.

## B 4 TRADUCTION

*(Près du Palais Farnese.)*

1. — Quelle heure est-il?
2. — Il est midi.
3. — As-tu faim?
4. — Oui, j'ai faim et soif.
5. — Y a-t-il un petit restaurant près d'ici?
6. — Oui, il y a un petit restaurant derrière le monument.
7. — Qui est ce personnage?
8. — C'est Giordano Bruno.
9. — Et qui est-ce, Giordano Bruno?
10. — C'est un philosophe italien.
11. — Eh, qu'as-tu? Qu'est-ce qu'il y a?
12. — Qui voilà?
13. — Oh! (mais) c'est Jeanne!
14. — Jeanne, Jeanne!

## 11 Exercices

### C 1 EXERCICES

**A. Faire précéder de** e, è, **ou** c'è **selon les cas :**

1. Questa bandiera ... italiana ... questa è la bandiera francese.
2. Che cosa ... dentro ... che cosa ... dietro?
3. Chi ... Giovanna?
4. Che cos' ... questa bandiera? ... quella?
5. Che ... qui vicino?

**B. Traduire :**

1. Qu'est-ce qu'il y a? Qu'est-ce que c'est?
2. Qu'as-tu à la main? — Le guide de Rome.
3. Est-ce un guide en italien?
4. Non, ce guide est en français.

**TARGHE (suite)**

| targhe | cod. post. | pref. telef. | provincia | targhe | cod. post. | pref. telef. | provincia |
|---|---|---|---|---|---|---|---|
| PZ | 85100 | 0971 | Potenza | PO | 50047 | 0574 | Prato |
| RG | 97100 | 0932 | Ragusa | RA | 48100 | 0544 | Ravenna |
| RC | 89100 | 0965 | Reggio Calabria | RE | 42100 | 0522 | Reggio Emilia |
| RI | 02100 | 0746 | Rieti | RN | 47037 | 0541 | Rimini |
| ROMA | 00100 | 06 | Roma | RO | 45100 | 0425 | Rovigo |
| SA | 84100 | 089 | Salerno | SS | 07100 | 079 | Sassari |
| SV | 17100 | 019 | Savona | SI | 53100 | 0577 | Siena |

### C 2 RÉCAPITULATION

- *Qu'est-ce qui... ?* et *qu'est-ce que...?*: **Che cosa...?** / **Che...?** / **Cosa...?**
- Le pronom interrogatif français *qui?* se traduit par **chi**?
- Attention : *Qui?* (français) = **chi?** (italien) : même son, mais orthographe différente!

**Bravo!**

Le mot **bravo** est accentué sur l'avant-dernière syllabe, comme la plupart des mots italiens. Beaucoup de mots italiens, adoptés par le français, ne sont plus prononcés à l'italienne. Attention, donc à l'accent des mots suivants : **spaghetti** /spa**guet**ti/, **cappuccino** /kappout**tchi**no/, **bravo**! /**bra**vo/. Si vous avez bien dit **bra**vo!, vous êtes vraiment **bra**vo *bon* ou **bra**va *bonne*. Vous avez bien commencé!

## C 3 CORRIGÉ

**A. Faire précéder de** e, è **ou** c'è **selon les cas :**

1. Questa bandiera **è** italiana **e** questa è la bandiera francese.
2. Che cosa **c'è** dentro **e** che cosa **c'è** dietro?
3. Chi **è** Giovanna?
4. Che cos'**è** questa bandiera? **E** quella?
5. Che **c'è** qui vicino?

**B. Traduire :**

1. Che c'è? Che cos'è?
2. Che cos' hai in mano? — La guida di Roma.
3. E' una guida in italiano?
4. No, questa guida è in francese.

## C 4 VOCABULAIRE

### Osteria, trattoria...

- **Osteria** signifie *petit restaurant, bistrot.* Il est parfois synonyme de **trattoria**, restaurant typiquement italien. Le **ristorante** est souvent cher; la **rosticceria**, littéralement *rôtisserie*, est plus proche de la *brasserie*; on peut y manger à toute heure ; la **tavola calda**, littéralement *table chaude*, est assez proche du *snack-bar* ou autre *fast-food.*

- Rappelons qu'**osteria** vient du latin *hostem* qui signifie *ennemi, étranger*. L'évolution du mot et du sens a donné ensuite **os(pi)te** *hôte,* personne étrangère accueillie à la maison et personne qui accueille les étrangers, **osteria** *petit restaurant,* **ostello della gioventù** *auberge de jeunesse,* **hotel** *hôtel,* qui vient de *ho(s)tellerie,* et aussi **ospedale** *hôpital* (*hospital* , en vieux français).
Le patron de l' **osteria** est **l'oste**, *« celui qui accueille les clients »*, *l'aubergiste.*

- Proverbe : **Fare i conti senza l'oste** (littéralement : *faire l'addition sans le patron*) : *agir sans tenir compte de la volonté d'autrui.*

# 11 Dialogues et civilisation

## D 1 Chianti toscano e Barolo piemontese

1. **Enrico : Ci sono molti vini in Italia?**
2. **Renato : Certamente. L'Italia è il primo produttore mondiale di vino.**
3. **Enrico : Quali sono i vini migliori?**
4. **Renato : Ci sono molti ottimi vini, bianchi, rossi e rosati. Il Chianti, per esempio, è un ottimo vino rosso**
5. **Enrico : Che sapore ha il Chianti rosso?**
6. **Renato : Ha un sapore asciutto e aromatico.**
7. **Enrico : E' un vino DOC?**
8. **Renato : Sì, è un vino a Denominazione d'Origine Controllata.**
9. **Enrico : Il Lambrusco è un vino amabile o secco?**
10. **Renato : Il Lambrusco è amabile o secco. E' un vino frizzante.**
11. **Enrico : Come l'Asti?**
12. **Renato : L'Asti non è un vino frizzante. E' un vino spumante. E' fresco e gradevole.**
13. **Enrico : Il Barolo è un vino toscano?**
14. **Renato : No, non è un vino toscano, ma piemontese. E' il « re dei vini ».**
15. **Enrico : (Alla) salute!**
16. **Renato : Cin! Cin!**

## D 2 CIVILISATION : **le drapeau italien**

**La bandiera tricolore** *Le drapeau tricolore*
Le drapeau tricolore est adopté pendant la première campagne de Napoléon I en Italie (1796-97), lorsque l'Ancien Régime s'écroule et qu'une floraison de « Républiques sœurs » adopte les institutions politiques, la législation et les symboles nés de la Révolution. Bonaparte crée, en Lombardie et en Emilie-Romagne, la République Cisalpine (26 juin 1797), qui absorbe la République Cispadane, avec les territoires de Reggio et Modena, Ferrara et Bologna : le 7 janvier 1797, elle est la première à adopter **la bandiera tricolore bianco**, **rosso**, **verde** *la drapeau tricolore vert, blanc, rouge.*
Après l'offensive austro-russe, la Republique renaît en 1800. C'est la **Repubblica Italiana**, qui survivra jusqu'à la chute de Napoléon, en 1814, mais, à partir de 1805, sous la dénomination de **Regno d'Italia**.
Pendant la première « Guerre d'Indépendance » (1848-49), le 11 avril 1848, Charles-Albert, roi du Royaume de Sardaigne, proclamait le tricolore « drapeau national italien », en y ajoutant l'écusson de la maison de Savoie, surmonté de la couronne royale. Emblème du nouveau **Regno d'Italia** en 1861, il deviendra en 1946, le drapeau de la République, sans l'écusson.

# 11 Dialogue : boire et vocabulaire

## D 3 Chianti toscan et Barolo piémontais

1. Henri : Est-ce qu'il y a beaucoup de vins en Italie?
2. René : Bien sûr! L'Italie est le premier producteur de vin au monde.
3. Henri : Quels sont les meilleurs vins?
4. René : Il y a beaucoup d'excellents vins, blancs, rouges et rosés. Le Chianti, par exemple, est un excellent vin rouge.
5. Henri : Quel goût a le Chianti rouge?
6. René : C'est un vin sec et fruité.
7. Henri : Est-ce un vin AOC?
8. René : Oui, c'est un vin AOC.
9. Henri : Le Lambrusco, c'est un vin doux ou sec?
10. René : Le Lambrusco est doux ou sec. Il est pétillant.
11. Henri : Comme l'Asti?
12. René : L'Asti n'est pas un vin pétillant. C'est un vin mousseux. Il est frais et agréable.
13. Henri : Le Barolo est-ce un vin toscan?
14. René : Non, ce n'est pas un vin toscan, mais du Piémont. C'est le « roi des vins ».
15. Henri : A la santé!
16. René : Cin! Cin!

## D 4 VOCABULAIRE : **le vin**

**I vini** *les vins*

| | | | |
|---|---|---|---|
| **alla salute!** | *à la santé* | **DOC** | *AOC* |
| **il Barolo** | *vin du Piémont* | **il Chianti** | *vin de Toscane* |
| **il Lambrusco** | *vin de l'Emilie* | **il re** | *le roi* |
| **il vino** | *le vin* | **amabile** | *doux* |
| **aromatico** | *aromatique* | **asciutto** | *sec* |
| **bianco** | *blanc* | **fresco** | *frais* |
| **frizzante** | *pétillant* | **gradevole** | *agréable* |
| **ottimo** | *très bon, excellent* | **rosato** | *rosé* |
| **rosso** | *rouge* | **secco** | *sec* |
| **spumante** | *mousseux* | | |

# 12 Dov'è via del Risorgimento?

## A 1 PRÉSENTATION

- Les prépositions **di** et **a** se contractent avec les articles définis :

| | |
|---|---|
| di + il = **del** | a + il = **al** |
| di + i = **dei** | a + i = **ai** |
| di + lo = **dello** | a + lo = **allo** |
| di + gli = **degli** | a + gli = **agli** |

**la vigilessa** — *l'agent de police (femme)*
**di fronte** — *en face*
**l'autobus** [**aou**tobous] — *l'autobus*
**l'angolo** [**an**golo] — *le coin de la rue*
**l'informazione** — *le renseignement*
**il prezzo della corsa** — *le prix de la course*
**caro** — *cher, coûteux*
**fare il biglietto** — *acheter le (son) billet*
**a proposito** [pro**po**zito] — *à propos*
**preferibile** [préfé**ri**bilé] — *préférable*
**fare il portoghese** — *resquiller*
**la fermata** — *l'arrêt*
**obbligatorio** — *obligatoire*

## A 2 APPLICATION

***(Un turista e una vigilessa.)***

1. **Turista — Scusi, dov'è via del Risorgimento?**
2. **Vigilessa — Qui è Piazza Garibaldi. Via del Risorgimento è lì, di fronte, dopo Piazza Cavour.**
3. **T. — Sono stanco. C'è una fermata dell'autobus qui vicino?**
4. **V. — Sì, signore, all'angolo di Viale Mazzini e di Piazza Garibaldi, c'è la fermata obbligatoria del 12.**
5. **T. — Grazie. Un'altra informazione, per favore: quant'è il prezzo della corsa?**
6. **V. — Oh, non è caro. A proposito: ha spiccioli?**
7. **T. — Non molti.**
8. **V. — Per fare il biglietto è necessario avere moneta spicciola.**
9. **E' preferibile non fare il portoghese.**

# 12 Où est la rue du Risorgimento?

## A 3 REMARQUES

### Grammaire

• Quand on utilise le verbe auxiliaire **essere** + un adjectif, le verbe à l'infinitif qui suit n'est pas précédé de la préposition **di**, car il est sujet réel de la phrase :

— **E' necessario avere spiccioli o moneta spicciola**
(= **avere spiccioli o moneta spicciola è necessario**)
*Il est nécessaire d'avoir de la monnaie.*
— **E' piacevole studiare l'italiano**
(= **studiare l'italiano è piacevole**)
*Il est agréable d'étudier l'italien.*
— **E' pericoloso sporgersi**...... *Il est dangereux de se pencher...*

### Vocabulaire

• **Fare il portoghese** (traduction littérale = *faire le Portugais*) signifie *resquiller*. L'expression aurait l'origine suivante. Il y a longtemps, l'ambassade du Portugal à Rome avait convié tous les Portugais de la ville à une soirée de **bel canto** en l'honneur de leur souverain. La réputation des chanteurs qui participaient à cette fête était telle que bon nombre de Romains se présentèrent en déclarant, pour qu'on leur laisse le passage : **Sono Portoghese**. Le subterfuge réussit si bien que l'ambassade fut envahie et que bon nombre de Portugais authentiques restèrent dans la rue.

## A 4 TRADUCTION

*(Un touriste et une femme agent.)*

1. Touriste — Pardon, où est la rue du Risorgimento?
2. Agent — Ici, c'est la place Garibaldi. La rue du Risorgimento est là-bas, en face, après la place Cavour.
3. T. — Je suis fatigué. Y a-t-il un arrêt d'autobus près d'ici?
4. A. — Oui, monsieur, à l'angle de l'avenue Mazzini et de la place Garibaldi, il y a l'arrêt obligatoire du 12.
5. T. — Merci. Un autre renseignement, s'il vous plaît : quel (combien) est le prix du trajet?
6. A. — Oh, ce n'est pas cher. A propos : avez-vous de la monnaie?
7. T. — Pas beaucoup.
8. A — Pour prendre un billet il est nécessaire d'avoir de la monnaie.
9. Il est préférable de ne pas resquiller.

# 12 Di chi è questo quadro?

## B 1 PRÉSENTATION

- Notez l'emploi de la préposition **a** dans les expressions suivantes :

| | |
|---|---|
| **davanti a** | *devant* |
| **vicino a** | *près de* |
| **accanto a** | *à côté de* |
| **di fronte a** | *en face de* |

- **Fra un quarto d'ora** = *dans un quart d'heure*
  **di chi è questo quadro?** = *de qui est ce tableau?*

| | |
|---|---|
| **prossimo** *(adj.)* [**pros**simo] | *prochain* |
| **circa** | *environ* |
| **dare uno sguardo** | *jeter un coup d'œil* |
| **la galleria** [gallé**ri**a] | *la galerie* |
| **l'arte** *(fém.)* | *l'art* |
| **moderno** | *moderne* |
| **il pittore** | *le peintre* |
| **preferito** | *préféré* |
| **il direttore** | *le directeur* |
| **pieno** | *plein* |
| **la salita** | *l'entrée* (m. à m. : la montée) |

## B 2 APPLICATION

***(Davanti alla fermata dell'autobus.)***

1. — **A che ora è la prossima corsa?**
2. — **Fra un quarto d'ora, alle undici e dieci circa.**
3. — **Allora c'è tempo per dare uno sguardo ai quadri della galleria.**
4. — **Uno sguardo rapido. E' una galleria d'arte moderna.**
5. — **Di chi è questo quadro?**
6. — **E' di Guttuso.**
7. — **E' un pittore fiorentino?**
8. — **No, è un pittore siciliano.**
9. — **E questo di chi è?**
10. — **E' di De Chirico.**
11. — **Ah sì, è vero. E' il pittore preferito del direttore.**
12. — **Ah, ecco l'autobus. E' pieno. C'è molta gente.**
13. — **La salita è dietro.**

# 12 De qui est ce tableau?

## B 3 REMARQUES

■ Grammaire

• Pour indiquer la possession, pour préciser qui est l'auteur d'une œuvre, on emploie la préposition **di** :

Ex. : **di chi è questo quadro?** — *de qui / à qui* } *est ce tableau?*

**è di Sandro** — *il est* } *de Sandro / à Sandro*

■ Vocabulaire

• **Arte** est féminin : **l'arte italiana** *l'art italien.*

■ Note

• **Guttuso** [gout**tou**so] et **De Chirico** [dé **ki**rico] sont deux grands peintres contemporains. Le premier est né en Sicile; il a été influencé par Picasso. Le second est né en Grèce, de parents italiens. Il a été le créateur de la peinture dite métaphysique.

## B 4 TRADUCTION

*(Devant l'arrêt de l'autobus.)*

1. — A quelle heure est le prochain passage?
2. — Dans un quart d'heure, à onze heures dix environ.
3. — Alors il y a le temps de jeter un coup d'œil aux tableaux de la galerie.
4. — Un coup d'œil rapide. C'est une galerie d'art moderne.
5. — De qui est ce tableau?
6. — Il est de Guttuso.
7. — C'est un peintre florentin?
8. — Non, c'est un peintre sicilien.
9. — Et celui-ci, de qui est-il?
10. — Il est de De Chirico.
11. — Ah, oui, c'est vrai. C'est le peintre préféré du directeur.
12. — Ah, voici l'autobus. Il est plein (bondé). Il y a beaucoup de monde.
13. — L'entrée est à l'arrière.

## 12 Exercices

### C 1 EXERCICES

**A. Traduire :**

1. Où est l'arrêt de l'autobus?
2. Près d'ici.
3. Dans combien de temps y a-t-il un autobus?
4. Dans un quart d'heure environ.
5. Est-il nécessaire d'avoir de la monnaie?
6. Oui, certainement : il est préférable de ne pas resquiller.

**B. Répondre aux questions :**

1. Che cosa è necessario per prendere l'autobus?
2. E per fare il biglietto?
3. Che cosa c'è in una galleria?

**TARGHE (suite et fin)**

| targhe | cod. post. | pref. telef. | provincia | targhe | cod. post. | pref. telef. | provincia |
|---|---|---|---|---|---|---|---|
| SR | 96100 | 0931 | Siracusa | VI | 36100 | 0444 | Vicenza |
| TA | 74100 | 099 | Taranto | SO | 23100 | 0342 | Sondrio |
| TR | 05100 | 0744 | Terni | TE | 64100 | 0861 | Teramo |
| TP | 91100 | 0923 | Trapani | TO | 10100 | 011 | Torino |
| TV | 31100 | 0422 | Treviso | TN | 38100 | 0461 | Trento |
| UD | 33100 | 0432 | Udine | TS | 34100 | 040 | Trieste |
| VB | 28048 | 0323 | Verbano-Cusio-Ossola | VA | 21100 | 0332 | Varese |
| | | | | VC | 13100 | 0161 | Vercelli |
| VE | 30100 | 041 | Venezia | VV | 88018 | 0963 | Vibo Valentia |
| VR | 37100 | 045 | Verona | VT | 01100 | 0761 | Viterbo |

### C 2 ANDARE

En général l'emploi des prépositions est le même en français et en italien. Mais il y a de nombreuses différences, surtout avec le verbe **andare** :

**andare a scuola** *aller à l'école* , **andare a teatro** *aller au théâtre* , **andare dal medico** *aller chez le médecin* , **andare in banca** *aller à la banque* , **andare in bicicletta** *aller à bicyclette* , **andare in centro** *aller au centre* , **andare in giardino** *aller dans le (au) jardin* , **andare in montagna** *aller à la montagne* , **andare in ufficio** *aller au bureau*.

Notez aussi : **andare avanti** *avancer,* **andare indietro** *reculer retarder (pour montre),* **andare dentro** *entrer, rentrer* , **andare fuori** *sortir* , **andare giù** *descendre* , **andare su** *monter* , **andare oltre** *aller plus loin*.

Remarquez **: andare a spasso** *aller se promener* , **andare a zonzo** *flâner*.

## C 3 CORRIGÉ

**A. Traduire :**

1. Dov'è la fermata dell'autobus?
2. Qui vicino.
3. Fra quanto tempo c'è un autobus?
4. Fra un quarto d'ora circa.
5. E' necessario avere spiccioli?
6. Sì, certamente : è preferibile non fare il portoghese.

**B. Répondre aux questions :**

1. E' necessario fare il biglietto.
2. Avere spiccioli.
3. Ci sono quadri.

## C 4 CULTURE : il Risorgimento

Le **Risorgimento** (m. à m. : *renaissance* ) est la période de *l'Indépendance* **l'Indipendenza** et de *l'Unité italienne* **l'Unità italiana** (XIX^e^ siècle).
Au début du XX^e^ siècle on a rendu un très grand hommage à tous les héros, patriotes et partisans de l'Unité italienne — du roi **Vittorio Emanuele II** à son premier ministre **Cavour**, du grand héros populaire **Giuseppe Garibaldi**, qui avec « mille » volontaires débarqua en Sicile et enleva le Royaume des Deux-Siciles aux Bourbons, à **Giuseppe Mazzini** — en leur dédiant des rues, des places, des avenues et des monuments.
C'est la raison pour laquelle toute les communes et les villes italiennes résonnent de leurs noms.
Le plus grand hommage fut rendu, bien sûr, au roi, en lui consacrant, à Rome, un monument imposant, symbole de l'Unité italienne, appelé il **Vittoriano** (du nom de son principal artisan, Vittorio Emanuele II), achevé en 1911, et que, à cause de sa forme, les Romains appellent « la macchina da scrivere » la « machine à écrire ».

# 12 Dialogues et civilisation

## D 1 L'Italia è un giardino

1. **Turista : Senta, c'è un autobus per andare in centro?**
2. **Passante : Sì, ci sono molti autobus.**
3. **Turista : Dov'è la fermata?**
4. **Passante : Di fronte alla posta, lì, a destra, in Via del Risorgimento.**
5. **Turista : Chi è il personaggio del monumento di questo giardino?**
6. **Passante : E' Giuseppe Garibaldi, l'« eroe dei due mondi ».**
7. **Turista : Sono belli i fiori di questo giardino!**
8. **Passante : Sì, è un vero giardino all'italiana.**
9. **Turista : Di chi è la frase famosa : « L'Italia è il giardino dell'Europa »?**
10. **Passante : Di Dante. Ma la frase esatta è « L'Italia è il giardino dell'impero » (Divina Commedia, Purgatorio, VI, 105).**
11. **Turista : Dante è il nome o il cognome?**
12. **Passante : E' il nome, evidentemente. Il cognome è Alighieri.**

## D 2 CIVILISATION : la place et le café

**La piazza** *La place* : une institution typiquement italienne, de **Piazza Navona** (Roma) à **Piazza San Marco** (Venezia), de **Piazza Duomo** (Milano) à **Piazza del Campo** (Siena) —, l'héritière du **forum** romain et de l'**agora** grecque. Les Italiens s'y donnent *rendez-vous* **appuntamento**, discutent, parlent de tout et de rien, assistent aux joutes oratoires des hommes politiques (**il comizio** *le meeting)*, applaudissent les héros du jour (**palio di Siena**), savourent une délicieuse *glace* **il gelato** montrent leurs signes extérieurs de richesse.

**I caffè e la cultura** *Les cafés et la culture* : le café est une espèce de salon, dans lequel vient s'inscrire l'espace privé d'une table, qui rend possible l'intimité et la convivialité, mais aussi le dialogue et de passionnantes discussions idéologiques.
Tous les grands lieux d'effervescence intellectuelle sont et ont été des « cafés » : **caffè Greco** à Rome que tous les grands écrivains de ce monde, Goethe et Stendhal, entre autres, ont fréquenté, **caffè Garibaldi** à Trieste, fréquenté par Svevo et Saba, **caffè Michelangelo** o **delle Giubbe rosse** à Florence, **caffè del Centro** à Milan, fréquentés par le futuristes italiens (Marinetti, Boccioni...), **caffè Florian** à Venise, fréquenté par Casanova et Goldoni, **il caffè Pedrocchi** à Padoue, haut lieu des grands moments du Risorgimento italien.

## D 3 L'Italie est un jardin

1. Touriste : S'il vous plaît, y a-t-il un bus pour le centre ville?
2. Passante : Oui, il y a beaucoup de bus.
3. Touriste : Où est l'arrêt?
4. Passante : En face du bureau de poste, là-bas, à droite, rue du Risorgimento.
5. Touriste : Qui est le personnage du monument de ce jardin?
6. Passante : C'est Giuseppe Garibaldi, « le héros des deux mondes ».
7. Touriste : Les fleurs de ce jardin sont belles!
8. Passante : Oui, c'est un vrai jardin à l'italienne.
9. Touriste : De qui est la phrase célèbre : « L'Italie est le jardin de l'Europe? »
10. Passante : De Dante. Mais la phrase exacte est : « L'Italie est le jardin de l'empire. »
11. Touriste : Dante est-ce le prénom ou le nom?
12. Passante : C'est le prénom, évidemment. Le nom est Alighieri.

## D 4 VIE PRATIQUE : **la rue**

**Il vocabolario della strada** *le vocabulaire de la rue*

| | | | |
|---|---|---|---|
| **la piazza** | *la place* | **i giardini pubblici** | *les jardins publics* |
| **il viale** | *l'avenue* | **la fermata obbligatoria** | *l'arrêt obligatoire* |
| **il corso** | *le cours* | **il vicolo** | *l'impasse* |
| **la via** | *la rue* | **è vietato calpestare le aiuole** | *défense de marcher sur les plates-bandes* |

# 13 Dove abiti?

## A 1 PRÉSENTATION

- Les trois conjugaisons en italien :

| | | | |
|---|---|---|---|
| 1re conjugaison | **Parl-are** | | *(parler)* |
| 2e conjugaison | **Prend-ere** | [**pren**déré] | *(prendre)* |
| 3e conjugaison | **Part-ire** | | *(partir)* |

- Les formes du **présent de l'indicatif**, au singulier :

| | | |
|---|---|---|
| 1. **Parl-o** | **Prend-o** | **Part-o** |
| 2. **Parl-i** | **Prend-i** | **Part-i** |
| 3. **Parl-a** | **Prend-e** | **Part-e** |

| | | | |
|---|---|---|---|
| **il gelato** | *la glace* | **il centro** | *le centre* |
| **la bibita** | *la boisson* | **la periferia** | *la banlieue* |
| **il cameriere** | *le garçon* | **il Colosseo** | *le Colisée* |
| **desiderare** | *désirer* | **lavorare** | *travailler* |
| **la pasta alla crema** | *le gâteau à la crème* | **la metropolitana** | *le métro* |
| **costare** | *coûter* | **andare** | *aller* |

## A 2 APPLICATION

***(Al bar.)***

1. **Sandro — Che cosa prendi? Un gelato o una bibita?**
2. **Graziella — Prendo un gelato, grazie!**
3. **Sandro — Cameriere!**
4. **Cameriere — Desidera?**
5. **Sandro — La signorina prende un gelato; io, invece, prendo una pasta alla crema.**
6. **Cameriere — Bene, signore.**
7. **Sandro — Dove abiti? In centro o in periferia?**
8. **Graziella — Abito vicino al Colosseo e lavoro all' E.U.R.**
9. **Sandro — Prendi la metropolitana o l'autobus per andare in ufficio?**
10. **Graziella — Prendo la metropolitana.**
11. **Cameriere — Ecco il gelato per la signorina e la pasta per il signore.**
12. **Sandro — Grazie. Quanto costa?**
13. **Cameriere — Porto subito il conto.**

## 13 Où habites-tu?

### A 3 REMARQUES

■ Prononciation

• L'accent tonique des infinitifs de la 1re et de la 3e conjugaisons est toujours sur l'avant-dernière syllabe :
**ParLAre, desideRAre, abiTAre, parTIre, dorMIre**.

• Les infinitifs de la 2e conjugaison peuvent être accentués :
— soit sur l'antépénultième syllabe *parola sdrucciola*: **PRENdere, LEGgere**;
— soit sur l'avant-dernière syllabe *parola piana*: **teMEre** *craindre*, **teNEre** *tenir*, et la plupart des verbes courants correspondant aux verbes français en -oir : **saPEre** *savoir*, **veDEre** *voir*.

• Prononcer [dé**si**déra] (A 2), [**a**biti] (A 2), [**a**bito] (A 2), [**bi**bita], [péri-fé**ria**], [kolos**sé**o] (A 1), subito [**sou**bito].

• L'E.U.R. est un quartier moderne à 3 km de Rome. Il avait été conçu pour l'Exposition Universelle de Rome (d'où le sigle E.U.R. [EOUR]) qui devait se tenir en 1942, mais que la guerre empêcha. Ce quartier a été achevé dans les années Cinquante, mais dans le but d'en faire une ville-jardin et une cité administrative. C'est ici qu'en 1960 s'est déroulée une partie des Jeux Olympiques.

### A 4 TRADUCTION

*(Au bar.)*

1. Sandro — Que prends-tu? Une glace ou une boisson?
2. Graziella — Je prends une glace, merci!
3. Sandro — Garçon!
4. Garçon — Vous désirez?
5. Sandro — Mademoiselle prend une glace; moi, par contre, je prends un gâteau à la crème.
6. Garçon — Bien, monsieur.
7. Sandro — Où habites-tu? Dans le centre ou en banlieue?
8. Graziella — J'habite près du Colisée et je travaille à l'E.U.R.
9. Sandro — Tu prends le métro ou l'autobus pour aller au bureau?
10. Graziella — Je prends le métro.
11. Garçon — Voici la glace pour mademoiselle et le gâteau pour monsieur.
12. Sandro — Merci. Combien ça coûte (vous dois-je)?
13. Garçon — J'apporte l'addition tout de suite.

# 13 Molte radio libere trasmettono in dialetto

## B 1 PRÉSENTATION

- **Le présent de l'indicatif au pluriel** est le suivant :

| | | |
|---|---|---|
| 1. **Parl-iamo** | **Prend-iamo** | **Part-iamo** |
| 2. **Parl-ate** | **Prend-ete** | **Part-ite** |
| 3. **Parl-ano** | **Prend-ono** | **Part-ono** |

- **qualche volta** — *quelquefois*
  **alcune volte** — *quelquefois*
  **alcuni** (pronom) — *quelques-uns*
  **molti** (pronom) — *beaucoup (de gens)*

| | | | |
|---|---|---|---|
| **il cliente** | *le client* | **trasmettere** | *émettre* |
| **tutti** | *tous* | **scrivere** | *écrire* |
| **il dialetto** | *le dialecte* | **capire** | *comprendre* |
| **eppure** | *et pourtant* | **difficile** | *difficile* |
| **la porta** | *la porte* | **esagerare** | *exagérer* |
| **la radio libera** | *la radio libre* | | |

## B 2 APPLICATION

1. **Sandro — Lavorano molto in questo bar.**
2. **Graziella — Sì, ci sono molti clienti.**
3. **Sandro — Ma non tutti parlano italiano.**
4. **Graziella — Ci sono molti turisti stranieri.**
5. **Sandro — Sì, molti parlano francese, inglese o tedesco. Ma alcuni parlano anche il dialetto romano.**
6. **Graziella — Ma i Romani partono in vacanza in agosto!**
7. **Sandro — Eppure i clienti vicino alla porta parlano il dialetto romano.**
8. **Graziella — E tu, parli il dialetto?**
9. **Sandro — Fra amici lo parliamo qualche volta. Molte radio libere trasmettono anche in dialetto. Molti scrivono anche in dialetto.**
10. **Graziella — Per i turisti è difficile capire gli Italiani.**
11. **Sandro — Esageri, Graziella! Gli Italiani non parlano sempre in dialetto.**

## B 3 REMARQUES

■ Accent

• **L'accent** à la troisième personne du pluriel se trouve sur la même syllabe sur laquelle il se trouve au singulier :

| | | | |
|---|---|---|---|
| 1 singulier | **parlo** | **prendo** | **parto** |
| 2 singulier | **parli** | **prendi** | **parti** |
| 3 singulier | **parla** | **prende** | **parte** |
| 1 pluriel | **parliamo** | **prendiamo** | **partiamo** |
| 2 pluriel | **parlate** | **prendete** | **partite** |
| 3 pluriel | **parlano** | **prendono** | **partono** |

Attention! Cerrtains verbes comme **abitare** *habiter,* **telefonare** *téléphoner,* **esagerare** *exagérer,* **ordinare** *commander* , etc... ont l'accent sur la troisième syllabe au singulier (parola sdrucciola); par conséquent, à la troisième du pluriel, l'accent est sur la quatrième syllabe (la forme devient « bisdrucciola ») :

| | | | |
|---|---|---|---|
| **abito** | **telefono** | **esagero** | **ordino** |
| **abiti** | **telefoni** | **esageri** | **ordini** |
| **abita** | **telefona** | **esagera** | **ordina** |
| **abitiamo** | **telefoniamo** | **esageriamo** | **ordiniamo** |
| **abitate** | **telefonate** | **esagerate** | **ordinate** |
| **abitano** | **telefonano** | **esagerano** | **ordinano** |

## B 4 TRADUCTION

1. Sandro — Ils travaillent beaucoup dans ce bar.
2. Graziella — Oui, il y a beaucoup de clients.
3. Sandro — Mais tous ne parlent pas italien.
4. Graziella — Il y a beaucoup de touristes étrangers.
5. Sandro — Oui, beaucoup parlent français, anglais ou allemand. Mais quelques-uns parlent aussi le dialecte romain.
6. Graziella — Mais les Romains partent en vacances en août!
7. Sandro — Et pourtant, les clients près de la porte parlent en dialecte romain.
8. Graziella — Et toi, tu parles le dialecte?
9. Sandro — Entre amis, nous le parlons quelquefois. Beaucoup de radios libres émettent aussi en dialecte. Beaucoup de gens écrivent aussi en dialecte.
10. Graziella — Pour les touristes, il est difficile de comprendre les Italiens.
11. Sandro — Tu exagères, Graziella! Les Italiens ne parlent pas toujours en dialecte.

# Exercices

## C 1 EXERCICES

**A. Traduire :**

1. J'habite près du Colisée.
2. Je ne prends pas le métro.
3. Je travaille et lis beaucoup.
4. Je pars en vacances.

**B. Traduire :**

1. Pochi turisti parlano tedesco, ma molti Italiani parlano francese.
2. Per uno straniero è difficile parlare bene in dialetto.
3. E' importante sapere parlare una lingua straniera.
4. E' difficile capire gli Italiani?
5. Qualche turista parla italiano.

**C. Mettre sous une autre forme :**

1. Qualche Francese parla il dialetto romano.
2. C'è qualche radio libera che trasmette in dialetto.
3. Alcuni turisti parlano francese.

## C 2 RÉCAPITULATION

- L'accent est sur la même syllabe à la troisième du singulier et à la troisième du pluriel :

| | | | | | |
|---|---|---|---|---|---|
| **par**la | *il parle* | de**si**dera | *il désire* | **a**bita | *il habite* |
| **par**lano | *ils parlent.* | de**si**derano | *ils désirent* | **a**bitano | *ils habitent* |

- Après **qualche**, on emploie toujours le singulier. On peut exprimer la même idée avec **alcuno**, qui doit s'accorder :

**Prendo qualche libro / Prendo alcuni libri** — *Je prends quelques livres.*

**Vedo qualche amica / Vedo alcune amiche** — *Je vois quelques amies.*

## C 3 CORRIGÉ

**A. Traduire :**

1. Abito vicino al Colosseo.
2. Non prendo la metropolitana.
3. Lavoro e leggo molto.
4. Parto in vacanza.

**B. Traduire :**

1. Peu de touristes parlent allemand, mais beaucoup d'Italiens parlent français.
2. Pour un étranger, il est difficile de bien parler le dialecte.
3. Il est important de savoir parler une langue étrangère.
4. Est-il difficile de comprendre les Italiens?
5. Quelques touristes parlent italien.

**C. Mettre sous une autre forme :**

1. Alcuni Francesi parlano il dialetto romano.
2. Ci sono alcune radio libere che trasmettono in dialetto.
3. Qualche turista parla francese.

## C 4 VOCABULAIRE : salutations

• Come salutare per iniziare un contatto :
— **Buon giorno, signore.**
— **Buona sera, signora.**
— **Buona notte, signorina.**
— **Ciao, Graziella!**

• *Comment saluer pour prendre contact :*
— *Bonjour, monsieur.*
— *Bonsoir, madame.*
— *Bonne nuit, mademoiselle.*
— *Salut, Graziella!*

• Come congedarsi :
— **ArrivederLa** (1) ou **Arrivederci signore, signora, signorina.**
— **Ciao, Sandro!**

• *Comment prendre congé :*
— *Au revoir monsieur, madame, mademoiselle.*
— *Salut, Alexandre!*

• Qualche augurio :
— **Auguri!**
— **Buone vacanze!**
— **Buon anno!**
— **Buon Natale!**

• *Quelques souhaits :*
— *Tous mes vœux!*
— *Bonnes vacances!*
— *Bonne année!*
— *Joyeux Noël!*

(1) Arriveder**La** suppose l'emploi du pronom de politesse Lei (v.16-A 3).
— Arriverder**La** = à vous revoir (en italien le pronom se met après le verbe à l'infinitif).
— Arrivederc**i** = à nous revoir.

## 13 Dialogues et civilisation

### D 1 E' necessario studiare tutti i giorni

1. **Piero : Da quanto tempo studi l'italiano?**
2. **Nino : Non da molto tempo. Studio con un metodo d'italiano.**
3. **Piero : Pensi di imparare a parlare da solo?**
4. **Nino : Mi provochi...? Penso di andare in Italia durante le vacanze. Allora non vedo altra soluzione che incominciare ad imparare la grammatica ed il vocabolario. Ora conosco un po' meglio l'Italia. Ascolto anche le cassette. Comprendo già molte parole e molti dialoghi. Durante le prossime vacanze penso di poter cominciare a parlare in italiano e a capire.**
5. **Piero : Bravo! Vedo che sei ottimista! Non pensi, allora, che è difficile...**
6. **Nino : Per un francese, non penso; ma è necessario studiare molto, tutti i giorni, pronunciare correttamente, fare attenzione all'accento e all'intonazione, ripetere le frasi ad alta voce... Insomma c'è molto lavoro in prospettiva! Ma è... fantastico imparare una lingua straniera, soprattutto l'italiano!**

### D 2 CIVILISATION : **Goldoni**

**Carlo Goldoni** (ou de la manière d'écrire en italien et en dialecte)
L'Italie est le pays d'Europe où il y a le plus grand nombre de dialectes et où leur capacité de survie face à la langue officielle est la plus forte. De nos jours encore le dialecte est le signe d'appartenance à une région donnée et même un signe de distinction sociale. Il est l'expression du particularisme des Italiens qui, même fort cultivés, s'ils parlent alors parfaitement la langue nationale, emploient couramment le dialecte de leur province d'origine. Même dans le domaine de la production littéraire, le dialecte a joué, et joue encore, un rôle important. Citons l'exemple de **Carlo Goldoni**, au XVIIIe siècle, auteur de pièces de théâtre

- en italien (**Le smanie per la villeggiatura** *La villégiature*, **Il ventaglio** *L'éventail*, **La locandiera**, **Arlecchino servitore di due padroni** *Arlequin, serviteur de deux maîtres* , **La bottega del caffè**),
- en français (*Le bourru bienfaisant*),
- mais aussi en dialecte vénitien (**I rusteghi** *Les Rustres*, **Le baruffe a chiozzotte** *Barouf à Chioggia...*).

L'utilisation du dialecte n'empêche pas le public international de courir aux représentations des chefs d'œuvre du « Molière italien ». Aujourd'hui encore, du nord au sud, pièces de théâtre, poèmes, récits, dialogues de films sont écrits en dialecte, moyen d'expression privilégié d'une Italie aux cents visages et aux « cent villes ».

## D 3 Il est nécessaire de travailler tous les jours

1. Piero : Depuis combien de temps étudies-tu l'italien?
2. Nino : Depuis pas très longtemps. J'étudie avec une méthode d'italien.
3. Piero : Est-ce que tu penses apprendre à parler tout seul?
4. Nino : Tu veux me provoquer...? Je pense aller en Italie pendant les vacances. Alors je ne vois pas d'autre solution que commencer à apprendre la grammaire et le vocabulaire. Maintenant je connais un peu mieux l'Italie. J'écoute aussi les cassettes. Je comprends déjà beaucoup de mots et de dialogues. Pendant les prochaines vacances je pense pouvoir commencer à parler en italien et à comprendre.
5. Piero : Bravo! Je vois que tu es optimiste! Tu ne penses pas alors que c'est difficile...
6. Nino : Pour un français, non; mais il est nécessaire de travailler beaucoup, tous les jours, de prononcer correctement, de faire attention à l'accent et à l'intonation, de répéter les phrases à haute voix... Bref, il y a beaucoup de travail en perspective! Mais il est fantastique d'apprendre une langue étrangère, surtout l'italien!

## D 4 VOCABULAIRE : **mots nouveaux**

| | | | |
|---|---|---|---|
| **la lingua** | *la langue* | **il metodo** | *la méthode* |
| **studiare** | *étudier* | **provocare** | *provoquer* |
| **imparare** | *apprendre* | **da solo** | *tout seul* |
| **durante** | *pendant* | **(in)cominciare** | *commencer* |
| **la grammatica** | *la grammaire* | **il vocabolario** | *le vocabulaire* |
| **ora** | *maintenant* | **conoscere** | *connaître* |
| **comprendere** | *comprendre* | **già** | *déjà* |
| **la parola** | *la parole, le mot* | **il dialogo** | *le dialogue* |
| **potere** | *pouvoir* | **ottimista** | *optimiste* |
| **pronunciare** | *prononcer* | **correttamente** | *correctement* |
| **l'accento** | *l'accent* | **l'attenzione** | *l'attention* |
| **ripetere** | *répéter* | **la voce** | *la voix* |
| **alto** | *haut* | **insomma** | *en somme, bref* |
| **il lavoro** | *le travail* | **la prospettiva** | *la perspective* |
| **fantastico** | *fantastique* | **soprattutto** | *surtout* |

# 14 Come si chiama il regista?

## A 1 PRÉSENTATION

- La conjugaison des **verbes pronominaux** est la suivante :

| | | | |
|---|---|---|---|
| (io) | **mi** | chiamo | *je m'appelle* |
| (tu) | **ti** | chiami | *tu t'appelles* |
| (lui, lei) | **si** | chiama | *il, elle s'appelle* |
| (noi) | **ci** | chiamiamo | *nous nous appelons* |
| (voi) | **vi** | chiamate | *vous vous appelez* |
| (loro) | **si** | chiamano | *elles, ils s'appellent* |

- chiamar**si** = s'appeler
- **tenga** (sujet sous-entendu **Lei**) = *tenez*

| | | | |
|---|---|---|---|
| **il chiosco** | *le kiosque* | **i ricordi d'infanzia** | *les souvenirs d'enfance* |
| **la pagina** | *la page* | **il regista** | *le metteur en scène, le réalisateur* |
| **lo spettacolo** | *le spectacle* | | |
| **il cinema** | *le cinéma* | | |
| **significare** | *signifier* | **ricordarsi** | *se souvenir* |
| **infatti** | *en effet* | **ultimo** | *dernier* |
| **il film** | *le film* | **d'accordo** | *d'accord* |

## A 2 APPLICATION

***(Davanti al chiosco.)***

**A - 1. — Il « Corriere della Sera », per favore.**
**2. — Tenga!**
**B - 1. Sandro — Vediamo la pagina degli spettacoli. Ah, ecco : al cinema « Aurora », c'è « Amarcord ».**
**2. Graziella — Che significa « Amarcord »?**
**3. Sandro — Significa : « io mi ricordo ». Infatti, è un film di ricordi d'infanzia.**
**4. Graziella — Come si chiama il regista?**
**5. Sandro — Il regista è Fellini.**
**6. Graziella — Ah! sì, adesso mi ricordo.**
**7. Sandro — Ti ricordi come si chiama l'ultimo film di Fellini?**
**8. Graziella — No, non mi ricordo.**
**9. Sandro — Allora, andiamo a vedere « Amarcord »!**
**10. Graziella — D'accordo.**

## A 3 REMARQUES

### ■ Prononciation

• Bien lier, dans la prononciation, les pronoms réfléchis : **mi, ti, si, ci, vi, si,** au verbe qui suit.
Ce sont des formes atones; elles n'ont pas d'accent propre. Prononcez **michiamo, tichiami**, etc., comme s'il n'y avait qu'un seul mot.
L'accent du verbe ne se déplace évidemment pas.

• Prononcer : [si**gni**fica] (A 2), [**pa**djina], [spet**ta**kolo], [**tchi**néma], [**oul**timo] (A 1).

### ■ Grammaire

• A l'infinitif le pronom réfléchi se met après le verbe. De ce fait la voyelle finale disparaît et on a les formes suivantes :

| | | | |
|---|---|---|---|
| **chiamarmi** | *m'appeler* | **chiamarci** | *nous appeler* |
| **chiamarti** | *t'appeler* | **chiamarvi** | *vous appeler* |
| **chiamarsi** | *s'appeler* | **chiamarsi** | *s'appeler* |

• Après un verbe de mouvement tel **andare**, on met la préposition **a** devant le verbe à l'infinitif qui suit :
Ex. : **Andiamo** a **vedere « Amarcord »** *Allons voir « Amarcord ».*

## A 4 TRADUCTION

*(Devant le kiosque à journaux.)*

A - 1. — Le « Corriere della Sera » s'il vous plaît.
2. — Tenez!

B - 1. Sandro — Voyons la page des spectacles! Ah, voilà : au cinéma « Aurora », il y a « Amarcord ».
2. Graziella — Que signifie « Amarcord »?
3. Sandro — Cela signifie : « Moi, je me souviens. » En effet, c'est un film de souvenirs d'enfance.
4. Graziella — Comment s'appelle le metteur en scène?
5. Sandro — Le metteur en scène, c'est Fellini.
6. Graziella — Ah! oui, à présent je me souviens.
7. Sandro — Te souviens-tu comment s'appelle le dernier film de Fellini?
8. Graziella — Non, je ne me souviens pas.
9. Sandro — Alors, allons voir « Amarcord »!
10. Graziella — D'accord.

# 14 Perché tutta questa gente se ne va?

## B 1 PRÉSENTATION

• **Ne** = *en, de cela.*
*Ex. :* **Che ne pensi?** *Qu'en penses-tu? Que penses-tu de cela?*

• **Mi, ti, si, ci, vi, si** ou la forme adverbiale **ci (c'è, ci sono)** devant une autre forme pronominale deviennent **me, te, se, ce, ve, se**.
Ex. : **Ci sono posti** *il y a des places*
**Ce ne sono** *il y en a*

**il botteghino** *le guichet*
**il posto** *la place*
**lo strapuntino** *le strapontin*
**l'inizio** [**ini**tsio] *le début*
**pensare** *penser*
**sedersi** *s'asseoir*
**esaurito** *épuisé ; complet*

## B 2 APPLICATION

***(Davanti al botteghino del cinema « Aurora ».)***

A - 1. — **Scusi, perché tutta questa gente se ne va?**
2. — **Perché non ci sono più posti.**
3. — **Non ce ne sono più? Neanche due strapuntini?**
4. — **Tutto esaurito.**

B - 1. **Sandro — Allora, ce ne andiamo? Che ne pensi?**
2. **Graziella — Io non me ne vado.**
3. **Sandro — Allora, andiamo a sederci davanti al bar.**
4. **Graziella — D'accordo. Aspettiamo l'inizio del prossimo spettacolo.**

## B 3 REMARQUES

### Grammaire

- L'infinitif de *s'en aller* est **andarsene** [an**dar**séné].

*Désirer s'en aller* se dira donc au présent de l'indicatif :

| | | | |
|---|---|---|---|
| Ex. : **desidero** | [dé**si**déro] | **andarmene** | [an**dar**méné] |
| **desideri** | [dé**si**déri] | **andartene** | [an**dar**téné] |
| **desidera** | [dé**si**déra] | **andarsene** | [an**dar**séné] |
| **desideriamo** | [désidé**ria**mo] | **andarcene** | [an**dar**tchéné] |
| **desiderate** | [désidé**ra**té] | **andarvene** | [an**dar**véné] |
| **desiderano** | [dé**si**dérano] | **andarsene** | [an**dar**séné] |

- Le présent de l'indicatif de **andarsene** est :

| | |
|---|---|
| **me ne vado** | **ce ne andiamo** |
| **te ne vai** | **ve ne andate** |
| **se ne va** | **se ne vanno** |

- Rappel : **gente** est féminin singulier : **la gente,** *les gens, le monde.*

- Les italien disent souvent dans la journée, en se quittant :

**Ci vediamo!** *Nous nous voyons ou voyons-nous! donc : on se verra!*
**Ci sentiamo!** *Nous nous entendons (au téléphone) (donc : on se téléphone!)*

## B 4 TRADUCTION

*(Devant le guichet du cinéma « Aurora ».)*

A - 1. — Pardon, pourquoi tout ce monde (tous ces gens) s'en va (s'en vont)?
2. — Parce qu'il n'y a plus de places.
3. — Il n'y en a plus? Même pas deux strapontins?
4. — Tout est complet.

B - 1. Sandro — Alors, nous nous en allons (on s'en va)? Qu'en penses-tu?
2. Graziella — Moi, je ne m'en vais pas.
3. Sandro — Alors, allons nous asseoir à la terrasse (devant le bar).
4. Graziella — D'accord. Attendons le début du prochain spectacle.

## 14 Exercices

### C 1 EXERCICES

**A. Remplacer les points par les pronoms qui conviennent :**

1. Come ... chiami? ... chiamo Sandro.
2. Non ... ricordo come ... chiama questo film.
3. ... ne vado a vedere questo film : e tu, dove te ... vai?
4. Posti liberi, non ... ... sono più.

**B. Traduire :**

1. Alors, allons voir ce film.
2. Comment s'appelle le metteur en scène?
3. Nous nous en allons prendre le métro.
4. Il n'y a pas de places au cinéma « Aurora ».

**C. Répondre :**

1. Perché non vai al cinema?
2. Ti ricordi come si chiama questo film?
3. Perché andiamo a vedere questo film?

### C 2 RÉCAPITULATION

Voici d'autres verbes utiles pour raconter les différents moments de la journée :

| | |
|---|---|
| **svegliare / svegliarsi** | *réveiller /se réveiller* |
| **alzare / alzarsi** | *lever / se lever* |
| **lavare / lavarsi** | *laver / se laver* |
| **sbarbare / sbarbarsi** | *raser /se raser* |
| **vestire / vestirsi** | *habiller / s'habiller* |
| **pettinare / pettinarsi** | *coiffer / se coiffer* |
| **profumare / profumarsi** | *parfumer / se parfumer* |
| **svestire / svestirsi** | *déshabiller / se déshabiller* |
| **incontrare / incontrarsi** | *rencontrer / se rencontrer* |
| **vedere / vedersi** | *voir / se voir* |
| **sentire / sentirsi** | *écouter / se téléphoner* |
| **coricare / coricarsi** | *coucher / se coucher* |
| **addormentare / addormentarsi** | *endormir / s'endormir* |

## C 3 CORRIGÉ

**A. Remplacer les points par les pronoms qui conviennent :**

1. .... ti ....? Mi ....
2. .... mi .... si ....
3. Me .... : .... ne ....
4. ....... ce ne ....

**B. Traduire :**

1. Allora, andiamo a vedere questo film.
2. Come si chiama il regista?
3. Ce ne andiamo a prendere la metropolitana.
4. Non ci sono posti al cinema « Aurora ».

**C. Répondre :**

1. Perché non ci sono posti.
2. Sì, mi ricordo (no, non mi ricordo).
3. Perché è interessante (bello).

## C 4 CIVILISATION : le cinéma et le dialecte

**Il cinema e il dialetto**

- **Amarcord** est un film de Federico Fellini qui signifie : **io mi ricordo**, *moi, je me souviens.* C'est une forme dialectale. Le titre de ce film témoigne aussi de l'importance des dialectes en Italie non seulement dans la vie de tous les jours, mais aussi dans la création littéraire, la chanson, les productions cinématographiques.

- Quelques grands films italiens sont en dialecte, par exemple **La terra trema** *La terre tremble* de Luchino Visconti (1948). **L'albero degli zoccoli** *L'arbre aux sabots* de Ermanno Olmi (1978). Beaucoup d'autres films, sans recourir uniquement au dialecte dans les dialogues, révèlent la grande variété des parlers italiens. On peut citer **Roma** de Fellini, **Metello** de Bolognini, **Roma città aperta** *Rome ville ouverte* de Rossellini, **Ladri di biciclette** *Voleurs de bicyclette* de Vittorio De Sica.

# 14 Dialogues et civilisation

## D 1 In treno

1. **Primo viaggiatore : Buongiorno! Sono liberi questi posti?**
2. **Secondo viaggiatore : Sì, sono liberi tutti e tre.**
3. **Primo viaggiatore : Posso!**
4. **Secondo viaggiatore : Prego! Si accomodi!**
5. **Primo viaggiatore : Sono Paolo Rossi!**
6. **Secondo viaggiatore : Molto lieto! Beppe Martino!**
7. **Primo viaggiatore : Piacere!**

**E' fiorentino Benetton?**

1. **Professore : Tu, come ti chiami?**
2. **Primo allievo : Chi, io?**
3. **Professore : Sì, tu, vicino alla porta.**
4. **Primo allievo : Mi chiamo Nicola Biaggio.**
5. **Professore : E tu, dietro Nicola Biaggio, a destra, come ti chiami? Qual è il tuo cognome?**
6. **Secondo allievo : Il mio cognome è Benetton.**
7. **Professore : Sei fiorentino?**
8. **Secondo allievo : No, professore, sono di Padova.**
9. **Professore : Evidentemente, con un nome come questo!**

## D 2 CIVILISATION : cinéma

**Verso una rinascita del cinema** *Vers une renaissance du cinéma* ... On voit apparaître de nouveaux *réalisateurs* **registi** et de nouveaux *scénaristes* **sceneggiatori** et les *producteurs* **produttori** ont davantage confiance dans les histoires italiennes.... Simultanément, *les films* **i film** ont reconquis une partie du public. Ce retour de confiance entre *les créateurs* **i creatori** et *le public* **il pubblico** est très important.... Je ne sais pas s'il existe quelque chose qu'on pourrait appeler le *cinéma européen* **cinema europeo** ; il y a plutôt une addition d'identités plus particulières. Le cinéma a besoin de racines — d'où, entre autres, l'importance de la langue : il me semblerait absurde de faire *jouer* **interpretare** un Italien par *un acteur* **un attore** étranger. En Italie, le cinéma s'est reconstruit sur un terreau géographique et historique très défini, après guerre, grâce à **Rossellini**, **De Sica**, **Visconti**, un peu plus tard **Fellini**. Mais il n'existe pas, à mes yeux, de cinéma européen... Nous assistons aux prémices d'une nouvelle renaissance du *cinéma italien* **cinema italiano** et à nouveau, comme à la fin de la guerre, elle passe par *le cinéma d'auteur* **il cinema d'autore.** (**Nanni Moretti**, (Le Monde, 7/12/1996) ».

## D 3 Dans le train

Dans le train

1. Premier voyageur : Bonjour! Est-ce que ces places sont libres?
2. Deuxième voyageur : Oui, elles sont libres toutes les trois.
3. Premier voyageur : Puis-je?
4. Deuxième voyageur : Je vous en prie! Asseyez-vous!
5. Premier voyageur : Je suis Paolo Rossi!
6. Deuxième voyageur : Très heureux! Beppe Martino!
7. Premier voyageur : Enchanté!

Benetton est-il florentin?

1. Professeur : Toi, comment t'appelles-tu?
2. Premier élève : Qui, moi?
3. Professeur : Oui, toi, près de la porte.
4. Premier élève : Je m'appelle Nicola Biaggio.
5. Professeur : Et, toi, derrière Nicola Biaggio, à droite, comment t'appelles-tu? Quel est ton nom?
6. Deuxième élève : Mon nom est Benetton.
7. Professeur : Es-tu florentin?
8. Deuxième élève : Non, professeur, je suis de Padoue.
9. Professeur : Evidemment, avec un nom comme celui-ci!

## D 4 VIE PRATIQUE : **qui es-tu?**

● Voici quelques expressions qui vous seront utiles pour vous faire des amis :

**Dare del tu** *Tutoyer* **Dare del lei** *Parler à la troisième personne.*

● Pour faire connaissance, voici des questions et des réponses possibles :

**Come si chiama?** — *Comment vous appelez-vous?*
**Mi chiamo Paolo Rossi.** — *Je m'appelle Paolo Rossi*
**Qual è il Suo cognome/ il Suo nome?** — *Quel est votre nom/votre prénom?*
**Il mio cognome è Rossi.** — *Mon nom est Rossi.*
**Il mio nome è Paolo.** — *Mon prénom est Paul.*

● Si vous voulez savoir d'où vient votre interlocuteur :

**Di dov'è? / Di dove sei?** — *D'où venez-vous? D'où viens-tu?*
**Sono padovano / Sono di Padova.** — *Je suis de Padoue.*

● Si on vous fait un compliment, vous répondrez :

**Grazie, molto gentile.** — *Merci, très aimable à vous.*

# 15 Quandofinisce l'ultimo spettacolo?

## A 1 PRÉSENTATION

- La plupart des verbes en **-ire** comme :

| | |
|---|---|
| **fin -ire** | *finir* |
| **cap -ire** | *comprendre* |
| **prefer -ire** | *préférer,* etc. |

intercalent le suffixe **-isc-** entre le radical du verbe et la désinence à la première, deuxième, troisième personne du singulier et à la troisième personne du pluriel du présent de l'indicatif :

| | |
|---|---|
| fin **-isc** -o | fin -iamo |
| fin **-isc** -i | fin -ite |
| fin **-isc** -e | fin **-isc** -ono [fi**ni**skono] |

| | | |
|---|---|---|
| **quando** | | *quand* |
| **verso mezzanotte** | | *vers minuit* |
| **la seduta** | | *la séance* |
| **conoscere** | [ko**no**chéré] | *connaître* |
| **il tema** | | *le sujet* |
| **telefonare** | | *téléphoner* |
| **la critica** | [**kri**tika] | *la critique* |
| **scoprire** | | *découvrir* |
| **così** | | *ainsi, comme ça* |
| **insieme** | | *ensemble* |

## A 2 APPLICATION

1. **Sandro — Quando finisce l'ultimo spettacolo?**
2. **Graziella — Finisce verso mezzanotte.**
3. **Sandro — Preferisco andare alla seduta delle otto.**
4. **Graziella — Conosci il tema del film?**
5. **Sandro — Un po'. Non leggo mai le critiche. E tu leggi le critiche?**
6. **Graziella — Io preferisco scoprire un film.**
7. **Sandro — A proposito, telefoniamo a Ornella? Così andiamo insieme al cinema.**
8. **Graziella — Vado a telefonare.**

# Quand finit le dernier spectacle?

## A 3 REMARQUES

### Prononciation

• Rappel : le son de **c, g** et **sc** est doux, ou palatal, devant les voyelles **e** et **i**. Cela signifie que la pointe de la langue touche la partie avant du palais lorsque l'on prononce ces sons : [tche] comme dans *tchèque*, [dje] comme dans *Djibouti* et [che] comme dans *riche*.
D'où l'alternance des sons.
Voici le présent de l'indicatif de **preferire** *préférer* :

| | |
|---|---|
| **prefer-isc-o** | [préfé**ri**sko] |
| **prefer-isc-i** | [préfé**ri**chi] |
| **prefer-isc-e** | [préfé**ri**ché] |
| **prefer- iamo** | [préfé**ria**mo] |
| **prefer- ite** | [préfé**ri**té] |
| **prefer-isc-ono** | [préfé**ri**skono] |

et de **conoscere** [ko**no**chéré] :

| | | | |
|---|---|---|---|
| **conosco** | [ko**no**sko] | **conosciamo** | [kono**chia**mo] |
| **conosci** | [ko**no**chi] | **conoscete** | [kono**ché**té] |
| **conosce** | [ko**no**ché] | **conoscono** | [ko**no**skono] |

• **La critica** fait au pluriel **le critiche** pour garder le son guttural devant la voyelle **e** (voir leçon 3, B 3). En effet, l'introduction d'un **h** entre le **c** et le **g** d'une part et le **e** et le **i**, de l'autre, permet de conserver le son guttural.

| Ex. : | | | |
|---|---|---|---|
| | **la tasca** | *(la poche)* | **le tasche** |
| | **la collega** | *(la collègue)* | **le colleghe** |

## A 4 TRADUCTION

1. Sandro — Quand finit le dernier spectacle?
2. Graziella — Il finit vers minuit.
3. Sandro — Je préfère aller à la séance de huit heures.
4. Graziella — Tu connais le sujet du film?
5. Sandro — Un peu. Je ne lis jamais les critiques. Et toi, tu lis les critiques?
6. Graziella — Moi, je préfère découvrir un film.
7. Sandro — A propos, nous téléphonons à Ornella? Comme ça, nous allons (irons) ensemble au cinéma.
8. Graziella — Je vais téléphoner.

# 15 Sbrigati !

## B 1 PRÉSENTATION

● A l'impératif les formes sont les mêmes que celles de l'indicatif présent, sauf à la deuxième personne du singulier de la première conjugaison.

| Présent de l'indicatif | Impératif |
|---|---|
| 1. parl **-o** | |
| 2. parl **-i** | 2. parl **-a** |
| 3. parl **-a** | |
| 1. parl **-iamo** | 1. parl **-iamo** |
| 2. parl **-ate** | 2. parl **-ate** |
| 3. parl **-ano** | |

● **venire,** *venir.* Présent indicatif : **vengo, vieni, viene, veniamo, venite, vengono** [**ven**gono].

**pronto** — *allô (mot à mot : prêt)*
**come stai ?** — *comment vas-tu ?*
**sentire** — *entendre, écouter*
**più forte** — *plus fort*
**va bene, meglio** — *ça va bien, mieux*
**ci andiamo** — *nous y allons*
**andiamoci** [an**dia**motchi] — *allons-y*
**ora, tardi** — *maintenant, tard*
**prepararsi** — *se préparer*
**sbrigarsi, sbrigati** [**zbri**gati] — *se dépêcher, dépêche-toi*

## B 2 APPLICATION

***(Al telefono.)***

**1. Sandro — Pronto, Ornella ?**
**2. Ornella — Pronto ! Oh ! ciao Sandro, come stai ?**
**3. Sandro — Bene ; e tu come stai ? Mi senti bene ? Io non ti sento bene. Parla più forte.**
**4. Ornella — Adesso va bene ?**
**5. Sandro — Va meglio. Senti, Ornella : stasera vado al cinema con Graziella. Ci andiamo insieme ? Vieni anche tu ?**
**6. Ornella — Ma ora è tardi. Dove siete ?**
**7. Sandro — Di fronte al cinema « Oriente ». Dai, vieni ! Andiamoci insieme. Vengo a prenderti.**
**8. Ornella — Allora ti aspetto qui. Mi preparo subito. Sbrigati !**

## B 3 REMARQUES

■ Présent de l'indicatif et impératif de **ripetere** [ri**pé**téré], *répéter*, **partire** et **finire** :

| | |
|---|---|
| 1. ripet **-o**<br>2. ripet **-i**<br>3. ripet **-e**<br>1. ripet **-iamo**<br>2. ripet **-ete**<br>3. ripet **-ono** [ri**pé**tono] | <br>2. ripet **-i**<br><br>1. ripet **-iamo**<br>2. ripet **-ete** |

| | |
|---|---|
| 1. part **-o**<br>2. part **-i**<br>3. part **-e**<br>1. part **-iamo**<br>2. part **-ite**<br>3. part **-ono** [**par**tono] | <br>2. part **-i**<br><br>1. part **-iamo**<br>2. part **-ite** |

| | |
|---|---|
| 1. fin **-isco**<br>2. fin **-isci**<br>3. fin **-isce**<br>1. fin **-iamo**<br>2. fin **-ite**<br>3. fin **-iscono** [fi**ni**skono] | <br>2. fin **-isci**<br><br>1. fin **-iamo**<br>2. fin **-ite** |

## B 4 TRADUCTION

*(Au téléphone.)*

1. Sandro — Allô! Ornella?
2. Ornella — Allô! Oh! Salut, Sandro. Comment vas-tu?
3. Sandro — Bien; et toi, comment vas-tu? Tu m'entends bien? Moi, je ne t'entends pas bien. Parle plus fort.
4. Ornella — Maintenant, ça va?
5. Sandro — Ça va mieux. Écoute, Ornella : ce soir je vais au cinéma avec Graziella. Nous y allons ensemble? Tu viens, toi aussi?
6. Ornella — Mais, maintenant, il est tard. Où êtes-vous?
7. Sandro — Devant le cinéma « Oriente ». Allez! Viens! Allons-y ensemble. Je viens te chercher.
8. Ornella — Alors, je t'attends ici. Je me prépare tout de suite. Dépêche-toi!

# Exercices

## C 1 EXERCICES

**A. Traduire :**

1. Tu vas téléphoner à Graziella?
2. Oui, et toi, tu vas prendre les places ?
3. Je ne connais pas ce film : est-il intéressant?
4. Je ne comprends pas bien les sujets des films modernes. Et toi?
5. Moi, je lis quelques critiques pour comprendre.

**B. Passer du présent de l'indicatif à l'impératif, et vice versa, puis traduire :**

1. Parli forte.
2. Andiamo al cinema.
3. Aspettiamo Ornella.
4. Tu vieni, Ornella.
5. Sbrigati!
6. Aspetta, Sandro!

## C 2 RÉCAPITULATION

● A l'impératif les formes pronominales s'accrochent à la forme verbale; l'accent reste sur la même syllabe sur laquelle il se trouve au présent de l'indicatif :

| **ricordarsi** | *se rappeler* | **vestirsi** | *s'habiller* |
|---|---|---|---|
| *présent ind.* | *impératif* | *présent ind.* | *impératif* |
| mi ricordo | - | mi vesto | - |
| ti ri**cor**di | ri**cor**dati | ti **ve**sti | **ve**stiti |
| si ricorda | - | si veste | - |
| ci ricor**dia**mo | ricor**dia**moci | ci ve**stia**mo | ve**stia**moci |
| vi ricor**da**te | ricor**da**tevi | vi ve**sti**te | ve**sti**tevi |
| si ri**cor**dano | - | si **ve**stono | - |

## C 3 CORRIGÉ

**A. Traduire :**

1. Vai a telefonare a Graziella?
2. Sì, e tu vai a prendere i posti.
3. Non conosco questo film : è interessante?
4. Non capisco bene i temi dei film moderni. E tu?
5. Io leggo qualche critica (alcune critiche) per capire.

**B. Passer du présent de l'indicatif à l'impératif, et vice versa; puis traduire :**

| | |
|---|---|
| 1. Parla forte! | *Parle fort!* |
| 2. Andiamo al cinema! | *Allons au cinéma !* |
| 3. Aspettiamo Ornella! | *Attendons Ornella!* |
| 4. Vieni, Ornella! | *Viens, Ornella!* |
| 5. Ti sbrighi. | *Tu te dépêches.* |
| 6. Aspetti, Sandro. | *Tu attends, Sandro.* |

## C 4 CIVILISATION : **les quotidiens**

**I quotidiani** sont nombreux, même si leur *tirage* **tiratura** est moins important que celui des publications d'autres pays. Chaque capitale régionale possède *un titre* **una testata**. Voici les titres les plus connus :
**Corriere della Sera** (Milan), le quotidien le plus répandu en Italie, (730 000 **copie** *exemplaires*) (mais plus de 50 % de vente en Lombardie); il appartient aux plus grands industriels et financiers italiens;
**La Repubblica** (Rome), le deuxième quotidien, (710 000 **copie**), premier journal vraiment « national » : ses ventes se font essentiellement en-dehors du Latium; la majorité des actions est détenue par De Benedetti;
**La Stampa** (Turin), (420 000 **copie**) appartient à la famille Agnelli;
**Il Sole-24 Ore**, journal économique, politique et financier, il appartient à la « Confindustria », « CNPF français ») (450 000 **copie**);
**Il Messaggero** (Rome), (280 500 **copie**);
**Il Giornale** (Milan), (240 135 **copie**) appartient à Berlusconi;
**Il Giorno** (Milan), (129 000 **copie**) appartient à l'ENI, groupe public;
**Il Resto del Carlino** (Bologne), **La Nazione** (Florence), **Il Tempo** (Rome), **La Gazzetta del Mezzogiorno** (Bari), (en dessous de 100 000 **copie**)

## 15 Dialogues et civilisation

### D 1 Quando ci vediamo?

1. **Maria : Pronto!**
2. **Caterina : Sei Maria?**
3. **Maria : Oh, ciao, Caterina, come stai?**
4. **Caterina : Benissimo, grazie e tu?**
5. **Maria : Molto bene.**
6. **Caterina : Allora, ci vediamo domani? Hai qualche momento libero?**
7. **Maria : A che ora?**
8. **Caterina : Alle cinque.**
9. **Maria : Mi dispiace, ho molto lavoro. Preferisco venire più tardi.**
10. **Caterina : Verso che ora?**
11. **Maria : Verso le sette.**
12. **Caterina : No, alle sette ho un appuntamento. Ma perché non vieni a cenare con noi?**
13. **Maria : Ottima idea. Grazie. Ci vediamo allora più tardi.**
14. **Caterina : Bene. Verso le otto. Va bene?**
15. **Maria : Benissimo. A domani, allora.**
16. **Caterina : Ciao.**

### D 2 CIVILISATION : **les hebdomadaires**

**I settimanali** *les hebdomadaires*

**I settimanali d'informazione generale :** *les hebdomadaires d'information générale* **: Panorama**, **Epoca**, **l'Espresso**, **Famiglia cristiana**, **Oggi.**

**I settimanali femminili** *les hebdomadaires féminins* : **Grazia**, **Amica**, **Annabella**, **Alba.**

Rappelons qu'en Italie la presse sportive est très importante. **La Gazzetta dello Sport** a une vente moyenne par jour (1996) de 490 000 exemplaires (le troisième quotidien italien, après le « Corriere della Sera » et « La Repubblica »)

La presse politique aussi est bien répandue. **L'Unità** (PDS — Partito democratico della Sinistra — ancien PCI), a le plus grand tirage de la presse politique quotidienne : 130 000 exemplaires vendus par jour.

## D 3 Quand nous voyons-nous?

1. Marie : Allô!
2. Catherine : C'est toi, Marie?
3. Marie : Oh, ciao, Catherine, comment vas-tu?
4. Catherine : Très bien, merci et toi?
5. Marie : Très bien.
6. Catherine : Alors, on se voit demain? As-tu un moment libre?
7. Marie : A quelle heure?
8. Catherine : A cinq heures.
9. Marie : Je regrette, j'ai beaucoup de travail. Je préfère venir plus tard.
10. Catherine : Vers quelle heure?
11. Marie : Vers sept heures.
12. Catherine : Non, à sept heures j'ai un rendez-vous. Mais, pourquoi ne viens-tu pas dîner avec nous?
13. Marie : Excellente idée. Merci. On se voit alors plus tard.
14. Catherine : Bien. Vers huit heures, alors. Est-ce que cela te convient?
15. Marie : Très bien. A demain, alors.
16. Catherine : Ciao.

## D 4 VIE PRATIQUE : **téléphoner**

| **Al telefono** | *Au téléphone* |
|---|---|
| **1. Chiamare qualcuno al telefono** | *1. Appeler quelqu'un au téléphone* |
| — l'elenco telefonico | — *l'annuaire téléphonique* |
| — dare un colpo di telefono | — *donner un coup de téléphone* |
| — fare una telefonata | — *donner un coup de téléphone* |
| — Il telefono è guasto | — *Le téléphone est en dérangement* |
| — C'è una cabina telefonica? | — *Y a-t-il une cabine de téléphone?* |
| — Vorrei dieci gettoni. | — *Je voudrais dix jetons.* |
| — Vorrei una scheda magnetica. | — *Je voudrais une carte magnétique.* |
| — Qual è il prefisso di Roma? | — *Quel est l'indicatif de Rome?* |
| — Qual è il numero...? | — *Quel est le numéro...?* |
| **2. Come chiamare al telefono** | *2. Comment appeler au téléphone* |
| — Pronto? Buon giorno, buona sera... | — *Allô? Bonjour, bonsoir...* |
| — Pronto? Sono Sandro... | — *Allô? Sandro à l'appareil...* |
| — Pronto? Con chi parlo...? | — *Allô? Qui est à l'appareil...* |

# 16 Non ci vuole molto tempo

## A 1 PRÉSENTATION

- Présent de l'indicatif des verbes **volere** *vouloir* et **potere** *pouvoir.*

| sing. | plur. | sing. | plur. |
|---|---|---|---|
| **voglio** | **vogliamo** | **posso** | **possiamo** |
| **vuoi** | **volete** | **puoi** | **potete** |
| **vuole** | **vogliono** | **può** | **possono** |

- **Ci vuole** *il faut*

- **Mi piace l'italiano** *j'aime l'italien (l'italien me plaît)*
  **non mi piace aspettare** *je n'aime pas attendre*

- **Fra dieci minuti** *dans dix minutes*

**cominciare** *commencer*
**essere di ritorno** *être de retour*
**lasciare** *laisser*
**approfittare** *profiter*
**dare un'occhiata** *donner un coup d'œil*
**la notizia** *la nouvelle*

## A 2 APPLICATION

1. **Sandro — Ornella è d'accordo. Viene anche lei al cinema con noi. Andiamo a prenderla. Vuoi venire?**
2. **Graziella — Sono stanca. Puoi andare solo, se vuoi. Vi aspetto qui. Il film comincia fra mezz'ora. Venite subito; non mi piace aspettare.**
3. **Sandro — Non ci vuole molto tempo. Ornella abita qui vicino. Fra dieci minuti siamo di ritorno.**
4. **Graziella — Lasciami il giornale, così ne approfitto per leggerlo e dare un'occhiata alle notizie.**

# Il ne faut pas longtemps

## A 3 REMARQUES

■ Tableau des formes atones (non accentuées) des pronoms personnels qui se placent devant le verbe :

| Sujets | Pronoms atones | | | | Pronoms toniques |
|---|---|---|---|---|---|
| | réfléchis | directs | indirects | | |
| **io**<br>**tu**<br>**Lei** { **lui, esso** / **lei, essa** | mi<br>ti<br>si | mi<br>ti<br>La { lo / la | mi<br>ti<br>Le { gli / le | place du verbe | me<br>te<br>Lei { lui / lei |
| **noi**<br>**voi**<br>**Loro, loro** { **essi** / **esse** | ci<br>vi<br>si | ci<br>vi<br>Le { li / le | ci<br>vi<br>gli | | noi<br>voi<br>Loro loro |

• Cette règle n'est pas respectée à l'infinitif et à l'impératif : les pronoms compléments se placent après le verbe :

lascia**mi** [**la**chami] il giornale — laisse-*moi* le journal
ne approfitto per legger**lo** [**ledj**erlo] — j'en profite pour *le* lire

Avec **dovere** *devoir*, **potere** *pouvoir*, **sapere** *savoir* et **volere**, *vouloir* les formes pronominales se placent devant l'un de ces verbes ou après l'infintif du verbe principal :

**Non posso ricordarmi** ou bien **Non mi posso ricordare**
**Vuoi andartene?** ou bien **Te ne vuoi andare?**

## A 4 TRADUCTION

1. Sandro — Ornella est d'accord. Elle vient elle aussi au cinéma avec nous. Allons la chercher. Veux-tu venir?
2. Graziella — Je suis fatiguée. Tu peux y aller seul, si tu veux. Je vous attends ici. Le film commence dans une demi-heure. Venez tout de suite; je n'aime pas attendre.
3. Sandro — Il ne faut pas longtemps. Ornella habite près d'ici. Dans dix minutes nous sommes (serons) de retour.
4. Graziella — Laisse-moi le journal, comme ça, j'en profite (profiterai) pour le lire et donner un coup d'œil aux nouvelles.

# 16 Non fare il broncio!

## B 1 PRÉSENTATION

- Présent de l'indicatif des verbes **dare** *donner*, **sapere** *savoir* et **fare** *faire*.

| | | |
|---|---|---|
| 1. **do** | **so** | **faccio** |
| 2. **dai** | **sai** | **fai** |
| 3. **dà** | **sa** | **fa** |
| 1. **diamo** | **sappiamo** | **facciamo** |
| 2. **date** | **sapete** | **fate** |
| 3. **danno** | **sanno** | **fanno** |

**scusami** [**skou**zami] — *excuse-moi*
**è colpa mia** — *c'est ma faute*
**essere in ritardo** — *être en retard*
**possibile** [pos**si**bilé] — *possible*
**fare due passi** — *faire un tour*
**fare una passeggiata** — *faire une promenade*
**non fa niente** — *ça ne fait rien*
**dare un film** — *jouer un film*
**consultare il giornale** — *consulter le journal*
**essere al cartellone** — *être à l'affiche*
**fare il broncio** — *bouder*
**offrire** — *offrir*
**caffè Greco** — *café, bar Greco*

## B 2 APPLICATION

1. **Ornella** — **Ciao, Graziella, scusami. E' colpa mia se siamo in ritardo.**
2. **Graziella** — **Non è più possibile andare a vedere « Amarcord ».**
3. **Sandro** — **Possiamo andare a fare due passi. Dai, facciamo una passeggiata. Non fa niente per il film. Lo possiamo vedere domani, se lo danno ancora. Per favore, Graziella, dammi il Corriere.** (Consulta il giornale.) **Quanti ne abbiamo oggi?**
4. **Ornella** — **Ne abbiamo venticinque.**
5. **Sandro** — **Allora domani, ventisei agosto, « Amarcord » è ancora al cartellone. Dai, Graziella, non fare il broncio! Vi offro un gelato al caffè Greco.**

## B 3 REMARQUES

■ Grammaire

• **Dare** et **stare** ont des formes analogues :

| | | | |
|---|---|---|---|
| **do** | **sto** | **diamo** | **stiamo** |
| **dai** | **stai** | **date** | **state** |
| **dà** | **sta** | **danno** | **stanno** |

• L'impératif de **dare** est **da**; **dammi** *donne-moi.*
**Da + mi** (pronom personnel complément) donne **dammi**, avec redoublement de la consonne initiale du pronom.

On forme l'impératif négatif en le faisant précéder de la négation **non**. Mais à la deuxième personne du singulier, la forme de l'impératif change pour être remplacée par celle de l'infinitif :

Ex : **parla** *parle* **non parlare** *ne parle pas*

Ne pas confondre :
**che giorno è oggi?** *quel jour sommes-nous?*
et **quanti ne abbiamo oggi?** *le combien sommes-nous?*
La réponse à cette dernière question est :
**ne abbiamo 3, 4** *nous sommes le 3, le 4*

Le café Greco est un des cafés les plus célèbres de Rome. Casanova en parle déjà dans ses *Mémoires.*

## B 4 TRADUCTION

1. Ornella — Salut, Graziella, excuse-moi. C'est ma faute si nous sommes en retard.
2. Graziella — Il n'est plus possible d'aller voir « Amarcord ».
3. Sandro — Nous pouvons aller faire quelques pas. Allons, faisons une promenade. Ça ne fait rien pour le film. Nous pouvons le voir demain, si on le passe encore. S'il te plaît Graziella, donne-moi le « Corriere ». (Il consulte le journal.) Le combien sommes-nous aujourd'hui?
4. Ornella — Nous sommes le 25.
5. Sandro — Alors, demain, 26 août, « Amarcord » est encore à l'affiche. Allons, Graziella, ne boude pas! Je vous offre une glace au café Greco.

# 16 Exercices

## C 1 EXERCICES

**A. Traduire (employez la forme de politesse Lei) :**

1. Voulez-vous venir chercher Sandro au cinéma, dans une heure?
2. Mais je ne veux pas y aller seul.
3. Faut-il longtemps pour aller en ville?
4. Il faut partir maintenant.

**B. Changer de personne (tu → Lei, Lei → tu); puis traduire :**

1. Mi dai il giornale?
2. Puoi venire con me?
3. Che cosa fa stasera?
4. Ti diamo un giornale.
5. Non ti vedo oggi?

## C 2 RÉCAPITULATION

• Lorsque *aimer* n'a pas un sens affectif, il se traduit par **piacere**, *plaire* :

| | |
|---|---|
| *J'aime voyager.* | **Mi piace viaggiare.** |
| *Tu aimes voyager.* | **Ti piace viaggiare.** |
| *Nous aimons voyager.* | **Ci piace viaggiare.** |
| *Vous aimez voyager.* | **Vi piace viaggiare.** |
| *Est-ce que vous aimez voyager?* | **Le piace viaggiare?** |

Mot à mot, ces expressions signifient : *Cela me (te, nous...) plaît de voyager.*

Expressions idiomatiques avec **volere**, **potere**, **dare** et **fare** :
— **volere è potere** *vouloir c'est pouvoir*
— **dare del tu** *tutoyer*
— **dare del voi** *vouvoyer*
— **dare del Lei** *parler à la 3^e^ pers. de politesse*
— **dare del cretino** *traiter de crétin*
— **L'abito non fa il monaco** *L'habit ne fait pas le moine*
— **Chi fa da sé fa per tre** *On n'est jamais aussi bien servi que par soi-même*

## C 3 CORRIGÉ

**A. Traduire :**

1. Vuole venire a prendere Sandro al cinema, fra un'ora?
2. Ma non voglio andarci solo.
3. Ci vuole molto tempo per andare in città?
4. Bisogna partire ora.

**B. Changer de personne (tu → Lei, Lei → tu); puis traduire :**

| | |
|---|---|
| 1. Mi dà il giornale? | *Vous me donnez le journal?* |
| 2. Può venire con me? | *Vous pouvez venir avec moi?* |
| 3. Che cosa fai stasera? | *Que fais-tu ce soir?* |
| 4. Le diamo un giornale. | *Nous vous donnons un journal.* |
| 5. Non La vedo oggi? | *Je ne vous vois pas aujourd'hui?* |

## C 4 Barzelletta

**— Tutti sanno che i Turchi <u>fu</u>mano molto. Ebbene sapete chi fuma più di un turco?**
**— ?????????**
**— Un cinese!**
**— Perché?**
**— Perché fuma d'oppio!**
— *Tout le monde sait que les Turcs fument beaucoup. Eh bien savez-vous qui fume plus qu'un Turc? — ????????— Un chinois!— Pourquoi?— Parce qu'il fume de l'opium!*

**Explication de cette histoire et comment...en inventer d'autres!**
Les ingrédients des histoires drôles sont : imagination et......connaissance de ses mécanismes!
1) Tout d'abord on crée la situation. Ex. : *Tout le monde sait que les Turcs fument beaucoup.* Jusqu'ici le récit est sérieux.
2) Ensuite le narrateur pose le problème qui doit être résolu : *Eh bien savez-vous qui fume plus qu'un Turc?*
— *????????*
— *Un chinois!*
— *Pourquoi?*
3) La réponse doit être différente de celle que l'on pourrait attendre. Une réponse imprévue crée la situation humoristique : *Parce qu'il fume de l'opium!* (Jeux de mots fondé sur l'identité sonore de <u>**d'oppio**</u> *de l'opium* et <u>**doppio**</u> *double* ).

# 16 Dialogues et civilisation

## D 1 Presentazioni

1. **Paolo : Ciao, Francesca, come stai?**
2. **Francesca : Bene, grazie e tu?**
3. **Paolo : Non c'è male. Ti presento Carlo.**
4. **Carlo : Piacere!**
5. **Francesca : Piacere!**
6. **Paolo : Che cosa fai?**
7. **Carlo : Sono studente universitario.**
8. **Paolo : Dove studi?**
9. **Carlo : Alla Bocconi di Milano.**
10. **Paolo : Bravo! Complimenti!**
11. **Carlo : E tu che fai?**
12. **Paolo : Io lavoro e sono già sposato.**
13. **Carlo : Io invece sono ancora celibe, ma fra non molto mi sposo anch'io.**

## D 2 CIVILISATION : paroles et gestes

**Parole e gesti :** En Italie l'art de la communication est une expression corporelle totale : la parole et le geste, l'expression verbale et les mimiques se conjuguent pour exprimer sentiments et émotions. Il est rare que des mots soient prononcés sans que le corps et les gestes n'accompagnent l'expression orale. Mais est-ce une spécificité italienne que de parler avec des gestes?
Les gestes sont des « signes » qui transmettent un message avec ou sans la parole. Cependant, ils n'indiquent pas toujours la même chose. Il y en a même qui sont ambigus, parce qu'ils sont « interprétés » différemment d'un pays à l'autre et, parfois, d'une région à l'autre. Attention, donc, à l'ambiguïté de certains gestes! Prenez le geste : « **fare le dita ad anello** » « *former un anneau avec les doigts* « qui signifie **Tutto a posto!** *Tout est en ordre !* **Tutto bene!** *Tout va bien!* **Perfetto!** *C'est parfait!* **OK!** Eh bien, ce geste qui signifie *approbation* en Italie et aux USA, en France, par contre, il indique un *zéro* , au Japon il désigne *l'argent*, en Tunisie c'est une *insulte* et en Colombie il indique un *geste obscène*. *Attention* , donc! **Occhio!**

## D 3 Présentations

1. Paul : Ciao, Françoise, comment vas-tu?
2. Françoise : Bien, merci, et toi?
3. Paul : Pas mal. Je te présente Charles.
4. Charles : Enchanté!
5. Françoise : Enchantée!
6. Paul : Qu'est-ce que tu fais?
7. Charles : Je suis étudiant à l'université.
8. Paul : Où étudies-tu?
9. Charles : A l'université Bocconi de Milan.
10. Paul : Bravo! Toutes mes félicitations!
11. Charles : Et toi qu'est-ce que tu fais?
12. Paul : Moi je travaille et je suis déjà marié.
13. Charles : Moi, en revanche je suis encore célibataire, mais dans quelque temps je me marie moi aussi.

## D 4 VIE PRATIQUE : **se présenter**

**Presentarsi**

• Pour vous présenter, vous direz :
**(Io) sono...** *Je suis...* **Mi chiamo......** *Je m'appelle...*
que vous ferez suivre de votre **nome** *prénom* et de votre **cognome** *nom.*

• Vous répondrez à une présentation ainsi :
**Piacere** *Enchanté* **Molto lieto** *Très heureux (de faire Votre connaissance.)*
suivi, ici aussi, le cas échéant, de votre nom et de votre prénom.

• Pour présenter quelqu'un, vous direz à votre interlocuteur :
**Posso presentarLe?** *Puis-je vous présenter...?*
**Le presento**... *Je vous présente...*
**Ti presento**... *Je te présente...*

• Vous pourrez dire également :
**Conosce**... *Connaissez-vous...?* **il signore... la signora... la signorina...**
que vous ferez suivre du prénom et du nom de la personne que vous présentez, en les faisant précéder, les cas échéant, de son titre : **professore**, **ingegnere** ....

# 17 E' il giorno del mio compleanno

## A 1 PRÉSENTATION

• Devant les adjectifs possessifs, on met l'article défini :

Ex. : **il mio amico** *mon ami*
**la tua festa** *ta fête*
**i loro compleanni** *leurs anniversaires*

• **Loro** est invariable : il n'y a qu'une forme pour le masculin, le féminin, le singulier et le pluriel.

Ex. : **il loro amico** *leur ami*
**la loro amica** *leur amie*
**i loro amici** *leurs amis*
**le loro amiche** *leurs amies*

**la mamma** *la maman*
**arrivare** *arriver*
**la sorella** *la sœur*
**il fratello** *le frère*
**lo zabaione** *le sabayon*
**il babbo** *le papa*
**fumare** *fumer*
**solito** [**so**lito] *habituel*
**la pipa** *la pipe*
**assaggiare** *goûter*

## A 2 APPLICATION

1. — **Sai che giorno è oggi?**
2. — **E' il giorno del mio compleanno.**
3. — **Vengono i tuoi amici stasera?**
4. — **Sì, mamma, arrivano alle sette.**
5. — **Allora preparo il tuo dolce preferito.**
6. — **Certamente. Ma sai che è anche il nostro dolce preferito.**
7. — **Anche alle tue sorelle e ai tuoi fratelli piace lo zabaione.**
8. — **Solo il babbo preferisce fumare la sua solita pipa invece di assaggiarlo.**

# 17 C'est le jour de mon anniversaire

## A 3 REMARQUES

### Grammaire

• Les adjectifs possessifs et les pronoms possessifs ont les mêmes formes :

| | | | | | | | |
|---|---|---|---|---|---|---|---|
| sing. | masc. | **il mio** | **il tuo** | **il suo** | **il nostro** | **il vostro** | **il loro** |
| | fém. | **la mia** | **la tua** | **la sua** | **la nostra** | **la vostra** | **la loro** |
| plur. | masc. | **i miei** | **i tuoi** | **i suoi** | **i nostri** | **i vostri** | **i loro** |
| | fém. | **le mie** | **le tue** | **le sue** | **le nostre** | **le vostre** | **le loro** |

• Les prépositions **con** *avec* et **su** *sur* s'unissent avec les articles définis de la façon suivante :

| | il | lo | l' | la | i | gli | le |
|---|---|---|---|---|---|---|---|
| con | **col** | **collo** | **coll'** | **colla** | **coi** | **cogli** | **colle** |
| su | **sul** | **sullo** | **sull'** | **sulla** | **sui** | **sugli** | **sulle** |

A noter qu'avec **con** la contraction n'est pas obligatoire (v. 18, B3).

## A 4 TRADUCTION

1. — Sais-tu quel jour nous sommes aujourd'hui?
2. — C'est le jour de mon anniversaire.
3. — Ils viennent, tes amis, ce soir?
4. — Oui, maman, ils arrivent à sept heures.
5. — Alors je prépare ton gâteau préféré.
6. — Certainement. Mais tu sais que c'est aussi notre gâteau préféré.
7. — Tes sœurs et tes frères aussi aiment le sabayon.
8. — Seul papa préfère fumer sa pipe habituelle au lieu de le goûter.

# 17 Quanti anni ha tuo fratello?

## B 1 PRÉSENTATION

• Emploi de l'adjectif possessif.

| | |
|---|---|
| **il tuo regalo** | *ton cadeau* |
| **il mio onomastico** [onomastiko] | *ma fête* |
| **il suo compleanno** | *son anniversaire* |
| | |
| **ringraziare** | *remercier* |
| **il regalo** | *le cadeau* |
| **le opere complete** [opéré] | *les œuvres complètes* |
| **l'autore** | *l'auteur* |
| **il teatro; la poesia** | *le théâtre; la poésie, le poème* |
| **la sorellina** | *la petite sœur* |
| **il fratellino** | *le petit frère* |
| **Silvia** [silvia] | *Sylvie* |
| **novembre, giugno** | *novembre, juin* |
| **la commedia** | *la comédie* |

## B 2 APPLICATION

1. **Sandro** — **Auguri, Graziella.**
2. **Graziella** — **Grazie, Sandro. Ti ringrazio anche per il tuo regalo : « Le opere complete di Machiavelli ».**
3. **Sandro** — **So che è il tuo autore preferito.**
4. **Graziella** — **Mio fratello Paolo e mia sorella Claudia preferiscono il teatro. A loro piacciono le commedie di Goldoni e di Eduardo de Filippo.**
5. **Sandro** — **Il mio caro fratello e la mia sorellina preferiscono le poesie di Trilussa.**
6. **Graziella** — **Ai miei fratelli e alle mie sorelle non piace la poesia.**
7. **Sandro** — **Quanti anni ha tuo fratello Pierino?**
8. **Graziella** — **Il mio fratellino ha tredici anni.**
9. **Sandro** — **E tua sorella Silvia?**
10. **Graziella** — **La mia sorellina ha undici anni.**
11. **Sandro** — **Quand'è il loro onomastico?**
12. **Graziella** — **Il ventinove giugno per mio fratello e il cinque novembre per mia sorella.**

## B 3 REMARQUES

■ Grammaire

• L'emploi de l'article devant l'adjectif possessif italien mérite attention. Cet article n'est pas employé lorsque l'adjectif possessif précède un nom de parenté :

| Ex. : | **mio fratello** | *mon frère* |
|---|---|---|
| | **tua madre** | *ta mère* |
| | **suo nonno** | *son grand-père* |

Cette règle subit à son tour une exception. L'article devant l'adjectif possessif est de nouveau employé dans les cas suivants :

| Ex. : | **il mio caro fratello** | *mon cher frère* (adjectif devant le nom) |
|---|---|---|
| | **il mio fratellino** | *mon petit frère* (diminutif) |
| | **i miei fratelli** | *mes frères* (nom au pluriel) |
| | **il loro fratello** | *leur frère* (**loro** devant le nom) |

Ces quatre cas sont réunis dans la phrase suivante :
**i loro cari fratellini** *leurs chers petits frères*

• **A loro piacciono le commedie** mot à mot : *les comédies leur plaisent (ils aiment les comédies).*

## B 4 TRADUCTION

1. Sandro — Tous mes vœux, Graziella.
2. Graziella — Merci, Sandro. Je te remercie aussi pour ton cadeau : « Les œuvres complètes de Machiavel ».
3. Sandro — Je sais que c'est ton auteur préféré.
4. Graziella — Mon frère Paul et ma sœur Claude préfèrent le théâtre. Ils aiment les comédies de Goldoni et de E. de Filippo.
5. Sandro — Mon cher frère et ma petite sœur préfèrent les poèmes de Trilussa.
6. Graziella — Mes frères et mes sœurs n'aiment pas la poésie.
7. Sandro — Quel âge a ton frère Pierrot?
8. Graziella — Mon petit frère a treize ans.
9. Sandro — Et ta sœur Sylvie?
10. Graziella — Ma petite sœur a onze ans.
11. Sandro — Quand est leur fête?
12. Graziella — Le 29 juin pour mon frère et le 5 novembre pour ma sœur.

# Exercices

## C 1 EXERCICES

**A. Compléter :**

1. E' ... tua macchina.
2. Vuole ... suo dolce preferito.
3. ... nostra famiglia è italiana.
4. Ti piace ... mio gelato?

**B. Traduire :**

1. C'est son journal habituel qu'il veut.
2. Elle fait toujours le même gâteau pour ta fête.
3. Mon frère et ma petite sœur sont arrivés ce soir.
4. Votre père aime-t-il toujours fumer?
5. Comment va votre femme?

## 2 RÉCAPITULATION

Attention! Les possessifs de la troisième personne sont utilisés également après la forme de politesse :
**Come sta sua sorella?** *Comment va votre sœur?*
**Dove abitano i suoi fratelli?** *Oû habitent vos frères?*

Bien entendu, ces deux phrases peuvent signifier aussi :
*Comment va sa sœur?*
*Comment vont ses frères?*
C'est le contexte qui précise. On peut aussi écrire **suo** forme de politesse en majuscule : **Come sta Sua sorella?**

L'accord des possessifs se fait avec le sujet réel :
**Come sta tuo fratello?** *Comment va ton frère?*
**Come sta tua sorella?** *Comment va ta sœur?*

Notez cependant que le possessif est moins utilisé en italien qu'en français :
**La nonna non sta bene.** *Ma grand-mère ne va pas bien.*

• Devant l'adjectif possessif on utilise l'article :
**I miei genitori stanno bene.** *Mes parents vont bien.*

Sauf avec les noms de famille, au singulier :
**Mio fratello e tuo cugino sono amici.** *Mon frère et ton cousin sont amis.*

Mais on dit : **la mia mamma e il mio papà** *ma maman et mon papa.* (**Mamma** et **papà** ne sont pas à vrai dire des noms indiquant un lien de parenté mais des noms à valeur affective).

Avec **loro**, qui a la même forme au singulier et au pluriel, on emploie toujours l'article :
**E' il compleanno della loro cugina.** *C'est l'anniversaire de leur cousine.*

## C 3 CORRIGÉ

**A. Compléter :**

1. E' la tua macchina.
2. Vuole il suo dolce preferito.
3. La nostra famiglia è italiana.
4. Ti piace il mio gelato?

**B. Traduire :**

1. Vuole il solito giornale.
2. Fa sempre il solito dolce per il tuo onomastico.
3. Mio fratello e la mia sorellina sono arrivati stasera.
4. A Suo padre piace sempre fumare?
5. Come sta Sua moglie?

## C 4 CIVILISATION/CULTURE : la famille italienne

**La famiglia italiana**

C'est une gageure que de vouloir appréhender la famille italienne par des généralisations et des formules toutes faites. En effet, il n'y a pas de famille italienne type, *la* famille. Le cinéma et la littérature n'ont pas négligé cette source d'inspiration très riche et complexe. Que l'on pense, dans le cinéma, à **La famiglia** de Ettore Scola et, plus récemment, à **La messa è finita** de Nanni Moretti. Dans la littérature, **Va dove ti porta il cuore** *Va où ton cœur te porte* de Susanna Tamaro, témoigne des changements, voire des bouleversements des mœurs et des valeurs qui ont eu lieu au sein de la famille italienne depuis un siècle.

Sur une population de 57 millions d'habitants, les femmes constituent aujourd'hui une nette majorité, presque 30 millions. Le « sexe faible » serait-il désormais le « sexe fort »? D'autant plus que, s'il est vrai qu'il naît plus de garçons que de filles, celles-ci vivent plus longtemps que les hommes! En effet, l'espérance de vie des femmes italiennes est de 82 ans, contre 74 pour les hommes.

Notons, enfin, qu'en Italie, aujourd'hui, la natalité est la plus faible du monde,...après le Vatican! Et cela va sans aucun doute accélérer les changements au sein de famille italienne.

# 17 Dialogues et culture

## D 1 Una foto di famiglia

1. **Sandra : Conosci i miei genitori?**
2. **Paola : No, non conosco né tuo padre né tua madre. Ma conosco tuo fratello.**
3. **Sandra : Vi vedete spesso?**
4. **Paola : Sì, ci vediamo a scuola. E tua sorella come sta?**
5. **Sandra : Sta bene. Grazie. Conosci il suo ragazzo?**
6. **Paola : No. Come si chiama?**
7. **Sandra : Si chiama Franco. Ah, ecco la sua foto.**
8. **Paola : Carino! Che cosa fa?**
9. **Sandra : E' ingegnere. E questa è la foto di tutta la famiglia.**
10. **Paola : Sono giovani i tuoi genitori! Che cosa fa tuo padre?**
11. **Sandra : Lavora in banca.**
12. **Paola : E tua madre lavora?**
13. **Sandra : Sì, è professoressa di francese.**
14. **Paola : Complimenti! Hai una bella famiglia!**

## D 2 CULTURE : **Pinocchio, Befana, Babbo Natale**

**Collodi :** Il 7 luglio 1881, Carlo Lorenzini, conosciuto soprattutto con lo pseudonimo di Collodi, dal nome del villaggio della madre, Collodi, in Toscana, comincia la pubblicazione di un romanzo intitolato *Le avventure di un Pinocchio* . Oggi Collodi è una specie di « Pinocchiolandia », dove, in un grande parco, la città ricorda le grandi « avventure » del celebre burattino.

**Pinocchio e il suo papà :** Molti bambini italiani chiamano il loro papà « **babbo** », parola d'origine toscana, che è sinonimo di 'papà'. Se vedete il film di Comencini *Le avventure di Pinocchio*, potete sentire spesso il famoso burattino chiamare suo padre « babbo! ».

**Babbo Natale e la Befana :** I bambini italiani sono veramente coccolati, come tutti sanno. Essi ricevono regali non solamente dai loro papà e dalle loro mamme, ma anche da **Babbo Natale**, il 25 dicembre, che gli porta migliaia e migliaia di regali (giocattoli, cioccolato ed altre cose straordinarie), e dalla **Befana**, una vecchia fata che, la notte tra il 5 ed il 6 gennaio, porta loro decine e decine di altri meravigliosi regali. I commercianti e......l'economia italiana non possono che rallegrarsene!

## D 3 Une photo de famille

1. Sandra : Est-ce que tu connais mes parents?
2. Paola : Non, je ne connais ni ton père ni ta mère. Mais je connais ton frère.
3. Sandra : Est ce que vous vous voyez souvent?
4. Paola : Nous nous voyons à l'école. Et ta sœur, comment va-t-elle?
5. Sandra : Elle va bien. Merci. Connais-tu son petit ami?
6. Paola : Non. Comment s'appelle-t-il?
7. Sandra : Il s'appelle François. Ah, voici sa photo.
8. Paola : Il est beau! Que fait-il?
9. Sandra : Il est ingénieur. Et celle-ci est la photo de toute la famille.
10. Paola : Tes parents sont jeunes. Qu'est-ce qu'il fait ton père?
11. Sandra : Il travaille à la banque.
12. Paola : Et ta mère, travaille-t-elle?
13. Sandra : Oui, elle est professeur de français.
14. Paola : Félicitations! Tu as une belle famille!

## D 4 VOCABULAIRE : la famille

| **I nomi di parentela** | | *Les noms de parenté* | |
|---|---|---|---|
| **il padre** | *le père* | **la madre** | *la mère* |
| **il nonno** | *le grand-père* | **la nonna** | *la grand-mère* |
| **i nonni** | *les grand-parents* | **lo zio** | *l'oncle* |
| **la zia** | *la tante* | **gli zii** | *les oncles* |
| **il cugino** | *le cousin* | **la cugina** | *la cousine* |
| **i cugini** | *les cousins* | **il suocero** | *le beau-père* |
| **la suocera** | *la belle-mère* | **i suoceri** | *les beaux-parents* |
| **il genero** | *le gendre* | **la nuora** | *la belle-fille* |
| **il cognato** | *le beau-frère* | **la cognata** | *la belle-sœur* |
| **i figli** | *les enfants* | **la figlia** | *la fille* |
| **il figlio** | *le fils* | **la nipotina** | *la petite fille* |
| **il nipotino** | *le petit-fils* | **il nipote** | *le neveu* |
| **la nipote** | *la nièce* | **il marito** | *le mari* |
| **la moglie** | *la femme* | **il fratello** | *le frère* |
| **la sorella** | *la sœur* | **la famiglia** | *la famille* |
| **i genitori** | *les parents* | **il papà** | *le papa* |
| **la mamma** | *la maman* | **la femmina** | *la femelle; la fille* |
| **il maschio** | *le mâle; le garçon* | **carino** | *joli, mignon* |
| **giovane** | *jeune* | **vecchio** | *vieux* |

# 18 Vengono dall'aeroporto Leonardo da Vinci

## A 1 PRÉSENTATION

• La préposition **da** s'unit avec les articles définis pour donner les formes suivantes :

| | |
|---|---|
| **da + il** | *dal* |
| **da + i** | *dai* |
| **da + lo** | *dallo* |

| | |
|---|---|
| **da + gli** | *dagli* |
| **da + la** | *dalla* |
| **da + le** | *dalle* |

• **Dallo** et **dalla** s'élident devant les mots qui commencent par une voyelle :

Ex. : **Vengo dall'aeroporto** *Je viens de l'aéroport*
**Vengo dall'Italia** *Je viens d'Italie*

| | | |
|---|---|---|
| **la stazione** | | *la gare* |
| **la lettera** | [**let**téra] | *la lettre* |
| **la macchina da scrivere** | [**mak**kina] [**skri**véré] | *la machine à écrire* |
| **la macchina da cucire** | | *la machine à coudre* |
| **l'anfiteatro** | | *l'amphithéâtre* |
| **lo stadio** | | *le stade* |
| **utile** | [**ou**tilé] | *utile* |
| **celebre** | [**tché**lébré] | *célèbre* |
| **diverso** | | *différent, divers* |

## A 2 APPLICATION

1. — **Vengono dalla stazione?**
**No, vengono dall'aeroporto « Leonardo da Vinci ».**
2. — **Che francobollo ci vuole sulla lettera?**
**Ci vuole un francobollo da mille lire.**
3. — **La macchina da scrivere è utile.**
**Anche la macchina da cucire è molto utile.**
4. — **La metropolitana passa dal Colosseo?**
**Sì, l'entrata è a cento metri dal celebre anfiteatro.**
5. — **Le fettuccine sono diverse dalle tagliatelle?**
**Sì, sono più larghe.**
6. — **Da quando sei a Roma?**
**Sono qui da due settimane.**
7. — **Di dove viene tutta questa gente?**
**Viene dallo stadio.**

## A 3 REMARQUES

### Grammaire

• La préposition **da** est employée

a) pour indiquer :
— l'origine : **vengo dalla stazione** *je viens de la gare.*
— le lieu de naissance : **Leonardo da Vinci** *Léonard de Vinci.*
— le temps : **da quando sei a Roma?** *depuis combien de temps es-tu à Rome?*
— la valeur : **un francobollo da mille lire** *un timbre de mille lires.*
— le but : **una macchina da cucire** *une machine à coudre.*
— la distance : **a 100 metri dal Colosseo** *à cent mètres du Colisée.*

b) et dans les cas suivants :
— après **diverso, differente** :
**le fettuccine sono diverse dalle tagliatelle**
*les fettuccine sont différentes des tagliatelle.*
— dans les expressions :
**andare dal meccanico** [mekkaniko], **dal medico** [médiko]
*aller chez le garagiste, chez le médecin.*

■ Attention : On peut dire **di dove vieni?** et **da dove vieni**. Par contre dans la réponse on emploie obligatoirement **da** : **vengo dallo stadio,** *je viens du stade.*

## A 4 TRADUCTION

1. — Viennent-ils de la gare?
   Non, ils viennent de l'aéroport « Léonard de Vinci ».
2. — Quel timbre faut-il sur la lettre?
   Il faut un timbre à mille lires.
3. — La machine à écrire est utile.
   La machine à coudre aussi est très utile.
4. — Le métro passe-t-il par le Colisée?
   Oui, l'entrée est à cent mètres du célèbre amphithéâtre.
5. — Les fettuccine sont-elles différentes des tagliatelle?
   Oui, elles sont plus larges.
6. — Depuis quand es-tu à Rome?
   Je suis ici depuis deux semaines.
7. — D'où viennent tous ces gens?
   Ils viennent du stade.

## 18 Il tram non passa dal centro della città

### B 1 PRÉSENTATION

- **In,** *en, dans* (pour les contractions voir B3, ci-contre).

**Rappel :** — ne pas confondre **da** et **di**.
— avec la préposition **con** (avec) la contraction n'est pas obligatoire.

| | | |
|---|---|---|
| **la sfilata** | | *le défilé* |
| **la proclamazione della Repubblica** | [ré**poub**blika] | *la proclamation de la République* |
| **la manifestazione** | | *la manifestation* |
| **partecipare** | | *participer* |
| **le forze dell'ordine** | [**or**diné] | *les forces de l'ordre* |
| **il carabiniere** | | *le carabinier* |
| **i reparti dell'esercito** | [é**zer**tchito] | *les détachements de l'armée* |
| **il carro armato** | | *le char (d'assaut)* |
| **l'aereo** | [a**é**réo] | *avion* |
| **passare** | | *passer* |
| **la testa** | | *la tête* |
| **lo spettatore** | | *le spectateur* |
| **il cielo** | | *le ciel* |
| **il tram, il taxi** | | *le tram, le taxi* |

### B 2 APPLICATION

1. — **La sfilata del 2 giugno commemora la proclamazione della Repubblica italiana.**
2. — **Alla manifestazione partecipano le forze dell'ordine e i carabinieri.**
3. — **Ci sono anche reparti dell'esercito, coi carri armati, e dell'aviazione con gli aerei.**
4. — **Gli aerei passano sulle teste degli spettatori nel centro della città, nel cielo di Roma.**
5. — **Andiamo alla manifestazione?**
6. — **Col taxi o col tram?**
7. — **Oggi il tram non passa dal centro della città. Andiamo col taxi.**

## B 3 REMARQUES

■ Grammaire

• Tableau récapitulatif des contractions entre les prépositions et les articles

| | il | lo | l' | la | i | gli | le |
|---|---|---|---|---|---|---|---|
| a | **al** | **allo** | **all'** | **alla** | **ai** | **agli** | **alle** |
| di | **del** | **dello** | **dell'** | **della** | **dei** | **degli** | **delle** |
| da | **dal** | **dallo** | **dall'** | **dalla** | **dai** | **dagli** | **dalle** |
| in | **nel** | **nello** | **nell'** | **nella** | **nei** | **negli** | **nelle** |
| su | **sul** | **sullo** | **sull'** | **sulla** | **sui** | **sugli** | **sulle** |
| (1) con | **col** | **collo** | **coll'** | **colla** | **coi** | **cogli** | **colle** |

(1) contraction facultative

■ **Di** s'emploie pour indiquer :

• le complément de nom : **la città di Roma** *la ville de Rome.*

• l'auteur d'une œuvre : **di chi è questo romanzo?** *de qui est ce roman?*

• la possession : **di chi è questo libro?** *à qui est ce livre?*

■ Quelques pluriels irréguliers :

| | | | |
|---|---|---|---|
| **l'uomo** | *(l'homme)* | **gli uomini** | *(les hommes)* |
| **l'uovo** | *(l'œuf)* | **le uova** | *(les œufs)* |
| **il paio** | *(la paire)* | **le paia** | *(les paires)* |
| **il centinaio** | *(la centaine)* | **le centinaia** | *(les centaines)* |
| **il bue** | *(le bœuf)* | **i buoi** | *(les bœufs)* |

## B 4 TRADUCTION

1. — Le défilé du 2 juin commémore la proclamation de la République italienne.
2. — A la manifestation participent les forces de l'ordre et les carabiniers.
3. — Il y a aussi des détachements de l'armée avec les chars et ceux de l'aviation avec les avions.
4. — Les avions passent sur les têtes des spectateurs dans le centre de la ville, dans le ciel de Rome.
5. — Allons-nous à la manifestation?
6. — En taxi ou en tram?
7. — Aujourd'hui le tram ne passe pas par le centre de la ville. Allons en taxi.

## 18 Exercices

### C 1 EXERCICES

**A. Traduire :**

1. D'où viens-tu?
2. Je viens de Rome. J'arrive de l'aéroport « Léonard de Vinci ».
3. Le voyage en avion est différent du voyage en train.
4. Pourquoi Léonard s'appelle-t-il « de Vinci »?
5. Parce qu'il est né à Vinci! Ce n'est pas loin de Florence.
6. Êtes-vous passé par Florence?
7. Je ne sais pas : de l'avion on ne voit presque rien.

**B. Remplacer les points par « di, del... » ou « da, dal... » :**

1. ... dove viene?
2. Vengo ... Roma, ... centro ... città.
3. ... più di cinquant' anni, il 2 giugno l'Italia commemora la proclamazione ... Repubblica.
4. Un francobollo ... cinquecento lire, per favore.
5. L'entrata ... metropolitana non è lontana ... qui.
6. ... quanto tempo (Lei) è a Roma?
7. La cucina italiana è molto diversa ... quella francese.

### C 2 CIVILISATION/CULTURE : **gastronomie**

Le **tirami su** (mot à mot : *remonte-moi* ) est un dessert qui vient de la Vénétie et qui en quelques années a gagné ses lettres de noblesse.

**Ricetta del tirami su** *(traduction en C4)*
Ingredienti : cinque uova fresche, 200 grammi di zucchero, 500 grammi di mascarpone (1), biscotti savoiardi, caffè amaro (abbondante), un bicchierino di liquore — amaretto (2) —, cacao amaro.
Procedimento : In una terrina, lavorare i tuorli d'uovo con lo zucchero. A parte, montare a neve gli albumi. Unire il tutto; aggiungere il mascarpone, poi il liquore e mescolare bene, ottenendo una crema omogenea. Prendere una pirofila (3) e versarvi uno strato di crema. Bagnare i biscotti savoiardi nel caffè, rigirandoli dalle due parti, e adagiarne uno strato, allineandoli nella pirofila. Versarvi sopra un altro strato di crema e quindi un altro strato di biscotti bagnati nel caffè. Terminare con un ultimo strato di crema. Con una spatolina, distribuire uniformemente la crema sui biscotti. Spolverinare la superficie del dolce con cacao amaro. (Tenere in frigo per almeno due ore prima di servire. Il tirami su è ottimo se preparato con un giorno di anticipo).

(1) fromage crémeux de Lombardie.
(2) liqueur d'amande au goût amer.
(3) plat fait avec un matériau spécial qui résiste aux températures élevées.

## C 3 CORRIGÉ

**A. Traduire :**

1. Di dove vieni?
2. Vengo da Roma. Arrivo dall'aeroporto « Leonardo da Vinci ».
3. Il viaggio in aereo è diverso dal viaggio in treno.
4. Perché Leonardo si chiama « da Vinci »?
5. Perché è nato a Vinci! Non è lontano da Firenze.
6. (Lei) è passato da Firenze?
7. Non so : dall'aereo non si vede quasi nulla.

**B. Remplacer les points par « di, del... » ou « da, dal... » :**

1. Di dove viene?
2. Vengo da Roma, dal centro della città.
3. Da più di cinquant' anni, il 2 giugno l'Italia commemora la proclamazione della Repubblica.
4. Un francobollo da cinquecento lire, per favore.
5. L'entrata della metropolitana non è lontana da qui.
6. Da quanto tempo (Lei) è a Roma?
7. La cucina italiana è molto diversa da quella francese.

## C 4 CIVILISATION/CULTURE : **gastronomie** (suite)

La recette du **tiramisù**

Ingrédients :
— cinq œufs frais, 200 grammes de sucre, 500 grammes de « mascarpone », biscuits à la cuillère, café amer (abondant), un petit verre de liqueur (amaretto), cacao amer.
Préparation :
Dans une terrine, travailler les jaunes d'œufs avec le sucre.
A part, monter les blancs en neige.
Unir le tout; ajouter le « mascarpone », puis la liqueur et bien mélanger, en obtenant ainsi une crème homogène.
Prendre un pyrex et verser une couche de crème.
Tremper les biscuits à la cuillère dans le café, en les retournant des deux côtés et en disposer une couche, en les alignant dans le pyrex.
Y verser dessus une autre couche de crème et, ensuite, une autre couche de biscuits trempés dans le café.
Terminer avec une dernière couche de crème.
Avec une petite spatule, étaler uniformément la crème sur les biscuits.
Saupoudrer la surface du gâteau avec du cacao amer.
(Garder au frigo pendant au moins deux heures avant de servir. Le « tirami su » est excellent s'il est préparé avec un jour d'avance.)

# 18 Dialogues et vie pratique

## D 1 Progetti di vacanze

1. **Maria : Vai al mare in agosto?**
2. **Caterina : Sì, vado con amici sull'Adriatico.**
3. **Maria : Per quanto tempo rimanete?**
4. **Caterina : Rimaniamo dal tre agosto al 16 (sedici).**
5. **Maria : Andate solo al mare?**
6. **Caterina : No! Prima di andare al mare, passiamo da Firenze; poi, al ritorno, abbiamo l'intenzione di andare in Umbria e, se abbiamo tempo, a Roma.**
7. **Maria : Ottimo progetto. Buone vacanze e buon divertimento!**
8. **Caterina : Grazie. E tu che cosa fai?**
9. **Maria : Noi andiamo sulla costa amalfitana. Voglio vedere assolutamente Capri e, soprattutto, gli scavi di Pompei.**
10. **Caterina : Buone vacanze anche a te.**
11. **Maria : Grazie.**

## D 2 CULTURE

**Les musées** : En Italie les musées sont généralement ouverts le matin seulement (de 9 h à 14 h). Mais on en voit de plus en plus qui ouvrent l'après-midi et même le soir, jusqu'au coucher du soleil et quelque fois, mais c'est plus rare, au-delà (c'est le cas pour les temples de **Paestum**, qu'on peut visiter sans interruption de 9 h à 22 h). Pour un pays d'art, où le tourisme est une véritable industrie, c'est bien la moindre des choses!
Le musée est, étymologiquement, le « temple des Muses », du nom des neuf divinités qui, dans la mythologie gréco-romaine, présidaient aux arts et aux lettres.

• Voici comment l'on écrit une adresse courante :
**Gentile Signor Fabbri** ou **Gent.ma Signora Fabbri**
**Via Dante, 5**
**35100 PADOVA**

• **Gent.ma** est l'abréviation de **GentiLISsima**, la traduction libre en étant *très noble.* Il y a d'autres adjectifs flatteurs que l'on place ainsi devant le nom.

• Si l'on s'adresse à une société ou à une firme, par exemple, on emploie la forme **Spett.,** abréviation de **SpetTAbile** dont le sens est *respectable.*

• Derrière l'enveloppe **(la busta)** on met sa propre adresse précédée de : **Mitt.** (**mittente** *expéditeur*)

• On colle en haut et à droite, bien sûr, **il francobollo** *(le timbre)* **da... lire** *(à... lires).*

## D 3 Projets de vacances

1. Maria : Vas-tu à la mer au mois d'août?
2. Caterina : Oui, je vais avec des amis sur l'Adriatique.
3. Maria : Combien de temps y restez-vous?
4. Caterina : Nous y restons du trois au seize août.
5. Maria : Vous allez seulement à la mer?
6. Caterina : Non! Avant d'aller à la mer, nous passons par Florence; puis, au retour, nous avons l'intention d'aller en Ombrie et, si nous avons le temps, à Rome.
7. Maria : Très bon projet. Bonnes vacances et amusez-vous bien!
8. Caterina : Merci. Et, toi, que fais-tu?
9. Maria : Nous, on va sur la côte amalfitaine. Je veux voir absolument Capri et, surtout, les fouilles de Pompei.
10. Caterina : Bonnes vacances à toi aussi.
11. Maria : Merci.

## D 4 article défini ou pas?

**Con o senza articolo?** *Avec ou sans article?*
Les différences entre le français et l'italien sont nombreuses en ce qui concerne l'emploi de l'article défini. Apprenez à bien l'utiliser! Voici quelques cas où, contrairement au français, il est utilisé :

a) avec **signore**, **signora** et **signorina**;
b) pour indiquer **l'ora**, **le date** *les dates* et **le percentuali** *les pourcentages* ;
c) avec les possessifs (voir leçon 17);
d) avec les noms d'écrivains célèbres du passé : **il Tasso...**, **l'Alighieri** (le nom de **Dante**); (mais on dira **Dante**, sans article, car il s'agit de son prénom) :

**Dante Alighieri è nato a Firenze nel 1265.**
*Dante Alighieri est né à Florence en 1265.*

**Che ore sono? Sono le due e un quarto**.
*Quelle heure est-il? Il est deux heures un quart..*

**Il 60 % degli Italiani prende le ferie in agosto.**
*60 % des Italiens partent en vacances en août.*

e) les noms de dames célèbres contemporaines : **la Loren, la Callas...**;
f) les prénoms féminins (usage régional, non péjoratif) : **la Carla, la Maria...**;
g) les noms d'entreprises : **la Fiat, la Olivetti.....**

# 19 Non ti sei fermato al rosso!

## A 1 PRÉSENTATION

• Participe passé des verbes réguliers : **parl-are parl-ato** *parlé* — **ripet-ere ripet-uto** *répété* — **part-ire part-ito** *parti*

| | | |
|---|---|---|
| **fischiare** | | *siffler* |
| **fermarsi al rosso** | | *s'arrêter au rouge* |
| **impossibile** | [impos**si**bilé] | *impossible* |
| **attraversare** | | *traverser* |
| **il passaggio pedonale** | | *le passage clouté* |
| **mi dispiace** | | *je regrette* |
| **guardare** | | *regarder* |
| **il semaforo** | [sé**ma**foro] | *les feux tricolores* |
| **accettare** | | *accepter* |
| **basta!** | | *ça suffit!* |
| **il conducente** | | *le conducteur* |
| **pericoloso** | | *dangereux* |
| **dimenticare** | | *oublier* |
| **mettere la freccia** | [**mett**éré] | *mettre le clignotant* |
| **girare a sinistra** | | *tourner à gauche* |
| **chiedere scusa** | [**kié**déré] | *demander pardon* |
| **bisogna** | | *il faut* |
| **indicare la direzione** | | *indiquer la direction* |

## A 2 APPLICATION

1. — **Il vigile ha fischiato!**
2. — **Perché?**
3. — **Non ti sei fermato al rosso!**
4. — **E' impossibile! Ho attraversato il passaggio pedonale col verde.**
5. — **Mi dispiace, caro. Ho guardato bene il semaforo, io! Non ti sei neanche fermato. Sei spericolato. Perché hai accettato di andare a quell'appuntamento? Te l'ho detto, ieri, di non andarci. Non mi ascolti mai.**
6. — **Basta! Calmati! Ecco il vigile.**
7. — **Buona sera. Lei è un conducente pericoloso. Ha dimenticato di mettere la freccia per girare a sinistra.**
8. — **Chiedo scusa. Ma non c'è nessuno.**
9. — **Anche se non c'è nessuno, bisogna indicare la direzione. Per oggi può andare. Arrivederci.**
10. — **Grazie. E' stato gentile con me. Arrivederci.**

# 19 Tu ne t'es pas arrêté au rouge!

## A 3 REMARQUES

■ Grammaire

• Le **passato prossimo**, *passé composé* (mot à mot « passé proche »), se forme avec le présent des auxiliaires **essere** ou **avere** suivi du participe passé.

• Le passé composé de **essere** est :

| | |
|---|---|
| **sono stato** | **siamo stati** |
| **sei stato** | **siete stati** |
| **è stato** | **sono stati** |

• Le passé composé est formé du **participio passat**o *participe passé,* suivi, selon les cas, de l'auxiliaire **essere** ou **avere**.

• Lorsque le verbe se conjugue avec **essere** le participe passé s'accorde avec le sujet :
Ex. : **siamo state contente** *nous avons été contentes*

• Avec l'auxiliaire **avere** il n'y a pas d'accord sauf si le complément d'objet direct sous forme d'un pronom personnel précède le verbe.
Ex. : l'abbiamo chiama**ta** *nous l'avons appelée*
Mais il faut dire : Abbiamo chiamat**o** Maria
*nous avons appelé Marie.*

• **Non c'è nessuno** *il n'y a personne*

## A 4 TRADUCTION

1. — L'agent a sifflé!
2. — Pourquoi?
3. — Tu ne t'es pas arrêté au rouge!
4. — C'est impossible! J'ai traversé le passage clouté au vert.
5. — Je regrette, chéri. Moi, j'ai bien regardé le feu! Tu ne t'es même pas arrêté. Tu es imprudent. Pourquoi as-tu accepté d'aller à ce rendez-vous? Je te l'ai dit, hier, de ne pas y aller. Tu ne m'écoutes jamais.
6. — Ça suffit! Calme-toi! Voilà l'agent.
7. — Bonsoir. Vous êtes un conducteur dangereux. Vous avez oublié de mettre votre clignotant pour tourner à gauche.
8. — Je vous demande pardon. Mais il n'y a personne.
9. — Même s'il n'y a personne, il faut indiquer sa direction. Pour aujourd'hui vous pouvez vous en aller. Au revoir.
10. — Merci. Vous avez été gentil avec moi. Au revoir.

# 19 La macchina non è stata riparata bene

## B 1 PRÉSENTATION

- **Quello** est l'autre forme du démonstratif (voir 11, B3) :

**questo** meccanico — *ce* mécanicien-*ci*
**quel** meccanico — *ce* mécanicien-*là*

- La forme passive se forme avec l'auxiliaire **essere** + le participe passé du verbe :

Ex. : **la fattura è pagata** — *la facture est payée*
**la fattura è stata pagata** — *la facture a été payée*

- Après un verbe à la forme passive le complément d'agent est introduit par **da** + l'article s'il y a lieu :

Ex. : **la fattura è pagata dal cliente**
*la facture est payée par le client*

**il colmo** — *le comble*
**salato** — *salé*
**riparare** — *réparer*
**provare** — *essayer*
**prima di** — *avant de*
**testualmente** — *textuellement*
**la fuoriserie** — *la (voiture) spéciale*
**una macchina coi fiocchi** — *une voiture « formidable »*
**l'età** — *l'âge*
**spiritoso** — *spirituel*
**no?** — *n'est-ce pas? non?*
**essere nei guai** — *être dans le pétrin*

## B 2 APPLICATION

1. — **Hai spento il motore?**
2. — **No, è il motore che si è spento da solo.**
3. — **Ma non l'hai portata ieri dal meccanico, la macchina?**
4. — **Certo; e questo è il colmo, appunto. Ho pagato una fattura salata e la macchina non è stata riparata bene.**
5. — **E' stata provata dal meccanico prima di prenderla?**
6. — **Mi ha detto testualmente: hai una fuoriserie. E' una macchina coi fiocchi per l'età che ha.**
7. — **Spiritoso quel tuo meccanico, no?**
8. — **Spiritoso o non spiritoso, adesso siamo nei guai!**

## B 3 REMARQUES

### Grammaire

- L'adjectif démonstratif **quello** varie comme l'article défini selon le nom devant lequel il se trouve :

| | | |
|---|---|---|
| **il** (giorno) | **quel** giorno | *ce* jour |
| **la** (ragazza) | **quella** ragazza | *cette* jeune fille |
| **l'** (appuntamento) | **quell'**appuntamento | *ce* rendez-vous |
| **lo** (spettacolo) | **quello** spettacolo | *ce* spectacle |
| **i** (giorni) | **quei** giorni | *ces* jours |
| **le** (sedute) | **quelle** sedute | *ces* séances |
| **gli** (strapuntini) | **quegli** strapuntini | *ces* strapontins |

- Attention au *passé composé* **passato prossimo** de **essere** *être* : **sono stato (a), sei stato, è stato (a), siamo stati (e), siete stati (e), sono stati (e).**

- Voici le passé composé de **divertirsi** *s'amuser* : **mi sono divertito (a), ti sei divertito (a), si è divertito (a), ci siamo divertiti (e), vi siete divertiti (e), si sono divertiti (e).**

- Présent de l'indicatif de **amare** *aimer* à la forme passive : **io sono amato (a), tu sei amato (a), lui/lei è amato (a), noi siamo amati (e), voi siete amati (e), loro sono amati (e).**

- Passé composé de **amare** *aimer* à la forme passive : **io sono stato (a) amato (a), tu sei stato (a) amato (a), lui/lei è stato (a) amato (a), noi siamo stati (e) amati (e), voi siete stati (e) amati (e), loro sono stati (e) amati (e).**

## B 4 TRADUCTION

1. — As-tu éteint (arrêté) ton moteur?
2. — Non, c'est le moteur qui s'est arrêté tout seul.
3. — Mais n'as-tu pas conduit hier ta voiture chez le garagiste?
4. — Bien sûr; c'est précisément ça le comble! J'ai payé une facture salée et ma voiture n'a pas été bien réparée.
5. — A-t-elle été essayée par le garagiste avant que tu la reprennes?
6. — Il m'a dit textuellement : tu as une voiture spéciale. C'est une voiture formidable pour son âge.
7. — Il est spirituel ton garagiste, non?
8. — Spirituel ou pas, nous sommes maintenant dans le pétrin!

# Exercices

## C 1 EXERCICES

**A. Placer la forme convenable du démonstratif** quello **et mettre au pluriel :**

1. ... spericolato.
2. ... vigile.
3. ... macchina.
4. ... motore.
5. ... appuntamento.

**B. Répondre** (par référence au dialogue A2) :

1. Chi ha fischiato?
2. Perché ha fischiato?
3. Quali sono i colori citati nel dialogo?
4. Perché il conducente è pericoloso?
5. Che cosa gli ha detto il vigile?

## C 2 VOCABULAIRE

| • **Eco-intervista** | *Interview avec l'écho* |
|---|---|
| 1. Domanda : Come va il prezzo della carne, del pesce e del *sale*? | — Qu'en est-il du prix de la viande, du poisson et du sel? |
| Riposta : *sale... sale... sale...* | — Il monte... monte... monte... |
| 2. Domanda : E il mercato dell'*insalata*? | — Et du marché de la salade? |
| Riposta : *salata... salata...* | — salé... salé... |
| 3. Domanda : Che ne pensa della *Ti-Vù*? | — Que pensez-vous de la télé? |
| Riposta : *Uh... Uh... Uh...* | — Hou... Hou... Hou... |
| 4. Domanda : E dei programmi della *RAI*? | — Et des programmes de la RAI (la radiotélévision italienne)? |
| Riposta : *Ahi... Ahi... Ahi...* | — Aïe... Aïe... Aïe... |

## C 3 CORRIGÉ

A. **Placer la forme convenable du démonstratif** quello **et mettre au pluriel :**

1. Quello... ; quegli...
2. Quel... ; quei...
3. Quella... ; quelle...
4. Quel... ; quei...
5. Quell'... ; quegli...

B. **Répondre** (par référence au dialogue A2) :

1. Ha fischiato il vigile.
2. Perché il conducente non ha messo la freccia.
3. I colori citati sono il rosso e il verde.
4. Perché ha dimenticato di mettere la freccia per girare a sinistra.
5. Gli ha detto che può andare.

## C 4 REMARQUES

Voici quelques participes passés irréguliers :

| | | | |
|---|---|---|---|
| **fare** | *faire* | **fatto** | *fait* |
| **dire** | *dire* | **detto** | *dit* |
| **venire** | *venir* | **venuto** | *venu* |
| **vedere** | *voir* | **visto (veduto)** | *vu* |
| **bere** | *boire* | **bevuto** | *bu* |
| **spegnere** | *éteindre* | **spento** | *éteint* |
| **accendere** | *allumer* | **acceso** | *allumé* |
| **aprire** | *ouvrir* | **aperto** | *ouvert* |
| **chiudere** | *fermer* | **chiuso** | *fermé* |
| **chiedere** | *demander* | **chiesto** | *demandé* |
| **scrivere** | *écrire* | **scritto** | *écrit* |
| **mettere** | *mettre* | **messo** | *mis* |
| **spendere** | *dépenser* | **speso** | *dépensé* |
| **leggere** | *lire* | **letto** | *lu* |

● Aux temps composés, **essere** est plus utilisé qu'en français. Il est employé pour :

1) pour conjuguer **essere : Sono stato contento** *J'ai été content.*
2) avec les verbes réfléchis : **Mi sono lavato.** *Je me suis lavé.*
3) avec presque tous les verbes intransitifs : **E' venuta?** *Est-elle venue?*
4) à la forme passive : **La macchina è stata riparata.** *La voiture a été réparée.*

# 19 Dialogues et culture

## D 1 Fine settimana a Venezia

1. **Pietro : Dove siete andati la settimana scorsa?**
2. **Carlo : Abbiamo fatto una capatina a Venezia.**
3. **Pietro : Uh! Che fortuna! Quando siete partiti?**
4. **Carlo : Abbiamo preso l'aereo venerdì pomeriggio e siamo tornati domenica sera.**
5. **Pietro : Che cosa avete fatto di bello? Vi siete divertiti?**
6. **Carlo : Abbiamo, per così dire, unito l'utile al dilettevole o, se preferisci, dato un colpo al cerchio e uno alla botte. Sabato ci siamo riposati a Torcello, un'isola della laguna calma e silenziosa — un vero paradiso — e domenica abbiamo visto una mostra su Tiziano, che ci è molto piaciuta.**
7. **Pietro : Beati voi!**

## D 2 CULTURE : **Rigoletto**

| | |
|---|---|
| **La donna è mobile** | *Femme est volage* |
| (Rigoletto/Verdi) | |
| 1 | |
| La **don**na / è **mo**bile / | *Femme est volage* |
| qual **piu**ma / al **ven**to /, | *comme la plume au vent,* |
| **mu**ta / d'ac**cen**to / | *elle est changeante dans ses paroles* |
| e di pen**sie**ro /. | *et dans ses pensées.* |
| **Sem**pre / un a**ma**bile / | *Un aimable et charmant visage,* |
| leggiadro **vi**so /, | *dans le rire* |
| in **pian**to / o in **ri**so /, | *comme dans les larmes,* |
| è menzo**gne**ro /. | *est toujours mensonger.* |
| 2. | |
| E' sempre **mi**sero / | *Celui qui s'y fie,* |
| **chi** / a **lei** / s'af**fi**da /, | *qui lui livre son cœur* |
| **chi** / le con**fi**da / | *imprudemment,* |
| mal **cau**to / il **co**re! / | *est toujours malheureux.* |
| **Pur** / **mai** / non **sen**tesi / | *Et pourtant nul ne se sent jamais* |
| fe**li**ce / ap**pie**no / | *pleinement heureux,* |
| **chi** / su quel **se**no / | *qui ne goûte pas à l'amour* |
| non **li**ba / a**mo**re! / | *sur son sein!* |

*(essayez de bien « lire » ce texte célèbre, en le « chantant » et sans « fausses notes », en faisant ressortir le rythme des vers. Car il y a de la « musique » dans tout texte, surtout s'il s'agit d'un texte poétique. Et puis, bien sûr, vous pouvez l'écouter chanté par Pavarotti ou d'autres ténors...*

## D 3 Week-end à Venise

1. Pietro : Où êtes-vous allés la semaine dernière?
2. Carlo : Nous avons fait un saut à Venise.
3. Pietro : Hou! Quelle chance! Quand êtes-vous partis?
4. Carlo : Nous avons pris l'avion vendredi dans l'après-midi et nous sommes rentrés dimanche soir.
5. Pietro : Qu'avez-vous fait de beau? Vous êtes-vous amusés?
6. Carlo : Nous avons, pour ainsi dire, joint l'utile à l'agréable ou, si tu préfères, ménagé la chèvre et le choux. Samedi, nous nous sommes reposés à Torcello, une île de la lagune calme et silencieuse — un vrai paradis — et dimanche nous avons vu une exposition sur Titien, qui nous a beaucoup plue.
7. Pietro : Vous avez vraiment de la chance!

## D 4 VOCABULAIRE

Voici quelques mots qui vous aideront à raconter un petit voyage à Venise, à Rome, à Florence ou dans un autre endroit rêvé!

| | | | |
|---|---|---|---|
| **scorso** | *dernier* | **riposarsi** | *se reposer* |
| **fare una capatina** | *faire un saut* | **la laguna** | *la lagune* |
| **che fortuna!** | *quelle chance!* | **il paradiso** | *le paradis* |
| **beato te!...** | *tu as de la chance!* | **la mostra** | *l'exposition* |

**I falsi amici!** *Les faux amis!*

Le vocabulaire italien, réserve au Français qui veut l'apprendre, un nombre considérable de « faux amis ». Vous avez vu que :

— **fermare** signifie *arrêter* (*fermer* se disant **chiudere**);
— **guardare** *regarder* ; (*garder* signifiant **serbare** ou **custodire**);
— **mi dispiace** *je regrette* (*je n'aime pas* se traduisant par **non mi piace**).
— **un quadro**, *un tableau* (*un cadre* se dit **una cornice**);
— *une corniche* se traduira par **un cornicione**;
— *cornichon*, qui n'a rien à voir avec le « cornicione », signifie **cetriolo**, et *citrouille* se traduit **zucca**!
— **tornare** signifie *revenir*; *tourner* a le sens de **girare** ou **voltare**;
— **aggiornare** *mettre à jour*; mais *ajourner* se rend par **rinviare, rimandare**;
— **infatti** ne signifie pas *en fait*, mais *en effet* (*en fait* = **in realtà**);
— *la cantine* = **la mensa ; la cantina** = *la cave*.

# 20 Dove si può pranzare o cenare?

## A 1 PRÉSENTATION

■ *On* = si **Dove si può pranzare?** *où peut-on déjeuner?*
● **Quel che** *ce qui, ce que*
**Quello che** *celui qui, celui que*

■ Présent indicatif de **bere** *(boire)*: **bevo, bevi, beve, beviamo, bevete, bevono** [**bé**vono]

| | | |
|---|---|---|
| **il pasto** | | *le repas* |
| **il pranzo** | | *le déjeuner* |
| **la merenda** | | *le goûter* |
| **il vino, il bicchiere** | | *le vin, le verre* |
| **oppure** | | *ou bien* |
| **la cannuccia** | | *la paille* |
| **la bottiglia** | | *la bouteille* |
| **la tazza da caffè** | | *la tasse à café* |
| **bere a piccoli sorsi** | [**pik**koli] | *boire à petites gorgées* |
| **la mancia** | | *le pourboire* |
| **pranzare, cenare** | | *déjeuner, dîner* |
| **spendere** | [**spen**déré] | *dépenser* |

## A 2 APPLICATION

1. **Come si chiama il pasto che si fa a mezzogiorno?**
   **Si chiama pranzo.**
2. **A che ora si fa la merenda?**
   **Alle cinque.**
3. **Come si beve il vino?**
   **Si beve col bicchiere.**
4. **Come si beve l'aranciata?**
   **Come il vino oppure con la cannuccia o alla bottiglia.**
5. **Dove si beve il caffè?**
   **Il caffè si beve a casa o al bar, in una tazza da caffè.**
6. **Come si beve il caffè?**
   **Si beve a piccoli sorsi.**
7. **Si dà la mancia al bar?**
   **Dipende dal bar e dal cliente.**
8. **Dove si può pranzare o cenare?**
   **Si può pranzare o cenare al ristorante, nelle trattorie o nelle osterie.**
9. **Vi si mangia bene?**
   **Dipende da quel che si spende!**

## 20 Où peut-on déjeuner ou dîner?

### A 3 REMARQUES

■ La tournure impersonnelle italienne correspond à la tournure impersonnelle française exprimée par *on* :
Ex. : Qui **si** parla italiano   ici *on* parle italien

● Mais s'il y a un complément d'objet direct en français, celui-ci devient sujet en italien :
Ex. : **Come si chiama il pasto che si fa a mezzogiorno?**
*comment appelle-t-on le repas que l'on prend à midi?*

La traduction mot à mot serait : *Comment s'appelle le repas qui se fait à midi?* (Voir B3)

■ **Vi** et **ci** ; ils sont employés indifféremment pour *ici, en ce lieu.*
Ex. : — Non posso andar**ci**
— Non posso andar**vi**   *Je ne peux pas y aller.*

● Après **dipende** on met la préposition **da**, puisque **da** exprime, dans ce cas, l'origine (v. 18, A 3).

### A 4

1. Comment appelle-t-on le repas que l'on prend à midi?
   On l'appelle déjeuner.
2. A quelle heure prend-on le goûter?
   A cinq heures.
3. Comment boit-on le vin?
   On le boit avec un (le) verre.
4. Comment boit-on l'orangeade?
   Comme le vin ou bien avec une paille ou à la bouteille.
5. Où boit-on le café?
   On boit le café à la maison ou au bar, dans une tasse à café.
6. Comment boit-on le café?
   On le boit à petites gorgées.
7. Donne-t-on un pourboire au bar?
   Cela dépend du bar et du client!
8. Où peut-on déjeuner ou dîner?
   On peut déjeuner ou dîner au restaurant, dans les trattorie ou dans les osterie (petits restaurants).
9. Y mange-t-on bien?
   Cela dépend de ce que l'on dépense!

## 20 Gli spaghetti si mangiano con la forchetta

### B 1 PRÉSENTATION

• Lorsque le sujet réel est au pluriel, en italien, le verbe s'accorde :
Ex. : *on mange les spaghetti* **si mangiano gli spaghetti**
↑ ↑
sujet en français sujet en italien

• **Solo** *seul* est adjectif.
**Soltanto** *seulement* est adverbe.
Mais **solo** fait souvent fonction d'adverbe.

• Participe passé de **mettere** [**met**téré], *mettre* : **messo**.

| | |
|---|---|
| **il coltello** | *le couteau* |
| **la forchetta** | *la fourchette* |
| **il cucchiaio** | *la cuiller* |
| **la posata** | *le couvert* |
| **il cucchiaino** | *la cuiller a café* |
| **il piatto** | *l'assiette* |
| **la pasta al forno** | *les pâtes au four* |
| **certo** | *certes* |

### B 2 APPLICATION

1. **Come si chiamano i coltelli, le forchette, i cucchiai messi insieme?**
   **Si chiamano posate.**
2. **Dove si mettono le posate?**
   **Il cucchiaino si mette davanti al bicchiere; il coltello e il cucchiaio a destra del piatto; la forchetta a sinistra.**
3. **Come si mangia la pasta al forno?**
   **Con la forchetta e col coltello.**
4. **E gli spaghetti? Si mangiano con la forchetta e il cucchiaio?**
   **No, gli spaghetti si mangiano con la sola forchetta.**
5. **Come! E' impossibile mangiare gli spaghetti soltanto con la forchetta.**
6. **Non è impossibile. E' difficile, certo; ma in Italia si mangiano così.**

## B 3 REMARQUES

■ Grammaire

● La différence de fonction entre le *on* français et le **si** italien entraîne les conséquences suivantes :
— en français, puisque le sujet réel est *on*, le verbe est toujours au singulier,
— en italien, le verbe se mettra au singulier, si le sujet est au singulier; au pluriel, si le sujet est au pluriel.

Ex. : 1) *on* mange une glace — si mangia **un gelato**
(↑ sujet) — (↑ sujet)

2) *on* mange les spaghetti — si mangiano **gli spaghetti**
(↑ sujet) — (↑ sujet)

**Ex. : Vi si mangiano ottimi spaghetti** :
*on y mange de très bons spaghetti.*

● Attention!

On le voit — **lo si vede**

## B 4 TRADUCTION

1. Comment appelle-t-on les couteaux, les fourchettes et les cuillers mis ensemble?
   On les appelle couverts.
2. Où met-on les couverts?
   La cuiller à café se met devant le verre; le couteau et la cuiller à droite de l'assiette; la fourchette à gauche.
3. Comment mange-t-on les pâtes au four?
   Avec la fourchette et le couteau.
4. Et les spaghetti? Les mange-t-on avec la fourchette et la cuiller?
   Non, on les mange seulement avec la fourchette.
5. Comment! Il est impossible de manger les spaghetti avec la fourchette seulement.
6. Ce n'est pas impossible. C'est difficile, certes; mais en Italie on les mange comme cela.

## C 1 EXERCICES

**A. Remplacer les tournures personnelles par *si* :**

1. Come mangiano gli spaghetti?
2. Dove possiamo pranzare?
3. Bevi il vino con una cannuccia?
4. Dipende da quel che spendiamo.

**B. Traduire :**

1. A midi on ne prend pas de café.
2. On mange bien dans ce restaurant?
3. Oui, mais cela dépend.
4. Cela dépend de quoi?
5. De ce que l'on dépense.
6. On y mange bien.

**C. D'après le modèle : *Si mangia..., non si mangia...* ; mettre à la forme négative les phrases suivantes :**

1. Si beve il vino con una cannuccia.
2. Si dà la mancia in tutti i bar.
3. In questa osteria, vi si mangia bene.
4. Si mangiano gli spaghetti col cucchiaio.
5. E' difficile fare così.

## C 2 RÉCAPITULATION

- Ne pas confondre :

**Si** ricorda./ **Si** è ricordato. Il **se** souvient. / Il **s**'est souvenu.
et : **Si** dice. / **Si** è detto. **On** dit. / **On** a dit.

- Mais lorsque ces pronoms se trouvent ensemble, le pronom indéfini **si** se transforme en **ci** devant le deuxième **si**, pronom réfléchi, pour des raisons euphoniques :

*on se réveille* = **si si** sveglia <<< **ci si** ricorda *on se souvient*

- Attention à l'accord avec le sujet réel :

| | |
|---|---|
| **— c'è un libro** | *— il y a un livre* |
| **ci sono due libri** | *deux livres* |
| **— mi piace il cinema** | *— j'aime le cinéma* |
| **mi piacciono gli spaghetti** | *les spaghetti* |
| **— ci vuole molta esperienza** | *— il faut beaucoup d'expérience* |
| **ci vogliono molti soldi** | *beaucoup d'argent* |
| **— si vede il mare** | *— on voit la mer* |
| **si vedono le montagne** | *les montagnes* |

## C 3 CORRIGÉ

**A. Remplacer les tournures personnelles par *si* :**

1. Come si mangiano gli spaghetti?
2. Dove si può pranzare?
3. Si beve il vino con una cannuccia?
4. Dipende da quel che si spende.

**B. Traduire :**

1. A mezzogiorno non si beve il caffè.
2. Si mangia bene in questo ristorante?
3. Sì, ma dipende.
4. Dipende da che cosa?
5. Da quel che si spende.
6. Vi si mangia bene.

**C. Mettre à la forme négative :**

1. Non si beve...
2. Non si dà...
3. ... non vi si mangia...
4. Non si mangiano...
5. Non è difficile...

## C 4 VIE PRATIQUE : **à louer!**

**Affittasi**!

L'emploi de **si** après le verbe, comme on l'a vu dans l'air de « Rigoletto » (leçon 19) (**sentesi** à la place de **si sente**), était assez fréquent dans le passé, notamment en poésie. Aujord'hui cet emploi se retrouve dans de curieuses expressions. C'est ainsi que dans les annonces des journaux, la rubrique des appartements « à louer » ou « à vendre » est celle des « **affittasi** » ou « **affittansi** », « **Vendesi** » « **Vendonsi** », ces termes étranges se décomposant ainsi :

| | |
|---|---|
| Si affitta (un appartamento). | *On loue (à louer) un appartement.* |
| Si affittano (due appartamenti). | *On loue (à louer) deux appartements.* |
| Si vende (un appartamento). | *On vend (à vendre) un appartement.* |
| Si vendono (due appartamenti). | *On vend (à vendre) deux appartements.* |

**Affittasi** et **affittansi**, **vendesi** et **vendonsi** ne sont finalement que des formes anciennes (avec le **si** impersonnel placé après le verbe) qui rendent service aux annonceurs qui paient, ainsi, pour un mot au lieu de deux!

## 20 Dialogues et vie pratique

### D 1 Che cosa comprare in Italia?

**(Turista e impiegato dell'ENIT, Ente nazionale italiana per il turismo)**

1. **Turista : Che cosa si può comprare quando si va in Italia?**
2. **Impiegato : Si possono acquistare molti prodotti di buona qualità.**
3. **Turista : Per esempio?**
4. **Impiegato : Tutti sanno che si possono comprare scarpe a prezzi interessanti.**
5. **Turista : Mi hanno detto che è possibile acquistare anche vestiti, oggetti di cuoio come borse, valige ed altri articoli di ottima qualità.**
6. **Impiegato : Certamente, senza dimenticare che si possono fare buoni affari anche con vini, liquori, aperitivi, oggetti vari di vetro di Murano, di alabastro di Volterra e così via...**
7. **Turista : Che cosa si esporta di più?**
8. **Impiegato : Non si esportano soltanto elettrodomestici, pasta, borse in pelle e vestiti; ma, come si sa bene, anche molti prodotti legati alla moda e rappresentativi del buon gusto italiano.**
9. **Turista : Si esportano anche automobili?**
10. **Impiegato : Ma naturalmente...! Chi non conosce le macchine Fiat, Lancia, Alfa Romeo e le prestigiose Ferrari, Lamborghini e Maserati?**

### D 2 INFORMATIONS PRATIQUES : **acheter en Italie**

La lire s'est notablement dévaluée ces dernières années. Par conséquent, les français qui se rendent en Italie gagnent... en pouvoir d'achat! Il est donc possible d'y réaliser d'excellentes affaires. Pourquoi, alors, résister à la tentation d'acheter quelques paires de *chaussures* **scarpe**, des vêtements *griffés* **firmati** (**la firma** *la signature* ) ou non, des vins de qualité comme le **Chianti** ou le **Barolo**, qui sont relativement bon marché? On peut acheter aussi des apéritifs comme le **Martini**, le **Campari** ou le **Cinzano**. Pour les amateurs d'eau-de-vie ou d'autres alcools (**grappa** — eau-de-vie obtenue avec la distillation du vin — , **sambuca** — liqueur comparable à l'anisette —, **amaretto** — alcool au goût d'amande amère — ...), le choix ne devrait pas être difficile. Dans la mesure, enfin, où il est quelque peu difficile d'acheter des tableaux d'un **Botticelli** ou d'un **Leonardo da Vinci**, ou de revenir en France avec une **Ferrari** ou avec une **Alfa Romeo**, il sera toujours possible, néanmoins, de se rabattre sur quelques autres objets de bon goût de la mode italienne **la moda italiana** ou du « made in Italy ».

## D 3 Que faut-il acheter en Italie?

(Un touriste et un employé de l'ENIT)

1. Touriste : Qu'est-ce qu'on peut acheter quand on va en Italie?
2. Employé : On peut acheter beaucoup de produits de bonne qualité.
3. Touriste : Par exemple?
4. Employé : Tout le monde sait qu'on peut acheter des chaussures à des prix intéressants.
5. Touriste : On m'a dit qu'il est possible d'acheter également des vêtements, des objets en cuir, comme des sacs, des valises et d'autres articles d'excellente qualité.
6. Employé : Bien sûr, sans oublier qu'on peut faire de bonnes affaires également avec les vins, les alcools, les apéritifs, des tas d'objets en verre de Murano, en albâtre de Volterra et ainsi de suite...
7. Touriste : Qu'est-ce qu'on exporte le plus?
8. Employé : On n'exporte pas seulement des électroménagers, des pâtes, des sacs en cuir et des vêtements; mais aussi, comme tout le monde sait, des produits liés à la mode et représentatifs du bon goût italien.
9. Touriste : On exporte aussi des voitures?
10. Employé : Mais naturellement...! Qui ne connaît les voitures Fiat, Lancia, Alfa Romeo et les prestigieuses Ferrari, Lamborghini et Maserati?

## D 4 VIE PRATIQUE : **vocabulaire**

| | | | |
|---|---|---|---|
| **Gli acquisti** | *Les achats* | **l'oggetto** | *l'objet* |
| **acquistare, comprare** | *acheter* | **l'alabastro** | *l'albâtre* |
| **dimenticare** | *oublier* | **l'aperitivo** | *l'apéritif* |
| **esportare** | *exporter* | **l'articolo** | *l'article* |
| **gli elettrodomestici** | *les electroménagers* | **l'automobile** | *l'automobile* |
| **il vestito** | *le vêtement* | **l'esportazione** | *l'exportation* |
| **il cuoio** | *le cuir* | **l'importazione** | *l'importation* |
| **il gusto** | *le goût* | **la borsa** | *le sac* |
| **il liquore** | *la liqueur, l'alcool* | **la moda** | *la mode* |
| **il prezzo** | *le prix* | **la pelle** | *le cuir* |
| **il prodotto** | *le produit* | **la qualità** | *la qualité* |
| **il vetro** | *le verre* | **la scarpa** | *la chaussure* |
| **importare** | *importer* | **la valigia** | *la valise* |
| | | **un affare** | *une affaire* |

Retenez aussi :

| | | | |
|---|---|---|---|
| **certamente** | *certainement* | **naturalmente** | *naturellement* |
| **dimenticare** | *oublier* | **per esempio** | *par exemple* |
| **e così via...** | *et ainsi de suite* | **prestigioso** | *prestigieux* |
| **interessante** | *intéressant* | **rappresentativo** | *représentatif* |

# 11-20 Tests

## Test 11-20

**A Complétez avec les prépositions, avec ou sans article, selon les cas :**

Score :......... / 8

1. Il treno parte......tre.
2. La banca è aperta......nove......dodici.
3. ...... quanto tempo studi l'italiano...... università?
4. Il Presidente...... Repubblica è eletto...... Parlamento.
5. L'aeroporto...... Roma si chiama « Leonardo...... Vinci ».
6. E' una banconota......centomila lire.
7. ...... che ora vai...... ufficio?
8. Ho bevuto una tazza...... caffé......bar Aurora.

**B Conjuguez à la 3ème du singulier et du pluriel de l'indicatif présent (attention à l'accent) :**

Score :......... / 8

1. parlare
2. desiderare
3. preferire
4. andarsene
5. svegliarsi
6. telefonare
7. venire
8. fare

**C Mettez les phrases suivantes au passé composé :**

Score :...... / 8

1. Non mi piace questo film.
2. Quando se ne va?
3. Perché dici così?
4. Non si ricorda.
5. Siamo contente.
6. Che c'è?
7. Che cos'è?
8. Maria è amata da Claudio.

# Tests

**D Mettez le pronom complément qui convient :**

Score :......... / 8

1. ............ho comprato (un francobollo).
2. ............ho scritto una lettera (a Maria).
3. Quando venite a trovare............ (noi)
4. ............ha parlato ieri (a me di questo).
5. ............danno ancora (Amarcord)?
6. ............ vado domani (a scuola).
7. ............piacciono i film italiani (ai miei fratelli).
8. Ti ricordi............ (di Silvia)?

**E Traduisez :**

Score :......... / 8

1. Il y a une place non réservée / Il y en a une.
2. Il n'aime pas aller au cinéma. Il préfère aller au théâtre.
3. Dépêche-toi!
4. Ne boude pas!
5. Je le tutoie toujours. Et toi?
6. On voie bien les montagnes d'ici.
7. On n'utilise plus les machines à écrire.
8. Il faut beaucoup d'argent pour acheter une Ferrari.

Score total :......... /40

Résultats pages 340-341

# 21 Roma è più antica di Venezia

## A 1 PRÉSENTATION

- Voici les différentes formes du comparatif italien :

| | | |
|---|---|---|
| supériorité | **più... di...** | *plus... que...* |
| infériorité | **meno... di...** | *moins... que...* |
| égalité | **così... come...** | *aussi... que...* |

| | | |
|---|---|---|
| **antico** | | *ancien, antique* |
| **Venezia** | [vé**né**tsia] | *Venise* |
| **popolato** | | *peuplé* |
| **Napoli** | [**na**poli] | *Naples* |
| **la Toscana** | | *la Toscane* |
| **grande** | | *grand* |
| **l'Umbria** | [**oum**bria] | *l'Ombrie* |
| **Michelangelo** | [mike**lan**djélo] | *Michel-Ange* |
| **famoso** | | *fameux, célèbre* |
| **Giotto** | [**djot**to] | *Giotto* |
| **esteso** | | *étendu* |
| **la Francia** | | *la France* |
| **la cucina** | | *la cuisine* |
| **rinomato** | | *renommé* |

## A 2 APPLICATION

1. **Roma è più antica di Venezia.**
2. **Milano è più popolata di Torino.**
3. **Napoli è meno ricca di Milano.**
4. **La Toscana è più grande dell'Umbria.**
5. **Michelangelo è più famoso di Giotto.**
6. **Leonardo da Vinci è (così) celebre come Michelangelo.**
7. **L'Italia è meno estesa della Francia.**
8. **Roma è più calda di Milano.**
9. **La cucina italiana è rinomata come quella francese.**
10. **Le autostrade italiane sono meno care delle autostrade francesi.**

# 21 Rome est plus ancienne que Venise

## A 3 REMARQUES

■ Grammaire

- Le comparatif s'exprime de la façon suivante :

| | | | | |
|---|---|---|---|---|
| Pietro è | **più** *plus*<br>**meno** *moins* | intelligente | **di** *que* | Paolo |
| | **così** *aussi* | | **come** *que* | |

- La comparaison se fait entre deux termes (personnes ou choses) par rapport à une qualité. Les termes comparés sont représentés par un nom ou un pronom et le premier est le sujet de la phrase.
- Pour le comparatif d'égalité :

Ex. : **Firenze è così bella come Venezia**
*Florence est aussi belle que Venise*

on peut supprimer le premier des deux termes :

Ex. : **Firenze è bella come Venezia**
*Florence est belle comme Venise.*

## A 4 TRADUCTION

1. Rome est plus ancienne que Venise.
2. Milan est plus peuplé que Turin.
3. Naples est moins riche que Milan.
4. La Toscane est plus grande que l'Ombrie.
5. Michel-Ange est plus célèbre que Giotto.
6. Léonard de Vinci est aussi célèbre que Michel-Ange.
7. L'Italie est moins étendue que la France.
8. Rome est plus chaude que Milan.
9. La cuisine italienne est aussi renommée que la française.
10. Les autoroutes italiennes sont moins chères que les autoroutes françaises.

## 21 E' più facile dire che fare

### B 1 PRÉSENTATION

■ Le comparatif de supériorité, d'égalité, et d'infériorité peut se traduire dans certains cas d'une façon quelque peu différente :

| | | |
|---|---|---|
| *supériorité* | **più... che...** | *plus... que* |
| *infériorité* | **meno... che** | *moins... que* |
| *égalité* | **tanto... quanto...** | *aussi... que* |

*Ex.* : **È più facile** [**fat**chilé] **dire che fare**
*Il est plus facile de parler que d'agir*
**Roma è tanto bella quanto ricca**
*Rome est aussi belle que riche*

| | | |
|---|---|---|
| **il paese** | | *le pays* |
| **la Costituzione** | | *la Constitution* |
| **attribuire** | | *attribuer* |
| **la Camera dei deputati** | [**ka**méra] | *la Chambre des députés* |
| **il potere** | | *le pouvoir* |
| **il Senato** | | *le Sénat* |
| **la costa (adriatica, tirrena)** | [a**dria**tika] | *la côte (adriatique, tyrrhénienne)* |

### B 2 APPLICATION

1. **E' più facile dire che fare.**
2. **A Roma fa più caldo che a Milano.**
3. **Roma è più antica di Torino.**
4. **In Italia ci sono più monumenti che in Francia.**
5. **Mi piace andare meno nei paesi freddi che nei paesi caldi.**
6. **Roma è più antica che ricca.**
7. **La Costituzione italiana attribuisce alla Camera dei deputati tanti poteri quanti (ne attribuisce) al Senato.**
8. **La Roma barocca è bella come la Roma antica.**
9. **Vado meno volentieri al cinema che a teatro.**
10. **La costa adriatica è tanto bella quanto lunga.**

## B 3 REMARQUES

### ■ Grammaire

• On emploie **più... che, meno... che, tanto... quanto** quand on compare deux qualités d'une même personne ou d'une même chose.

| Ex. : | | |
|---|---|---|
| | **E' più facile dire che fare**<br>*Il est plus facile de parler que d'agir* | comparaison entre deux verbes |
| | **E' più lungo che largo**<br>*Il est plus long que large* | comparaison entre deux adjectifs |
| | **E' meglio tardi che mai**<br>*Mieux vaut tard que jamais* | comparaison entre deux adverbes |

• On utilise également **più... che, meno... che,** lorsque les termes comparés sont précédés d'une préposition et qu'il s'agit de noms ou de pronoms :

| | | |
|---|---|---|
| | **E' più attento a te che a me**<br>*Il fait plus attention à toi qu'à moi* | comparaison entre deux pronoms |

Lorsque **tanto... quanto** sont employés avec un nom commun, ils sont adjectifs et, par conséquent, s'accordent :

Ex. : **Ho visitato tante chiese quanti palazzi**
*J'ai visité autant d'églises que de palais.*

## B 4 TRADUCTION

1. Il est plus facile de dire que d'agir.
2. A Rome il fait plus chaud qu'à Milan.
3. Rome est plus ancienne que Turin.
4. En Italie, il y a plus de monuments qu'en France.
5. J'aime moins aller dans les pays froids que dans les pays chauds.
6. Rome est plus ancienne que riche.
7. La Constitution italienne attribue à la Chambre des députés autant de pouvoirs (qu'elle en attribue) au Sénat.
8. La Rome baroque est aussi belle que la Rome antique.
9. Je vais moins volontiers au cinéma qu'au théâtre.
10. La côte adriatique est aussi belle que (qu'elle est) longue.

# Exercices

## C 1 EXERCICES

**A. Mettre « di », « del », etc., ou « come », « quanto » à la place des points :**

1. L'Umbria non è così grande ... la Toscana.
2. C'è tanta gente in città ... al mare.
3. La Lombardia è più ricca ... Sicilia.
4. La cucina italiana è così buona ... quella francese.

**B. Mettre « di » ou « che » :**

1. Si mangiano più spaghetti in Italia ... in Francia.
2. I gelati italiani sono più gustosi ... quelli francesi.
3. Oggi fa più caldo ... ieri.
4. Ci sono più turisti stranieri ... turisti italiani.
5. Venezia è meno popolata ... Torino.
6. In una trattoria si mangiano pasti più tipici ... in un ristorante.

**C. Traduire :**

1. Beaucoup de villes italiennes sont plus anciennes que les villes françaises.
2. Bien manger les spaghetti est beaucoup moins difficile pour un Italien que pour un Français.
3. L'Ombrie est moins étendue que la Toscane, mais elle a tant de villes célèbres.

## C 2 RÉCAPITULATION

**Qualche proverbio...** — *Quelques proverbes...*

- **Unire l'utile al dilettevole.** — *Joindre l'utile à l'agréable.*
- **Cadere dalla padella nella brace.** — *Tomber de Charybde en Scylla.*
  (*m. à m. : Tomber de la poêle dans la braise*)
- **A buon intenditore, poche parole.** — *A bon entendeur, salut!*
- **Prendere due piccioni con una fava.** — *Faire d'une pierre deux coups.*
  (*m. à m. : prendre deux pigeons avec une fève*).
- **Dal dire al fare c'è di mezzo il mare.** — *Il est plus facile de dire que de faire.*
  (*m. à m. : Entre le dire et le faire, il y a la mer au milieu*).
- **Mettersi nei panni di uno.** — *Se mettre à la place de quelqu'un.*
  (*m. à m. : Se mettre dans les habits de quelqu'un*).
- **Tutte le strade portano a Roma.** — *Tous les chemins mènent à Rome.*
- **Cercare il pelo nell'uovo.** — *Chercher la petite bête.*

## C 3 CORRIGÉ

**A. Mettre « di », « del », etc., ou « come », « quanto » à la place des points :**

1. ... come ...
2. ... quanta ...
3. ... della ...
4. ... come ...

**B. Mettre « di » ou « che » :**

1. ... che ...
2. ... di ...
3. ... che ...
4. ... che ...
5. ... di ...
6. ... che ...

**C. Traduire :**

1. Molte città italiane sono più antiche delle città francesi.
2. Mangiare bene gli spaghetti è molto meno difficile per un Italiano che per un Francese.
3. L'Umbria è meno estesa della Toscana, ma ha tante città celebri.

## C 4 CIVILISATION : **Roma**

• C'est la première ville italienne par sa population (presque trois millions d'habitants, même si le nombre de ses habitants tend à baisser actuellement, après avoir augmenté d'une façon démesurée et souvent sauvage dans les cent dernières années).
En effet en 1871, lorsqu'elle est devenue capitale de l'Italie (Turin l'avait été de 1861 à 1864, Florence de 1864 à 1871), elle en comptait **212.432**; dix ans après, en 1871, elle en comptait **273 952**, en 1901 **422 411**, en 1911 **518 917**, en 1921 **660 235**, en 1936 **1 150 589**, en 1951 **1 651 754**, en 1971 **2 781 993**, en 1981 **2 840 259**, en 1991 **2 775 250**.

Elle est jumelée avec Paris.

• Son emblème est d'une part la louve, avec les deux jumeaux Rémus et Romulus, et, d'autre part, l'antique formule républicaine : **S.P.Q.R.** (**Senatus Populusque Romanus :** *le sénat et le peuple romain),* que chacun, d'ailleurs, interprète à sa façon. Citons la plus courante et... la plus décente à la fois : **Sono Pazzi Questi Romani** *Ils sont fous ces romains.* Vercingétorix en aurait frémi de joie!
La population italienne est d'environ 57 000 000 habitants.

# 21 Dialogues et culture

## D 1 Carnevale : Venezia o Viareggio?

1. **Mara : Ti sei divertita a carnevale? Dove sei andata?**
2. **Carla : Sono andata a Viareggio.**
3. **Mara : Io invece sono andata al carnevale di Venezia.**
4. **Carla : Ci sono stata l'anno scorso. E' certamente più bello di quello di Viareggio.**
5. **Mara : E' difficile paragonarli. Ciò che è certo è che sono tutti e due molto belli. A me piacciono tutti e due.**
6. **Carla : A Viareggio c'è un sacco di gente; ad ogni modo più gente che a Venezia. Ma ci sono meno maschere; la gente partecipa meno che nella città della laguna.**
7. **Mara : Ma ci si diverte moltissimo sia a Venezia che a Viareggio.**
8. **Carla : Certo; ma qui la festa è più popolare che lì; si fa più baldoria. Invece a Venezia l'atmosfera è più elegante che nella città toscana.**
9. **Mara : Io mi sono divertita tanto a Viareggio quanto a Venezia. Quest'anno, ci siamo divertiti a buttare coriandoli e, soprattutto, abbiamo visto una magnifica sflilata di carri allegorici. L'anno scorso, invece, a Venezia mi sono vestita come una dama del tempo di Goldoni : vestito lungo, maschera e cappello... Una vera grande dama...!**

## D 2 CULTURE : le carnaval

**Carnevale e commedia dell'arte** *Carnaval et « commedia dell'arte » :* le carnaval est un moment de fête où tout un chacun trouve le moyen de *se donner du bon temps* **fare baldoria**. Les Romains ne disaient-ils pas qu'« il est permis de devenir fou une fois par an » ('semel in anno licet insanire')? Et qui dit **carnevale** *carnaval* dit aussi **maschera** *masque* . Et qui dit **maschera,** dit **commedia dell'arte**, appelée aussi « comédie improvisée », parce qu'elle n'avait aucun texte écrit. En effet, les acteurs improvisaient en suivant un *scénario* **canovaccio** qui traçait à grandes lignes le déroulement de l'action. Tous les acteurs avaient un rôle bien défini et portaient des masques. Les « masques » les plus célèbres sont :

— **Pantalone** et **il dottor Balanzone**, tous deux vieillards : riche et avare le premier; médecin et juriste, le deuxième;

— **Arlecchino** *Arlequin* , **Pulcinella** *Polichinelle* et **Brighella** qui représentaient les serviteurs faméliques, mais rusés et dupeurs;

— **Corallina** *Coraline*, la soubrette gracieuse et futée...

## D 3 Carnaval : Venise ou Viareggio?

1. Mara : Est-ce que tu t'es amusée à carnaval? Où es-tu allée?
2. Carla : Je suis allée à Viareggio.
3. Mara : Moi, par contre, je suis allée au carnaval de Venise.
4. Carla : J'y suis allée l'année dernière. Il est certainement plus beau que celui de Viareggio.
5. Mara : Il est difficile de les comparer. Ce qui est certain c'est qu'ils sont tous les deux très beaux. Moi j'aime aussi bien l'un que l'autre.
6. Carla : A Viareggio il y a beaucoup de gens; en tout cas plus qu'à Venise. Mais il y a moins de masques; les gens participent moins que dans la ville de la lagune.
7. Mara : Mais on s'amuse énormément aussi bien à Venise qu'à Viareggio.
8. Carla : Certes; mais ici la fête est plus populaire que là-bas; on s'amuse davantage. Par contre à Venise l'atmosphère est plus élégante que dans la ville toscane.
9. Mara : Moi je me suis amusée aussi bien à Viareggio qu'à Venise. Cette année nous nous sommes amusés à jeter des confettis et, surtout, nous avons vu un très beau défilé de chars allégoriques. L'année dernière, par contre, à Venise je me suis habillée comme une dame de l'époque de Goldoni : robe longue, masque et chapeau... Une vraie grande dame...!

## D 4 INFORMATIONS PRATIQUES : **parler du carnaval**

| | | | |
|---|---|---|---|
| **il carnevale** | *le carnaval* | **fare baldoria** | *faire la fête, « la bringue »* |
| **divertirsi** | *s'amuser* | **l'atmosfera** | *l'atmosphère* |
| **un sacco di gente** | *beaucoup de gens* | **buttare** | *jeter* |
| **paragonare** | *comparer* | **i coriandoli** | *les confettis* |
| **il paragone** | *la comparaison* | **allegorico** | *allégorique* |
| **la maschera** | *le masque* | **vestirsi** | *s'habiller* |
| **la laguna** | *la lagune* | **il cappello** | *le chapeau* |
| | | **la festa** | *la fête* |

Le carnaval est très apprécié en Italie : à **Venezia** *Venise*, le plus beau carnaval d'Italie, à **Viareggio**, en Toscane, où il y a des défilés de chars allégoriques, à **Ivrea**, la ville de Olivetti, dans le Piémont, célèbre pour ses batailles à coups d'oranges, à **Milano**, à **Busseto**, en province de Parme, la ville où est né Giuseppe Verdi, à **Benevento**, à **Montemarano**, pas très loin de Naples, où l'on danse **la tarantella** *la tarentelle* pendant trois jours...

# 22 A che cosa stai pensando?

## A 1 PRÉSENTATION

● Le gérondif :

| parl-are | ripet-ere | part-ire |
|---|---|---|
| parl-ando | ripet-endo | part-endo |

● **Présent de l'indicatif** de **dire**, *dire* :
**dico, dici, dice, diciamo, dite, dicono** [**di**kono]

| | | |
|---|---|---|
| **la persona** | | *la personne* |
| **la radio locale** | | *la radio locale* |
| **la festa popolare** | | *la fête populaire* |
| **il tempo** | | *le temps* |
| **la serata** | | *la soirée* |
| **magnifico** | [ma**gni**fiko] | *magnifique* |
| **importante** | | *important* |
| **la folla** | | *la foule* |
| **enorme** | | *énorme* |
| **dirigersi** | [di**ri**djersi] | *se diriger* |
| **evitare** | | *éviter* |
| **utile** | [**ou**tilé] | *utile* |

## A 2 APPLICATION

1. **— Dove stanno andando tutte quelle persone?**
2. **— Alla radio locale hanno detto poco fa che c'è una grande festa popolare a Trastevere.**
3. **— Ci andiamo anche noi? Il tempo è bello e la serata magnifica. Ehi, a che cosa stai pensando? Che cosa stanno dicendo di importante alla radio?**
4. **— Stanno ancora parlando della festa. Senti, senti :**
5. **— « Una folla enorme sta dirigendosi verso Trastevere. E' meglio evitare di andare in macchina. »**
6. **— Vedi che ascoltando le radio libere si hanno molte informazioni utili.**

## A 3 REMARQUES

### Grammaire

• Le gérondif est employé :
a) pour indiquer une action qui continue dans le temps.
La construction est alors : **stare** + le gérondif.
Ex. : **stanno dicendo** *ils sont en train de dire*

b) pour indiquer une proposition temporelle.
Ex. :
**ascoltando (quando si ascolta) la radio, si hanno molte informazioni**
*en écoutant la radio, on a beaucoup de renseignements.*

Au gérondif, les formes pronominales se placent après le verbe (comme à l'impératif et à l'infinitif) :
**dirigersi** [di**ri**djersi] *se diriger*
→ **dirigendosi** [diri**djen**dosi] *en se dirigeant*

• Le passé immédiat exprimé en français par « *on vient de dire* » se rend en italien par :
**hanno detto poco fa,** ou **ora**, ou **adesso**;
ou bien : **hanno appena detto**.

• **Radio** est invariable comme tous les mots abrégés :

| | | |
|---|---|---|
| **la foto** (grafia) | **le foto** | *les photos* |
| **il cinema** (tografo) | **i cinema** | *les cinémas* |

## A 4 TRADUCTION

1. — Où vont (mot à mot : sont en train d'aller) toutes ces personnes?
2. — A la radio locale on vient de dire qu'il y a une grande fête populaire à Trastevere.
3. — Nous y allons nous aussi? Le temps est beau et la soirée magnifique. Hé! à quoi penses-tu? Que dit-on d'important à la radio?
4. — On est (mot à mot : Ils sont) encore en train de parler de la fête. Écoute, écoute :
5. — « Une foule énorme est en train de se diriger vers Trastevere. Il vaut mieux éviter d'y aller en voiture. »
6. — Tu vois qu'en écoutant les radios libres on a beaucoup de renseignements utiles.

# 22 Vedi quel bel taxi?

## B 1 PRÉSENTATION

- **Quello, bello** suivent la règle de **il, lo** (voir B 3).
- Les nombres ordinaux :

| | | | | |
|---|---|---|---|---|
| **primo** | *premier* | **sesto** | | *sixième* |
| **secondo** | *deuxième* | **settimo** | [**set**timo] | *septième* |
| **terzo** | *troisième* | **ottavo** | | *huitième* |
| **quarto** | *quatrième* | **nono** | | *neuvième* |
| **quinto** | *cinquième* | **decimo** | [**dé**tchimo] | *dixième* |

- **Ti ho detto or ora :** *je viens de te dire*
(autre façon de traduire le passé proche ; voir A 3).
- **Te lo dico :** *je te le dis* (voir leçon 14, B 1).

| | |
|---|---|
| **andare a piedi** | *aller à pied* |
| **lo stesso** | *la même chose* |
| **altrimenti** | *autrement* |

- **Buono** a des formes analogues à celles de l'article indéfini **un** :

**un giorno** → **buon giorno**
**uno spettacolo** → **un buono spettacolo**
**un appetito** → **un buon appetito**

## B 2 APPLICATION

1. — **Vedi quel bel taxi?**
2. — **Perché?**
3. — **Chiamalo!**
4. — **Ma ti ho detto or ora che è meglio andare a piedi. E' la seconda volta che te lo dico. Guarda quanta gente, quante macchine!**
5. — **Prendiamo il tram allora.**
6. — **Ma è lo stesso. Dai, andiamo a piedi e sbrighiamoci! Altrimenti è meglio non pensarci più.**

## B 3 REMARQUES

### Grammaire

• **Questo studente** *cet étudiant-ci*
**quello studente** *cet étudiant-là*

• **quello** *ce, cet,* et l'adjectif **bello** *beau* ont plusieurs formes qui suivent la règle d'emploi de l'article défini **il** :

a) **il** → **quel, bel**
**i** → **quei, bei**

b) **lo** → **quello, bello**
**gli** → **quegli, begli**

| Ex. : | | | |
|---|---|---|---|
| | **il** giorno | **bel** giorno | *(beau jour)* |
| | **il** ragazzo | **quel** ragazzo | *(ce garçon-là)* |
| | **i** ragazzi | **quei bei** ragazzi | *(ces beaux garçons)* |
| | **lo** studente | **quello** studente | *(cet étudiant-là)* |
| | **i begli** sguardi | **quei begli** sguardi | *(ces beaux regards-là)* |

• Suite des nombres ordinaux : à partir de *onzième*, ils se forment par adjonction du suffixe **-esimo** (correspondant au français *-ième*) au nombre cardinal dont la dernière voyelle est supprimée :

Ex. : **undici** *onze* undic- (i supprimé), **undic-esimo** (suffixe ajouté)
**dodici** *douze* dodic- (i supprimé), **dodic-esimo** (suffixe ajouté), etc.

## B 4 TRADUCTION

1. — Tu vois ce beau taxi?
2. — Pourquoi?
3. — Appelle-le.
4. — Mais je viens de te dire qu'il vaut mieux aller à pied. C'est la deuxième fois que je te le dis. Regarde tout ce monde, toutes ces voitures!
5. — Prenons le tram, alors.
6. — Mais c'est la même chose. Allons donc à pied et dépêchons-nous! Autrement, il vaut mieux ne plus y penser.

# Exercices

## C 1 EXERCICES

**A. Mettre les formes convenables et traduire :**

1. (Quello) treno sta partendo.
2. Andiamo in (quello) scompartimento.
3. Qui ci sono (bello) monumenti.
4. Fa (bello) tempo oggi.
5. Che cosa stai facendo con (quello) tre foto?

**B. Quand faut-il employer « venire » ou une autre tournure? Traduire :**

1. On vient de dire à la radio que...
2. Ces touristes viennent de Paris.
3. Je viens de te dire que Pierre vient d'arriver.
4. D'où viens-tu? Que viens-tu faire ici?
5. Je viens de te le dire.

## C 2 RÉCAPITULATION

**La popolazione italiana**

E' di circa **56 411 000** abitanti (censimento del 1991); ma da qualche anno tende a scendere, a causa del calo della natalità. Nel 1781, la popolazione italiana era di 17 500 000 abitanti, nel 1881 di 29 791 000 e nel 1981 di 56 557 000. Nel 1861 le donne sono numericamente inferiori agli uomini (12 929 000 femmine contro 13 399 000 maschi); nel 1991 le donne superano la popolazione maschile (29 006 000 femmine contro 27 405 000 maschi). Dal 1861 ad oggi sono partiti dall' Italia più di 25 000 000 di Italiani. Ecco l'evoluzione della popolazione residente dall'Unità (1861) ad oggi (frontiere attuali) *(traduction en C4)* :

| **censimento**<br>*recensement* | **maschi**<br>*hommes* | **femmine**<br>*femmes* | **totale**<br>*total* | **incremento in %**<br>*augmentation en %* |
|---|---|---|---|---|
| *1861* | *13 399 000* | *12 929 000* | *26 328 000* | - |
| *1901* | *16 990 000* | *16 788 000* | *33 778 000* | *6,6* |
| *1921* | *18 814 000* | *19 042 000* | *37 856 000* | *2,4* |
| *1936* | *20 826 000* | *21 573 000* | *42 399 000* | *6,5* |
| *1961* | *24 784 000* | *25 360 000* | *50 120 000* | *6,4* |
| *1981* | *27 506 000* | *29 011 000* | *56 517 000* | *4,4* |
| *1991* | *27 405 000* | *29 006 000* | *56 411 000* | *0,3* |

## C 3 CORRIGÉ

**A. Mettre les formes convenables et traduire :**

1. Quel... — *Ce train part (est en train de partir).*
2. ... quello ... — *Allons dans ce compartiment.*
3. ... bei ... — *Ici il y a de beaux monuments.*
4. ... bel ... — *Il fait beau aujourd'hui.*
5. ... quelle ... — *Que fais-tu (qu'est-ce que tu es en train de faire) avec ces trois photos?*

**B. Quand faut-il employer « venire » ou une autre tournure? Traduire :**

1. Hanno appena detto (detto poco fa) alla radio che....
2. Questi turisti vengono da Parigi.
3. Ti ho detto or ora che Pietro è appena arrivato.
4. Da dove vieni? Che cosa vieni a fare qui?
5. Te l'ho detto poco fa (or ora).

## C 4 CIVILISATION/CULTURE

**La population italienne**

Elle est d'environ 56 411 000 d'habitants (recensement de 1991); mais depuis quelques années elle tend à diminuer, à cause de la baisse de la natalité. En 1781, la population italienne était de 17 500 000 habitants, en 1881 de 29 791 000 et en 1981 de 56 557 000. En 1861 les femmes sont numériquement inférieures aux hommes (12 929 000 de femmes contre 13 399 000 d'hommes); en 1991, les femmes dépassent la population masculine (29 006 000 de femmes contre 27 405 000 d'hommes). Depuis 1861, 25 000 000 d'Italiens ont quitté l'Italie. Voici l'évolution de la population de l'Unité italienne (1861) à aujourd'hui (frontières actuelles).

**Les villes italiennes** : Elles sont très nombreuses, grandes, vivantes et hautes en couleur. L'Italie est appelée aussi « *le pays aux cent villes* ». L'industrialisation et l'exode rural ont accentué l'urbanisation depuis 1945. Même si actuellement on remarque une certaine tendance à quitter la ville pour aller vers la banlieue ou la campagne (voir texte italien en D 2).

# 22 Dialogues et civilisation

## D 1 L'Italia dalle cento città

1. **Oliviero : Non sei mai andato a Ravenna?**
2. **Pietro : No, non ci sono mai andato. Ho sentito dire che è una bella città. E' vero?**
3. **Oliviero : Magnifica! Di tutte le città che conosco è quella che preferisco. Te la raccomando. Vi si possono vedere, oltre la città moderna, elegante, pulita e dinamica, la tomba di Dante Alighieri, magnifici affreschi bizantini, il mausoleo di Teodorico, uno dei primi « re d'Italia » dopo la caduta dell'impero romano. Insomma, una città « crocevia » tra oriente ed occidente, che per di più è stata capitale dell'impero romano, dopo Roma e Milano.**
4. **Pietro : Io conosco Mantova, Ferrara, Lucca, Siena e tante altre città piccole e medie. Ma come si fa a conoscerle tutte?**
5. **Oliviero : Non potendo conoscere direttamente le cento e più città della penisola e non potendo visitarle tutte, è possibile leggere qualche libro per documentarsi.**
6. **Pietro : Ed è ciò che sto facendo adesso, io. So che viaggiando, si impara molto, ma ci vogliono anche molti quattrini e...molto tempo libero....**
7. **Oliviero : Dai, non lamentarti sempre!**
8. **Pietro : Ma non mi sto lamentando affatto! E' la realtà!**
9. **Oliviero : A proposito, sai che in giugno vado in Umbria?**
10. **Pietro : E' vero?**
11. **Oliviero : Caspita, se è vero! E' da molto che desidero scoprire questa regione incantevole : Perugia, Gubbio, Assisi...**
12. **Pietro : Sei veramente nato con la camicia!**

## D 2 CIVILISATION : **les villes**

**Le città italiane :** Le città italiane sono numerose, grandi, vivaci e colorite. L'Italia è chiamata anche « **il paese dalle cento città** ». L'industrializzazione e l'esodo rurale hanno accentuato l'inurbamento della popolazione dal 1945 ad oggi. Anche se attualmente si nota un certa tendenza a lasciare la città per andare verso la periferia o la campagna *(traduction en C4)* :

| 1770 | 1990 |
|---|---|
| 1. Napoli (352 000 ab.) | 1. Roma (2 916 414 ab.) |
| 2. Roma (158 000 ab.) | 2. Milano (1 495 260 ab.) |
| 3. Palermo (140 000 ab.) | 3. Napoli (1 204 211 ab.) |
| 4. Venezia (140 000 ab.) | 4. Torino (1 035 565 ab.) |
| 5. Milano (128 000 ab.) | 5. Genova (727 427 ab.) |

## D 3 Cent villes et plus

1. Olivier : Tu n'es jamais allé à Ravenne?
2. Pierre : Non, je n'y suis jamais allé. J'ai entendu dire que c'est une belle ville, n'est-ce pas?
3. Olivier : Elle est magnifique. De toutes les villes que je connais c'est celle que je préfère. Je te la recommande. On peut y voir, outre la ville moderne, élégante, propre et dynamique, la tombe de Dante Alighieri, les magnifiques fresques d'époque byzantine, le mausolée de Théodoric, un des premiers rois d'Italie après la chute de l'empire romain : bref une ville « carrefour » entre orient et occident, qui plus est a été la capitale de l'empire romain, après Rome et Milan.
4. Pierre : Moi, je connais Mantoue, Ferrare, Lucques, Sienne et tant d'autres villes, petites et moyennes. Mais comment fait-on pour les connaître toutes?
5. Olivier : Si on ne peut pas connaître directement les cent et une villes de la péninsule et si on ne peut pas les visiter toutes, il est possible de lire des livres pour se documenter...
6. Pierre : C'est ce que je suis en train de faire maintenant. Je sais que l'on apprend beaucoup, en voyageant, mais il faut aussi beaucoup d'argent et de...loisirs!
7. Olivier : Allez! Ne te plains pas toujours!
8. Pierre : Mais je ne me plains pas du tout! C'est la réalité!
9. Olivier : A propos, sais-tu que je vais en Ombrie en juin?
10. Pierre : Est-ce vrai?
11. Oliviero : Bigre, que c'est vrai! Il y a longtemps que je désire découvrir cette région ravissante : Pérouse, Gubbio, Assise...
12. Pierre : Tu es vraiment né coiffé...!

## D 4 VOCABULAIRE : **mots nouveaux**

| | | | |
|---|---|---|---|
| **magnifico** | *magnifique* | **il mausoleo** | *le mausolée* |
| **raccomandare** | *recommander* | **il re** | *le roi* |
| **moderno** | *moderne* | **la caduta** | *la chute* |
| **elegante** | *élégant* | **il crocevia** | *le carrefour* |
| **pulito** | *propre* | **i quattrini** | *les sous, l'argent* |
| **dinamico** | *dynamique* | **lamentarsi** | *se plaindre* |
| **l'affresco** | *la fresque* | **incantevole** | *ravissant* |
| **la tomba** | *la tombe* | **caspita!** | *bigre!* |
| **bizantino** | *byzantin* | **nascere con la camicia** | *naître coiffé* |

# 23 E' stata una trasmissione assai movimentata

## A 1 PRÉSENTATION

- Le superlatif absolu : voici les formes les plus courantes :

a) **sono molto contento**
b) **sono assai contento**
c) **sono contentissimo**

} *Je suis très content.*

- Présent de l'indicatif du verbe **dovere** *devoir* :

| | |
|---|---|
| **devo** | **dobbiamo** |
| **devi** | **dovete** |
| **deve** | **devono** [**dé**vono] |

- Participe passé de **dovere** : **dovuto, vedere** *voir* : **veduto** ou **visto**

| | | | |
|---|---|---|---|
| **il dibattito** | *le débat* | **movimentato** | *mouvementé* |
| | | **noioso** | *ennuyeux* |
| **la televisione** | *la télévision* | **essere stufo** | *être agacé; en avoir assez* |
| **il letto** | *le lit* | | |
| **presto (prestissimo)** | *tôt (très tôt)* | **la politica** | *la politique* |
| **interessante** | *intéressant* | **criticare** | *critiquer* |
| **il protagonista** | *le protagoniste* | **il telegiornale** | *le journal télévisé* |
| **cortese** | *courtois* | | |
| **duro** | *dur* | **interessare** | *intéresser* |
| **nello stesso tempo** | *en même temps* | **sbagliare** | *se tromper* |
| **la trasmissione** | *l'émission* | **il mezzo di comunicazione** | *le moyen de communication* |

## A 2 APPLICATION

**1. — Hai visto il dibattito alla televisione ieri sera?**
**2. — Macché dibattito! Sono andato a letto prestissimo.**
**3. — E' stato interessantissimo. I due protagonisti sono stati molto cortesi e molto duri nello stesso tempo.**
**E' stata anche una trasmissione assai movimentata.**
**4. — Non mi piace *Tribuna politica*. E' molto noiosa.**
**5. — Dipende. Non esagerare. So che sei stufo della politica, ma non per questo devi criticare le trasmissioni politiche.**
**6. — Non guardo neanche il telegiornale.**
**7. — Insomma la T.V. non ti interessa.**
**8. — No, sbagli. So che la televisione è un mezzo di comunicazione utilissimo. Ma la guardo rarissimamente.**

## A 3 REMARQUES

### Grammaire

• Le superlatif absolu : il y a d'autres façons de le former. Les Italiens y recourent souvent tant ils aiment donner du relief au moindre de leurs propos.

a) il est possible de répéter les adjectifs courts :

Ex. : **piano** *lentement* **piano piano** *très lentement.*

b) On peut se servir des préfixes **arci-** et **stra-** :

Ex. : **ricco** *riche* **arciricco** / **straricco** } *très riche*

• Le superlatif absolu des adverbes se forme en partant de l'adjectif :

a) Ex. : 1) l'adjectif **raro** : *rare*
2) l'adjectif au superlatif féminin : **rar-issima** *très rare*
3) ajout du suffixe **-mente**
**rarissimamente** *très rarement*

b) Ex. : 1) l'adjectif **raro** *rare* au féminin
2) ajout du suffixe **-mente** : **raramente** *rarement*
3) faire précéder de **molto, assai** :
**molto raramente** / **assai raramente** } *très rarement*

## A 4 TRADUCTION

1. — As-tu vu le débat à la télévision hier soir?
2. — Mais quel débat! Je me suis couché très tôt.
3. — Ç'a été très intéressant. Les deux protagonistes ont été très courtois et en même temps très durs.
Ç'a même été une émission très animée.
4. — Je n'aime pas *Tribune politique.* C'est très ennuyeux.
5. — Ça dépend. N'exagère pas. Je sais que tu en as assez de la politique, mais ce n'est pas pour cela que tu dois critiquer les émissions politiques.
6. — Je ne regarde même pas le journal télévisé.
7. — En somme, la télévision ne t'intéresse pas.
8. — Non, tu te trompes. Je sais que la télé est un moyen de communication très utile. Mais je la regarde très rarement.

## 23 E' la rete più diffusa

### B 1 PRÉSENTATION

- Le superlatif relatif :

**è il film più celebre** }
**è il più celebre film** } *c'est le film le plus célèbre*

- **Affatto :** — *tout à fait* (dans une phrase affirmative)
— *pas du tout* (dans une phrase négative : **non... affatto**)

**la rete (il canale)** *la chaîne*
**diffuso** *répandu, écouté*
**invece** *au contraire*
**il programma** *le programme*
**culturale** *culturel*
**serio** *sérieux*
**andare in onda** *passer, donner (à la télévision), diffuser*
**privato** *privé*
**la pubblicità** *la publicité*

### B 2 APPLICATION

**1. — Io preferisco la prima rete.**
**E' la rete più diffusa e più interessante.**
**2. — Io, invece, guardo la terza (rete), dove ci sono programmi culturali più seri e più lunghi.**
**3. — Qualche volta guardo anche la seconda rete dove vanno in onda i film italiani e stranieri più celebri.**
**4. — E le T.V. private, le guardi? Quali sono le migliori?**
**5. — Non mi interessano affatto. Le più serie sono anche quelle che fanno molta pubblicità.**

# 23 C'est la chaîne la plus écoutée

## B 3 REMARQUES

### Grammaire

- Le superlatif relatif se forme avec **il più** *le plus*, **il meno** *le moins.*
- Si le nom précède le superlatif relatif, l'article ne se répète pas :

Ex. : **Il film italiano più celebre**.

- Rappelez-vous que **qualche** s'emploie toujours au singulier :

| | | |
|---|---|---|
| Ex. : | **Ho comprato qualche libro** | *j'ai acheté quelques livres.* |
| | **Ci sono andato qualche volta** | *J'y suis allé quelquefois.* |

et qu'on peut le remplacer par **alcuni, alcune,** au pluriel :

| | | |
|---|---|---|
| Ex. : | **Ho comprato alcuni libri** | *j'ai acheté quelques livres.* |
| | **Ci sono andato alcune volte** | *J'y suis allé quelquefois.* |

- **Affatto** renforce l'affirmation ou la négation.

| | | |
|---|---|---|
| Ex. : | **Sono punti di vista affatto diversi** | *Ce sont des points de vue tout à fait différents* |
| | **La T.V. non m'interessa affatto** | *La télé ne m'intéresse pas du tout.* |

## B 4 TRADUCTION

1. — Moi, je préfère la première chaîne.
   C'est la chaîne la plus écoutée et la plus intéressante.
2. — Moi, au contraire, je regarde la troisième où il y a des émissions culturelles plus sérieuses et plus longues.
3. — Quelquefois, je regarde aussi la deuxième chaîne où on passe les films italiens et étrangers les plus célèbres.
4. — Et les télés privées, tu les regardes? Quelles sont les meilleures?
5. — Elles ne m'intéressent pas du tout. Les plus sérieuses sont aussi celles qui font beaucoup de publicité.

# 23 Exercices

## C 1 EXERCICES

**A. Donner toutes les traductions possibles de :**

1. Je suis très fatigué.
2. Il est très riche.
3. C'est très intéressant.

**B. Traduire :**

1. Il n'y a pas beaucoup de programmes très intéressants.
2. Y a-t-il beaucoup de chaînes privées en Italie?
3. Quelles sont les chaînes les plus écoutées?

## C 2 RÉCAPITULATION

• Ne pas confondre **assai** et *assez* :

Ex. : Sono **assai** contento — Je suis **très** content
Sono *abbastanza* contento — Je suis *assez* content.

• Avec le superlatif relatif, contrairement au français, il ne faut pas utiliser d'article :

Ex. : **Siamo nella città più grande d'Italia**
*Nous sommes dans la ville la plus grande d'Italie.*

Notez cependant l'emploi de l'article dans la contruction suivante :

**La città dove siamo è la più grande d'Italia**
*La ville où nous sommes est la plus grande d'Italie.*

• Formation des adverbes : si l'adjectif appartient au premier groupe (**raro**, **rapido**...), on ajoute le suffixe -**mente** à au féminin : **raro >>> rara >>> raramente.**

Il en est de même au superlatif : **rarissimo >>> rarissima >>> rarissimamente.**

Si l'adjectif est du deuxième groupe, le suffixe est ajouté directement : **dolce >>> dolcemente**; par contre au superlatif, on procède comme pour les adjectifs du premier groupe : **dolcissimo >>> dolcissimamente.**

Eccezioni **: fac-ile >> facil-mente......** et aussi le mot italien le plus long : **precipitev-ole >> precipitevolissimevol-mente** *en très grande hâte.*

## C 3 CORRIGÉ

**A. Donner toutes les traductions possibles de :**

1. Sono molto stanco, assai stanco, stanchissimo.
2. E' molto ricco, assai ricco, ricchissimo, straricco, arciricco.
3. E' molto interessante, assai interessante, interessantissimo.

**B. Traduire :**

1. Non ci sono molti programmi molto interessanti.
2. Ci sono molte reti private in Italia?
3. Quali sono le reti più ascoltate (diffuse)?
4. Non mi piace affatto questo film. E' abbastanza noioso.

## C 4 CIVILISATION/CULTURE

- **Fare fiasco**

Cette expression signifie *échouer*. Quel rapport y a-t-il entre la bouteille appelée **fiasco** (*bouteille empaillée*) et *l'échec*? Il y a deux explications : selon la première, Arlequin, jouant, une fois, une scène avec un **fiasco** et n'arrivant pas à faire rire le public, aurait dit : « **E' colpa tua se non ridono** », *C'est ta faute s'ils ne rient pas*. Selon la deuxième, il s'agirait d'une expression vénitienne, du jargon des souffleurs de verre, qui, lorsqu'ils n'arrivaient pas à faire un chef-d'œuvre, disaient : « **Abbiamo fatto un fiasco** » (mot à mot : « *Nous avons fait un fiasco* ) (qui signifiait : nous n'avons pas été capables de faire un objet d'art, mais une bouteille quelconque. D'où la notion d'échec »).

- **Il granoturco**

La **polenta** (galette préparée avec de la farine de maïs), plat typique des Alpes, est faite avec du **granoturco** *maïs*. Pourquoi le maïs est-il appelé ainsi en italien? Parce que, selon l'habitude du XVIe de qualifier de « turc » tout ce qui était inhabituel et nouveau, même les grains durs, produits par la plante importée par Christophe Colomb de l'Amérique centrale, furent appelés ainsi, car, aux yeux des Italiens, c'était un produit « étrange », exotique et, donc, « turc ». Il convient d'ajouter qu'en italien **grano** désigne le *blé*.

## 23 Dialogue et culture

### D 1 E' bello ciò che piace!

1. **Michele : Che ne pensi della ragazza di Mimmo?**
2. **Carlino : E' simpaticissima! E' un bocconcino! E' la fine del mondo!**
3. **Michele : Sì, è favolosa! E' un pezzo di ragazza! E' veramente la ragazza più bella del mondo!**
4. **Carlino : E' da tempo che Mimmo la rimorchia.**
5. **Michele : Esattamente da quando sono andati a sciare a Cortina d'Ampezzo. E' una ragazza veramente coi fiocchi!**
6. **Carlino : E della Caterina, la ragazza di Mario, cosa ne pensi?**
7. **Michele : Mamma mia! Che tipaccia! Com'è seccante! Non è il mio tipo.**
8. **Carlino : Non esagerare! Sei invidioso. Ecco la verità. Fai come la volpe con l'uva!**
9. **Michele : A me non piace affatto. Non la posso soffrire! E poi si da un sacco di arie!**
10. **Carlino : Ma dai! E' una ragazza allucinante. A me piace moltissimo. Dice bene il proverbio : « Non è bello ciò che è bello; è bello ciò che piace ».**

### D 2 CULTURE : **Cesare Pavese**

**Italo Calvino**, uno dei maggiori scrittori italiani, assai conosciuto evidentemente in Italia e molto apprezzato anche all'estero, racconta di aver incontrato in Giappone uno studente, ottimo italianista e dunque molto orgoglioso di aver conosciuto le più belle città italiane e le località più affascinanti dello stivale. Calvino gli domanda come ha trovato Venezia. E lo studente, di rimando : « Non mi piace affatto Venezia ». Calvino, stupito, gli chiede : « Perché non Le piace Venezia? E che cosa Le è piaciuto in Italia? » « Mi piace Cuneo », gli risponde lo studente giapponese con molta spontaneità e convinzione. Perché Cuneo e non Venezia o Roma o un'altra città italiana? Finalmente Calvino capisce il mistero di questa risposta molto sorprendente. Per lo studente, lo scrittore italiano più grande e più amato o più amato e, dunque, più grande, è Cesare Pavese; ora Cesare Pavese è nato a...Cuneo! Per questo lo studente giapponese preferisce le colline maestose di Cuneo ai canali di Venezia! Tutto è relativo, anche la bellezza. E ciò che piace è ovviamente bellissimo!

## D 3 C'est ce qui plaît qui est beau!

1. Michele : Qu'en penses-tu de la petite amie de Dominique?
2. Carlino : Elle est trés sympathique! Elle est à croquer! C'est une super nana!
3. Michele : Oui, elle est épatante! Elle est faite au moule! C'est vraiment la plus belle fille du monde!
4. Carlino : Dominique la drague depuis longtemps.
5. Michele : Exactement depuis qu'ils sont allés faire du ski à Cortina d'Ampezzo. C'est une fille vraiment extraordinaire.
6. Carlino : Qu'est-ce que tu penses de Catherine, la petite amie de Mario!
7. Michele : Mon Dieu! Tu as vu sa gueule! Et puis comme casse-pieds, alors ...! Ce n'est pas mon genre.
8. Carlino : N'exagére pas! C'est l'envie qui te ronge. Voilà la vérité. Tu fais comme le renard qui trouve les raisins trop verts!
9. Michele : Moi je ne l'aime pas du tout! Je ne peux pas l'encaisser! Et puis elle se prend pour je ne sais pas qui!
10. Carlino : Mais voyons! C'est une cybernana! Moi, je l'aime beaucoup. Et comme le dit bien le proverbe : « Ce qui me plaît est bon ».

## D 4 VOCABULAIRE : **expressions utiles**

- Ces mots vous aideront à porter des jugements :

**allucinante!** *(fam)* — *épatant(e)!*
**che tipaccio/a!** — *quel(le) drôle de type!*
**dai!** — *alons! / voyons!*
**darsi una sacco di arie** — *se prendre pour je ne sais pas qui*
**è la fine del mondo!** — *c'est épatant! c'est super!*
**è un bocconcino!** — *elle est bien charmante!*
**è un pezzo di ragazza!** — *elle est faite au moule!*
**favoloso (a)!** — *extraordinaire!*
**l'uva** — *le raisin*
**la volpe** — *le renard*
**rimorchiare** *(fam)* — *draguer*
**sciare** — *faire du ski*
**seccante** *(fam)* — *embêtant(e), casse-pieds*

## 24 Non passerò dal centro

### A 1 PRÉSENTATION

- Futur simple :

| Parl- **are** | Ripet- **ere** | Part- **ire** |
|---|---|---|
| Parl- **erò**<br>Parl- **erai**<br>Parl- **erà**<br>Parl- **eremo**<br>Parl- **erete**<br>Parl- **eranno** | Ripet- **erò**<br>Ripet- **erai**<br>Ripet- **erà**<br>Ripet- **eremo**<br>Ripet- **erete**<br>Ripet- **eranno** | Part- **irò**<br>Part- **irai**<br>Part- **irà**<br>Part- **iremo**<br>Part- **irete**<br>Part- **iranno** |

- Pluriel de **ingorgo** *embouteillage* **ingorghi**
  **stanco** *fatigué* **stanchi**
  **stanca** *fatiguée* **stanche**
- Attention : **passeremo dal centro**
  *nous passerons par le centre.*

**telefonare** *téléphoner*
**il treno** *le train*
**trovare** *trouver*
**riposarsi** *se reposer*
**un momentino** *un petit moment*

### A 2 APPLICATION

**1. — Quando telefonerai al dottor Ferrari?**
**2. — Gli telefonerò quando arriveremo a casa.**
**3. — A che ora arriveremo?**
**4. — Non (arriveremo) prima delle otto. Arriveranno prima Gabriella e Oronzo col treno.**
**5. — Perché? Troveremo molte macchine?**
**6. — No. Eviterò gli ingorghi. Non passerò dal centro. Ma ci riposeremo un momentino all'ultimo ristorante dell'autostrada. Così non arriveremo molto stanchi.**

# Je ne passerai pas par le centre

## A 3 REMARQUES

■ Le futur se forme avec :

| le radical du verbe | + la voyelle caractéristique au futur | + r | + les désinences |
|---|---|---|---|
| **parl-** | **-e-** | **-r-** | **-ò** |
| **ripet-** | **-e-** | **-r-** | **-ò** |
| **part-** | **-i-** | **-r-** | **-ò** |

Pour les verbes de la 1re conjugaison, la voyelle caractéristique, dite aussi voyelle thématique, est **-e-** et non **-a-**.

● Les mots masculins terminés en :
**-co stanco** *fatigué,* **-go ingorgo** *embouteillage*
conservent, en général, le son dur [k] et [g] au pluriel. Par contre, les mots féminins en :
**-ca stanca** *fatiguée,* **-ga collega** *collègue*
conservent toujours le son dur [k] et [g] lorsqu'ils sont au pluriel :

| | | | |
|---|---|---|---|
| **stanco** | **ingorgo** | **il collega** | **i colleghi** |
| **stanca** | **ingorghi** | **la collega** | **le colleghe** |
| **stanchi** | | | |
| **stanche** | | | |

Ce son dur est obtenu par l'introduction entre le « c » ou le « g » et la voyelle finale d'un « h » qui a pour effet de conserver le son guttural.
Notez, toutefois, qu'il y a de nombreuses exceptions :

| Ex. : | | | | |
|---|---|---|---|---|
| | **il sindaco** | [**sin**dako] | *le maire* | **i sindaci** |
| | **il medico** | [**mé**diko] | *le médecin* | **i medici** |
| | **l'amico** | | *l'ami* | **gli amici** |

## A 4 TRADUCTION

1. — Quand téléphoneras-tu au docteur Ferrari?
2. — Je lui téléphonerai quand nous arriverons à la maison.
3. — A quelle heure arriverons-nous?
4. — (Nous n'arriverons) pas avant huit heures. Gabrielle et Oronzo arriveront avant nous par le train.
5. — Pourquoi? Nous trouverons beaucoup de voitures?
6. — Non. J'éviterai les embouteillages. Je ne passerai pas par le centre. Mais nous nous reposerons un petit moment au dernier restaurant de l'autoroute. Ainsi nous n'arriverons pas très fatigués.

# 24 Se non riuscirò a dormire, leggerò un giallo

## B 1 PRÉSENTATION

- Futur du verbe **essere**, *être* :

| | |
|---|---|
| **sarò** | **saremo** |
| **sarai** | **sarete** |
| **sarà** | **saranno** |

- **Se non riuscirò a dormire, leggerò un giallo**
*si je n'arrive pas à dormir, je lirai un roman policier (un polar)* (voir C 4).

| | | |
|---|---|---|
| **il traffico** | [**traf**fiko] | *la circulation, le trafic* |
| **prudente** | | *prudent* |
| **fare il pieno** | | *faire le plein* |
| **trovare** | | *trouver* |
| **fresca** (adj.) | | *fraîche, en forme* |
| **il disco** | | *le disque* |

## B 2 APPLICATION

1. — **Se ci sarà molto traffico, non passeremo dal centro.**
2. — **Se non ci sarà molta benzina, sarà prudente fare il pieno.**
3. — **Se saremo stanchi, ci fermeremo un po'.**
4. — **Telefonerai domani al dottor Ferrari, se arriveremo dopo le otto.**
5. — **Lasceremo fuori la macchina, se troveremo un posto.**
6. — **Se sarò ancora fresca, ascolterò volentieri un disco.**
7. — **E tu ascolterai con me un disco, se non sarai molto stanco?**
8. — **Se non ci saranno programmi interessanti, lo ascolterò volentieri.**
9. — **Se non riuscirò a dormire, leggerò un giallo.**

## B 3 REMARQUES

■ Grammaire

- Le futur de **lasciare** est **lasc-e-rò**.
- Remarquez le double futur dans la construction :
  **se** non **riuscirò** a dormire, **leggerò** un giallo
  alors qu'en français le verbe introduit par *si* est au présent :
  *si je n'arrive pas* à dormir, *je lirai* un roman policier.
- **Volentieri** *volontiers* (attention à la différence de voyelles !).
- **Leggere un giallo** *lire un roman policier* (voir C 4).
- Attention :
  **Sarà prudente fare il pieno**
  *il sera prudent de faire le plein.*

Devant l'infinitif il n'y a pas de préposition.

## B 4 TRADUCTION

1. — S'il y a beaucoup de circulation, nous ne passerons pas par le centre.
2. — S'il n'y a pas beaucoup d'essence, il sera prudent de faire le plein.
3. — Si nous sommes fatigués, nous nous arrêterons un peu.
4. — Tu téléphoneras demain au docteur Ferrari, si nous arrivons après huit heures.
5. — Nous laisserons la voiture dehors, si nous trouvons une place.
6. — Si je suis encore en forme, j'écouterai volontiers un disque.
7. — Et toi, tu écouteras avec moi un disque, si tu n'es pas très fatigué?
8. — S'il n'y a pas de programmes intéressants, je l'écouterai volontiers.
9. — Si je n'arrive pas à dormir, je lirai un roman policier.

# 24 Exercices

## C 1 EXERCICES

**A. Sostituire l'infinito tra parentesi con la forma conveniente e tradurre :**

1. Se il nostro amico (telefonare), gli dirai che partiremo domani.
2. Se (Lei) non (passare) dal centro, eviterà gli ingorghi.
3. Non arriverò molto stanco, se mi (riposare) prima di partire.
4. Se (Lei) non (essere) stanco, ascolterà questo disco.
5. Non ascolterai la radio, se non (esserci) programmi interessanti.
6. Se (Lei) (lasciare) la macchina fuori, la potrà prendere domani.
7. Se non mi (essere) possibile dormire, leggerò un libro.

**B. Tradurre (fare attenzione alle vocali) :**

1. Je le ferai volontiers.
2. Tu laisseras ta voiture.
3. Nous sommes fatigués.
4. Tu écouteras ces disques.
5. Il y a beaucoup d'embouteillages.

## C 2 VOCABULAIRE

### ■ I colori e qualche espressione idiomatica

*Les couleurs et quelques expressions idiomatiques*

a) **rosso** *rouge* — **arancione** *orange* — **giallo** *jaune* — **verde** *vert*
**azzurro** *bleu* — **violetto** *violet* — **grigio** *gris*

b) **farne vedere di tutti i colori** — *en faire voir de toutes les couleurs.*
**dirne di tutti i colori** — *en dire de toutes les couleurs.*

c) **i colori del semaforo** — *les couleurs des feux tricolores.*
**rosso, giallo, verde** — *rouge, orange, vert*

d) **passare col giallo** — *passer à l'orange*
**passare col rosso** — *passer au rouge*

## C 3 CORRIGÉ

**A. Remplacer l'infinitif entre parenthèses par la forme convenable et traduire :**

1. Telefonerà — *Si notre ami téléphone, tu lui diras que nous partirons demain*
2. Passerà — *Si vous ne passez pas par le centre, vous éviterez les embouteillages.*
3. Riposerò — *Je n'arriverai pas trop fatigué, si je me repose avant de partir.*
4. Sarà — *Si vous n'êtes pas trop fatigué, vous écouterez ce disque.*
5. Ci saranno — *Tu n'écouteras pas la radio, s'il n'y a pas de programmes intéressants.*
6. Lascerà — *Si vous laissez votre voiture dehors, vous pourrez la prendre demain.*
7. Sarà — *S'il ne m'est pas possible de dormir, je lirai un livre.*

**B. Traduire (faire attention aux voyelles!) :**

1. Lo farò volentieri.
2. Lascerai la macchina.
3. Siamo stanchi.
4. Ascolterai questi dischi.
5. Ci sono molti ingorghi.

## C 4 CIVILISATION/CULTURE

e) **libro giallo** *roman policier*
**film giallo** *film policier*
**leggere un giallo** *lire un roman policier*
**giallo televisivo** *film policier à la TV*

Le nom de **giallo** a été donné aux romans policiers parce que la plupart de ces volumes avaient une couverture jaune.

f) **essere al verde, trovarsi al verde, ridursi al verde** *être fauché.*

L'origine de ces expressions remonterait à l'époque où la partie inférieure des bougies, qui servaient à l'éclairage, était verte. De là l'expression **essere al verde** qui signifie, aujourd'hui, *ne pas avoir d'argent.*

## 24 Dialogue et culture

### D 1 Vacanze di Natale

1. **Maria : Ciao, Giuseppina e tanti auguri di Buon Natale a te ed ai tuoi.**
2. **Giuseppina : Grazie, anche a te tanti e tanti auguri di Buon Natale. Che cosa farete per Natale?**
3. **Maria : Lo passeremo dai miei, in montagna. Come dice il proverbio : « Natale con i tuoi, Pasqua con chi vuoi »! Partiremo dopodomani. Purtroppo ho ancora molte cose da fare. Non ho neanche avuto il tempo di fare le spese di Natale, pensa un po'!**
4. **Giuseppina : A chi lo dici! Il tempo è volato. Non ho fatto ancora né l'albero né il presepe e non ho comprato neanche i regali. Incredibile, ma vero! Forse ci andrò stasera. I magazzini chiuderanno eccezionalmente alle dieci.**
5. **Maria : Anch'io ci andrò questa sera con Giuseppe. I bambini hanno scritto una lunga lettera a babbo Natale.......**
6. **Giuseppina : Ti auguro di passare buone feste; tanti auguri anche a Giuseppe e buone vacanze. Ci vedremo l'anno prossimo. Anche noi partiremo qualche giorno. Andremo a Venezia e precisamente a Murano, da alcuni cari zii di Giuseppe. Scusami, ma adesso devo lasciarti. Ciao, a presto e di nuovo auguroni!**
7. **Maria : Ciao, ci vediamo e buone feste!**

### D 2 CULTURE : une chanson populaire

| **Santa Lucia** (1848) | ***Sainte Lucie*** |
|---|---|
| 1. | |
| Sul mare / luccica / l'astro / d'argento,/ | *Sur la mer brille l'astre d'argent,* |
| placida / è l'onda, / prospero / è il vento./ | *la mer est calme, le vent est favorable.* |
| Venite / all'agile / barchetta mia, / | *Venez sur ma barque, qui est légère,* |
| Santa Lucia! / Santa Lucia!/ | *Sainte Lucie! Sainte Lucie!* |
| 2. | |
| Con questo zeffiro / così soave, / | *Par ce zéphir aussi doux,* |
| oh! / com'è bello/ star sulla nave! | *ah! qu'il est agréable d'être sur mon esquif!* |
| Su, passeggeri, / venite via! / | *Allez, passagers, venez, donc!* |
| Santa Lucia! / Santa Lucia!/ | *Sainte Lucie! Sainte Lucie!* |
| 3 | |
| O dolce Napoli,/ o suol beato, / | *O douce Naples, terre heureuse,* |
| ove sorridere / volle il creato, / | *où la nature a été si généreuse,* |
| tu sei l'impero / dell'armonia! / | *tu es l'empire de l'harmonie!* |
| Santa Lucia! / Santa Lucia!/ | *Sainte Lucie! Sainte Lucie!* |

## D 3 Vacances de Noël

1. M. : Bonjour Joséphine et joyeux Noël à toi-même et à ta famille.
2. J. : Merci, mes meilleurs vœux à toi aussi. Qu'est-ce que vous faites pour Noël?
3. M. : Nous le passerons chez mes parents à la montagne. Comme dit le proverbe : « Noël avec les tiens, Pâques avec qui tu veux! » Nous partirons après-demain. Malheureusement j'ai encore beaucoup de choses à faire. Figure-toi que je n'ai pas encore eu le temps de faire les courses de Noël!
4. J. : A qui le dis-tu! Le temps est passé très vite. Je n'ai fait ni le sapin, ni la crèche, ni acheté les cadeaux. Incroyable, mais vrai! Peut-être irai-je ce soir. Les magasins ferment exceptionnellement à dix heures.
5. M. : Moi aussi j'irai ce soir avec Joseph. Les enfants ont écrit une longue lettre au Père Noël......
6. J. : Je te souhaite de passer de bonne fêtes; mes meilleurs vœux à Joseph aussi et bonnes vacances! On se verra l'année prochaine. Nous aussi nous partirons pendant quelques jours à Venise, et précisément à Murano, chez des oncles de Joseph qui lui sont chers. Excuse-moi, mais maintenant je dois te quitter. Au revoir, à bientôt et encore une fois tous mes meilleurs vœux!
7. M. : Salut! A bientôt et bonnes fêtes!

## D 4 CIVILISATION/CULTURE : **vocabulaire**

Mots nouveaux :

| | | | |
|---|---|---|---|
| **augurare** | *souhaiter* | **auguroni!** | *tous mes vœux!* |
| **chiudere** | *fermer* | **comprare** | *acheter* |
| **dopodomani** | *après-demain* | **fare le spese** | *faire les courses* |
| **il proverbio** | *le proverbe* | **il presepe** | *la crèche* |
| **l'albero** | *l'arbre* | **Pasqua** | *Pâque* |
| **precisamente** | *précisément* | **purtroppo** | *malheureusement* |

**Santa Lucia** est une des plus anciennes chansons italiennes. Plusieurs chansons napolitaines portent ce titre. Mais celle-ci est la plus célèbre. La plupart des compositions populaires étaient, jusqu'en 1848, dans la quasi totalité des cas, en dialecte. A cet égard, **Santa Lucia** constitue, sur le plan linguistique, un document remarquable. La chanson, en effet, est écrite dans une langue qui est, certes, littéraire, mais qui se rapproche beaucoup de la langue parlée. Et elle portera sa petite contribution à l'unification linguistique de l'Italie; car, celle-ci se fera même, surtout au début, grâce et à travers la chanson.

# 25 Quando avrete le chiavi?

## A 1 PRÉSENTATION

- Futur de **avere** *avoir* :

| | |
|---|---|
| **avrò** | **avremo** |
| **avrai** | **avrete** |
| **avrà** | **avranno** |

- **Fra una settimana** *dans une semaine.*
- **Stanno per finire** *ils vont finir, ils sont sur le point de finir.*
- **Andrò** { **adesso** / **ora** / **fra poco** } *je vais aller*
- **Andremo a firmare** *nous irons signer.*

| | |
|---|---|
| **la pianta** | *le plan* |
| **futuro** | *futur* |
| **l'appartamento** | *l'appartement* |
| **la chiave** | *la clef* |
| **il trasloco** | *le déménagement* |
| **la diecina** | *la dizaine* |
| **terminare** | *terminer* |
| **il notaio** | *le notaire* |
| **pagare in contanti** | *payer comptant* |
| **pagare a rate** | *payer à tempérament* |

## A 2 APPLICATION

1. **— Ecco la pianta del nostro futuro appartamento.**
2. **— Quando avrete le chiavi?**
3. **— Le avremo fra una settimana.**
4. **Faremo il trasloco fra una diecina di giorni.**
5. **— Lo stanno per finire o è già finito?**
6. **— Lo termineranno fra qualche giorno.**
7. **— Tua moglie mi ha detto poco fa che adesso andrai a firmare dal notaio.**
8. **— Sì, ci andrò stasera.**
9. **— Pagherete in contanti?**
10. **— No, pagheremo a rate.**

# 25 Quand aurez-vous les clés?

## A 3 REMARQUES

■ Les formes de **avere** au futur sont contractées. Normalement le futur aurait dû être « av-erò » (comme **ripet-erò**) ; mais cette forme, comme celle d'autres verbes d'emploi très fréquent (voir B 1 et B 3), s'est abrégée : la voyelle **e** a disparu.

■ **Andare** *aller* a, au futur, des formes analogues à celles de **avere** : **and- rò, and- rai, and- rà, and- remo, and- rete, and- ranno**.

●

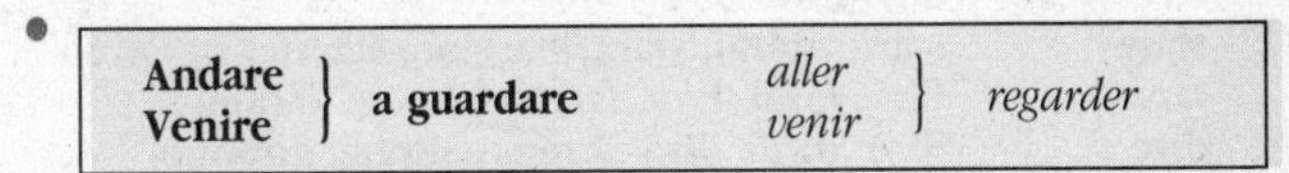

| | | | |
|---|---|---|---|
| **Andare**<br>**Venire** | **a guardare** | *aller*<br>*venir* | *regarder* |

Rappelez-vous que l'infinitif complément d'un verbe de mouvement est introduit par la préposition **a**.

■ Le futur immédiat ou proche s'exprime de la façon suivante :

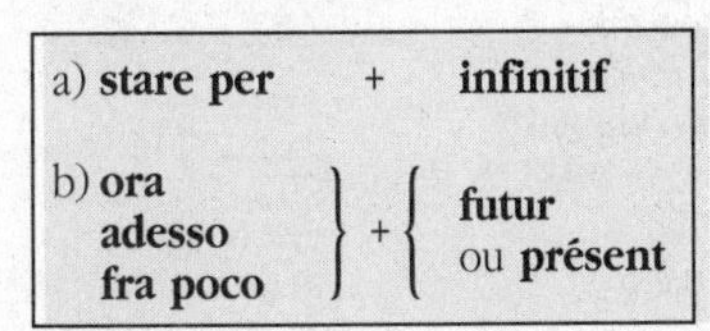

| | | |
|---|---|---|
| a) **stare per** | + | **infinitif** |
| b) **ora**<br>**adesso**<br>**fra poco** | + | **futur**<br>ou **présent** |

→ **stanno per finire**
*ils sont sur le point de finir*

→ **ora andranno al cinema**
→ **adesso vanno al cinema**
*ils vont aller au cinéma*

■ La préposition **fra** sert à introduire le futur :
Ex. : **andrò fra una settimana** *j'irai dans une semaine*

## A 4 TRADUCTION

1. — Voici le plan de notre futur appartement.
2. — Quand aurez-vous les clefs?
3. — Nous les aurons dans une semaine.
4. Nous ferons notre déménagement dans une dizaine de jours.
5. — Va-t-on l'achever ou est-il déjà achevé?
6. — On l'achèvera (ils l'achèveront) (ils le termineront) (il sera terminé) dans quelques jours.
7. — Ta femme vient de me dire que tu vas aller signer chez le notaire.
8. — Oui, je vais y aller ce soir.
9. — Vous paierez comptant?
10. — Non, nous paierons par mensualités.

## 25 Verrete a trovarci spesso, no?

### B 1 PRÉSENTATION

- Futur de quelques verbes irréguliers :

| | | |
|---|---|---|
| a) | **sapere** | **saprò, saprai, saprà, sapremo, saprete, sapranno.** |
| | **vedere** | **vedrò, vedrai, vedrà, vedremo, vedrete, vedranno.** |
| | **potere** | **potrò, potrai, potrà, potremo, potrete, potranno.** |
| | **dovere** | **dovrò, dovrai, dovrà, dovremo, dovrete, dovranno.** |
| b) | **stare** | **starò, starai, starà, staremo, starete, staranno.** |
| | **fare** | **farò, farai, farà, faremo, farete, faranno.** |
| | **dire** | **dirò, dirai, dirà, diremo, direte, diranno.** |
| c) | **volere** | **vorrò, vorrai, vorrà, vorremo, vorrete, vorranno.** |
| d) | **venire** | **verrò, verrai, verrà, verremo, verrete, verranno.** |

| | |
|---|---|
| **vicino di casa** | *voisin (de maison)* |
| **spesso** | *souvent* |
| **la finestra** | *la fenêtre* |
| **la camera** | *la chambre* |
| **la comodità** | *les commodités, le confort* |
| **il bosco** | *le bois* |
| **urgente** | *urgent* |

### B 2 APPLICATION

1. **— Saremo vicine di casa, adesso.**
2. **— Verrete a trovarci spesso, no?**
3. **— Potremo anche vederci dalla finestra della cucina.**
4. **— Se vorrete, potrete anche dormire a casa.**
5. **Avremo una camera per gli ospiti.**
6. **— Vedrete quanto sarà più piacevole abitare in un appartamento con tutte le comodità.**
7. **— Staremo certamente meglio.**
8. **E poi potremo andare più spesso a fare una passeggiata nei boschi.**
9. **— Che ore saranno? Devo fare una telefonata urgente alle undici.**
10. **— Saranno le dieci e mezzo.**

## B 3 REMARQUES

### Grammaire

- Futur :

a) **Sapere,** *savoir,* **vedere,** *voir,* **potere,** *pouvoir,* **dovere,** *devoir,* ont des formes analogues à celles de **avere** et **andare** (voir A 3).

b) **Dire**, *dire*, et **fare**, *faire*, sont les formes contractées de **di(ce)re, fa(ce)re**.

c) **Volere**, *vouloir*, et **venire**, *venir*, présentent, en plus de la contraction, un phénomène que l'on appelle assimilation (un son plus fort s'impose à son voisin) :
**volere** (volerò → volrò) → **vorrò** (le **r** l'emporte sur le **l**).
**venire** (venirò → venrò) → **verrò** (le **r** l'emporte sur le **n**).

- Le futur exprime quelquefois **l'incertitude, le doute** :

Ex. : **che ore saranno?** *quelle heure peut-il bien être?*
**saranno le dieci** *il doit être dix heures*

- « Verrete **a** trovarci », « vous viendrez nous trouver » : notez, une fois de plus, l'usage, auquel les Français ont tant de difficulté à se faire, de la préposition **a** introduisant un infinitif après un verbe de mouvement.

## B 4 TRADUCTION

1. — Nous serons voisines, maintenant.
2. — Vous viendrez nous voir souvent, n'est-ce pas?
3. — Nous pourrons aussi nous voir par la fenêtre de la cuisine.
4. — Si vous voulez, vous pourrez aussi dormir à la maison (chez nous).
5. Nous aurons une chambre d'amis (pour nos hôtes).
6. — Vous verrez combien il est plus agréable d'habiter un appartement avec tout le confort.
7. — Nous serons certainement mieux.
8. Et puis, nous pourrons aller plus souvent nous promener dans les bois.
9. — Quelle heure peut-il bien être? Je dois donner un coup de téléphone urgent à onze heures.
10. — Il doit être dix heures et demie.

## 25 Exercices

### C 1 EXERCICES

**A. Tradurre :**

1. Quand l'appartement sera-t-il prêt?
2. Il sera prêt dans un mois.
3. Il y a un mois qu'il a été fini.
4. Il doit être huit heures.

**B. Usare « andare » o « venire » o un' espressione idiomatica :**

1. Je vais chez le notaire signer pour la maison.
2. Ce soir je vais signer.
3. Tu vas aller au cinéma tout seul?
4. Je vais y aller avec toi.
5. Viens voir. Va voir dans la chambre.
6. Il vient de partir : il est allé voir quel film il peut bien y avoir ce soir.
7. Quand irons-nous les voir?
8. Nous allons être voisins.

### C 2 VOCABULAIRE : **l'appartamento**

■ *l'appartement*

| | |
|---|---|
| **la casa** | *la maison* |
| **il piano** | *l'étage* |
| **la stanza, il vano** | *la pièce* |
| **la camera da letto** | *la chambre à coucher* |
| **la sala (stanza) da pranzo** | *la salle à manger* |
| **il bagno** | *la salle de bains* |
| **la cucina** | *la cuisine* |
| **lo studio** | *le bureau* |
| **gli elettrodomestici** | *l'électroménager* |
| **il frigorifero** | *le réfrigérateur* |
| **il lavastoviglie** | *la machine à laver la vaisselle* |

| | |
|---|---|
| • **comprare in contanti** | *acheter au comptant* |
| • **comprare a credito** | *acheter à crédit* |
| **comprare a rate** | *acheter par mensualités, à tempérament* |
| **contrarre un mutuo** | *contracter un emprunt* |

• **A casa mia, tua, sua,** etc. L'expression **a casa + le possessif** sans article se traduit par *chez moi, toi, soi,* etc.

| | |
|---|---|
| • **« Pronto? Casa Rossi? »** | *« Allô? je suis chez monsieur Rossi? »* |
| **« Pronto, casa Rossi... »** | *« Allô, Rossi à l'appareil... »* |

## C 3 CORRIGÉ

**A. Traduire :**

1. Quando sarà pronto l'appartamento?
2. Sarà pronto fra un mese.
3. Lo hanno finito da un mese.
4. Saranno le otto.

**B. Employer « andare » ou « venire » ou une tournure idiomatique :**

1. Vado dal notaio a firmare per la casa.
2. Stasera firmerò.
3. Vai (andrai) al cinema solo?
4. Ci andrò con te.
5. Vieni a vedere. Va' a vedere nella camera.
6. E' appena partito : è andato a vedere che film ci sarà stasera.
7. Quando andremo a vederli (trovarli)?
8. Adesso saremo vicini di casa.

## C 4 CIVILISATION : **Trastevere**

Trastevere, qui signifie « al di là del Tevere » *au-delà du Tibre*, est un quartier populaire de Rome, (qu'on pourrait peut-être comparer à la butte Montmartre ou à la Bastille ou la « Mouffe », la rue Moufetard de Paris), peuplé de petits commerçants, d'échoppes d'artisans et de marchands des quatre saisons.
Les « Transtévérins » ont toujours eu mauvaise réputation. Mais **Stendhal** trouvait ce quartier superbe « *car,* disait-il, *il y a de l'énergie* ». Les soirs d'été, les Romains et les touristes flânent dans les ruelles du Trastevere, s'attablent sur ses places paisibles et font de bons repas en y goûtant la bonne cuisine romaine accompagnée d'un bon vin des **Castelli romani** *Châteaux romains.*
Ce quartier a attiré et attire de nombreux artistes, poètes, peintres et metteurs en scène. Une des dernières scènes du film *Roma*, de **Fellini**, se déroule, justement, à Trastevere. Il y montre la « **Festa de noantri** » (dialecte romäin) « festa di noi altri » *fête de nous (autres),* une fête populaire, comme il y en a des milliers en Italie.

## 25 Dialogues et culture

### D 1 Accogliere una baby-sitter

1. **Signora : Buonasera, Mara. Grazie per aver accettato di venire a prenderti cura dei bambini.**
2. **Mara : Dove sono?**
3. **Signora : Luca ha bevuto il latte poco fa e sta dormendo nella culla. Gli altri due stanno facendo il bagno. Ma bisogna sorvegliarli bene! Sono un po' monelli!**
4. **Mara : Hanno già cenato?**
5. **Signora : Non ancora. Ma la cena, l'ho già preparata io. Tutto è pronto in cucina.**
6. **Mara : Possono vedere la TV?**
7. **Signora : Puoi fargli guardare un po' la televisione, se c'è un programma interessante.**
8. **Mara : A che ora vanno a dormire?**
9. **Signora : Di solito, alle nove.**
10. **Mara : E se il piccolo piange?**
11. **Signora : Puoi cambiarlo e dargli il biberon, che è già pronto in cucina.**
12. **Mara : Quanti mesi ha?**
13. **Signora : Sedici. Ormai gli do la pappina e i prodotti omogeneizzati.**
14. **Mara : A che ora tornerete, più o meno?**
15. **Signora : Non sappiamo con precisione. Ma non ti preoccupare. Mio marito ti accompagnerà.**

### D 2 CULTURE : **Dante et le jubilé**

Dans la **Divina Commedia,** DANTE (né en 1265), un des plus grands poètes de l'humanité, effectue un voyage symbolique dans l'au-delà. Perdu dans une forêt obscure, il est sauvé par le poète latin VIRGILE (qui représente la raison) et BÉATRICE, la femme aimée (emblème de la théologie). S'identifiant à l'humanité entière, Dante peut atteindre le Paradis.
Ce fantastique voyage s'est réalisé lorsque DANTE avait 35 ans : **Nel mezzo del cammin di nostra vita...** *au milieu du chemin de notre vie...* Ce qui situe l'évènement en 1300. C'est l'année du premier grand **Giubileo** *Jubilé* organisé par le pape BONIFACE VIII ; DANTE se rend alors à Rome.
Le prochain Jubilé aura lieu en l'an 2000, à Rome. Suivez les pas de DANTE...

## D 3 Accueillir une baby-sitter

1. Madame : Bonsoir, Mara. Merci d'avoir accepté de venir garder les enfants.
2. Mara : Où sont -ils?
3. Madame : Luc vient de boire son lait et maintenant il dort dans son berceau. Les deux autres prennent leur bain. Mais il faut les surveiller! Ils sont un peu espiègles.
4. Mara : Ont-ils déjà dîné?
5. Madame : Pas encore. Mais le dîner, je l'ai déjà préparé. Tout est prêt dans la cuisine.
6. Mara : Est-ce qu'ils peuvent voir la télé?
7. Madame : Tu peux leur faire regarder un peu la télévision, s'il y a un programme intéressant.
8. Mara : A quelle heure vont-ils se coucher?
9. Madame : D'habitude, à neuf heures.
10. Mara : Et si le bébé pleure?
11. Madame : Tu peux le changer et lui donner le biberon, qui est déjà prêt dans la cuisine.
12. Mara : Combien de mois a-t-il?
13. Madame : Seize. Je lui donne désormais de la bouillie et des petits pots (les produits homogénéisés).
14. Mara : A quelle heure rentrerez-vous, plus ou moins?
15. Madame : Nous ne le savons pas exactement. Mais ne te fais pas de soucis. Mon mari va t'accompagner.

## D 4 BARZELLETTA

**Barzelletta**
**— Pronto? Casa Rossi?**
**C'è il signor Rossi?**
**— No, papà è fuori.**
**— E la mamma?**
**— Anche la mamma è fuori; sono andati al cinema ed io sono solo in casa con mia sorella.**
**— Allora passami tua sorella.**
**Dopo un lungo silenzio, il bambino torna e dice :**
**— Signore, mi dispiace, ma non posso passarLe mia sorella : ho provato a tirarla fuori dalla culla, ma non ci riesco.**

*Histoire drôle*
*— Allô? Je suis chez les Rossi?*
*Monsieur Rossi est-il là?*
*— Non, papa est sorti.*
*— Et ta maman?*
*— Maman aussi est sortie; ils sont allés au cinéma et je suis seul à la maison avec ma sœur.*
*— Alors, passe-moi ta sœur.*
*Après un long silence, l'enfant revient et dit :*
*— Monsieur, je regrette, mais je ne peux pas vous passer ma sœur : j'ai essayé de la sortir de son berceau mais je n'y arrive pas.*

## 26 Chi va piano, va sano e va lontano...

### A 1 PRÉSENTATION

- Les pronoms relatifs :

| | | | |
|---|---|---|---|
| **che** | *qui* / *que* / *quoi* | **ciò che** | *ce qui* / *ce que* |
| | | **dove** | *où* (adverbe de lieu) |
| **chi** | *celui qui* | **in cui** | *où* (adverbe de temps) |

- Le pluriel de **mille** est **mila**. Attention : un seul « l » : **duemila, tremila**...
- Participe passé de **fare**, *faire*, **fatto, chiudere** *fermer* **chiuso**
- **Nemmeno = neanche = neppure :** *même pas, pas même, non plus.* On les emploie dans les phrases négatives :

**non abbiamo di che pagarci** { **nemmeno** / **neanche** / **neppure** } **un gelato**

*nous n'avons même pas de quoi nous payer une glace.*

**qualcosa** *quelque chose*
**il tavolino** *le guéridon, la table de café*
**veramente** *vraiment*
**la lumaca** *l'escargot*
**sano** *sain, sûr, surement*
**mai** *jamais*

### A 2 APPLICATION

1. **— Sono le cinque. Andiamo a prendere qualcosa al bar che è lì di fronte?**
2. **— Se andremo a sederci al tavolino, non avremo di che pagarci nemmeno un gelato.**
3. **Ho duemila lire. E' quanto possiedo!**
4. **— Ma dove sei andato a mezzogiorno?**
5. **Non sei andato in banca a prendere un po' di soldi?**
6. **— E' ciò che ho fatto. Ma all'ora in cui sono arrivato di solito la banca è chiusa.**
7. **Essa chiude infatti all'una e rimane chiusa tutto il pomeriggio.**
8. **— Ci sei andato veramente piano piano come una lumaca.**
9. **Dice bene il proverbo : « chi va piano, va sano e va lontano e... non arriva mai! ».**

## A 3 REMARQUES

### Grammaire

- Les relatifs :

a) **che** s'emploie aussi bien comme sujet que comme complément :
Ex : **il ragazzo che ha telefonato** *le garçon qui a téléphoné*
**il libro che ho comprato** *le livre que j'ai acheté*

b) **chi** correspond au pronom double *celui qui* :
**chi rompe, paga** *(celui) qui casse (les verres), (les) paye.*

c) *où* français peut se traduire **dove** (lieu) et **in cui** (temps) :
**dove vai?** *où vas-tu?*
**il giorno in cui ci siamo incontrati** *le jour où nous nous sommes rencontrés*

- **Un po' di soldi : po'** est la forme tronquée de **poco** *peu.*

## A 4 TRADUCTION

1. — Il est cinq heures. Nous allons prendre quelque chose au bar qui est là en face?
2. — Si nous allons nous asseoir (à table), nous n'aurons même pas de quoi nous payer une glace.
3. J'ai deux mille lires. C'est tout ce que je possède!
4. — Mais où es-tu allé à midi?
5. — Tu n'es pas allé à la banque chercher un peu d'argent?
6. — C'est ce que j'ai fait. Mais à l'heure où je suis arrivé la banque est fermée.
7. Elle ferme en effet à une heure et reste fermée tout l'après-midi.
8. — Tu y es allé vraiment lentement, comme un escargot.
9. Le proverbe dit bien : « Qui va lentement, va sûrement, va loin et... n'arrive jamais! »

# 26 Il rialzo di cui parli riguarda gli assegni

## B 1 PRÉSENTATION

• **Da qualche giorno** *depuis quelques jours* : **da** indique l'origine dans le temps et la durée (v. 18, A 3).

| | |
|---|---|
| **la farmacia** | *la pharmacie* |
| **l'agenzia di cambio** | *le bureau de change* |
| **cambiare** | *changer* |
| **mandare** | *envoyer* |
| **la quotazione** | *le cours* |
| **in ribasso** | *en baisse* |
| **notare** | *noter, remarquer* |
| **stamattina** | *ce matin* |
| **la tendenza** | *la tendance* |
| **il rialzo** | *la hausse* |
| **continuare** | *continuer* |
| **riguardare** | *concerner* |
| **l'assegno** | *le chèque* |
| **calare** | *baisser* |

## B 2 APPLICATION

**1. — Vedi quel negozio vicino alla farmacia?**
**2. Sulla destra c'è un'agenzia di cambio dove potrai cambiare i franchi.**
**3. — Di quali franchi parli?**
**4. — Di quelli che ti ha mandato lo zio Francesco tre mesi fa.**
**5. — Ne abbiamo abbastanza, di che passare la serata.**
**6. — Qual è la quotazione del franco?**
**7. — Oggi è in ribasso.**
**8. — Sul « Corriere della Sera » che ho comprato stamattina ho notato invece che la tendenza al rialzo continua.**
**9. — Il rialzo di cui parli riguarda gli assegni. Noi invece abbiamo delle banconote le quali, da qualche giorno, tendono a calare.**

## B 3 REMARQUES

■ Les pronoms relatifs :

a) **il quale, la quale, i quali, le quali**
*lequel, laquelle, lesquels, lesquelles.*
Sous cette forme, le pronom est employé comme sujet et comme complément indirect.

b) **cui,** invariable, remplace **il quale, la quale, i quali, le quali** quand ces pronoms sont compléments indirects et introduits par des prépositions :

Ex. : **Gli amici con { i quali / cui } siamo andati in vacanza...**
*les amis avec lesquels nous sommes allés en vacances...*

**le persone { delle quali / di cui } mi avete parlato...**
*les personnes dont vous m'avez parlé...*

• Lorsque le pronom relatif **che** précède le verbe, l'accord n'est pas obligatoire :

Ex. : **I franchi che ho cambiato** *les francs que j'ai changés*

## B 4 TRADUCTION

1. — Tu vois ce magasin près de la pharmacie?
2. Sur la droite il y a un bureau de change où tu pourras changer ton argent français.
3. — De quel argent français parles-tu?
4. — De celui que t'a envoyé l'oncle François il y a trois mois.
5. — Nous en avons assez, de quoi passer la soirée.
6. — Quel est le cours du franc français?
7. — Aujourd'hui il est en baisse.
8. — Dans (sur) le « Corriere della Sera » que j'ai acheté ce matin, j'ai noté, au contraire, que la tendance à la hausse continue.
9. — La hausse dont tu parles concerne les chèques. Nous, par contre, nous avons des billets qui, depuis quelques jours, ont tendance à baisser.

# 26 Exercices

## C 1 EXERCICES

**A. Tradurre :**

1. C'est l'oncle italien dont je t'ai déjà parlé.
2. Les francs que tu as changés sont en hausse aujourd'hui.
3. Où vas-tu? Tu viens avec moi à la banque? Je vais changer de l'argent.
4. N'y va pas le jour où elles sont fermées.
5. Je vais chercher trois cent mille lires.

**B. Mettere il pronome relativo, chi, che, in cui, ciò che :**

1. ... fai, è fatto bene.
2. All'ora ... Lei arriva, tutto è chiuso.
3. Quella persona ... non conosco e con ... Lei ha parlato, di dove viene?
4. Conosce il proverbio ... dice : « ... va piano, va sano e va lontano »?

## C 2 RÉCAPITULATION : **la banque**

• **La Banca**

| | |
|---|---|
| **girare un assegno** | *endosser un chèque* |
| **firmare un assegno** | *signer un chèque* |
| **riscuotere un assegno** | *toucher un chèque* |
| **il libretto degli assegni** | *le carnet de chèques* |
| **il listino dei cambi** | *le cours des devises* |
| **il tasso d'interesse** | *le taux d'intérêt* |
| **la valuta estera** | *la devise étrangère* |
| **il marco** | *le mark* |
| **la lira sterlina** | *la livre sterling* |
| **il franco svizzero** | *le franc suisse* |
| **il franco francese** | *le franc français* |
| **il dollaro americano** | *le dollar américain* |
| **cambiare** | *changer* |

• **Parola......di Guicciardini!**

**Il denaro serve a ogni cosa...; al viver d'oggi è stimato più un ricco che un buono.** *L'argent sert à tout...; de nos jours on estime plus un homme riche qu'un honnête homme.* (**Francesco Guicciardini**, 1454-1513, historien, contemporain de **Machiavelli**).

## C 3 CORRIGÉ

**A. Traduire :**

1. E' lo zio italiano di cui ti ho già parlato.
2. I franchi che hai cambiato sono in rialzo oggi.
3. Dove vai? Vieni con me in banca? Vado a cambiare denaro.
4. Non andarci il giorno in cui sono chiuse.
5. Vado a prendere trecentomila lire.

**B. Mettre le relatif qui convient :**

1. Ciò che...
2. ... in cui ...
3. ... che ... cui ...
4. ... che ... chi ...

## C 4 CIVILISATION/CULTURE

• **« La banca »** et **« il banco »** *La banque et le comptoir*

On doit aux Italiens l'origine du mot **banca** *banque*, dérivé de **banco** qui désigne le « comptoir », sur lequel, au Moyen Age, les banquiers avaient l'habitude de manier l'argent. En cas de faillite, on le brisait publiquement (de là le terme de *banqueroute* **bancarotta**).

Les banques les plus anciennes s'appellent **banco**, car c'est sur le **banco** *le comptoir*, que les banquiers exerçaient leur métier et procédaient à l'échange des monnaies.

Le terme **banca** est plus moderne, désigne plutôt l'institution bancaire et, de ce fait, exprime une notion plus abstraite. C'est une appellation qu'on trouve dans les institutions les plus récentes.

Les banques les plus anciennes portent encore la vieille appellation : **Banco di Napoli**, **Banco di Sicilia** et, jusqu'à une époque très récente, **Banco di Roma** (cette banque s'appelle désormais, suite à sa fusion avec le réseau des Caisses d'Epargne du Latium, **Banca di Roma**).

Les banques les plus importantes sont :

**Banca di Roma**
**Banco di Napoli**
**Banca d'Italia**
**Banco di Sicilia**
**Credito Italiano**
**Banca Commerciale Italiana**

# 26 Dialogues et culture

## D 1 In banca

**(una turista francese e un impiegato della banca)**

1. **Turista : Scusi, ho bisogno di cambiare franchi francesi. Dov'è il listino dei cambi?**
2. **Impiegato : Le do subito la quotazione di oggi. Ecco... A proposito, ha assegni, banconote o carta di credito?**
3. **Turista : Ho la carta di credito VISA.**
4. **Impiegato : Di quante lire ha bisogno?**
5. **Turista : Un milione e cinquecentomila lire.**
6. **Impiegato : Allora, vediamo! Dollaro..., marco tedesco..., franco svizzero..., ecco, ci siamo. Oggi la quotazione è di duecentonovantadue lire per un franco, se Lei vuole acquistare lire. Dunque per un milione e cinquecentomila lire, faranno circa cinquemiladuecento franchi, con le commissioni.**
7. **Turista : Va bene.**
8. **Impiegato : Mi può dare un documento, per favore?**
9. **Turista : Ecco la carta d'identità.**
10. **Impiegato : ......Una firma qui, prego!......Tenga : cento, duecento, trecento, quattrocento, cinquecento, seicento, settecento, ottocento, novecentomila e... un milione; un milione e cento, duecento, trecento, quattrocento e cinquecento. E questa è la Sua carta d'identità.**
11. **Turista : Grazie e arrivederLa!**

## D 2 CULTURE : **la lire et la livre**

**La lira italiana**, **la lira sterlina**, **e il mezzo chilo...... di pomodori!**
*La lire italienne, la livre sterling, et la livre...... de tomates!*
Au temps des romains, « libra », une unité de mesure d'un poids de douze onces signifiait *balance,* **bilancia.** A l'époque de Charlemagne, ce mot latin de « libra », donna le terme de *livre* monnaie et unité de poids. La *livre* , monnaie, valait alors un poids d'argent d'une « livre ». Le cours de l'histoire sépara les deux mots.
a) La *livre* , monnaie, a donné les termes de **lira** (unité de compte italienne depuis 1862) et de... *la livre sterling* **lira sterlina**.
b) La *livre* , unité de poids, se divisait en douze onces et variait entre 350 et 550 grammes, selon les provinces. En France *la livre* est encore une unité de poids d'une valeur de 500 grammes. C'est pour cette raison qu'on peut commander......*une livre de tomates* **mezzo chilo di pomodori**.

## D 3 A la banque

(une touriste française et un employé de la banque)

1. Touriste : S'il vous plaît! J'ai besoin de changer des francs français. Quel est le cours des devises?
2. Employé : Je vous donne tout de suite les cours d'aujourd'hui. Voici... A propos, avez-vous des chèques, des billets ou une carte de crédit?
3. Touriste : J'ai une carte VISA internationale..
4. Employé : De combien de lires avez-vous besoin?
5. Touriste : Un million cinq cent mille lires.
6. Employé : Alors, voyons! Dollar..., mark ..., franc suisse..., voilà, nous y sommes. Aujourd'hui le cours est de 292 lires pour un franc, si vous voulez acheter des lires. Donc, pour 1 500 000 lires il vous faudra environ 5 200 francs, tous frais compris.
7. Touriste : D'accord.
8. Employé : Pouvez-vous me présenter une pièce d'identité, s'il vous plaît?
9. Touriste : Voici ma carte d'identité.
10. Employé : Une signature ici, s'il vous plaît!......Tenez : 100, 200, 300, 400, 500, 600, 700, 800, 900 000 et... 1 000 000; 1 100 000, 200, 300, 400 et 500. Voici votre carte d'identité.
11. Touriste : Merci. Au revoir!

## D 4 VOCABULAIRE : **la banque** (suite)

| | | | |
|---|---|---|---|
| **la banca** | *la banque* | **la banconota** | *le billet* |
| **l'impiegato** | *l'employé* | **il biglietto** | *le billet* |
| **il listino dei cambi** | *le cours des changes* | **la carta di credito** | *la carte de crédit* |
| **la quotazione** | *le cours* | **la commissione** | *la commission* |
| **l'assegno** | *le chèque* | **la firma** | *la signature* |

**Molte banche italiane sono aperte solo la mattina!**
*Beaucoup de banques en Italie ne sont ouvertes que le matin!*

**La banca nasce in Italia**
L'attività bancaria si è sviluppata nel Medioevo in Italia, da dove, poi, si estenderà negli altri paesi dell'Europa occidentale. Sono famosi i banchieri genovesi, veneziani, soprattuttto quelli fiorentini (i Medici) e romani (i Chigi). Il fiorino d'oro del tempo dei Medici è considerato da alcuni come il dollaro di quell'epoca.

## 27 Potrebbe dirmi a che piano si trovano?

### A 1 PRÉSENTATION

- Conditionnel présent :

| Parl- are | Ripet- ere | Part- ire |
|---|---|---|
| *je parlerais* | *je répéterais* | *je partirais* |
| Parl- **e-r- ei**<br>Parl- **e-r- esti**<br>Parl- **e-r- ebbe**<br>Parl- **e-r- emmo**<br>Parl- **e-r- este**<br>Parl- **e-r- ebbero** | Ripet- **e-r- ei**<br>Ripet- **e-r- esti**<br>Ripet- **e-r- ebbe**<br>Ripet- **e-r- emmo**<br>Ripet- **e-r- este**<br>Ripet- **e-r- ebbero** | Part- **i-r- ei**<br>Part- **i-r- esti**<br>Part- **i-r- ebbe**<br>Part- **i-r- emmo**<br>Part- **i-r- este**<br>Part- **i-r- ebbero** |

**la camicia** — *la chemise*
**il vestito** — *le costume, la robe*
**la pellicola** [pél**li**kola] — *la pellicule*
**la macchina fotografica** [**mak**kina] [foto**gra**fika] — *l'appareil photo*
**l'articolo** [ar**ti**kolo] — *l'article*
**l'ascensore** — *l'ascenseur*
**la scala mobile** [**mo**bilé] — *l'escalier roulant*
**far presto** — *faire vite*
**il magazzino** — *le magasin*
**gradire** — *aimer bien, souhaiter*
**la scarpa** — *la chaussure*
**un paio di scarpe** — *une paire de chaussures*

### A 2 APPLICATION

**1. — Scusi, desidererei comprare una camicia e un vestito.**
**2. Potrebbe dirmi a che piano si trovano?**
**3. — Al secondo piano.**
**4. — Vorrei anche comprare delle pellicole per la mia macchina fotografica.**
**5. — Per questo articolo dovrebbe andare al terzo piano.**
**6. Può prendere l'ascensore o la scala mobile.**
**7. Ma dovrebbe far presto. Il magazzino chiude fra mezz'ora.**
**8. — Gradirei anche sapere se è possibile comprare un paio di scarpe e dove potrei trovarle.**
**9. — Non dovrebbe essere molto difficile: al secondo piano, non molto lontano dalle camice.**

## A 3 REMARQUES

### Grammaire

- Le conditionnel présente des structures semblables à celles du futur.
- Cela s'explique par le fait que le futur et le conditionnel se sont formés tous les deux à partir de l'infinitif :

— infinitif + présent de l'indicatif de avoir (habere en latin) → futur
— infinitif + passé simple de avoir → conditionnel.

- Pour les verbes de la première conjugaison, la voyelle caractéristique qu'on appelle thématique est **e** au lieu de **a** (comme pour ceux de la deuxième).

| Futur | Conditionnel |
|---|---|
| parl- **e-r-** *ò*<br>ripet- **e-r-** *ò* | parl- **e-r-** *ei*<br>ripet- **e-r-** *ei* |

- **Non molto lontano da** *pas très loin de*
- Les noms qui se terminent en **-cia** au singulier ont pour pluriel **-ce** lorsque le **i** de **cia** n'est pas accentué :

Ex. : **la camicia** **le camice**
**la provincia** **le province**

- Par contre :

**la farmacia** **le farmacie**
**la filosofia** **le filosofie**

## A 4 TRADUCTION

1. — Pardon, je désirerais acheter une chemise et un costume.
2. Pourriez-vous me dire à quel étage on les trouve?
3. — Au deuxième étage.
4. — Je voudrais également acheter des pellicules pour mon appareil-photo.
5. — Pour cet article, vous devriez aller au troisième étage.
6. Vous pouvez prendre l'ascenseur ou l'escalier roulant.
7. Mais vous devriez faire vite. Le magasin ferme dans une demi-heure.
8. — J'aimerais bien aussi savoir s'il est possible d'acheter une paire de chaussures et où je pourrais en trouver.
9. — Ce ne devrait pas être bien difficile : au second étage, pas très loin des chemises.

# 27 Avrebbe un paio di scarpe per me?

## B 1 PRÉSENTATION

• Conditionnel présent de **essere** et de **avere** :

| | | | |
|---|---|---|---|
| **sa -r- ei** | **sa -r- emmo** | **av -r- ei** | **av -r- emmo** |
| **sa -r- esti** | **sa -r- este** | **av -r- esti** | **av -r- este** |
| **sa -r- ebbe** | **sa -r- ebbero** | **av -r- ebbe** | **av -r- ebbero** |

• Le participe passé de **esporre** *exposer* est **esposto**

**innanzitutto** *avant tout*
**leggero** *léger*
**scuro** *sombre*
**togliersi** [**to**gliérsi] *retirer, ôter, enlever*
**il modello** *le modèle*
**tardare** *tarder*
**la vetrina** *la vitrine*
**marrone** *marron*
**il cuoio** *le cuir*
**puro** *pur*
**il vitello** *le veau*
**convenire** *convenir*
**la qualità** *la qualité*
**sperare** *espérer*
**calzare** *chausser*
**perfetto** *parfait*
**magnificamente** *magnifiquement*
**l'eleganza** *l'élégance*

## B 2 APPLICATION

**1. — Scusi, avrebbe un paio di scarpe per me?**
**2. — Di quale colore le vorrebbe?**
**3. — Le vorrei innanzitutto eleganti e leggere, non molto scure.**
**4. — Sarebbe così gentile da togliersi la scarpa destra?**
**5. Così Le potrei far provare diversi modelli.**
**6. Ma dovremmo anche sbrigarci.**
**7. Il magazzino non dovrebbe tardare a chiudere.**
**8. Le andrebbe il modello esposto in vetrina?**
**9. — Quale?**
**10. — Il paio di scarpe marrone, di cuoio; puro vitello, sa. Quanto vorrebbe spendere?**
**11. — Non vorrei andare al di là delle ottanta, novantamila lire.**
**12. — E' un paio di scarpe che Le dovrebbe convenire, sia per il prezzo, sia per la qualità. Quanto calza?**
**13. — Quaranta.**
**14. — Perfetto. Le andranno magnificamente. Vede che eleganza?**

## B 3 REMARQUES

■ Grammaire

• Conditionnel de quelques verbes irréguliers
a) **stare, starei; dare, darei**
b) **andare, andrei; sapere, saprei; potere, potrei; dovere, dovrei**
c) **dire, direi; fare, farei**
d) **venire, verrei; volere, vorrei**

• **Far presto** *faire vite,* **far provare** *faire essayer.* La voyelle finale de *fare* disparaît devant le mot qui suit parce que les deux mots sont liés étroitement par le sens et donc prononcés comme un seul mot.

• La forme pronominale de politesse s'écrit avec la majuscule quelle que soit sa fonction (sujet ou complément) :
Ex. : **E' Lei che paga?** *C'est vous qui payez?*
**Potrei parlarLe ?** *Pourrais-je vous parler ?*

## B 4 TRADUCTION

1. — Pardon, auriez-vous une paire de chaussures pour moi?
2. — De quelle couleur les voudriez-vous?
3. — Je les voudrais avant tout élégantes et légères, pas trop sombres.
4. — Seriez-vous assez aimable pour retirer votre chaussure droite?
5. Ainsi, je pourrais vous faire essayer plusieurs modèles.
6. Mais nous devrions aussi nous dépêcher.
7. Le magasin ne devrait pas tarder à fermer.
8. Est-ce que le modèle exposé en vitrine vous irait?
9. — Lequel?
10. — La paire de chaussures en cuir marron; pur veau, voyez-vous. Combien voudriez-vous dépenser?
11. — Je ne voudrais pas dépasser quatre-vingt, quatre-vingt-dix mille lires.
12. — Ce sont des chaussures qui devraient vous convenir, tant pour le prix que pour la qualité. Espérons qu'elles vous iront. Combien chaussez-vous?
13. — Quarante.
14. — Parfait. Elles vous vont à merveille. Vous voyez quelle élégance?

# 27 Exercices

## C 1 EXERCICES

**A. Passare dal presente al condizionale :**

1. Che cosa desidera, signore?
2. Desidero comprare delle scarpe.
3. Che cosa vuole?
4. (Lei) deve far presto.
5. Che cosa vuole comprare?
6. Gradisco sapere se...
7. (Lei) ha scarpe da uomo?
8. Le va bene questo modello, sa!

**B. Formulare le domande relative alle seguenti risposte :**

1. Desidererei comprare un paio di scarpe.
2. Le scarpe si trovano al primo piano.
3. Vorrei anche una camicia.
4. (Lei) potrebbe trovarla al secondo piano.
5. Non vorrei spendere troppo.

## C 2 CIVILISATION

**La settimana dello studente** *La semaine de l'étudiant*

C'est une chanson bon enfant qui fait penser à *Pays des Jouets* de Pinocchio! (cf D2).

| | |
|---|---|
| **1.** | *1.* |
| **Il lunedì è giorno di baldoria;** | *Le lundi est un jour de bringue;* |
| **così vuole la storia,** | *ainsi le veut l'histoire,* |
| **non voglio più studiar.** | *je ne veux plus étudier.* |
| **2.** | *2.* |
| **Il martedì è il giorno susseguente;** | *Le mardi est le jour suivant;* |
| **non voglio più far niente,** | *je ne veux plus rien faire,* |
| **non voglio più studiar.** | *je ne veux plus étudier.* |
| **3.** | *3.* |
| **Il mercoledì è il giorno di mercato;** | *Le mercredi est un jour de marché;* |
| **sarebbe un gran peccato,** | *ce serait vraiment dommage,* |
| **se avessi da studiar.** | *si j'avais à étudier.* |

## C 3 CORRIGÉ

**A. Passer du présent au conditionnel :**

1. ... desidererebbe...
2. Desidererei...
3. ... vorrebbe?
4. (Lei) dovrebbe...
5. ... vorrebbe ...
6. Gradirei...
7. (Lei) avrebbe...
8. ... andrebbe...

**B. Formuler les questions correspondant aux réponses suivantes :**

1. Che cosa (Lei) desidererebbe comprare?
2. A che piano si trovano le scarpe?
3. Che altro (Lei) vorrebbe?
4. Dove potrei trovarla ?
5. Quanto (Lei) vorrebbe spendere?

## C 4 CIVILISATION

**La settimana dello studente**

**4.**
**Il giovedì è giorno di vacanza;**
**oh! che bell'usanza!**
**Non voglio più studiar.**

**5.**
**Il venerdì è giorno benedetto;**
**io voglio stare a letto,**
**non voglio più studiar.**

**6.**
**Il sabato è giorno di vigilia;**
**sarebbe meraviglia, se avessi da studiar.**

**7.**
**E la domenica è il giorno di riposo;**
**sarebbe scandaloso, se avessi da studiar.**

**La semaine de l'étudiant** *(suite)*

*4.*
*Le jeudi est un jour de vacances;*
*oh! quelle belle coutume!*
*Je ne veux plus étudier.*

*5.*
*Le vendredi est un jour béni;*
*je veux rester au lit,*
*je ne veux plus étudier.*

*6.*
*Le samedi est un jour de veille de fête;*
*ce serait étonnant, si j'avais à étudier.*

*7.*
*Le dimanche est le jour de repos;*
*ce serait scandaleux, si j'avais à étudier.*

# 27 Dialogues et civilisation

## D 1 In un negozio di vestiti da donna

**(Mario, il commesso, Marilisa e Pina)**

1. **Mario : Buongiorno! Desiderano?**
2. **Marilisa : Mi piacerebbe provare il vestito rosso che è esposto in vetrina, se è un 40.**
3. **Mario : Mi dispiace, ma quello in vetrina è un 38 ed è l'ultimo modello che ci è rimasto. Se vuole, ci sarebbe questo modello, che è molto elegante e va a ruba.**
4. **Marilisa : Bellissimo! Lo provo.**
5. **Mario : E Lei, signorina? Ha bisogno di qualcosa?**
6. **Pina : Mi servirebbe un completo giacca — pantaloni.**
7. **Mario : Ce n'è arrivato uno proprio ieri che dovrebbe piacerLe. Eccolo.**
8. **Pina : Ah! E'proprio quello che mi ci vorrebbe. In quante tonalità è disponibile?**
9. **Mario : Io, guardi, Le consiglierei un bel verde. Le andrà magnificamente.**
10. **Pina : Ha ragione, prenderò il verde. Adesso lo provo.......**
11. **Mario : Allora, signorina, Le va bene il vestito? Oh, che eleganza!**
12. **Marilisa : Sì, mi sta molto bene; lo prendo. Quant' è?**
13. **Mario : Guardi, Glielo do per sole 125 000 lire! ...... Anche a Lei, signorina, il completo Le sta a pennello! Le va perfettamente!...Sentite! La giacca con i pantaloni sta sulle trecentomila. Ma se prendete i tre capi vi faccio uno sconto del 10 %.**
14. **Pina : La ringrazio. Io lo prendo.**
15. **Marilisa : Anch'io.**
16. **Mario : Oggi fate un affarone... Ecco i pacchetti e Buon Anno! Arrivederci!**
17. **Marilisa / Pina : Tanti auguri anche a Lei e arrivederLa!**

## D 2 CIVILISATION : le pays des jouets

Qui ne se souvient du **paese dei balocchi** de **Pinocchio.** C'est le pays où on ne travaille pas et où on ne va pas à l'école.
Foin de l'école! A bas les maîtres...! **Viva la libertà! Viva il paese dei balocchi...! Pinocchio gongola** *boit du petit lait* (de **gongolare** *jubiler*)!
C'est un peu l'esprit de cette chanson bon enfant (voir C-2) : **fare baldoria, divertirsi** *se donner du bon temps,* **trastullarsi** *s'amuser,* **baloccarsi** *s'amuser...!*

## D 3 Dans un magasin de vêtements pour femme

(Marius, le vendeur, Marie-Lise et Fifine)

1. Marius : Bonjour! Vous désirez...?
2. Marie-Lise : J'aimerais essayer la robe rouge qui est exposée dans la vitrine, si c'est un 40.
3. Marius : Je regrette, mais la robe de la vitrine est un 38 et c'est le dernier modéle qui nous est resté. Si vous voulez, il y aurait ce modéle, qui est trés élégant et qui se vend trés bien.
4. Marie-Lise : Trés beau! Je vais l'esssayer!
5. Marius : Et vous mademoiselle? Avez-vous besoin de quelque chose?
6. Fifine : Il me faudrait un complet veste-pantalon.
7. Marius : Nous en avons reçu un hier justement qui devrait vous plaire. Le voici.
8. Fifine : Ah! C'est juste ce qu'il me faudrait. Vous l'avez en quelles teintes?
9. Marius : Moi, voyez-vous, je vous conseillerais un beau vert. Cela vous ira trés bien.
10. Fifine : Vous avez raison, je prendrai le vert. Je vais l'essayer.
11. Marius : Alors, mademoiselle, la robe vous va bien? Oh! quelle élégance!
12. Marie-Lise : Oui, ça me va trés bien; je la prends. C'est combien?
13. Marius : Ecoutez, je vous la donne pour seulement 125 000 lires! A vous aussi, mademoiselle, l'ensemble vous va comme un gant! Ecoutez! Le prix de la veste et du pantalon est de 300 000 lires. Mais si vous prenez les trois piéces, je vous fais une remise de 10 %.
14. Fifine : Je vous remercie. je la prends.
15. Marie-Lise : Moi aussi.
16. Marius : Aujourd'hui vous faites une belle affaire. Voici les paquets et bonne année! Au revoir!
17. Marie-Lise / Fifine : Meilleurs vœux à vous aussi! Au revoir!

## D 4 BARZELLETTA

**Il falegname ed il figlio**

Un vecchietto arriva in Paradiso. C'è lo sciopero del personale ed è Gesù stesso che lo accoglie.

— « Parlami di te. », dice.

— « Ho fatto il falegname per tutta la vita », risponde il vecchio. « E, guardi, posso dire con orgoglio di aver messo al mondo un figlio che è diventato famosissimo già da piccolo. Hanno anche scritto un libro su di lui ». Gesù esulta di gioia e dice :

— « Papà! »

— « Pinocchio!!! »

***Le menuisier et son fils***

*Un vieillard arrive au Paradis.Il y a grève du personnel et c'est Jésus en personne qui l'accueille.*

— *« Parle-moi de toi », dit-il*

— *« J'ai été menuisier pendant toute ma vie », répond le vieillard. « Et, voyez-vous, je peux vous dire avec fierté que j'ai eu un enfant qui, petit, est devenu très célèbre. On a même écrit un livre sur lui. » Jésus exulte de joie :*

— *« Papa! »*

— *« Pinocchio!!! »*

# 28 Mi occorrerebbe una camicia

## A 1 PRÉSENTATION

- *Il faut* se traduit de différentes façons :

— **bisogna,**
— **conviene,**
— **occorre,**
— **ci vuole.**

- **Andare +** participe passé exprime l'obligation :

Ex. : **Questa camicia non va stirata** *cette chemise ne doit pas être repassée.*

| | |
|---|---|
| **la manica** [**ma**nika] | *la manche* |
| **mezza manica** | *manche courte* (demi-manche) |
| **il caldo** | *la chaleur* |
| **corto** | *court* |
| **andare a pennello** | *aller à ravir* |
| **lavare** | *laver* |
| **asciugare** | *sécher* |
| **fare attenzione** | *faire attention* |
| **il ferro da stiro** | *le fer à repasser* |
| **servirsene** [ser**vir**séné] | *s'en servir* |

## A 2 APPLICATION

1. **— Che cosa Le occorre?**
2. **— Mi occorrerebbe una camicia.**
3. **— La vuole con maniche lunghe o mezze maniche?**
4. **— Con questo caldo ci vogliono camice con maniche corte.**
5. **— Come vuole, signore.**
6. **Questa è leggerissima.**
7. **Le andrà a pennello.**
8. **— Occorre stirarla?**
9. **— Basta lavarla e poi farla asciugare.**
10. **— Non va stirata affatto?**
11. **— Ho detto che non occorre stirarla perché è di tergal.**
12. **Però, bisognerà fare attenzione al ferro da stiro, se se ne servirà.**

# Il me faudrait une chemise

## A 3 REMARQUES

### Grammaire

• A la formule unique du français *il faut* correspondent, en italien, plusieurs expressions.

a) *Il faut* devant un verbe se traduit par **bisogna, occorre, conviene** :

— **Bisogna fermarsi** al semaforo
*Il faut s'arrêter au feu rouge.*

— **Conviene rispettare** le persone anziane
*Il faut respecter les personnes âgées.*

— **Occorre prendere** il tram e non un taxi
*Il faut prendre le tram et pas un taxi.*

b) *Il faut* devant un nom se traduit par **occorre, occorrono, ci vuole, ci vogliono**. Toutes ces formes s'accordent avec le sujet réel.

Ex. : **Occorrono molti libri** per preparare questo esame.
*Il faut beaucoup de livres pour préparer cet examen.*
**Ci vogliono due ore** per andare da Roma a Napoli.
*Il faut deux heures pour aller de Rome à Naples.*

On notera une légère différence dans le choix des formules italiennes employées devant un nom :

— **occorre** exprime une constatation, une simple utilité,

— **ci vuole** exprime une nécessité d'ordre théorique.

## A 4 TRADUCTION

1. — Que vous faut-il?
2. — Il me faudrait une chemise.
3. — La voulez-vous avec des manches longues ou courtes (ou des demi-manches)?
4. — Par cette chaleur, il faut des chemises à manches courtes.
5. — Comme vous voulez, monsieur.
6. Celle-ci est très légère.
7. Elle vous ira à ravir.
8. — Faut-il la repasser?
9. — Il suffit de la laver et ensuite de la faire sécher.
10. — Elle ne doit pas être repassée du tout?
11. — J'ai dit qu'il ne faut pas la repasser parce qu'elle est en tergal.
12. Cependant, il faudra faire attention au fer (à repasser), si vous vous en servez.

# 28 Ci vorranno da sei a sette giorni

## B 1 PRÉSENTATION

- Les verbes :

| | |
|---|---|
| **mi piace** | *j'aime* |
| **ci vuole** / **occorre** | *il faut* |
| **c'è** | *il y a* |

s'accordent avec le sujet réel.

- Rappel : **Suo** avec un **s** majuscule est l'adjectif possessif relatif au pronom de politesse **Lei**.

Ex. : **Lei ha questa macchina** *vous avez cette voiture*
**questa macchina è Sua** *cette voiture est à vous*

| | |
|---|---|
| **blu** | *bleu* |
| **chiaro** | *clair* |
| **la taglia** | *la taille* |
| **la possibilità** | *la possibilité* |
| **soddisfare** | *satisfaire* |
| **la domanda** | *la demande* |
| **confezionato su misura** | *fait sur mesure* |
| **la cravatta** | *la cravate* |
| **si figuri!** | *pensez-vous!* |
| **essere a disposizione** | *être à la disposition (de quelqu'un)* |

## B 2 APPLICATION

1. **— Le piacerebbe un vestito leggero, estivo?**
2. **— Certo, mi piacerebbe molto averne uno blu.**
3. **Non mi piacciono i vestiti troppo moderni e troppo chiari.**
4. **— Se non ci sarà la Sua taglia, ci saranno altre possibilità per soddisfare la Sua domanda.**
5. **— Quanti giorni ci vogliono per avere un vestito confezionato?**
6. **— Non ci vuole molto tempo.**
7. **Ci vorranno da sei a sette giorni.**
8. **— Le occorrono altri articoli? Camice, cravatte?**
9. **— No, non mi occorre altro.**
10. **Ho comprato or ora una camicia. Grazie.**
11. **— Non c'è di che, si figuri!**
12. **Siamo a Sua disposizione.**

# 28 Il faudra de six à sept jours

## B 3 REMARQUES

■ **Mi piace, c'è, ci vuole** s'accordent avec leur sujet réel en italien :

| | | |
|---|---|---|
| a) *J'aime* | la cuisine italienne | **mi piace la cucina italiana.** |
| | les spaghetti | **mi piacciono gli spaghetti.** |
| b) *Il y a* | un livre | **c'è un libro.** |
| | deux livres | **ci sono due libri.** |
| c) *Il faut* | un jour de travail | **ci vuole (occorre) un giorno di lavoro.** |
| | deux jours de travail | **ci vogliono (occorrono) due giorni di lavoro.** |

● En italien, dans ces expressions, le mot qui suit le verbe est le sujet réel alors qu'en français il est complément. Le verbe s'accorde donc avec le sujet. Cela apparaît plus clairement si l'on inverse la construction :

| | |
|---|---|
| **mi piacciono gli spaghetti** | **gli spaghetti mi piacciono**<br>*les spaghetti me plaisent* |
| **ci sono due libri** | **due libri ci sono**<br>*deux livres sont ici* |
| **ci vogliono due giorni di lavoro** | **due giorni di lavoro sono necessari**<br>*deux jours de travail sont nécessaires* |

## B 4 TRADUCTION

1. — Vous aimeriez un costume léger, d'été?
2. — Certainement, j'aimerais beaucoup en avoir un bleu.
3. Je n'aime pas les costumes trop modernes et trop clairs.
4. — S'il n'y a pas votre taille, il y aura d'autres possibilités de vous satisfaire (de satisfaire votre demande).
5. — Combien de temps faut-il pour avoir un costume fait sur mesure?
6. — Il ne faut pas longtemps.
7. Il faudra de six à sept jours.
8. — Vous faut-il d'autres articles? Des chemises, des cravates?
9. — Non, il ne me faut rien d'autre.
10. Je viens d'acheter une chemise, merci.
11. — Il n'y a pas de quoi, pensez-vous!
12. Nous sommes à votre disposition.

## 28 Exercices

### C 1 EXERCICES

**A. Tradurre :**

1. Que vous faut-il?
2. Il faudra le faire, mais il faudra longtemps pour le faire. Peut-être faudra-t-il deux semaines.
3. Il nous faudrait deux chambres.
4. Cette chemise, faut-il la repasser?
5. Non, il suffit de la faire sécher. Il ne faut rien d'autre.
6. Vous faut-il autre chose?
7. Pourquoi cette robe ne doit-elle pas être repassée?
8. Parce qu'elle est en tergal.

**B. Mettere al plurale :**

1. Manica lunga.
2. Camicia grigia.
3. Arancia della nostra provincia.

### C 2 CIVILISATION/CULTURE

**Pinocchio** (Collodi — *Le avventure di Pinocchio*)
*(Pinocchio, invece di diventare un ragazzo per bene, parte per il « Paese dei balocchi » col suo amico Lucignolo, il ragazzo più svogliato e più biricchino di tutta la scuola).*
— Dove vai? *(domandò Pinocchio a Lucignolo)*
— Vado ad abitare in un paese...che è il più bello di questo mondo : una vera cuccagna!
— E come si chiama?
— Si chiama il « Paese dei balocchi ». Perché non vieni anche tu?
— Io? No davvero!
— Hai torto, Pinocchio! Credilo a me che, se non vieni, te ne pentirai. Dove vuoi trovare un paese più salubre per noialtri ragazzi? Lì non vi sono scuole : lì non vi sono maestri : lì non vi sono libri. In quel paese benedetto non si studia mai. Il giovedì non si fa scuola : e ogni settimana è composta di sei giovedì e di una domenica. Ecco un paese come piace a me! Ecco come dovrebbero essere tutti i paesi civili!...
— Ma come si passano le giornate nel « Paese dei balocchi »?
— Si passano baloccandosi e divertendosi dalla mattina alla sera.......
— Uhm!... — fece Pinocchio...come per dire : « E' una vita che farei volentieri anch'io! »....Che paese magnifico!... Che paese magnifico!...Che paese magnifico!...

## C 3 CORRIGÉ

**A. Traduire :**

1. Che cosa Le occorre?
2. Bisognerà farlo, ma occorrerà molto tempo per farlo. Forse ci vorranno due settimane.
3. Ci occorrerebbero due camere.
4. Questa camicia, bisogna stirarla?
5. No, basta farla asciugare. Non occorre (nient') altro.
6. Le occorre altro?
7. Perché questo vestito non va stirato?
8. Perché è di tergal.

**B. Mettre au pluriel :**

1. Maniche lunghe.
2. Camice grige.
3. Arance delle nostre province.

## C 4 CIVILISATION/CULTURE

**Pinocchio** (Collodi — *Les aventures de Pinocchio* )
*(Pinocchio, au lieu de devenir un garçon comme il faut, part pour le « Pays des jouets » avec son ami Lucignolo, le garçon le plus paresseux et le plus espiègle de toute l'école).*
— Où vas-tu? *(demanda Pinocchio à Lucignol)*
— Je vais habiter dans un pays... qui est le plus beau du monde : une véritable aubaine!
— Et comment s'appelle-t-il?
— Il s'appelle le « Pays des jouets ». Pourquoi ne viens-tu pas, toi aussi?
— Moi? Ah! non assurément!
— Tu as tort, Pinocchio! Crois-moi : si tu ne viens pas, tu le regretteras. Où veux-tu trouver un pays plus salutaire pour nous les enfants? Là-bas il n'y a pas d'écoles : là-bas il n'y a pas de maîtres : là-bas il n'y a pas de livres. Dans ce pays béni là on n'étudie jamais. Le jeudi il n'y a pas d'école : et chaque semaine est faite de six jeudis et d'un dimanche. Voilà un pays fait comme je les aime! Voilà comment devraient être tous les pays civilisés!...
— Mais comment passe-t-on les journées dans ce « Pays des jouets »?
— On les passe en jouant et en s'amusant du matin au soir.
— Uhm!... — fit Pinocchio...comme pour dire : « C'est une vie que je mènerais volontiers moi aussi!......Quel pays magnifique!... Quel pays magnifique!... Quel pays magnifique!...

# Dialogues et civilisation

## D 1 Due mamme parlano dei loro figli

1. **Che bellezza! Domani non c'è più scuola! I ragazzi sono pazzi di gioia.**
2. **Pensi che Anna sarà promossa?**
3. **Sappiamo già che ce l'ha fatta! Che fortuna! E' contentissima.**
4. **A proposito. Sai che Mario ha fatto tredici al totocalcio?**
5. **Fantastico! Sembra un sogno! E' fortunato!**
6. **Però non è contento lo stesso!**
7. **No! Cosa mi racconti?**
8. **Ma per tutt' altre ragioni. Ieri, infatti, ha avuto un incidente e gli hanno sequestrato la patente!**
9. **E' inammissibile! Ma perché?**
10. **Un automobilista gli ha urtato leggermente la macchina e ha preteso di avere ragione. Allora, arrabbiatissimo, è sceso dalla macchina e gli ha detto : « Porca miseria! Ma chi ti ha dato la patente? » Così, hanno cominciato a litigare. Un vigile, allora, è intervenuto e gli ha tolto la patente.**
11. **Roba da matti!**

## D 2 CIVILISATION : la langue italienne

- **Ciò che si è detto sull'Italia e sulla lingua italiana :**
*(Ce qu'on a dit sur l'Italie et sur la langue italienne) :*

a) **« L'Italia è un paese fragile »** (Prezzolini)
*(L'Italie est un pays fragile)*
**« ... che ha una precaria salute di ferro »** (aggiunge Enzo Biagi)
*(... qui a une santé de fer précaire)* (ajoute E. Biagi)

b) **« Noi tutti siamo viaggiatori e cerchiamo l'Italia »** (Goethe)
*(Nous sommes tous des voyageurs et nous cherchons l'Italie)*

c) **« Sostengono che [la lingua italiana] è la più armoniosa del mondo. Pare che Carlo V abbia detto che usava lo spagnolo con Dio, il francese con gli uomini, il tedesco con il suo cavallo e l'italiano con le donne »** (E. Biagi) *(« On dit que [la langue italienne] est la plus harmonieuse du monde. Il paraît que Charles Quint aurait dit qu'il employait l'espagnol avec Dieu, le français avec les hommes, l'allemand avec son cheval, l'italien avec les femmes. »)*

# Dialogues et civilisation

## D 3 Deux mamans parlent de leurs enfants

1. Chouette! Demain il n'y a pas classe. Les enfants sont fous de joie.
2. Est-ce que tu penses que Anne sera reçue?
3. Nous savons déjà qu'elle a réussi. Elle en a de la chance! Elle est trés contente.
4. A propos. Sais-tu que Mario a gagné le gros lot au totocalcio?
5. Ah, chouette alors! C'est le rêve! Quelle chance!
6. Mais il n'est pas content tout de même!
7. Non, que me racontes-tu?
8. Mais pour des raisons tout à fait différentes. Hier, en effet, il a eu un accident et on lui a retiré son permis de conduire.
9. C'est inadmissible! Mais pourquoi?
10. Un automobiliste a heurté légérement sa voiture et a prétendu qu'il avait raison. Alors, très en colère, il est sorti de la voiture et lui a dit : « Ça, alors! Mais qui te l'a donné ton permis? « Ainsi, ils ont commencé à se disputer. Un agent de police, alors, est intervenu et lui a retiré son permis.
11. C'est une histoire de fous!

## D 4 VOCABULAIRE

| | | | |
|---|---|---|---|
| **che bellezza!** | chouette! | **sequestrare** | retirer (un permis de conduire) |
| **la scuola** | l'école | **inammissibile** | inadmissible |
| **pazzo** | foux | **urtare** | cogner |
| **essere promosso** | être reçu | **arrabbiato** | faché |
| **farcela** | s'en sortir | **scendere** | descendre |
| **che fortuna!** | quelle chance! | **litigare** | se disputer |
| **a proposito!** | à propos! | **roba da matti!** | histoire de fous! |
| **fare tredici (al totocalcio)** | gagner le gros lot | **porca miseria!** | ça alors! |
| **il sogno** | le rêve | **leggermente** | légèrement |
| **lo stesso!** | tout de même! | **cominciare** | commencer |
| **l'incidente** | l'accident | **togliere** | enlever |
| **la patente** | le permis de conduire | **pretendere** | prétendre |

# 29 I bambini correvano felici sulla sabbia

## A 1 PRÉSENTATION

• Imparfait de l'indicatif. Il est toujours régulier, même pour les verbes irréguliers (voir conjugaison ci-contre).

• Le participe passé de **trascorrere** [tras**kor**réré] *passer* est **trascorso**, de **correre** [**kor**réré] *courir* est **corso**.

| | |
|---|---|
| **la spiaggia** | *la plage* |
| **talvolta** | *quelquefois* |
| **i cruciverba** | *les mots croisés* |
| **crogiolarsi al sole** | *se prélasser au soleil* |
| **prendere la tintarella** | *se faire bronzer* |
| **giocare a pallone** | *jouer au ballon* |
| **giocare a tamburelli** | *jouer au tambourin* |
| **la sabbia** | *le sable* |
| **nuotare** | *nager* |
| **tornare** | *retourner, revenir* |
| **correre** [**kor**rére] | *courir* |

## A 2 APPLICATION

**1. — Dove siete andati al mare l'anno scorso?**
**2. — Siamo andati nel Gargano.**
**3. — Che cosa facevate sulla spiaggia?**
**4. — Leggevamo il giornale o un libro.**
**5. Talvolta facevamo anche i cruciverba.**
**6. Mia moglie si crogiolava al sole e prendeva la tintarella.**
**7. I bambini giocavano a pallone o a tamburelli.**
**8. Correvano felici sulla sabbia.**
**9. — E tu nuotavi molto?**
**10. — Nuotavo la mattina verso le undici.**
**11. All'una pranzavamo al ristorante.**
**12. Alle due e mezzo circa ritornavamo al mare.**
**13. Vi rimanevamo fino alle sei, più o meno.**
**14. Abbiamo trascorso così un bel mese di vacanze.**

## 29 Les enfants couraient heureux sur le sable

### A 3 REMARQUES

■ Grammaire

● Imparfait de l'indicatif :

| **parl-are** | **ripet-ere** | **part-ire** |
|---|---|---|
| *je parlais* | *je répétais* | *je partais* |
| parl-**avo**<br>parl-**avi**<br>parl-**ava**<br>parl-**avamo**<br>parl-**avate**<br>parl-**avano** | ripet-**evo**<br>ripet-**evi**<br>ripet-**eva**<br>ripet-**evamo**<br>ripet-**evate**<br>ripet-**evano** | part-**ivo**<br>part-**ivi**<br>part-**iva**<br>part-**ivamo**<br>part-**ivate**<br>part-**ivano** |

● Attention à l'accent à la troisième personne du pluriel. Il est sur la même syllabe qu'à la troisième personne du singulier.

| | | | |
|---|---|---|---|
| 3e sing.<br>3e plur. | par**la**va<br>par**la**vano | ripe**te**va<br>ripe**te**vano | par**ti**va<br>par**ti**vano |

● **Mare** est masculin en italien (**il mare** *la mer*). **Sabbia** *sable*, par contre, est féminin: **la sabbia è calda** *le sable est chaud.*

### A 4 TRADUCTION

1. — Où êtes-vous allés à la mer l'année dernière?
2. — Nous sommes allés dans le Gargano.
3. — Qu'est-ce que vous faisiez sur la plage?
4. — Nous lisions le journal ou un livre.
5. Quelquefois nous faisions aussi des mots croisés.
6. Ma femme se prélassait au soleil et se faisait bronzer.
7. Les enfants jouaient au ballon ou au tambourin.
8. Ils couraient, heureux, sur le sable.
9. — Et toi, tu nageais beaucoup?
10. — Je nageais le matin, vers onze heures.
11. A une heure, nous déjeunions au restaurant.
12. A deux heures et demie environ, nous retournions à la mer.
13. Nous y restions plus ou moins jusqu'à six heures.
14. Nous avons ainsi passé un beau mois de vacances.

## 29 C'erano molti bagnanti

### B 1 PRÉSENTATION

- L'imparfait de l'indicatif de **essere** *être* et **avere** *avoir* :

| essere | avere |
|---|---|
| *j'étais* | *j'avais* |
| **ero**<br>**eri**<br>**era**<br>**eravamo**<br>**eravate**<br>**erano** | **avevo**<br>**avevi**<br>**aveva**<br>**avevamo**<br>**avevate**<br>**avevano** |

| | | |
|---|---|---|
| **villeggiare** | | *être en vacances* |
| **il bagnante** | | *le baigneur* |
| **soprattutto** | | *surtout* |
| **pulito** | | *propre* |
| **passare** | | *passer* |
| **la barca a remi** | | *la barque à rames* |
| **fare un giro** | | *faire un tour* |
| **pescare pesce** | | *prendre du poisson* |
| **tuffarsi** | | *plonger* |
| **alto mare** | | *haute mer* |
| **stendersi al sole** | [**sten**dersi] | *s'allonger au soleil* |
| **il rumore** | | *le bruit* |
| **indimenticabile** | [indimenti**ka**bilé] | *inoubliable* |
| **abbronzato** | | *bronzé* |

### B 2 APPLICATION

1. **— C'era molta gente a villeggiare?**
2. **— Sì, c'erano molti bagnanti, soprattutto verso mezzogiorno.**
3. **— La spiaggia era pulita?**
4. **— Era abbastanza pulita.**
5. **— Avevate una barca?**
6. **— Sì, avevamo una piccola barca a remi.**
7. **Con mio figlio partivamo tutti i giorni verso le nove;**
8. **facevamo un lungo giro; pescavamo pesce;**
9. **ci tuffavamo in alto mare e ci stendevamo al sole, lontani dai rumori e dalla gente.**
10. **Abbiamo passato così vacanze indimenticabili.**
11. **Siamo tornati a casa abbronzatissimi.**

# 29 Il y avait beaucoup de baigneurs

## B 3 REMARQUES

■ Grammaire

• Le verbe **avere** se conjugue à l'imparfait de l'indicatif comme un verbe de la deuxième conjugaison.
Attention à l'accent.

| **e**ra | a**ve**va |
|---|---|
| **e**rano | a**ve**vano |

• L'imparfait de l'indicatif indique une action qui n'est pas encore achevée et qui continue dans le temps, mais toujours au passé.

| | | |
|---|---|---|
| **(l'anno scorso)** | **giocavamo** | *nous jouions* |
| (l'année dernière) | **nuotavamo** | *nous nagions* |
| | **pranzavamo** | *nous déjeunions* |

• Par contre le **passé composé** (en italien **passato prossimo**, mot à mot passé proche) indique une action achevée et en même temps proche de la personne qui parle et du moment où il parle :

| | | | |
|---|---|---|---|
| | **abbiamo giocato** | | *nous avons joué* |
| **(ieri)** | **abbiamo nuotato** | *(hier)* | *nous avons nagé* |
| | **abbiamo pranzato** | | *nous avons déjeuné* |

■ A l'imparfait de l'indicatif toutes les formes verbales sont accentuées sur l'avant-dernière syllabe, sauf celle de la 3e personne du pluriel : **e**ro, **e**ri, **e**ra, era**va**mo, era**va**te ; mais attention : **e**rano, a**ve**vano, par**la**vano, etc.

## B 4 TRADUCTION

1. — Il y avait beaucoup de monde en vacances?
2. — Oui, il y avait beaucoup de baigneurs, surtout vers midi.
3. — La plage était-elle propre?
4. — Elle était assez propre.
5. — Aviez-vous un bateau?
6. — Oui, nous avions une petite barque à rames.
7. Avec mon fils, nous partions tous les jours vers neuf heures;
8. nous faisions un grand tour; nous prenions du poisson;
9. nous plongions en haute mer et nous nous allongions au soleil, loin des bruits et des gens.
10. Nous avons ainsi passé des vacances inoubliables.
11. Nous sommes rentrés à la maison très bronzés.

# 29 Exercices

## C 1 EXERCICES

**A. Mettere all'imperfetto :**

1. Che cosa fai?
2. Il bambino gioca e corre.
3. Quando (Lei) finisce di nuotare?
4. C'è molta gente.

**B. Fare le domande corrispondenti alle seguenti risposte :**

1. Siamo andati al mare l'estate scorsa.
2. Sì, nuotavo ogni giorno, verso le undici.
3. Rimanevo molte ore sulla spiaggia.
4. Sì, abbiamo passato vacanze indimenticabili.

**C. Tradurre :**

1. La mer était-elle propre, l'année dernière?
   Non, les plages n'étaient pas du tout propres.
2. Où étiez-vous allés passer vos vacances?
   Nous étions allés près de Naples.
3. Que faisiez-vous?
   Nous nagions jusqu'à cinq heures.

## C 2 CIVILISATION : **la pizza margherita**

La pizza **napoletana** classica è fatta con pomodori, aglio, origano, olio e una foglia di basilico. La pizza **margherita**, invece, ha la mozzarella al posto dell'aglio e dell'origano. Si chiama così perché quando nel 1889 la **regina Margherita** va a Napoli, il più rinomato cuoco della città, per renderLe omaggio, fa una *pizza tricolore e patriottica* : **rosso** con il pomodoro, **verde** con il basilico, **bianco** con la mozzarella. Nasce così la « pizza margherita ». Nel 1989, mentre in Francia ed a Parigi in particolare, si celebra solennemente il bicentenario della Rivoluzione francese, a Napoli si celebra più modestamente il primo centenario della nascita della **pizza margherita**, con solenni discorsi e fuochi d'artificio...!
La **mozzarella** è un formaggio fresco di origine campana a pasta bianca e molle, di forma più o meno rotonda, prodotto con latte di bufala o di vacca. Letteralmente « mozzarella » vuol dire : tagliato (a pezzettini). La pizza deve essere mangiata molto calda. La vera pizza deve essere morbida, ben cotta, trasparente, croccante, fragrante, e racchiusa in un alto e soffice cornicione. *(Traduction en C4)*

## C 3 CORRIGÉ

**A. Mettre à l'imparfait :**

1. Che cosa facevi?
2. Il bambino giocava e correva.
3. Quando (Lei) finiva di nuotare?
4. C'era molta gente.

**B. Poser les questions correspondant aux réponses suivantes :**

1. Dove siete andati l'estate scorsa?
2. Nuotavi ogni giorno? Verso che ora?
3. Quanto tempo rimanevi sulla spiaggia?
4. Avete passato buone vacanze?

**C. Traduire :**

1. Il mare era pulito, l'anno scorso?
   No, le spiagge non erano affatto pulite.
2. Dove eravate andati a trascorrere le vacanze?
   Eravamo andati vicino a Napoli.
3. Che facevate?
   Nuotavamo fino alle cinque.

## C 4 CIVILISATION : **la pizza margherita**

La pizza *napolitaine* classique est faite avec des tomates, de l'ail, de l'origan, de l'huile et une feuille de basilic. Pour la pizza *margherita*, en revanche, on utilise la mozzarelle à la place de l'ail et de l'origan. Elle s'appelle ainsi parce que, lorsque, en 1889, la reine Marguerite va à Naples, le cuisinier le plus célèbre de la ville, pour lui rendre hommage, fait une pizza *tricolore* et *patriotique* : rouge avec la tomate, verte avec le basilic, blanc avec la mozzarelle. Ainsi naît la *pizza margherita*. En 1989, alors qu'en France, à Paris surtout, on célèbre solennellement le bicentenaire de la Révolution française, à Naples on célèbre plus modestement le premier centenaire de la naissance de la *pizza margherita*, avec des fêtes solennelles, des discours et des feux d'artifice...!
La mozzarelle est un fromage frais de la Campanie à pâte blanche et molle, ayant des formes rondes, produit avec du lait de bufflesse ou de vache. Littéralement mozzarelle signifie : coupé (en petits morceaux)..
La pizza doit être mangée bien chaude. La vraie pizza doit être moelleuse, bien cuite, croustillante, parfumée et entourée d'un bourrelet saillant et tendre.

## 29 Dialogues et vie pratique

### D 1 Una bella crociera

**(un impiegato ed una cliente)**

1. **Impiegato : Le piacerebbe, signorina, fare una crociera nell'Adriatico ?**
2. **Cliente : Certamente. Ma quest'anno preferirei fare il giro dei laghi italiani.**
3. **Impiegato : Mi permetto di darLe lo stesso un opuscolo con proposte di crociere a prezzi ragionevoli.**
4. **Cliente : La ringrazio, ma per quest'anno non mi interessano. Ne ho già fatta una l'anno scorso : giro della Sicilia e poi le isole greche più importanti.**
5. **Impiegato : Vacanze incantevoli e bella vita, insomma !**
6. **Cliente : Sì, tutti i giorni, ci alzavamo verso le nove e subito dopo facevamo colazione sotto un cielo luminoso e azzurro ! Quando si faceva scalo in qualche isola, si scendeva, si visitavano i luoghi e le località più suggestive, si faceva il bagno in un mare incantevole e, quindi, si pranzava, assaggiando le specialità locali.**
7. **Impiegato : E poi ?**
8. **Cliente : Il pomeriggio si leggeva qualche libro o si faceva una breve pennichella. Ma la vera vita cominciava la sera. Si ballava, si giocava, si cantava ! Si facevano le ore piccole ogni giorno. Insomma le vere vacanze ! Vacanze di sogno !**

### D 2 VIE PRATIQUE : **amare e voler bene**

• Le verbe français *« aimer »* ne se traduit pas toujours de la même façon en italien :
— si l'on dit bien : « **mi piace la pasta, mi piacciono gli spaghetti** » (m. à m. : *« me plaît... me plaisent... »*), il conviendra de se servir des verbes **amare** et **voler bene** pour traduire non plus des goûts ou des préférences, mais des sentiments :

| | |
|---|---|
| — **Lei ama l'Italia e gli Italiani ?** | *Est-ce que vous aimez l'Italie et les Italiens ?* |
| — **Amo (voglio bene a) mia moglie.** | *J'aime ma femme.* |
| — **Ti amo, ti voglio bene.** | *Je t'aime* |

On remarquera combien ce dernier verbe exprime l'intime vérité de l'amour, puisque celui-ci consiste à *« vouloir du bien »* à l'autre.

## D 3 Une belle croisière

(un employé et une cliente)

1. Employé : Est-ce que vous aimeriez, mademoiselle, faire une croisière dans l'Adriatique?
2. Cliente : Bien sûr. Mais cette année je préférerais faire le tour des lacs italiens.
3. Employé : Je me permets de vous donner quand même un dépliant où il y a des propositions de croisières à des prix raisonnables.
4. Cliente : Je vous remercie, mais cette année ça ne m'intéresse pas. J'en ai déjà fait une l'année dernière : tour de la Sicile et puis les îles grecques les plus importantes.
5. Employé : Des vacances de rêve et la belle vie, en somme!
6. Cliente : Oui, tous les jours on se levait vers neuf heures et aussitôt après nous déjeunions sous un ciel éclatant et bleu! Quand on faisait escale dans une île, on descendait, on visitait les lieux et les localités les plus évocateurs, on se baignait dans une mer de rêve et, ensuite, on déjeunait, en goûtant les spécialités du coin.
7. Employé : Et puis?
8. Cliente : L'après-midi on lisait un livre ou bien on faisait une petite sieste. Mais la vraie vie commençait le soir. On dansait, on jouait, on chantait, on rêvait! On allait se coucher tous les soirs très tard. En somme les vraies vacances! Des vacances de rêve!

## D 4 VIE PRATIQUE : **parler vacances**

Voici d'autres mots pour raconter vos vacances :

| | | | |
|---|---|---|---|
| **assaggiare** | *goûter* | **incantevole** | *enchanteur, de rêve* |
| **ballare** | *danser* | **l'opuscolo** | *la brochure* |
| **cantare** | *chanter* | **la crociera** | *la croisière* |
| **dipendere** | *dépendre* | **la località** | *la localité, l'endroit* |
| **fare scalo** | *faire escale* | **la pennichella** | *la sieste* |
| **il giro** | *le tour* | **la proposta** | *la proposition* |
| **il lago** | *le lac* | **luminoso** | *éclatant* |
| **il luogo** | *le lieu* | **ragionevole** | *raisonnable* |
| **il prezzo** | *le prix* | **scendere** | *descendre* |
| **il sogno** | *le rêve* | **sognare** | *rêver* |
| **fare le ore piccole** | | *aller se coucher tard (faire les petites heures de la nuit)* | |

# 30 Quando siamo arrivati, stavi telefonando

## A 1 PRÉSENTATION

- **Quando siamo arrivati...** *(quand nous sommes arrivés)* → action ponctuelle
**... stavi telefonando** *(tu étais en train de téléphoner)* → action qui continue

- **Siamo qui da cinque minuti** *(nous sommes ici depuis cinq minutes* ou *il y a cinq minutes que nous sommes ici).*

- — Non **son** potuto andare *je n'ai pas pu aller.*
— **mal** di denti, **mal** di testa *mal de dents, de tête.*

La chute de la voyelle finale est facultative. Elle est due à une prononciation rapide.

| | | | |
|---|---|---|---|
| **bussare** | *frapper* | **scomparire** | *disparaître* |
| **sentirsi male,** | *se sentir mal,* | **dimagrire** | *maigrir* |
| **bene, meglio** | *bien, mieux* | **sembrare** | *sembler* |
| **il mal di testa,** | *le mal de tête,* | **il problema** | *le problème* |
| **di denti** | *le mal de dents* | **a causa di** | *à cause de* |
| **per fortuna** | *heureusement* | **sereno** | *serein, calme* |
| **insopportabile** | *insupportable* | **stanotte** | *cette nuit* |

## A 2 APPLICATION

1. **— Da quanto tempo state bussando?**
2. **— Siamo qui da cinque minuti.**
3. **Quando siamo arrivati, stavi telefonando.**
4. **— Mi ha chiamato Gianni.**
5. **Gli stavo dicendo che ieri sera mi sentivo male.**
6. **Per questo non son potuto andare a trovarlo.**
7. **Avevo un mal di testa insopportabile.**
8. **Ma adesso mi sento meglio. Stanotte ho dormito bene.**
9. **Per fortuna è scomparso anche il mal di denti che avevo ieri pomeriggio.**
10. **Ieri sera ho preso un'aspirina.**
11. **— Sei un po' dimagrito.**
12. **L'ultima volta che ti abbiamo visto avevi un bel colore.**
13. **Sembravi più giovane.**
14. **— Ho avuto molti problemi quest'anno a causa del mio lavoro.**
15. **L'anno scorso ero molto più sereno.**

# 30 Nous devions y aller il y a deux ans

## B 3 REMARQUES

### ■ Grammaire

- L'origine dans le temps est exprimée par la préposition **da**.

Ne pas confondre **fa** et **da, fa** et **fra**.

Ex. : **da quanto tempo lavori alla RAI?**
*depuis combien de temps travailles-tu à la RAI?*
**sono stato assunto quindici anni fa**
*j'ai été engagé il y a quinze ans.*

- **Vi = ci** → *y*
Ho l'intenzione di andar**vi** (o di andar**ci**) = j'ai l'intention d'y aller.
- Le participe passé de **assumere** *engager* est **assunto.**
- **Andare in pensione,** *partir à la retraite*

**RAI = Radio Audizioni Italiane.** C'est le sigle de la radio et de la télévision italiennes. En Italie il y a trois chaînes publiques (Rai 1, Rai 2 et Rai 3) et de nombreuses chaînes privées.

## B 4 TRADUCTION

1. — Depuis combien de temps travailles-tu à la RAI?
2. — Je suis employé à la RAI depuis quinze ans.
3. J'ai été engagé il y a exactement quinze ans.
4. J'avais vingt-huit ans.
5. — Tu étais déjà licencié?
6. — Oh, oui! J'ai obtenu ma licence il y a dix-sept ans.
7. Dans peu de temps (bientôt) je partirai à la retraite!
8. Plaisanterie à part, dans quelques mois, j'irai aux États-Unis.
9. Il y a deux jours, j'ai reçu justement une proposition intéressante d'une firme privée américaine.
10. Et toi, tu es déjà allé aux États-Unis?
11. — J'y suis allé avec ma femme il y a quelques années.
12. Mais j'ai l'intention d'y retourner sous peu (d'ici peu).
13. Nous y irons peut-être l'an prochain.
14. Nous devions y aller il y a deux ans.
15. Mais ma femme est tombée, en marchant.
16. Elle s'est foulé une cheville et nous n'avons pas pu y aller.

# 30 Exercices

## C 1 EXERCICES

**A. Tradurre :**

1. Da quanto tempo sei qui?
2. Sono arrivato ieri. Partirò fra tre giorni.
3. Da quanto tempo non ti vedevo!

**B. Tradurre :**

1. Il y a longtemps que tu n'étais pas venu ici?
2. Dans un an je reviendrai.
3. J'étais déjà venu il y a un an.
4. Nous y sommes allés il y a quelques années.
5. Est-ce que tu y retourneras sous peu?

## C 2 CIVILISATION : **les titres**

**I titoli** [**ti**toli] (voir aussi L.30 D2 et L.31 C2)

- La **laurea** [**laou**réa] est le diplôme délivré à la fin des études universitaires qui durent en Italie 4 ans, sauf pour pharmacie et les diplômes d'ingénieur (5 ans) et médecine (6 ans). On peut traduire le mot **laurea** par *licence* ou *maîtrise.*
- **Laurearsi** signifie *obtenir le diplôme de la « laurea ».*
- Le **laureato** est la *personne qui a obtenu* la « laurea ».
- **Laurea, laurearsi, laureato** viennent de « laurus », mot latin qui signifie **alloro** (= laurier), dont les feuilles servaient jadis à faire une couronne pour honorer les poètes.
- Les **laureati** et les **laureate** sont appelés respectivement **dottori** et **dottoresse**. Le *médecin* **medico** [**mé**diko] est, bien entendu, lui aussi un « dottore ».
- En Italie le mot **dottore** est très employé, même lorsqu'on s'adresse à des personnes qui n'ont pas de titre universitaire.
- Outre « dottore », les autres titres honorifiques les plus fréquents sont : **cavaliere** *chevalier*, **commendatore** *commandeur*, **onorevole** [ono**ré**volé] *honorable* (on s'en sert surtout pour les hommes politiques); **ragioniere** *comptable*, celui-ci étant (avec « dottore ») le plus employé.

## C 3 CORRIGÉ

**A. Traduire :**

1. Depuis combien de temps es-tu ici?
2. Je suis arrivé hier. Je partirai dans trois jours.
3. Il y a bien longtemps que je ne te voyais!

**B. Traduire :**

1. Da molto tempo non eri venuto qui?
2. Tornerò fra un anno.
3. Ero già venuto un anno fa.
4. Ci siamo andati qualche anno fa (o alcuni anni fa).
5. Ci tornerai fra poco?

## C 4 CIVILISATION : **titres et vie de société**

| | | | |
|---|---|---|---|
| **l'architetto** | *l'architecte* | **il ragioniere** | *le comptable* |
| **il capomastro** | *le contre maître* | **signorile** | *distingué* |
| | | **il caporeparto** | *le chef de service* |
| **il farmacista** | *le pharmacien* | | |
| **l'ingegnere** | *l'ingénieur* | **il direttore** | *le directeur* |
| **il presidente** | *le président* | **la professione** | *la profession* |
| **i colletti blu** | *les ouvriers* | **i colletti bianchi** | *les employés* |
| **il geometra** | *le géomètre* | **silurare** | *limoger* |
| **il padrone** | *le patron* | **di ruolo** | *titulaire* |
| **il padrone, la padrona di casa** | *le maître, la maîtresse de maison* | **il sindaco** | *le maire* |
| | | **il prefetto** | *le préfet* |
| | | **sedere a capotavola** | *présider* |
| **il decoro** | *la bienséance* | | |
| **le buone creanze** | *l'éducation* | **fare capo a** | *dépendre de* |
| **le convenienze** | *les convenances* | **promuovere** | *promouvoir* |
| **un pezzo grosso** | *un gros bonnet* | **i miei ossequi** | *mes hommages* |
| **la socievolezza** | *la sociabilité* | **screanzato** | *mal élevé* |

**avere un atteggiamento direttoriale** *jouer au grand patron*
**fare il prepotente** *jouer au petit chef*
**la prevaricazione gerarchica** *la tyrannie des chefs*
**libero professionista** *personne qui exerce une profession libérale*

## 30 Dialogues et civilisation

### D 1 Buongiorno commendatore!

**(Al bar)**

**C : cameriera A : avvocato Com : commendatore R : ragioniere**

**C — Buon giorno, avvocato! Desidera?**
**A — Una spremuta d'arancia, Gianna, per favore. Dimmi, è arrivato il professor Rossi?**
**C — Non ancora. Preparo il vassoio dei pasticcini per la dottoressa Bianchi e mi occupo della sua spremuta d'arancia.**
**A — Il vassoio? Sì, la dottoressa Bianchi, ghiotta com' è, se lo mangerà in un batter d'occhio.**
**C — Ma, avvocato, non è la sola a rimpinzarsi di gianduiotti. Pure l'ingegner Santi va pazzo per i cioccolatini.**
**A — Roba da donne!... Oh! Chi si vede? Come va il nostro commendatore.**
**Com — Beh, non c'è male. Ho saputo che il cavaliere Fabbri era febbricitante. Ha pure chiamato il medico.**
**A — Il dottor Abba? Quello che cura l'onorevole Chiari?**
**Com — Appunto! E' un medicone, a sentire la contessa d'Antilari.**
**A — Comunque, chi ha la salute è ricco e non lo sa. Vero, ragioniere?**
**R — Certo, ma pancia vuota non sente ragione. Gianna, una birra alla spina e un tramezzino!**

### D 2 CIVILISATION : **les titres** (suite)

Les titres sont très employés en Italie. Ils remplacent **signore** *monsieur*, **signora** *madame*. Ils sont généralement attribués aux titulaires d'un diplôme de **laurea**, *licence* ou *maîtrise*, délivré à la fin des études universitaires et qui permet de porter le titre générique de **dottore** ou **dottoressa.** Les cursus spécifiques font d'un **laureato** un **professore** ou une **professoressa**, un **ingegnere** *ingénieur* (homme ou femme), ou un **ragioniere** *comptable*.
Il existe aussi des titres honorifiques (**cavaliere** *chevalier*, **commendatore** *commandeur*) et des titres de noblesse fort nombreux dans un pays de vieille aristocratie et qui était encore une Monarchie en 1945 (**principe** *prince*, **principessa** *princesse*, **duca** *duc*, **duchessa** *duchesse*, **marchese** *marquis*, **marchesa** *marquise*, **conte** *comte*, **contessa** *comtesse*, **barone** *baron*, **baronessa** *baronnesse*). D'autres sont attribués aux titulaires de fonctions reconnues. Ansi d'**onorevole** *honorable* pour les parlementaires, de **direttore** *directeur* ou, à un degré plus modeste de **capo** *chef*.

## D 3 Bonjour monsieur!

(Au bar)
S : serveuse A : avocat Com : commandeur C : comptable

S — Bonjour monsieur! Vous désirez?
A — Une orange pressée, Jeanne, s'il te plaît. Dis-moi, le professeur Rossi est arrivé?
S — Pas encore. Je prépare le plateau de pâtisserie pour madame Bianchi et je m'occupe de votre orange pressée.
A — Le plateau? Oui, gourmande comme elle est, elle va le manger en un clin d'œil.
S — Mais elle n'est pas la seule à se gaver de pralinés. Monsieur Santi, lui aussi, raffole de chocolats.
A — Affaires de femmes!... Oh! Qui voit-on? Comment va notre commandeur?
Com — Et bien, pas mal. J'ai appris que monsieur Fabbri était fiévreux. Il a même appelé le docteur.
A — Le docteur Abba? Celui qui soigne M. Chieri, le député?
Com — Précisément. C'est un ponte de la médecine, à entendre la comtesse d'Antilari.
A — Quoi qu'il en soit celui qui a la santé est riche et ne le sait pas.
C — C'est bien vrai, mais ventre affamé n'a pas d'oreilles. Jeanne, une bière pression et un sandwich!

## D 4 INFORMATIONS PRATIQUES : **du bon usage des titres**

La multiplicité des titres entendus dans la conversation peut surprendre. Il faut savoir qu'une certaine fantaisie préside à leur utilisation. D'une façon générale, quand on ne connaît pas le titre de la personne à laquelle on s'adresse, pour peu que cette dernière soit de bonne présentation, on lui donne du « **dottore** » ou « **dottoressa** ». Même si elle ne possède pas le titre universitaire correspondant. Cette habitude est tout juste tempérée par une gradation maîtrisée qui permet d'appeler, plus modestement, « **ragioniere** » une personne qui n'a jamais exercé le métier de comptable ou « **capo** » un quidam qui n'a jamais dirigé quoi que ce soit. A l'opposé certaines personnalités du monde de l'industrie ou de la finance se voient affublées d'un simple « **avvocato** ».

Ainsi transparaît une subtile ironie dont on peut trouver des traces fort anciennes. Dans la **Commedia dell'arte,** le masque du « **dottore** » était la caricature de la personne cultivée. C'est avec une même nuance, légère, de flatterie ou de moquerie, plus ou moins conscientes, que l'on s'adresse aujourd'hui à quelqu'un qui ne possède pas le titre qu'on lui attribue mais qui n'en apprécie pas moins cette forme de révérence sociale.

## 21-30 Tests

**A. Cochez la forme correcte :**

**1.** E' più facile dire ... fare.
1) quanto — 2) tanto
3) che — 4) di

**2.** Andiamo in ... scompartimento.
1) quel — 2) quello
3) quella — 4) quell'

**3.** Mi ... una camicia bianca.
1) bisogna — 2) conviene
3) occorrerebbero — 4) occorrerebbe

**4.** Da quanto tempo ... cominciato a piovere?
1) ha — 2) avrà
3) è — 4) aveva

**5.** Io ... dovuto venire poco fa.
1) sono — 2) sarò
3) avevo — 4) avrò

**6.** Domani farà più caldo ... ieri.
1) di — 2) che
3) quanto — 4) come

**7.** ... un romanzo se non riuscirò a dormire.
1) leggo — 2) leggevo
3) leggerei — 4) leggerò

**8.** L'appartamento era pronto ... un mese.
1) in — 2) fa
3) da — 4) prima

**B. Traduisez :**

1. J'ai visité autant de palais que d'églises.
2. Florence est-elle aussi belle que Venise?
3. Ce film est assez ennuyeux.
4. C'est un livre très intéressant.

**C. Chassez l'intrus : quelle est la forme incorrecte?**

1. Bisogna fermarsi al semaforo.
2. Ci vuole due ore per andare a Napoli.
3. Occorre prendere un taxi.
4. Conviene rispettare i genitori.

**D. Utilisez « andare » ou « venire » :**

1. Maria ... da Paolo per il suo compleanno.
2. Ehi, Antonio ... a vedere la mia nuova macchina!
3. Mara è appena partita : è ... al cinema.
4. Dimmi, Sandro, quando ... a visitare lo zio, il mese prossimo?

**E. Quelle phrase est-elle correcte?**

1. E' l'amico della cui ti ho parlato.
2. Vado prendere centomila lire.
3. Di cui vuoi parlare?
4. Sono gli amici con cui parto in vacanza.

**F. Complétez avec la forme convenable du verbe indiqué entre parenthèses et utilisé au conditionnel présent :**

1. Mi ... gli spaghetti al dente. (piacere)
2. Ci ... tanto da fare. (essere)
3. Ti ... mangiare varie pizze? (piacere)
4. Ci ... due giorni per finire. (volere)

**G. Mettre les verbes des phrases suivantes à l'imparfait :**

1. Che cosa stai leggendo?
2. Dove siete andati a trascorrere le vacanze?
3. Sono anni che non vedo tanta gente!
4. Mi piace rimanere solo sulla spiaggia.

**H. Transformez les phrases en utilisant « sto per ... » :**

1. Gli parlerò fra poco.
2. Ti porterò al cinema.
3. Ve lo farò vedere.
4. Le regalerò un orologio.

Résultats pages 340-341.

# 31 Il ragioniere era uscito poco prima

## A 1 PRÉSENTATION

- Plus-que-parfait de l'indicatif :

  a) — **avevo mangiato** *j'avais mangé*
  **avevi mangiato** *tu avais mangé*
  **aveva mangiato** *il avait mangé*

  b) — **ero stato** *j'avais été*
  **eri stato** *tu avais été*
  **era stato** *il avait été*

- Rappelons qu'aux temps composés le verbe **essere** *être* se conjugue avec lui-même :

  — **sono stato** *j'ai été* — **ero stato** *j'avais été*
  — **sei stato** *tu as été* — **eri stato** *tu avais été*

- Au participe passé le pronom réfléchi se place après le verbe, comme à l'infinitif :

  — **divertirsi** → **divertitosi** [diver**ti**tosi]
  — **dimettersi** → **dimessosi** [di**mes**sosi]

- Le participe passé de **scrivere** [**skri**véré] *écrire* est **scritto**, de **eleggere** [é**léd**djéré] *élire* est **eletto**.

| | | |
|---|---|---|
| **uscire** | | *sortir* |
| **il giorno prima** | | *le jour d'avant, la veille* |
| **il sindaco** | [**sin**dako] | *le maire* |

## A 2 APPLICATION

1. **Il treno è partito due ore fa.**
2. **Il treno era partito due ore prima.**
3. **Il ragioniere è uscito poco fa.**
4. **Il ragioniere era uscito poco prima.**
5. **La dottoressa Fabbri mi ha telefonato alcuni minuti fa.**
6. **La dottoressa Fabbri mi aveva telefonato alcuni minuti prima.**
7. **Il governo si è dimesso la settimana scorsa.**
8. **Il governo si era dimesso la settimana precedente.**
9. **L'onorevole Bianchi mi ha scritto ieri.**
10. **L'onorevole Bianchi mi aveva scritto il giorno prima.**
11. **Il sindaco è stato eletto stamattina.**
12. **Il sindaco era stato eletto la mattina.**

## A 3 REMARQUES

### Grammaire

• Le plus-que-parfait de l'indicatif se forme avec l'imparfait de l'indicatif des verbes **essere** ou **avere** plus le participe passé du verbe qu'il faut conjuguer :

| | |
|---|---|
| — **ero venuto** *j'étais venu* | — **avevo avuto** *j'avais eu* |
| — **eri venuto** *tu étais venu* | — **avevi avuto** *tu avais eu* |

• Lorsqu'on passe du présent au passé ou du discours direct au discours indirect ou plus simplement du passé composé au plus-que-parfait de l'indicatif :

| | | |
|---|---|---|
| **....fa** | devient | **.....prima** |
| **....scorso** | devient | **...precedente** |
| **stamattina** | devient | **la mattina** |
| **ieri** | devient | **il giorno prima** |

Exemples :

| | |
|---|---|
| — **è partito due giorni fa** → | **era partito due giorni prima** |
| *il est parti il y a deux jours* | *il était parti deux jours avant* |
| — **è partito stamattina (o ieri)** | → **era partito la mattina (o il giorno prima)** |
| *il est parti ce matin (ou hier)* | *il était parti le matin (ou le jour d'avant)* |

## A 4 TRADUCTION

1. Le train est parti il y a deux heures.
2. Le train était parti deux heures plus tôt.
3. Le comptable vient de sortir.
4. Le comptable venait de sortir (ou était sorti peu avant).
5. Madame Fabbri m'a téléphoné il y a quelques minutes.
6. Madame Fabbri m'avait téléphoné quelques minutes plus tôt.
7. Le gouvernement a démissionné la semaine dernière.
8. Le gouvernement avait démissionné la semaine précédente.
9. Monsieur Bianchi, le député, m'a écrit hier.
10. Monsieur Bianchi, le député, m'avait écrit le jour précédent.
11. Le maire a été élu ce matin.
12. Le maire avait été élu le matin.

## 31 Non pensavo che sarebbe partito l'indomani

### B 1 PRÉSENTATION

- Le conditionnel passé se forme avec le conditionnel présent de **essere** ou **avere** + le participe passé du verbe

Ex. : a) **sarei andato (a)** *je serais allé (e)*
**saresti andato (a)** *tu serais allé (e)*
**sarebbe andato (a)** *il (elle) serait allé (e)*
b) **avrei pagato** *j'aurais payé*
**avresti pagato** *tu aurais payé*
**avrebbe pagato** *il aurait payé*

- — **Penso che verrà fra tre giorni** *je pense qu'il viendra dans trois jours.*

| | | |
|---|---|---|
| **l'indomani** | | *le lendemain* |
| **dopodomani** | | *après-demain* |
| **credere** | [**kré**déré] | *croire* |
| **successivo** | | *suivant* |

### B 2 APPLICATION

1. **Penso che verrà fra tre giorni.**
2. **Pensavo che sarebbe venuto tre giorni dopo.**
3. **Mi dice che verrà fra una settimana.**
4. **Mi diceva che sarebbe venuto una settimana dopo.**
5. **Non penso che partirà domani.**
6. **Non pensavo che sarebbe partito l'indomani.**
7. **Penso che verrà dopodomani.**
8. **Pensavo che sarebbe venuto due giorni dopo.**
9. **Credo che non vorrà partire stasera.**
10. **Credevo che non sarebbe voluto partire la sera.**
11. **Ti dico che partiremo stamattina.**
12. **Ti dicevo che saremmo partiti la mattina.**
13. **Mi dice che potrò pagare il mese prossimo (fra un mese).**
14. **Mi diceva che avrei potuto pagare il mese dopo o successivo (un mese dopo).**

## B 3 REMARQUES

### Grammaire

- En italien l'idée de futur dans le passé s'exprime par le conditionnel passé :

— **non penso che verrà** *je ne pense pas qu'il viendra.*
— **non pensavo che sarebbe venuto** *je ne pensais pas qu'il viendrait.*
*En français* on met le conditionnel présent *(qu'il viendrait).*
**En italien** on met le conditionnel passé **(che sarebbe venuto)**.

- Lorsqu'on passe du présent au passé (voir A 3) et du discours direct au discours indirect :

| | | |
|---|---|---|
| **fra...** | devient | **...dopo** |
| **domani** | devient | **l'indomani** |
| **stasera** | devient | **la sera** |
| **stamattina** | devient | **la mattina** |
| **il mese prossimo** | devient | **il mese successivo** |

Exemple :
— **Penso che verrà fra tre giorni → pensavo che sarebbe venuto tre giorni dopo**
*Je pense qu'il viendra dans trois jours → je pensais qu'il viendrait trois jours après*

## B 4 TRADUCTION

1. Je pense qu'il viendra dans trois jours.
2. Je pensais qu'il viendrait trois jours plus tard (après).
3. Il me dit qu'il viendra dans une semaine.
4. Il me disait qu'il viendrait une semaine après.
5. Je ne pense pas qu'il partira demain.
6. Je ne pensais pas qu'il partirait le lendemain.
7. Je pense qu'il viendra après-demain.
8. Je pensais qu'il viendrait deux jours plus tard.
9. Je crois qu'il ne voudra pas partir ce soir.
10. Je croyais qu'il ne voudrait pas partir le soir.
11. Je te dis que nous partirons ce matin.
12. Je te disais que nous partirions le matin.
13. Il me dit que je pourrai payer le mois prochain (dans un mois).
14. Il me disait que je pourrais payer le mois suivant (un mois plus tard).

# 31 Exercices

## C 1 EXERCICES

**A. Tradurre :**

1. Il m'a dit qu'il téléphonera ce soir.
   Il m'avait dit qu'il téléphonerait le soir.
2. Crois-tu qu'il partira demain?
   Croyais-tu qu'il partirait le lendemain?
3. Nous pensons qu'il reviendra sous peu.
   Nous pensions qu'il reviendrait peu après.

**B. Mettere il verbo al condizionale :**

1. Mi ha scritto che (venire) un mese dopo.
2. Chi Le ha detto che (tornare) la sera?
3. Perché lo (fare) come lo aveva detto?
4. Non sapeva se (potere) farlo prima di stasera.

## C 2 CIVILISATION : **i titoli** (suite)

● Quand on ne connaît pas le titre de la personne à laquelle on s'adresse, on dit « **dottore** ». « Dottore », masque de la Commedia dell'arte, était la caricature de la personne cultivée. On l'emploie encore aujourd'hui avec une nuance péjorative ou de moquerie lorsqu'on s'adresse à quelqu'un qui n'a pas le titre pour être appelé « dottore ».

● **Don** est l'abréviation de dominus *(seigneur)* : on l'employait autrefois pour les nobles. Aujourd'hui on l'emploie encore pour les ecclésiastiques, pour les notables (dans quelques régions méridionales) et pour les ... mafiosi. Souvenez-vous du **Don Giovanni** de Mozart, qui signifie, mot à mot, *monsieur Jean,* et de **Don Camillo**.

Le féminin de « don » est **donna** du latin « domina » *(madame)* : p. ex. **donna Elvira** dans le *Don Giovanni.*

# 31 Exercices

## C 3 CORRIGÉ

**A. Traduire :**

1. Mi ha detto che telefonerà stasera.
   Mi aveva detto che avrebbe telefonato la sera.
2. Credi che partirà domani?
   Credevi che sarebbe partito l'indomani?
3. Pensiamo che tornerà fra poco.
   Pensavamo che sarebbe tornato poco dopo.

**B. Mettre le verbe au conditionnel :**

1. ..... sarebbe venuto ....
2. ..... sarebbe tornato ...
3. ...... avrebbe fatto ....
4. ...... avrebbe potuto ....

## C 4 CIVILISATION : l'éducation

| | | | |
|---|---|---|---|
| **l'educazione** | *l'éducation* | **scolastico** | *scolaire* |
| **statale** | *public* | **privato** | *privé* |
| **l'asilo** | *la maternelle* | **la scuola** | *l'école* |
| **elementare** | *élémentaire* | **la scuola media** | *le collège* |
| **il liceo** | *le lycée* | | |
| **la maturità** | *le bac* | **l'università** | *l'université* |
| **studentesco** | *d'étudiant* | **lo scolaro** | *l'écolier* |
| **l'alunno** | *l'élève* | **il convittore** | *le pensionnaire* |
| **sgobbone** | *bosseur* | **il premiato** | *le lauréat* |
| **l'aula** | *la salle* | **l'aula magna** | *l'amphithéâtre* |
| **le dispense** | *les polycopiés* | **la brutta copia** | *le brouillon* |
| **il raccoglitore** | *le classeur* | **l'evidenziatore** | *le surligneur* |
| **il pennarello** | *le marqueur* | **il gesso** | *la craie* |
| **la cartella** | *le cartable* | **la calcolatrice** | *la calculatrice* |
| **il maestro** | *l'instituteur* | **l'insegnante** | *l'enseignant* |
| **il bidello** | *1. le concierge* | **il professore** | *le professeur* |
| | *2. l'appariteur* | **il docente** | *le professeur* |
| **lo studio** | *l'étude* | **la matematica** | *les mathématiques* |
| **la fisica** | *la physique* | **la legge** | *le droit* |
| **la lingua straniera** | | | *la langue étrangère* |

# 31 Dialogues et civilisation

## D 1 Dal preside

**P : preside M : madre di Carlo**

**M — Signor Preside, pensa che Carlo sarà promosso in terza media?**

**P — Lo spero. E' bravissimo in francese, in geografia, in storia, in educazione artistica ma è una nullità in matematica.**

**M — Sa, impara tutte le lezioni a memoria...**

**P — Lo so, lo so. Non è disattento. Ma ha visto la pagella? C'è un ammonimento del professore.**

**M — Forse lo potrei incontrare durante l'intervallo, nell' aula insegnanti?**

**P — Oggi non sarà possibile : segue un corso di aggiornamento pedagogico. Ma lunedì prossimo, senza alcun problema.**

**M — Vede, mi dispiacerebbe di iscriverlo ad una scuola professionale.**

**P — Capisco. Ma è ancora troppo presto per decidere. Comunque, so che non è un poltrone : se prende qualche lezione privata può prendere un 6 in matematica e conseguire così la licenza media.**

**M — Ne parlerò con il padre.**

## D 2 CIVILISATION : le système éducatif

■ Nul n'est n'est prophète en son pays : les théories de Maria MONTESSORI, célèbre pédagogue, première femme médecin en Italie (1894), ne sont guère appliquées. Le système éducatif italien possède pourtant d'intéressantes originalités.

■ Ce sont les horaires : 80 % des élèves ont cours de 8 h. à 13 h., chaque jour. Les 20 % restants ont cours aussi l'après-midi.

■ C'est le système des multiples orientations possibles : **liceo classico, liceo linguistico, liceo artistico, liceo scientifico.** Il existe aussi des centres d'apprentissage mais qui ne sont pas les seuls à pourvoir les instituts professionnels. Le suivi des filières est peu contraignant.

■ C'est l'absence quasi totale des grandes écoles de type français (exceptions : la **Bocconi,** école de gestion de Milan et la **Scuola Normale Superiore** de Pise, cousine de celle de Paris). Ce qui évite la concentration des élites et rend plus ouvert l'accès aux grandes carrières.

■ Au plan des critiques, les observateurs notent :

— un recrutement des professeurs peu transparent.

— la durée limitée (de 6 ans à 14 ans) de la **scuola dell'obbligo** *l'école obligatoire.*

## D 3 Chez le proviseur

P : proviseur M : mère de Carlo

M — Monsieur le Proviseur, pensez-vous que Charles passera en 4e?

P — Je l'espère. Il est excellent en français, en géographie, en histoire, en arts plastiques mais il est nul en mathématiques.

M — Vous savez... Il apprend toutes ses leçon par cœur.

P — Je le sais, je le sais. Il n'est pas dissipé. Mais vous avez vu son bulletin? Il y a un avertissement du professeur.

M — Je pourrais peut-être le rencontrer à l'interclasse, dans la salle des professeurs?

P — Aujourd'hui ce ne sera pas possible : il suit un stage pédagogique. Mais lundi prochain, certainement.

M — Voyez-vous, je regretterais de devoir l'inscrire dans une école d'apprentissage.

P — Je comprends. Mais Il est encore trop tôt pour décider. Toutefois, je sais que ce n'est pas un paresseux : s'il prend quelques cours particuliers il peut obtenir un 6 en mathématiques et passer son brevet.

M — J'en parlerai à son père.

## D 4 INFORMATIONS PRATIQUES : **la scolarité**

- Le système de l'**asilo** *école maternelle* relève surtout de l'initiative privée et est souvent pris en charge par des organismes religieux (1).
- **La scuola elementare**(2) *l'école élémentaire* dure cinq ans, de la **prima elementare**(2) *C.P* à la **quinta elementare** *C.M 2*.
- **La scuola media** *le collège* dure trois ans, jusqu'à **la licenza media**.
- **il liceo** *le lycée* ne fait donc pas partie de la scolarité obligatoire. Les études durent cinq ans. L'examen final est **la maturità** *le baccalauréat*.
- Les études à l'**università** *université* durent de 4 à 7 ans. L'examen final est la **laurea** *maîtrise* qui fait de chaque **laureato** *lauréat* un **dottore** ou une **dottoressa**. Le nombre de ces dernières augmente.
- Les prestations sont notées sur dix. La **sufficienza** *moyenne* est curieusement située à six. Tempérée, ou aggravée, de surcroît, par l'attribution d'un + ou d'un — après la note. Ce qui fait, chaque année, le délice de bien des familles qui partent en vacances avec un rejeton qui devra se présenter à la rentrée à **l'esame di riparazione** *l'examen de passage* sous peine d'avoir à **ripetere** *redoubler*.

(1) Par la suite, la religion fait partie des matières enseignées.
(2) la numérotation des classes est inversée par rapport au système français.

# 32 Vi si trova tutto ciò che si vuole

## A 1 PRÉSENTATION

■ Les indéfinis :

- **Qualche anno** / **alcuni anni** } **fa** *il y a quelques années*
- **Tutti i giorni** *tous les jours*
  **ogni giorno** *chaque jour*
- **Ci sono** { **pochi** / **molti** / **troppi** } **alberi** *il y a* { *peu* / *beaucoup* / *trop* } *d'arbres*
- **Tutto ciò che** { **uno** / **si** } **vuole** *tout ce qu'on veut*
- **Alquanto** *quelque peu*

| | |
|---|---|
| **il quartiere** | *le quartier* |
| **il commerciante** | *le commerçant* |
| **fare acquisti** | *faire des achats* |
| **il fiore** | *la fleur* |
| **peccato!** | *dommage!* |
| **l'asfalto** | *l'asphalte* |
| **soffocare** | *suffoquer, étouffer* |
| **specie quando** | *surtout quand* |
| **lo spazio** | *l'espace, la place* |

## A 2 APPLICATION

1. **— Qualche anno fa c'erano pochi negozi in questo quartiere.**
2. **Adesso ci sono molti commercianti.**
3. **E' possibile fare tutti gli acquisti che uno vuole.**
4. **Vi si trova tutto ciò che si vuole.**
5. **Non è neanche molto lontano da casa mia.**
6. **C'è un autobus ogni dieci minuti.**
7. **— C'è poco verde, però.**
8. **Ogni tanto c'è qualche albero.**
9. **Non ci sono molti fiori.**
10. **— E' un vero peccato. C'è tutto ciò di cui uno ha bisogno.**
11. **Le vetrine sono belle, i palazzi alquanto moderni.**
12. **Però c'è troppo asfalto, troppa gente.**
13. **— Si soffoca un po', specie quando fa troppo caldo.**
14. **Non c'è abbastanza spazio.**

# 32 On y trouve tout ce que l'on veut

## A 3 REMARQUES

■ Grammaire

• **Poco, molto, troppo** sont adjectifs devant les noms :

| | | |
|---|---|---|
| Ex. : | **ho pochi (molti, troppi) libri** | *j'ai peu de (beaucoup de, trop de) livres* |
| | **ho poche (molte, troppe) vacanze** | *j'ai peu de (beaucoup de, trop de) vacances* |

Mais ils sont adverbes s'ils se rapportent à un verbe :

| | | |
|---|---|---|
| Ex. : | **ho dormito poco (molto)** | *j'ai dormi peu (beaucoup)* |

**Molto** et **troppo** s'emploient aussi devant les adjectifs pour former le superlatif absolu. Ils sont alors adverbes et, donc, invariables :

| | | |
|---|---|---|
| Ex. : | **sono molto contenti** | *ils sont très contents* |
| | **sono troppo contente** | *elles sont trop contentes* |

• **Abbastanza** signifie *assez*. Il est adverbe. Il est employé aussi comme adjectif et pronom indéfini. Mais il est toujours invariable :

| | | |
|---|---|---|
| Ex. : | **ho lavorato abbastanza** | *j'ai assez travaillé* |
| | **non c'è abbastanza spazio** | *il n'y a pas assez de place* |
| | **non ci sono abbastanza spettatori** | *il n'y a pas assez de spectateurs* |

Ne pas confondre *assez* **abbastanza** et **assai** *beaucoup* ou *très* devant les adjectifs.

## A 4 TRADUCTION

1. — Il y a quelques années il y avait peu de magasins dans ce quartier.
2. Maintenant il y a beaucoup de commerçants.
3. Il est possible de faire tous les achats que l'on veut.
4. On y trouve tout ce qu'on veut.
5. Et ce n'est même pas très loin de chez moi.
6. Il y a un autobus toutes les dix minutes.
7. — Il y a peu de verdure, cependant.
8. Par-ci, par-là, il y a quelques arbres.
9. Il n'y a pas beaucoup de fleurs.
10. — C'est vraiment dommage. Il y a tout ce dont on a besoin.
11. Les vitrines sont belles, les immeubles quelque peu modernes.
12. Mais il y a trop d'asphalte, trop de gens.
13. — On étouffe un peu, surtout quand il fait trop chaud.
14. Il n'y a pas assez d'espace.

# 32 Quando si è stanchi, si può andare in qualche bar

## B 1 PRÉSENTATION

- **Si è felici quando si va in vacanza** *on est heureux quand on va en vacances*
- **Qualche** signifie aussi bien *quelques* (**ho comprato qualche libro** *j'ai acheté quelques livres*) que *un, quelque* (**ci si può sedere in qualche bar** *on peut s'asseoir dans un bar* ou *dans quelque bar*).
- **Parecchio** *pas mal de*
  **Parecchi, parecchie** *plusieurs*
  **Qualcuno** *quelqu'un*

**il rinfresco** *le rafraîchissement*
**l'aria condizionata** *l'air conditionné*
**curioso** *curieux*
**ammirare** *admirer*
**il nuotatore** *le nageur*
**la piscina** *la piscine*
**tuffarsi** *plonger*
**nuotare** *nager*
**la sala cinematografica** *la salle de cinéma*
[tchinémato**gra**fika]

## B 2 APPLICATION

1. — **Si è felici quando si può trovare ciò che si vuole.**
2. — **Vi si trovano anche parecchi bar in questo quartiere.**
3. — **Quando si è stanchi, si può andare in qualche bar.**
4. **Vi ci si può sedere, riposare e prendere un rinfresco.**
5. **Se si ha tempo, si può andare anche a vedere qualche film.**
6. **Ci sono parecchie sale cinematografiche moderne, con aria condizionata.**
7. **Se si è in estate e si è curiosi, si possono ammirare le vetrine dei negozi.**
8. **La domenica si può passeggiare.**
9. **E se si è buoni nuotatori, c'è una grande piscina dove ci si può tuffare e nuotare.**

## B 3 REMARQUES

### Grammaire

- **Parecchio** *(pas mal de, plusieurs)* est adjectif et, par conséquent, s'accorde avec le nom auquel il se rapporte :

**c'erano parecchie macchine** *il y avait plusieurs voitures*
**ci sono parecchi spettatori** *il y a plusieurs spectateurs*

- **Si è felici quando si va in vacanza**
  *on est heureux quand on va en vacances*

Lorsqu'il y a ce modèle :
**si** + verbe **essere +** adjectif ou **participe passé**
l'adjectif se met toujours au pluriel.
Ex. : **si è felici** *on est heureux*
**si è tornati stanchi dalle vacanze**
*on est revenu fatigué des vacances.*

L'explication de ce pluriel pourrait être celle-ci :
« si è felici » est la forme impersonnelle, indéfinie de la forme personnelle suivante « siamo felici », où « felici » est normalement au pluriel puisque le sujet est « noi ». Lorsqu'on est passé de la forme personnelle à la forme impersonnelle, l'adjectif est resté au pluriel par inertie.

- Si l'on trouve après le pronom réfléchi **si** le pronom indéfini **si**, pour éviter la cacophonie d'un double « si », le premier **si** se transforme en **ci**.

Ex. : **si** può chiedere → *on* peut demander
**ci si** può chiedere → *on* peut *se* demander

## B 4 TRADUCTION

1. — On est heureux quand on peut trouver ce que l'on veut.
2. — On y trouve même pas mal de bars, dans ce quartier.
3. — Quand on est fatigué, on peut aller dans un bar.
4. On peut s'y asseoir, se reposer et prendre un rafraîchissement.
5. Si on a le temps, on peut même aller voir quelque film.
6. Il y a plusieurs salles de cinéma modernes, avec air conditionné.
7. Si on est en été et si on est curieux, on peut admirer les vitrines des magasins.
8. Le dimanche on peut se promener.
9. Et si on est bon nageur, il y a une grande piscine où on peut plonger et nager.

# 32 Exercices

## C 1 EXERCICES

**A. Tradurre :**

1. Dans ce quartier, on trouve de beaux magasins. On y trouve aussi de grands immeubles.
2. Dans ce bar, on mange de très bonnes glaces.
3. On voit beaucoup de vitrines. On y voit beaucoup de belles choses.

**B. Tradurre :**

1. On est heureux de voir toutes ces belles choses.
2. Quand on est fatigué, il faut se reposer.
3. Si l'on est curieux de belles choses, il suffit d'aller en Italie.

**C. Mettere le seguenti frasi alla forma impersonale (con si)**

1. Vogliamo tante cose!
2. Vediamo bene che qui c'è tutto ciò che vogliamo.
3. Siamo contenti di essere venuti qui.
4. Siamo stanchi quando abbiamo lavorato troppo.
5. Se uno è buon nuotatore, può andare alla piscina.
6. Qui, se Lei è curioso di belle cose, può ammirare parecchie vetrine; e, se non vuole passeggiare, può andare a bere qualcosa in qualche bar.

## C 2 VOCABULAIRE

■ Verbes réfléchis en italien et non réfléchis en français :

| | |
|---|---|
| **tuffarsi** | *plonger* |
| **augurarsi** | *souhaiter que* |
| **vergognarsi** | *avoir honte* |
| **rallegrarsi**<br>**felicitarsi**<br>**congratularsi** | *féliciter quelqu'un* |

Exemples :

**mi sono tuffato nella piscina** *j'ai plongé dans la piscine*
**non si vergogna di ciò che ha fatto** *il n'a pas honte de ce qu'il a fait*
**mi rallegro per la tua promozione** *je te félicite pour ta promotion*

• **Nomi corrispondenti ai verbi elencati qui sopra** (noms correspondant aux verbes ci-dessus présentés) :

| | |
|---|---|
| **il tuffo** | *le plongeon* |
| **l'augurio** | *le souhait* |
| **la vergogna** | *la honte* |
| **rallegramenti**<br>**felicitazioni**<br>**congratulazioni** | *félicitations* |

## C 3 CORRIGÉ

**A. Traduire :**

1. In questo quartiere si trovano bei negozi. Vi si trovano anche grandi palazzi.
2. In questo bar, si mangiano ottimi gelati.
3. Si vedono molte vetrine. Vi si vedono molte belle cose.

**B. Traduire :**

1. Si è felici di vedere tutte queste belle cose.
2. Quando si è stanchi, bisogna riposarsi.
3. Se si è curiosi di belle cose, basta andare in Italia.

**C. Mettre ces phrases à la forme impersonnelle (avec si) :**

1. Si vogliono tante cose!
2. Si vede bene che qui c'è tutto ciò che si vuole.
3. Si è contenti di essere venuti qui.
4. Si è stanchi quando si è lavorato troppo.
5. Se si è buoni nuotatori, si può andare alla piscina.
6. Qui, se si è curiosi di belle cose, si possono ammirare parecchie vetrine; e, se non si vuole passeggiare, si può andare a bere qualcosa in qualche bar.

## C 4 CIVILISATION : la vigne et le vin

■ **La vite** *la vigne*

**un chicco d'uva** *un grain de raisin*
**il tappo** *le bouchon*
**l'alco(o)l** *l'alcool*
**l'acquavite** *l'eau de vie*
**lo « champagne »** *le champagne*
**gli alcolici** *les spiritueux*
**il bevitore** *le buveur*
**la sete** *la soif*
**ebbro** *gris*
**bere** *boire*
**l'enoteca** *l'oenothèque*
**asciutto** *sec*
**abboccato** *moelleux*
**il sughero** *le liège*
**precoce** *précoce*
**tardivo** *tardif*
**la grappa** *le marc*
**la spuma** *la mousse*
**lo spumante** *le mousseux*
**l'ubriacone** *l'ivrogne*
**assetato** *assoiffé*
**sbronzo** *saoul*
**stappare** *déboucher*
**il sommelier** *le sommelier*
**frizzante** *pétillant*
**il vino da pasto** *le vin de table*
**vuotare d'un fiato il bicchiere** *vider son verre d'un trait*
**la sbornia, la sbronza** *la cuite*

# 32 Dialogues et civilisation

## D 1 Che vino scegliere?

**P : Paolo S : Signorina Sand. : Sandro**

**P — Signorina! Quali vini ci suggerisce?**
**S — Per gli antipasti consiglierei un vino bianco secco, un ottimo vinello nostrano.**
**Sand. — Quello che servono in boccale?**
**S — Sì. E' il vino della casa, dissetante e genuino. Viene direttamente dalle botti che abbiamo in cantina. E' un vino novello.**
**P — Va bene. Già mi viene la sete...! E col filetto al sangue...?**
**S — Un vino rosso, senz'altro. In bottiglia o in fiasco, semmai.**
**P — Ottimo. Un sorso all'amico Sandro per assaggiarlo.**
**Sand. — E' vino piacevole, leggero, sapido, non troppo alcolico e con questo caldo conviene perfettamente.**
**P — Hai ragione. Così potremo scolarci la bottiglia senza ubriacarci. E, poichè non siamo astemi, berremo un bicchierino di vino amabile col dolce.**
**Sand. — Ma perchè non finire con lo spumante?**

## D 2 CIVILISATION : le vin italien

La vigne (**la vite**) est présente depuis quarante siècles dans la péninsule. Le vignoble (**il vigneto**) italien couvre une superficie de près de 2 millions d'hectares, ce qui permet à l'Italie d'occuper le premier rang mondial pour les surfaces cultivées. Pour ce qui est de la quantité de vin **(il vino)**, L'Italie et la France se disputent la première place avec une production (**la produzione**) d'environ 70 millions d'hectolitres (**l'ettolitro**).
Compte tenu de la situation géographique privilégiée de l'Italie, la vigne est partout. A cette première condition climatique s'ajoute la variété des cépages (**il vitigno**) et des terrains ainsi que les différentes techniques régionales dans le choix des raisins (**l'uva**) et les procédés de coupage (**l'uvaggio**).
Une loi a défini trois dénominations d'origine (**la denominazione di origine — D.O**) de qualité croissante qui vont de la **D.O.S = D.O semplice,** puis à la **D.O.C = D.O controllata** pour culminer avec la **D.O.G.C = D.O controllata e garantita.** Ce qui n'interdit pas de goûter aux excellents **V.D.T (vini da tavola)** souvent servis en pichet (**il boccale**).

## D 3 Quel vin choisir?

P : Paolo S : serveuse Sand. : Sandro

P — Mademoiselle, quels vins nous suggérez-vous?

S — Pour les hors-d'œuvre, je vous conseillerai un vin blanc sec, un excellent petit vin du pays.

Sand. — Celui que vous servez en pichet?

S — Oui, c'est le vin du patron, rafraîchissant, naturel. Il vient directement des tonneaux que nous avons à la cave. C'est un vin nouveau.

P — Bien, bien. J'en ai déjà soif...! Et avec le filet bleu...?

S — Un vin rouge, sans aucun doute. En bouteille ou en fiasque, au besoin.

P — Excellent. Une gorgée à l'ami Sandro pour le goûter.

Sand. — C'est un vin agréable, léger, savoureux, pas trop alcoolisé et avec cette chaleur il convient parfaitement.

P — Tu as raison? Ainsi nous pourrons siffler la bouteille sans nous enivrer. Et, puisque nous ne sommes pas des buveurs d'eau, nous boirons un petit verre de vin moelleux avec le gâteau.

Sand. — Mais pourquoi ne pas finir avec du mousseux?

## D 4 INFORMATIONS PRATIQUES : **le vin de chez nous.**

Une première constatation : le vin italien n'est pas cher. Une deuxième : on trouve en Italie un nombre incalculable de vins de pays qui, pour l'écrasante majorité d'entre eux (90 % de la production), ne font l'objet d'aucune classification administrative. Ceci explique-t-il cela?
D'aucuns disent que c'est la porte ouverte à tous les excès, à toutes les fraudes. Ces dernières ne manquent pas de pittoresque. D'autres soulignent que c'est la dernière chance de préserver des particularités si limitées, quant au terroir, aux cépages et aux procédés de vinification, qu'elles ne peuvent s'affirmer au point de prétendre à un classement accordé par le **Comitato nazionale vini a denominazione d'origine.** Le système est lourd en démarches et en obligations, coûteuses, de relative uniformisation.
Il s'ensuit que l'oenologie italienne est synonime d'extraordinaire diversité. C'est au consommateur qu'il revient de trancher. Quiconque a les papilles un tant soit peu entraînées ne manquera pas d'être sensible aux mille saveurs des vins italiens qui gagnent à être dégustés au plus près des lieux de production.

## 33 E' meglio che io ci vada subito

### A 1 PRÉSENTATION

- Le subjonctif présent :

| parl-are | | ripet-ere | part-ire |
|---|---|---|---|
| *que je parle* | | *que je répète* | *que je parte* |
| che io | parl **i** | ripet **a** | part **a** |
| che tu | parl **i** | ripet **a** | part **a** |
| che esso | parl **i** | ripet **a** | part **a** |
| che noi | parl **iamo** | ripet **iamo** | part **iamo** |
| che voi | parl **iate** | ripet **iate** | part **iate** |
| che essi | parl **ino** | ripet **ano** | part **ano** |

**sicuro** *sûr*
**informarsi** *s'informer*
**il rischio** [**ri**skio] *le risque*
**vale la pena** *ça vaut la peine*
**normale** *normal*
**aprire** *ouvrir*
**restare chiuso** *rester fermé*
**francamente** *franchement*
**seccare** *ennuyer*

### A 2 APPLICATION

1. — **Pensi che apra questo pomeriggio, la farmacia?**
2. — **Non ne sono sicura. Ma penso che le farmacie aprano oggi.**
3. **Vuoi che ci informiamo?**
4. — **No, è meglio che io ci vada subito.**
5. **Non voglio correre il rischio che il mal di testa peggiori.**
6. — **Non vale la pena perciò che tu aspetti fino ad oggi pomeriggio. E' meglio essere prudenti.**
7. **Non mi sembra normale, però, che molti uffici chiudano il pomeriggio.**
8. **Che le banche, le poste, i musei, qualche volta anche i negozi aprano solo la mattina e restino chiusi il pomeriggio, francamente mi secca!**
9. — **Hai ragione.**

## 33 Il vaut mieux que j'y aille maintenant

### A 3 REMARQUES

● Présent du subjonctif de quelques verbes irréguliers :

| | Indicatif | Subjonctif | | |
|---|---|---|---|---|
| **andare** | vado | vada<br>andiamo | vada<br>andiate | vada<br>**va**dano |
| **potere** | posso | possa<br>possiamo | possa<br>possiate | possa<br>**pos**sano |
| **sapere** | so | sappia<br>sappiamo | sappia<br>sappiate | sappia<br>**sap**piano |
| **dovere** | devo | debba<br>dobbiamo | debba<br>dobbiate | debba<br>**deb**bano |
| **volere** | voglio | voglia<br>vogliamo | voglia<br>vogliate | voglia<br>**vo**gliano |
| **venire** | vengo | venga<br>veniamo | venga<br>veniate | venga<br>**ven**gano |
| **fare** | faccio | faccia<br>facciamo | faccia<br>facciate | faccia<br>**fac**ciano |

● Attention à l'accent à la troisième personne du pluriel. Il se trouve sur la même syllabe qu'aux trois premières personnes.

**par**li     ri**pe**ta     **par**ta
**par**lino     ri**pe**tano     **par**tano

### A 4 TRADUCTION

1. — Penses-tu qu'elle ouvre cet après-midi, la pharmacie?
2. — Je n'en suis pas sûre. Mais je pense que les pharmacies ouvrent aujourd'hui.
3. Veux-tu que nous nous renseignions?
4. — Non, il vaut mieux que j'y aille tout de suite.
5. Je ne veux pas courir le risque que mon mal de tête empire.
6. — Ça ne vaut donc pas la peine que tu attendes jusqu'à cet après-midi. Il vaut mieux être prudent.
7. Il ne me semble pas normal, cependant, que de nombreux bureaux ferment l'après-midi.
8. Que les banques, les postes, les musées et quelquefois même les magasins n'ouvrent que le matin et restent fermés l'après-midi, franchement ça m'ennuie!
9. — Tu as raison.

## 33 Ho l'impressione che la batteria sia scarica

### B 1 PRÉSENTATION

- Subjonctif présent de **essere** et **avere** :

| essere | | avere |
|---|---|---|
| *que je sois* | | *que j'aie* |
| che io | **sia** | **abbia** |
| che tu | **sia** | **abbia** |
| che esso | **sia** | **abbia** |
| che noi | **siamo** | **abbiamo** |
| che voi | **siate** | **abbiate** |
| che essi | **siano** | **abbiano** |

**l'impressione** *l'impression*
**la batteria** *la batterie*
**scarico** [**ska**riko] *déchargé*
**piuttosto** *plutôt*
**il motorino d'avviamento** *le démarreur*
**la candela** *la bougie*
**vecchio** *vieux*
**vendere** [**ven**déré] *vendre*
**la carretta** *la charrette (le tacot)*
**eppure** *et pourtant*
**scervellarsi** *se creuser la tête*
**di nuovo** *à nouveau*
**i ferri vecchi** *la ferraille*
**la soluzione** *la solution*

### B 2 APPLICATION

**1. — Ho l'impressione che la batteria sia scarica.**
**2. — Credo che sia piuttosto il motorino di avviamento che non va.**
**3. — Mi sembra che neanche le candele funzionino molto bene.**
**4. — Non penso che ci sia una macchina più vecchia di questa.**
**5. E' una vera carretta.**
**6. — Eppure l'ho fatta riparare due anni fa.**
**7. — Due anni fa! E' inutile allora che ci scervelliamo.**
**8. Conviene portarla di nuovo dal meccanico.**
**9. Ma forse è meglio venderla ai ferri vecchi!**
**10. Sarebbe la soluzione migliore.**
**11. Non penso che valga la pena ripararla.**

# 33 J'ai l'impression que la batterie est déchargée

## B 3 REMARQUES

■ Grammaire

• L'indicatif italien exprime ce qui est sûr, certain, réel :
Ex. : **So che le farmacie aprono oggi.**
*Je sais que les pharmacies ouvrent aujourd'hui.*
Le subjonctif italien exprime ce qui n'est pas sûr, ce qui est incertain, irréel :
Ex. : **Non so se le farmacie aprano oggi.**
*Je ne sais pas si les pharmacies ouvrent aujourd'hui.*
**Penso che le farmacie aprano oggi.**
*Je pense* (mais je n'en suis pas sûr) *que les pharmacies ouvrent aujourd'hui.*
Le français, par contre, est beaucoup moins précis pour exprimer la pensée : aussi un grand nombre de formes à l'indicatif, dans des phrases incertaines, devront-elles être traduites, en italien, par le subjonctif.

• L'accent à la 3e personne du pluriel se trouve à la même place qu'aux trois premières :

| | | |
|---|---|---|
| **ven**ga, | **si**a, | **ab**bia |
| **ven**gano, | **si**ano, | **ab**biano |

• **Valere** *valoir*
Présent de l'indicatif : **vale, valgono** [**val**gono]
Présent du subjonctif : **valga, valgano** [**val**gano]

## B 4 TRADUCTION

1. — J'ai l'impression que la batterie est à plat (mot à mot : déchargée).
2. — Je crois que c'est plutôt le démarreur qui ne marche pas.
3. — Il me semble que les bougies non plus ne fonctionnent pas très bien.
4. — Je ne pense pas qu'il y ait une voiture plus vieille que celle-ci.
5. C'est un vrai tacot.
6. — Et pourtant, je l'ai fait réparer il y a deux ans.
7. — Il y a deux ans! Il est inutile alors de se creuser la tête.
8. Il faut que tu la conduises à nouveau chez le garagiste.
9. Mais il vaut mieux peut-être la vendre à la ferraille!
10. Ce serait la meilleure solution.
11. Je ne pense pas que ça vaille la peine de la réparer.

# Exercices

## C 1 EXERCICES

**A. Fare precedere le seguenti frasi dall'espressione :** « Non credo che... »

1. La batteria è scarica.
2. Il museo è chiuso.
3. Le banche sono aperte oggi.
4. Sei un uomo prudente.
5. Funziona bene.

**B. Rimettere in ordine le parole delle frasi seguenti :**

1. Ci una macchina più vecchia sia non penso che di questa.
2. Soluzione migliore la sarebbe.
3. La pena fino a tu aspetti che non vale aprano che questo pomeriggio le banche.

## C 2 VOCABULAIRE : **jeux et sports** (voir aussi L.33 D2, D4)

Les jeux de hasard (**totocalcio, lotto, lotteria,** etc.) et les sports (**il calcio** *le football,* **il ciclismo** *le cyclisme,* **la pallacanestro** *le basket-ball,* **la scherma** *l'escrime,* **il golf** *le golf,* **la ginnastica** *la gymnastique,* **il parapendio** *le parapente,* **la vela** *la voile,* **la pallavolo** *le volley-ball,* **l'equitazione** *l'équitation,* **la pallamano** *le hand-ball,* **la nautica** *le nautisme,* **il rugby** *le rugby,* **il tennis** *le tennis,* **il tiro a segno** *le tir à la cible*), occupent une place de plus en plus importante dans la société italienne.
Le **totocalcio** est le jeu national de pronostics le plus populaire. Il allie la passion pour les jeux et le rêve de devenir millionnaire du jour au lendemain à l'amour du **calcio**. C'est le sport le plus répandu, celui qui enthousiasme des millions de **tifosi** *supporters.* Il unit, véritable miracle, la totalité des Italiens dans un même élan d'admiration pour la **squadra azzurra**. Tout particulièrement lorsque, après avoir écrasé la prestigieuse équipe du Brésil, elle remporte, pour la troisième fois, la Coupe du Monde (Espagne 1982). Quant à la pratique du ski **lo sci**, elle est favorisée par le relief de la péninsule. On pratique ce sport jusqu'en Sicile, sur les pentes de l'Etna.

## C 3 CORRIGÉ

**A. Faire précéder les phrases suivantes de l'expression :** « Non credo che... »

1. Non credo che la batteria sia scarica.
2. Non credo che il museo sia chiuso.
3. Non credo che le banche siano aperte oggi.
4. Non credo che tu sia un uomo prudente.
5. Non credo che funzioni bene.

**B. Remettre en ordre les mots des phrases suivantes :**

1. Non penso che ci sia una macchina più vecchia di questa.
2. Sarebbe la soluzione migliore.
3. Non vale la pena che tu aspetti fino a questo pomeriggio che le banche aprano.

## C 4 CIVILISATION : jeux de cartes et de hasard

• **Giochi di azzardo** Jeux de hasard

| | | | |
|---|---|---|---|
| **il dado** | *le dé* | **la vincita** | *le gain* |
| **il baccarà** | *le baccara* | **la fortuna** | *la chance* |
| **il lotto** | *le loto* | **la posta** | *la mise* |
| **il totocalcio** | *le loto sportif* | **la scommessa** | *le pari* |
| **il totip** | *le P.M.U.* | **l'estrazione** | *le tirage* |
| **il pronostico** | *le pronostic* | **il casinò** | *le casino* |

• **Giochi di carte** Jeux de cartes

| | | | |
|---|---|---|---|
| **la briscola** | *l'atout* | **alzare** | *couper* |
| **la battaglia** | *la bataille* | **il tris** | *le brelan* |
| **il poker** | *le poker* | **il poker** | *le carré* |
| **il ramino** | *le rami* | **l'asso** | *l'as* |
| **il mazziere** | *le donneur* | **la coppia** | *la paire* |
| **il mazzo** | *le paquet de cartes* | **la quinta reale** | *la quinte floche* |
| **mescolare** | *mélanger* | **la scala** | *la suite* |
| **l'uscita** | *l'ouverture* | **la puntata** | *la mise* |
| **la presa** | *la levée* | **il jolly, la matta** | *le joker* |
| **scartare di mano** | *se défausser* | **perdere** | *perdre* |
| **l'annuncio** | *l'annonce* | **barare** | *tricher* |
| **il tallone** | *le talon* | | |

# 33 Dialogues et culture

## D 1 Scacchi o tarocchi?

**S : Sandro G : Graziella O : Ornella**

**S — Ma no, Graziella! Mettiamo le carte in tavola : domani sera vado a giocare a scacchi con lo zio.**

**G — Ma una volta tanto, vieni a casa nostra! Saremo in molti a giocare a carte.**

**O — Il ramino, lo scopone? A me piace molto giocare a briscola. Anche i tarocchi sono divertentissimi. Si fanno tante risate!**

**S — Specialmente quando c'è qualche baro...**

**G — Ma non te la prendere! Ci saranno pure le sorelline per fare un torneo di dama o di domino.**

**O — Mentre i nonni, mescolando le carte, sogneranno il settebello.**

**G — Forse non lo sai, ma ci saranno pure alcune bridgiste carine.**

**S — Beh!... Vengo o non vengo? Testa o croce!**

## D 2 CULTURE : **il lotto**

Après le **Totocalcio,** le **Lotto** est le jeu le plus répandu en Italie. Si le mot est d'origine allemande et signifie **tirare a sorte, sorteggiare** *tirer au sort,* il semble que l'origine du mot soit génoise.

A Gênes, en effet, du temps de la république, pendant les élections des cinq sénateurs qui se déroulaient tous les six mois, on faisait des paris sur ceux qui seraient élus parmi la centaine de candidats en lice.

C'est à Naples cependant que le Lotto est devenu presque une institution, un phénomène de société, puisqu'il est lié à l'interprétation des rêves et à une culture populaire dont les origines remontent bien loin dans le temps : les anciens Romains étaient déjà des passionnés de jeux et de paris. Le moindre incident de la journée, couleur du ciel, retard à un rendez-vous, propos entendus, nouvelle apprise, mine ou comportement d'un membre de la famille ou du voisinage, réussite, ou non, du plat du jour, et on en passe, font l'objet d'analyses répétées qui poussent à choisir les chiffres du **lotto** par le biais de ces étonnantes équivalences. Leur interprétation ne fait pas l'unanimité et les références à certaines couleurs varient d'un quartier à l'autre. Par contre, tous semblent admettre que le 13 et le 17 portent malheur. Le pittoresque n'en est que plus grand.

## D 3 Echecs ou tarots?

S : Sandro G : Graziella O : Ornella

S — Mais non, Graziella! Parlons franchement (cartes sur table) : demain soir je vais jouer aux échecs avec mon oncle.

G — Mais pour une fois, viens donc chez nous! Nous serons nombreux pour jouer aux cartes.

O — Le rami, le « scopone »? Moi, j'aime beaucoup jouer à la « briscola ». Même les tarots sont très amusants. Et puis, qu'est ce qu'on rigole!

S — Surtout quand il y en a qui trichent...

G — Mais ne t'en fais pas! Même mes petites sœurs feront un tournoi de dames ou de dominos.

O — Et pendant ce temps-là les grands-parents, en battant les cartes, rêveront d'un bel atout.

G — Peut-être ne le sais-tu pas mais il y aura aussi quelques jolies bridgeuses.

S — Bon! Je viens ou je ne viens pas? (Jouons ça à) pile ou face.

## D 4 INFORMATIONS PRATIQUES : jeux à l'italienne

Trois grands jeux de pronostics sollicitent les amateurs de hasard. Le **Lotto**, le **Totip** pour les courses hippiques, le **Totocalcio** pour les matchs de football. Leur dénomination et leur finalité ne doivent pas pousser à des comparaisons trop hâtives. Le **Lotto** est bien différent du loto français, les sommes consacrées au **Totip** ne sont pas comparables avec les milliards dépensés sur les champs de course d'autres pays, quant au **Totocalcio**, un des plus anciens systèmes de pari dans son domaine, il tire son importance de la formidable passion que des millions de **tifosi** *supporters* nourrissent pour le **calcio** *football.*
Des différences plus marquées caractérisent les jeux de cartes. Cela tient à l'existence parallèle des cartes les plus répandues et dites françaises ou anglo-saxonnes, avec les *couleurs* **semi** de *cœur* **cuore**, *carreau* **quadro**, *trèfle* **fiore**, *pique* **picche** et des cartes italiennes dont les couleurs sont **denari** *deniers*, **bastoni** *bâtons*, **spade** *épées*, **coppe** *coupes.* Dans ce cadre général, chaque région observe des règles particulières que conforte l'existence d'un jeu à quarante cartes d'où **la dama** *la dame* est exclue. De quoi passionner les mordus du carton tout autant que les sociologues.

# 34 Vada diritto e poi giri a destra

## A 1 PRÉSENTATION

- Subjonctif présent et impératif de **prendere**, *prendre*:

| subjonctif présent | impératif | |
|---|---|---|
| *que je prenne* | | |
| 1) prenda | 1) | |
| 2) prenda | 2) **prendi** | *prends* |
| 3) **prenda** → | 3) | *prenez* |
| 1) prendiamo | 1) **prendiamo** | *prenons* |
| 2) prendiate | 2) **prendete** | *prenez* |
| 3) **prendano** → | 3) | *prenez* |

**la questura** — *le commissariat*
**andare diritto** — *aller tout droit*
**tornare indietro** — *retourner (revenir sur son chemin)*
**i lavori in corso** — *les travaux (en cours)*
**il foglio** — *la feuille*
**CAP (codice di avviamento postale)** — *le code postal*
**l'Albergo delle Nazioni** — *l'Hôtel des Nations*
**restare in linea** [linéa] — *rester en ligne*

## A 2 APPLICATION

**1. — Scusi, dov'è la questura?**
**— Vada diritto, e poi giri a destra.**
**2. — Mi scusi, che ora è?**
**— Sono le sette e venti.**
**3. — Per favore, mi indichi la strada per andare al Museo nazionale.**
**— Torni indietro, non è sulla buona strada. Poi prenda la terza a sinistra, all'altezza del primo semaforo. Faccia attenzione ai lavori in corso.**
**4. — Per favore, mi dia un francobollo da mille lire. Mi dia anche un foglio e una busta.**
**— Tenga. Non dimentichi di mettere il CAP (Codice di Avviamento Postale) con l'indirizzo.**
**5. — Scusi, mi dia il telefono dell'Albergo delle Nazioni.**
**— Resti in linea, La prego, Glielo dò subito.**

# 34 Allez tout droit, puis tournez à droite

## A 3 REMARQUES

### Grammaire

• **L'impératif** a cinq formes :
Trois correspondent à celles de l'impératif français :

| | |
|---|---|
| **prendi** | *prends* |
| **prendiamo** | *prenons* |
| **prendete** | *prenez* |

Deux sont originales :

| | |
|---|---|
| **prenda** | *prenez* (mot à mot : qu'Elle (Sa Seigneurie) prenne : forme de politesse au singulier) |
| **prendano** | *prenez* (mot à mot : qu'Elles (Leurs Seigneuries) prennent) |

Elles sont empruntées au subjonctif présent.

• **Glielo do** *Je vous le donne*
Normalement on devrait dire **Le lo do**. L'usage aidant, **Le** s'est transformé en **Gli** renforcé de la lettre **e** pour des raisons de prononciation.

## A 4 TRADUCTION

1. — Pardon, où est le commissariat?
   — Allez tout droit et puis tournez à droite.
2. — Excusez-moi, quelle heure est-il?
   — Il est sept heures vingt.
3. — S'il vous plaît, indiquez-moi la route pour aller au Musée national.
   — Revenez sur votre chemin (retournez), vous n'êtes pas sur la bonne route. Ensuite, prenez la troisième à gauche, à la hauteur du premier feu rouge. Faites attention aux travaux.
4. — S'il vous plaît, donnez-moi un timbre à mille lires. Donnez-moi aussi (également) une feuille (de papier) et une enveloppe.
   — Tenez. N'oubliez pas de mettre le code postal (mot à mot : le code d'acheminement postal) avec l'adresse.
5. — Pardon, donnez-moi le (numéro de) téléphone de l'Hôtel des Nations.
   — Restez en ligne, je vous prie, je vous le donne tout de suite.

# 34 Faremo il giro dei laghi

## B 1 PRÉSENTATION

- Attention au pluriel des mots suivants :

**la tasca** *la poche* → **le tasche**
**il collega** *le collègue* → **i colleghi**
**la collega** *la collègue* → **le colleghe**
**il cieco** *l'aveugle* → **i ciechi**
**il lago** *le lac* → **i laghi**

- Le participe passé de **comprendere** [kom**pren**déré] est **compreso**

**il preside** [**pré**sidé] *le proviseur*
**la gita** *l'excursion*
**la fine** *la fin*
**spiegare** *expliquer (commenter)*
**semplice** [**sem**plitché] *simple*
**avvertire** *avertir*
**invitare** *inviter*
**estraneo** [éstr**a**néo] *étranger*
**i genitori** *les parents*
**l'allievo** *l'élève*
**il trasporto** *le transport*
**il vitto e l'alloggio** *le couvert et le gîte*
**l'assicurazione** *l'assurance*
**il bagaglio** [ba**ga**glio] *le bagage*
**la conoscenza** *la connaissance, les relations*

## B 2 APPLICATION

***(Il preside e la professoressa)***

**1. — Signorina, viene alla gita che facciamo alla fine del mese?**
**2. — Non conosco bene il programma. Vuole spiegarmelo?**
**3. — E' semplice; faremo il giro dei laghi : lago Maggiore, lago di Como, lago di Garda.**
**4. — Sono stati avvertiti i colleghi e le colleghe?**
**5. — Ma certamente, signorina. Sappia che è possibile invitare anche persone estranee : amici, amiche e genitori degli allievi.**
**6. — Il prezzo comprende il vitto, l'alloggio e il trasporto?**
**7. — Tutto è compreso, anche l'assicurazione dei bagagli.**
**8. Sarà un viaggio interessante, sa; ne parli fra le sue conoscenze. Ci sono ancora parecchi posti.**

# 34 Nous ferons le tour des lacs

## B 3 REMARQUES

### Grammaire

• Avec **c, g** et **sc** on a tendance, en italien, à garder le même son lorsqu'on passe du singulier au pluriel.

a) Les noms féminins en **-ca** et **-ga** gardent toujours le son dur ou guttural au pluriel.

Ex. : **la tasca** *la poche* **le tasche, l'amica** *l'amie* **le amiche.**

Le même son est obtenu ici en introduisant le **h** entre le **c** ou le **g** et la désinence **-e**.

b) Les noms masculins en **-co** et **-go** et en **-ca** et **-ga** gardent, eux aussi, le son dur, sauf cas particuliers :

— la plupart des noms qui ont l'accent sur l'antépénultième syllabe (troisième à partir de la droite) ;

Ex. : **medico** [**mé**diko] *médecin* **medici**

— un certain nombre de mots ayant l'accent sur l'avant-dernière syllabe :

Ex. : **il nemico** *l'ennemi* **i nemici, l'amico** *l'ami* **gli amici.**

• Pour les verbes (L. 38, C 2) la tendance est la même. Les verbes en **-ciare** et en **-giare** gardent toujours le même son. Ex. : **cominciare** *commencer* et **mangiare** *manger* au présent de l'indicatif **(comincio, cominci, comincia, cominciamo, cominciate, cominciano); (mangio, mangi, mangia, mangiamo, mangiate, mangiano).**

## B 4 TRADUCTION

*(Le proviseur et madame le professeur)*

1. — Mademoiselle, venez-vous à l'excursion que nous faisons à la fin du mois?
2. — Je ne connais pas bien le programme. Voulez-vous me le commenter?
3. — C'est simple; nous ferons le tour des lacs : lac Majeur, lac de Côme, lac de Garde.
4. — Les collègues (hommes et femmes) ont-ils été avertis?
5. — Mais certainement, mademoiselle. Sachez qu'il est possible d'inviter également des personnes étrangères : amis, amies et parents d'élèves.
6. — Le prix comprend le gîte, le couvert et le transport?
7. — Tout est compris, même l'assurance des bagages.
8. Ce sera un voyage intéressant, vous savez; parlez-en parmi vos connaissances; il y a encore de nombreuses places.

# 34 Exercices

## C 1 EXERCICES

**A. Mettere le forme verbali all'imperativo e tradurre :**

1. Lei gira a sinistra e va diritto, poi și ferma.
2. Fa così : torna indietro e prende la quarta strada.

**B. Immaginate di parlare con una persona alla quale date del « tu » e ditele di :**

1. andare diritto.
2. girare a destra.
3. indicarmi la strada.
4. tornare indietro.
5. darmi un francobollo.
6. dare il telefono dell'albergo al mio amico.

## C 2 BARZELLETTA

**Il direttore di un manicomio chiede a un pazzo :**
**— Tu chi sei?**
**— Sono il papa!**
**— Chi te l'ha detto?**
**— Dio!**
**In quel momento passa un venerabile vecchio con una barba lunga e bianca e rivolto al direttore dice :**
**— Non è vero! Non ho mai parlato con quel signore!**

*Le directeur d'un asile demande à un fou :*
*— Toi, qui es-tu?*
*— Je suis le pape.*
*— Et qui te l'a dit?*
*— Dieu!*
*A ce moment passe un vénérable vieillard avec une longue barbe blanche qui dit, en s'adressent au directeur :*
*— Ce n'est pas vrai! Je n'ai jamais parlé à ce monsieur!*

## C 3 CORRIGÉ

**A. Mettre les formes verbales à l'impératif et traduire :**

1. Giri a sinistra e vada diritto, poi si fermi.
   Tournez à gauche et allez tout droit, puis arrêtez-vous.
2. Faccia così : torni indietro e prenda la quarta strada.
   Faites ainsi : revenez en arrière (sur vos pas) et prenez la quatrième rue.

**B. Imaginez que vous parliez avec une personne que vous tutoyez et dites-lui :**

1. vai (va, va') diritto.
2. gira a destra.
3. indicami la strada.
4. torna indietro.
5. dammi un francobollo.
6. dai (dà, da') il telefono dell'albergo al mio amico.

## C 4 CIVILISATION : poste et téléphone

• **il telefono** *le téléphone*
**il prefisso** *l'indicatif*
**l'elenco** *l'annuaire*
**la telefonata** *le coup de téléphone*
**squillare** *sonner*
**il citofono** *l'interphone*
**in diretta** *par l'automatique*
**la chiamata** *l'appel*
**il microtelefono** *le combiné*
**il tasto** *la touche*
**l'auricolare** *l'écouteur*
**sganciare** *décrocher*

• **la posta** *la poste*
**il collo** *le colis*
**lo sportello** *le guichet*
**impostare** *poster*
**il mittente** *l'expéditeur*
**il timbro** *le tampon*
**il postagiro** *le virement postal*
**la scheda magnetica** *la carte magnétique*
**l'ufficio postale** *le bureau de poste*
**la buca** *la boîte aux lettres*
**la cartolina** *la carte postale*
**affrancare una lettera** *affranchir une lettre*
**fare proseguire la posta** *faire suivre le courrier*

# Dialogues et culture

## D 1 Non hai ricevuto il mio fax?

**M : Maria L : Luisa**

**M — Pronto, Luisa? Hai ricevuto il mio fax?**

**L — No, cara : ti ho lasciato un messaggio sulla tua segreteria telefonica.**

**M — Ah! Eri tu! Senti, adesso provo a mandarti il programma con il mio portatile.**

**L — Va bene. Preparo subito la stampante. Pronto! Maria, mi senti...? Ah! Adesso va meglio... Ascolta, Maria : dal momento che i nostri computer sono collegati, trasmettimi pure l'ultimo dischetto di Carlo!**

**M — D'accordo! Però, gli altri documenti te li spedisco con la posta celere. Li imposto fra un' ora.**

**L — Attenta all'affrancatura! L'ultima volta, il postino mi ha fatto pagare la sopratassa.**

**M — Che spilorcia che sei! Bada : la prossima volta, non ti metto neanche un francobollo!**

**L — Ma scherzavo... Comunque, per non dimenticare, metti un blocchetto di francobolli sulla tastiera del computer. Ciao, bella!**

## D 2 CULTURE : premières postales et téléphoniques

- Les échanges « postaux » réguliers remontent à l'époque romaine. Les voies, indestructibles, de cette époque était le vecteur privilégié de ces transmissions à travers une bonne partie de l'Europe actuelle.

Au XVI^e siècle le monopole de la poste échoit à une famille de Bergame, les Tasso. Aux courriers à cheval on adjoignit celui des transports de passagers et de bagages. Les postes italiennes sont, aujourd'hui, un service public. Elles dépendent du Ministère des Postes et Télécommunications (**Poste e Telecomunicazioni**) avec le sigle **PP.TT.**

- Les Italiens sont familiarisés avec le téléphone. C'est en 1871 que Antonio MEUCCI inventa le téléphone, appelé par lui **telettrofono.** L'abbé florentin Giovanni CASELLI réalisa, en 1856, un système de transmissions de dessins et de lettres par les lignes du télégraphe électrique. Il y avait de la télévision dans l'air... En 1896, Guglielmo MARCONI dépose le brevet du premier appareil de T.S.F et, en 1897, il effectue une première mondiale : la liaison radio entre deux navires de guerre italiens distants de vingt kilomètres. Depuis tout radio-télégraphiste porte le nom de **marconista.**

## D 3 Tu n'as pas reçu mon fax?

M : Marie L : Louise

M. — Allô, Louise? As-tu reçu mon fax?
L. — Non, ma chérie : je t'ai laissé un message sur ton répondeur.
M. — Ah! C'était toi! Ecoute, je vais essayer de t'envoyer le programme avec mon portable.
L. — C'est bon. Je prépare tout de suite l'imprimante. Allô, Marie! Tu m'entends...? Ah, maintenant ça va mieux... Ecoute-moi, Marie : puisque nos ordinateurs sont connectés, transmets-moi aussi la dernière disquette de Charles!
M. — D'accord! Par contre, les autres documents, je te les envoie par chronopost. Je les poste dans une heure.
L. — Attention à l'affranchissement! La dernière fois, le facteur m'a fait payer une surtaxe.
M. — Mais quelle radine, alors! Fais bien attention : la prochaine fois, je ne te mets pas le moindre timbre!
L. — Mais je plaisantais... Toutefois, pour ne pas oublier, mets donc un carnet de timbres sur le clavier de ton ordinateur. Au revoir, ma jolie!

## D 4 INFORMATIONS PRATIQUES : **P.T.T. en Italie**

En Italie, pour téléphoner on ne se rend pas à la poste mais dans un bureau de la **Società italiana per l'esercizio delle telecomunicazioni.** On peut aussi téléphoner d'une des nombreuses cabines, installées un peu partout et spécialement dans les bars. Les appareils fonctionnent avec des jetons **gettoni** qui servent encore pour faire l'appoint lorqu'on rend la monnaie. Ils cèdent progressivement la place à la carte magnétique **carta magnetica.** Pour être bien compris quand il vous faut épeler **compitare** un nom, vous devez utiliser les noms de villes. **Carlo** s'épellera ainsi : **C come Como, A come Ancona, R come Roma, L come Livorno, O come Otranto.**
Revenons à la poste et à ses horaires d'ouverture : de 8 h. 30 à 14 h et le samedi de 8 h. 30 à 12 h. Les postes centrales ne ferment qu'à 19 h. ainsi que les antennes postales installées dans les grandes gares et les aéroports mais pour les seuls plis urgents.
Les Italiens ne sont pas très contents des conditions dans lesquellles leur courrier est acheminé. Certains Romains postent leurs lettres, à destination de l'étranger, à la Cité du Vatican. Les autres font l'acquisition de télécopieurs et les utilisateurs d'ordinateurs ont recours au courrier électronique (**e-mail**).

# 35 Non c'è nessun film interessante stasera

## A 1 PRÉSENTATION

- **Non andare** al cinema! *Ne va pas au cinéma!*
  **Non pensiamo** più al passato! *Ne pensons plus au passé!*
- **Non** c'è **nessun** film interessante : il *n'*y a *aucun* film intéressant.
- Non pensare sempre alla **stessa** cosa : ne pense pas toujours à la *même* chose.

| | |
|---|---|
| **egoista** | *égoïste* |
| **preoccuparsi** | *s'inquiéter* |
| **dire balle** | *raconter des histoires* |
| **il passato** | *le passé* |
| **il presente** | *le présent* |
| **Arlecchino** | *Arlequin* |
| **il servitore** | *le serviteur* |
| **il padrone** | *le maître* |
| **recitare** | *jouer* |
| **la commedia** [kom**mé**dia] | *la pièce* |
| **il livello** | *le niveau* |
| **insistere** [in**si**stéré] | *insister* |

## A 2 APPLICATION

1. **— Non c'è nessun film interessante stasera.**
2. **Non andare al cinema!**
3. **Vieni con me; andiamo a teatro.**
4. **Non mi lasciare sola; non essere egoista.**
5. **— Non preoccuparti. Verrò con te.**
6. **Non dirmi balle, però, come l'altra volta.**
7. **Mi avevi detto che davano** *Rocco e i suoi fratelli.*
8. **E non era affatto vero.**
9. **— Non pensiamo al passato. Pensiamo al presente.**
10. **Non pensare sempre alla stessa cosa.**
11. **Oggi danno** *Arlecchino servitore di due padroni*, **di Goldoni.**
12. **Recita il Piccolo Teatro di Milano.**
13. **— Non c'è nessun'altra commedia?**
14. **— Penso che non ci siano altre commedie di questo livello, a parte** *Uno, nessuno e centomila*, **di Pirandello, che abbiamo già visto.**
15. **Dai, non insistere più! Andiamo a teatro stasera.**

# 35 Il n'y a aucun film intéressant ce soir

## A 3 REMARQUES

■ Grammaire

• L'impératif négatif se forme normalement, c'est-à-dire en mettant **non** devant le verbe, sauf à la 2e personne du singulier qui se forme en mettant **non** devant l'infinitif :

| | |
|---|---|
| 1) — | — |
| 2) (Tu) parla! | **non parlare!** |
| 3) (Lei) parli! | non parli! |
| 1) (Noi) parliamo! | non parliamo! |
| 2) (Voi) parlate! | non parlate! |
| 3) (Loro) parlino! | non parlino! |

Pour **parli** et **parlino** voir leçon 34, A3.

• Avec l'adjectif et pronom indéfini **nessuno** *aucun, nul, personne*, on met la négation **non** s'il suit le verbe. On ne la met pas s'il le précède.

| | | |
|---|---|---|
| | **Non** ho visto **nessuno** | je *n'*ai vu *personne* |
| mais : | **nessuno** è venuto | *personne n'*est venu |

• **Non dirmi** ou **non mi dire**

## A 4 TRADUCTION

1. — Il n'y a aucun film intéressant ce soir.
2. Ne va pas au cinéma!
3. Viens avec moi; allons au théâtre.
4. Ne me laisse pas seule; ne sois pas égoïste.
5. — Ne t'inquiète pas. J'irai (je viendrai) avec toi.
6. Mais ne me raconte pas de blagues, comme l'autre fois.
7. Tu m'avais dit qu'on jouait *Rocco et ses frères*.
8. Et ce n'était pas vrai du tout.
9. — Ne pensons pas à ce qui est passé. Voyons le présent.
10. Ne pense pas toujours à la même chose.
11. Aujourd'hui on joue *Arlequin serviteur de deux maîtres*, de Goldoni.
12. C'est le « Petit Théâtre » de Milan qui joue.
13. — Il n'y a pas d'autre pièce?
14. — Je pense qu'il n'y a pas d'autres pièces de ce niveau, à part *Un, personne et cent mille*, de Pirandello, que nous avons déjà vu.
15. Allez, n'insiste plus! Allons au théâtre ce soir.

# 35 E' piacevole andare a teatro

## B 1 PRÉSENTATION

- **E' piacevole andare a teatro** *il est agréable d'aller au théâtre.*
  **A parer mio, tuo, suo...** *à mon, ton, son (...) avis.*
  **Altrettanto** *(tout) aussi, (tout) autant.*
  **Anzi** *et même (plus), de plus...; au contraire...*
- Le participe passé de **scrivere** [**skri**véré] *écrire* est **scritto**.

| | |
|---|---|
| **assistere** [a**ssis**téré] | *assister* |
| **il lavoro teatrale** | *le travail théâtral* |
| **l'opera** [**o**péra] | *l'opéra* |
| **del resto** | *du reste* |
| **spettacolo** [spét**ta**kolo] | *spectacle* |
| **piacevole** [pia**cé**volé] | *agréable* |
| **cinéma** [**ci**néma] | *cinéma* |
| **facile** [**fa**cilé] | *facile* |

## B 2 APPLICATION

1. — **E' bello assistere ad uno spettacolo come questo.**
2. — **E' vero che è piacevole vedere una commedia di Goldoni.**
3. **Ma è altrettanto piacevole guardare un lavoro teatrale di Eduardo de Filippo.**
4. — **E poi è facile capire le loro commedie anche quando sono scritte in dialetto veneziano o napoletano.**
5. — **E' piacevole, insomma, andare a teatro.**
6. **E' più piacevole andare a teatro che andare al cinema.**
7. — **Non sono dello stesso parere.**
8. **E' piacevole andare tanto a teatro quanto al cinema.**
9. — **A parer mio, è meglio andare a teatro o all'opera.**
10. — **Ho capito tutto : è meglio tacere che parlare a un sordo.**
11. **Non verrò più con te a teatro. Anzi, non ci andrò più.**
12. — **Dai, non fare il bambino!**
13. **Del resto è più facile dire che fare!**
14. **E' impossibile non andare a teatro o all'opera.**

# 35 Il est agréable d'aller au théâtre

## B 3 REMARQUES

### Grammaire

• **E' facile parlare** *il est facile de parler*

On n'emploie pas la préposition *de* parce que le verbe **parlare** est le sujet réel. Cela équivaut à dire :

**parlare è più facile** *parler est plus facile.*

De même :

**E' piacevole andare a teatro** — *il est agréable d'aller au théâtre*

**E' più facile dire che fare** — *il est plus facile de parler que d'agir* (mot à mot : *de dire que de faire*)

## B 4 TRADUCTION

1. — Il est beau d'assister à un spectacle comme celui-ci.
2. — Il est vrai que c'est agréable de voir une pièce de Goldoni.
3. Mais il est tout aussi agréable de regarder un travail théâtral de Eduardo de Filippo.
4. — Et puis il est facile de comprendre leurs comédies même quand elles sont écrites en dialecte vénitien ou napolitain.
5. — Il est agréable, en somme, d'aller au théâtre.
6. Il est plus agréable d'aller au théâtre que d'aller au cinéma.
7. — Je ne suis pas du même avis.
8. Il est aussi agréable d'aller au théâtre qu'au cinéma.
9. — A mon avis, c'est mieux d'aller au théâtre ou à l'opéra.
10. — J'ai compris : mieux vaut se taire que parler à un sourd.
11. Je ne viendrai plus avec toi au théâtre. Et même, je n'irai plus.
12. — Allez, ne fais pas l'enfant!
13. Du reste, il est plus facile de parler que d'agir!
14. Il est impossible de ne pas aller au théâtre ou à l'opéra.

# 35 Exercices

## C 1 EXERCICES

**A. Tradurre :**

1. Ce soir, à la télévision, aucun film n'est intéressant.
2. Il n'y a aucune autre pièce?
3. Personne n'est venu?

**B. Tradurre e mettere alla forma negativa :**

1. Va au cinéma ce soir.
2. Inquiète-toi de cela.
3. Viens avec moi au théâtre.

**C. Degli errori sono stati introdotti nelle frasi che seguono. Correggerli.**

1. Non ti preoccupare.
2. Penso che sia piacevole di vedere una commedia di de Filippo.
3. Goldoni non è più celebre che Pirandello.
4. E' più facile di dire che fare.

## C 2 VOCABULAIRE

■ **Indovinello** *Devinette*

Un lupo, una capra e un cavolo sono sulla riva di un fiume. Un barcaiolo vuole trasportarli uno dopo l'altro al di là del fiume evitando che, in sua assenza, il lupo attacchi la capra e la capra mangi il cavolo. Come fare?

*Un loup, une chèvre et un chou sont sur la rive d'un fleuve. Un passeur veut les transporter l'un après l'autre au-delà du fleuve en évitant que, en son absence, le loup n'attaque la chèvre et que la chèvre ne mange le chou. Comment faire?*

■ **Risposta** *Réponse*

Il barcaiolo trasporta dapprima la capra, poi torna e prende il lupo; quando ha trasportato il lupo, riporta indietro sull'altra riva la capra e trasporta il cavolo. Infine ritorna a prendere la capra e la trasporta di nuovo sull'altra riva.

*Le passeur transporte d'abord la chèvre, puis il revient et prend le loup; quand il a transporté le loup, il ramène sur l'autre rive la chèvre et transporte le chou. Enfin il revient prendre la chèvre et la transporte à nouveau sur l'autre rive.*

## C 3 CORRIGÉ

**A. Traduire :**

1. Stasera, alla televisione, nessun film è interessante.
2. Non c'è nessun'altra commedia?
3. Nessuno è venuto? (Non è venuto nessuno?)

**B. Traduire et mettre à la forme négative :**

1. Va' al cinema stasera. Non andare...
2. Preoccupati di questo. Non preoccuparti...
3. Vieni con me a teatro. Non venire...

**C. Des erreurs ont été introduites dans les phrases suivantes. Les corriger :**

1. Non preoccuparti, non ti preoccupare (les deux formes sont valables).
2. Penso che sia piacevole vedere una commedia di de Filippo.
3. Goldoni non è più celebre di Pirandello.
4. E' più facile dire che fare.

## C 4 CIVILISATION : cinéma

**Il cinema** *le cinéma*

**la mostra** *le festival*
**il capolavoro** *le chef-d'œuvre*
**la pizza** *le navet*
**la cineteca** *la cinéthèque*
**l'attore** *l'acteur*
**l'attrice** *l'actrice*
**la comparsa** *1) le comparse* *2) le figurant*
**il generico** *le figurant*
**la controfigura** *la doublure*
**recitare** *jouer*
**i titoli di testa** *le générique*
**il lungometraggio** *le long métrage*
**la sceneggiatura** *le scénario*
**la macchina da presa** *la caméra*
**la recitazione** *le jeu*
**il trucco** *le maquillage*
**lo scenario** *le décor*
**il soggetto** *le synopsis*
**il copione** *le script*
**il regista** *le réalisateur*
**l'inquadratura** *le cadrage*
**la carrellata** *le travelling*
**la dissolvenza** *le fondu*
**la zumata** *le zooming*
**a colori** *en couleurs*
**il lieto fine** *le happy end*

## 35 Dialogues et culture

### D 1 Tra cinefile

**G : Graziella O : Ornella**

**G — Pronto? Senti, il proiezionista della cineteca mi ha procurato tre biglietti per la prima visione di stasera. Vieni?**
**O — Bello! E' il film del quale mi hai mostrato il manifesto?**
**G — Sì, dicono che sia un film avvincente con tanto di suspense.**
**O — Appunto. E con esterni stupendi. Pure il doppiaggio è riuscitissimo. Rende perfettamente tutti gli effetti sonori.**
**G — Quello che m'interessa anche è di poter verificare se il lavoro del dialoghista e dello scenografo sia alla pari delle altre pellicole.**
**O — Sarà senz' altro così! E a me piace il fatto che non ci saranno le noiose didascalie che ti danno il mal di testa!**
**G — Sì, tanto da trasformare un capolavoro in film dell' orrore o in mattone. E se portassimo Sandro con noi?**
**O — Ma sai che non è appassionato di ambientazoni storiche. A lui ci vogliono tanti cascatori, colonne sonore assordanti. Insomma, un buon film medio o un western all' italiana e, ogni tanto, un film rosa.**
**G — Va bene, lo mettiamo fuori campo.**

### D 2 CULTURE : cent ans de ciné italien

Le cinéma italien est plus que centenaire. Dès le début, la production de films muets a été abondante. Avec les premières réalisations au monde de films à grand spectacle. Le genre se perpétue avec la variante **romanomitologica,** celle du « peplum ». Dans un climat d'améliorations techniques de haut niveau : Guido Brignone produit en 1936 le premier film parlant en trois dimensions.
C'est l'époque de la dictature fasciste. Les responsables politiques ont compris la fascination que le cinéma exerce sur les foules. A côté des films de propagande, à la gloire du régime, pennent place les films à l'eau de rose, baptisés **telefoni bianchi,** du nom de ces combinés téléphoniques symboles de vie luxueuse, propice à l'évasion.
La deuxième guerre mondiale favorise la naissance du néoréalisme. Par la suite, les genres les plus divers coexistent, illustrés par chefs-d'œuvre et navets. Le cinéma **impegnato** *engagé* a autant de succès que les historiettes de la **commedia all'italiana,** grâce aux réalisateurs Antonioni, Bellochio, Bolognini, Bertolucci, Castellani, Comencini, De Santis, De Sica, Fellini, Ferreri, Germi, Lattuada, Leone, Lizzani, Monicelli, Moretti, Olmi, Pasolini, Petri, Pontecorvo, Dino Risi et Francesco Rosi, Rossellini, les Taviani, Tornatore, Scola, Visconti, Zampa.

## D 3 Entre cinéphiles

G : Graziella O : Ornella

G — Allo? Ecoute-moi, le projectionniste de la cinémathèque m'a trouvé trois places pour la projection en exclusivité de ce soir. Tu viens?
O — Chouette! C'est le film dont tu m'as montré l'affiche?
G — C'est ça. On dit que c'est un film captivant avec beaucoup de suspense.
O — Exact. Et avec des extérieurs superbes. Même le doublage est très réussi. Il rend parfaitement toute la gamme des bruitages.
G — Ce qui m'intéresse aussi c'est de pouvoir vérifier que le travail du dialoguiste et du décorateur sont à la hauteur de leurs autres films.
O — Ce sera certainement le cas! Et ce qui me plaît, c'est qu'il n'y aura pas ces ennuyeux sous-titres qui te donnent mal à la tête!
G — C'est vrai, au point de transformer un chef-d'œuvre en un film·d'horreur ou en navet. Et si nous emmenions Sandro avec nous?
O — Mais tu sais bien que ce n'est pas un passionné de reconstitutions historiques. Ce qu'il lui faut c'est des tas de cascadeurs, des pistes sonores assourdissantes. Un bon film de série B ou un western spaghetti et, de temps en temps, un film à l'eau de rose.
G — D'accord, on le met hors-champ!

## D 4 INFORMATIONS PRATIQUES : **et le ciné, aujourd'hui?**

Dans les salles de cinéma, le nombre de spectateurs a diminué de façon régulière. En quarante ans, il a été divisé par quatre. La diffusion des films à la télévision (quelques centaines de chaînes accessibles (hertzien, câble, satellite) explique ce phénomène. La baisse est stoppée. On assiste même à une légère progression depuis que se multiplient les implantations de nouvelles salles ultra-modernes. Elles reflètent la prise de conscience des instances dirigeantes du pays : le cinéma est, certes, une industrie mais il est avant tout un art. Et en tant que tel, il doit recevoir les aides qui lui permettent de limiter les effets pervers des dérives financières les plus variées. Le festival de Venise peut être le symbole du cinéma italien. Premier festival dans l'histoire du cinéma (1932), il s'est trouvé sans jury de 1969 à 1979 pour repartir de plus belle et rivaliser à nouvau avec Cannes (1946), Berlin (1951) ou Rio (1963). De même **Cinecittà** (1937), dans la banlieue de Rome, rivalisait, avec les studios hollywoodiens. La crise du cinéma a failli lui être fatale. L'équilibre trouvé entre productions destinées prioritairement aux salles de cinéma et d'autres à finalités télévisuelles lui redonne une nouvelle jeunesse.
Autre symbole : l'enseignement de l'art cinématographique (lycées, universités) est désormais une réalité.

# 36 Non vorrei che litigassimo per queste sciocchezze

## A 1 PRÉSENTATION

● L'imparfait du subjonctif :

| parl-are | | ripet-ere | part-ire | avere | essere |
|---|---|---|---|---|---|
| che io | parl**assi** | ripet**essi** | part**issi** | av**essi** | **fossi** |
| che tu | parl**assi** | ripet**essi** | part**issi** | av**essi** | **fossi** |
| che esso | parl**asse** | ripet**esse** | part**isse** | av**esse** | **fosse** |
| che noi | parl**assimo** | ripet**essimo** | part**issimo** | av**essimo** | **fossimo** |
| che voi | parl**aste** | ripet**este** | part**iste** | av**este** | **foste** |
| che essi | parl**assero** | ripet**essero** | part**issero** | av**essero** | **fossero** |

**la basilica** [ba**si**lika] — *la basilique*
**San Pietro** — *Saint-Pierre*
**fare lo spiritoso** — *faire de l'esprit*
**cercare il pelo nell'uovo** — *chercher la petite bête*
**cavilloso** — *pointilleux*
**suscettibile** [souchét**ti**bilé] — *susceptible*
**prendersela a male** — *le prendre mal (être vexé)*
**smetterla** [**zmet**terla] — *en rester là*
**litigare** — *se disputer*
**la sciocchezza** — *la sottise*

## A 2 APPLICATION

1. **— Non pensavo che la basilica di San Pietro fosse tanto grande.**
2. **— Pensavo che tu l'avessi già vista.**
3. **Credevo infatti che tu fossi già venuto a Roma.**
4. **— Non pensavo che la basilica di San Pietro si trovasse a Roma.**
5. **— Dai, non fare lo spiritoso! Non cercare il pelo nell'uovo!**
6. **Non pensavo che tu fossi così cavilloso.**
7. **Non sapevo neanche che tu fossi cosi suscettibile.**
8. **— Ma no! Non te la prendere a male.**
9. **Tutti sanno che la basilica di San Pietro si trova nella Città del Vaticano, che è uno Stato indipendente...**
10. **... e che si trova nella città di Roma!**
11. **Dai, smettiamola!**
12. **Non vorrei che litigassimo per queste sciocchezze!**

## A 3 REMARQUES

### Grammaire

• L'imparfait du subjonctif est plus employé en italien qu'en français. L'accent est toujours sur la même syllabe, celle qui comprend la voyelle dite thématique (qui caractérise un verbe et se trouve devant la désinence).

Attention à la prononciation :

par**las**si
par**las**si
par**las**se
par**las**simo
par**la**ste
par**las**sero

• **Le plus-que-parfait du subjonctif** se forme naturellement avec l'imparfait de **avere** ou de **essere** et le participe passé.
— **Che io fossi venuto, che tu fossi venuto...** *que je fusse venu.*
— **Che io avessi visto, che tu avessi visto...** *que j'eusse vu.*

## A 4 TRADUCTION

1. — Je ne pensais pas que la basilique Saint-Pierre était aussi grande.
2. — Je pensais que tu l'avais déjà vue.
3. Je croyais en effet que tu étais déjà venu à Rome.
4. — Je ne pensais pas que la basilique Saint-Pierre se trouvait à Rome.
5. — Allez, ne fais pas de l'esprit (le spirituel...)! Ne cherche pas la petite bête (mot à mot : le poil dans l'œuf) !
6. Je ne pensais pas que tu étais si pointilleux (chicaneur).
7. Je ne savais pas non plus que tu étais si susceptible.
8. — Mais non! Ne sois pas vexé (mot à mot : ne le prends pas mal).
9. Tout le monde sait que la basilique Saint-Pierre se trouve dans la Cité du Vatican, qui est un État indépendant...
10. ... et qui se trouve dans la ville de Rome!
11. Allez, restons-en là (arrêtons-là, cessons)!
12. Je ne voudrais pas que nous nous disputions pour ces bêtises (sottises)!

## 36 Se avessi più tempo, visiterei volentieri i giardini del Vaticano

### B 1 PRÉSENTATION

■ Comparer les deux langues :

*Si j'allais* en Italie, *je serais* content.
**Se andassi** in Italia, **sarei** contento.
*Si j'étais allé* en Italie, *j'aurais été* content.
**Se fossi andato** in Italia, **sarei stato** contento.

Ce sont là des tournures qu'il faut apprendre carrément par cœur, tant elles sont importantes.

| | |
|---|---|
| **visitare** | visiter |
| **volentieri** | volontiers |
| **il giardino** | le jardin |
| **affrescare** | peindre à fresque |
| **la Cappella Sistina** | la Chapelle Sixtine |
| **subire** | subir |
| **l'attentato** | l'attentat |
| **proteggere** (pro**ted**djéré) | protéger |
| **il vetro** | la vitre (le verre) |
| **la collezione** | la collection |
| **il francobollo** | le timbre |
| **coniare monete** | battre monnaie |
| **il Papa (papa)** | le Pape |

### B 2 APPLICATION

1. **Se avessi più tempo, visiterei volentieri i giardini del Vaticano.**
2. **Se Michelangelo non avesse affrescato la Cappella Sistina, questa sarebbe meno celebre.**
3. **Se la Pietà di Michelangelo non avesse subito un attentato, adesso non sarebbe protetta da un vetro.**
4. **Se tu facessi collezione di francobolli, potresti comprare quelli della Città del Vaticano.**
5. **Se il Vaticano non fosse uno Stato indipendente, non potrebbe coniare monete.**
6. **Se nella Città del Vaticano non ci fosse il Papa, ci sarebbero meno turisti a Roma.**

## B 3 REMARQUES

■ Grammaire

• Dans la phrase *si j'allais* en Italie..., le *si* introduit une *condition possible. Il est toujours possible que j'y aille. Et si j'y allais, je serais content.*

Cette condition possible s'exprime en italien par l'imparfait du subjonctif (puisque, tout possible que ce soit, ce n'est pas encore certain!) :

**Se andassi in Italia, sarei contento.**

• Dans la phrase *si j'étais allé..., c'est une condition impossible* qui est exprimée. C'est le plus-que-parfait du subjonctif qui sert à l'exprimer. *Comme je n'y suis pas allé, je ne suis pas content. Si j'y étais allé, j'aurais été content :*

**Se fossi andato in Italia, sarei stato contento.**

## B 4 TRADUCTION

1. Si j'avais plus (davantage) de temps, je visiterais volontiers les jardins du Vatican.
2. Si Michel-Ange n'avait pas peint à fresque la Chapelle Sixtine, celle-ci serait moins célèbre.
3. Si la « Pietà » de Michel-Ange n'avait pas subi un attentat, elle ne serait pas protégée maintenant par une vitre.
4. Si tu faisais collection de timbres, tu pourrais acheter ceux de la Cité du Vatican.
5. Si le Vatican n'était pas un État indépendant, il ne pourrait pas battre monnaie.
6. Si dans la Cité du Vatican il n'y avait pas le Pape, il y aurait moins de touristes à Rome.

# Exercices

## C 1 EXERCICES

**A. Tradurre :**

1. Vous pensiez que cette basilique était moins grande?
2. Pensais-tu que nous étions déjà arrivés?
3. Vous croyiez que j'étais déjà venu ici?

**B. Tradurre :**

1. Pensavi che io la conoscessi già?
2. Non pensavo che fosse così bella questa chiesa.
3. Credevo che Lei fosse già venuto qui.

**C. Tradurre :**

1. Nous serions bien contentes, si nous allions en Italie.
2. Seriez-vous content, si vous retourniez en Italie cette année?
3. Si je le savais, je vous le dirais.
4. Tu le ferais bien volontiers, si tu avais plus de temps.

## C 2 VOCABULAIRE

■ **Scioglilingua** (dans le genre « Les chaussettes de l'archiduchesse »)

Ogni lingua ha le sue difficoltà di pronuncia. Certe frasi, artificiali, accumulano le difficoltà. Eccone alcune :

*Toute langue a ses difficultés de prononciation. Certaines phrases, artificielles, accumulent les difficultés. En voici quelques-unes :*

• **Apelle, figlio di Apollo, fece la palla di pelle di pollo. Tutti i pesci vennero a galla per vedere la palla di pelle di pollo fatta da Apelle, figlio di Apollo.**

*Apelle, fils d'Apollon, fit une balle de peau de poulet. Tous les poissons vinrent à la surface pour voir la balle de peau de poulet faite par Apelle, fils d'Apollon.*

• **Sopra la panca la capra campa, sotto la panca la capra crepa.**
*Sur le banc la chèvre vit, sous le banc la chèvre crève.*

# 36 Exercices

## C 3 CORRIGÉ

**A. Traduire :**

1. Lei pensava che questa basilica fosse meno grande?
2. Pensavi che fossimo già arrivati?
3. Lei credeva che io fossi già venuto qui?

**B. Traduire :**

1. Tu pensais que je la connaissais déjà?
2. Je ne pensais pas que cette église était aussi belle
3. Je croyais que vous étiez déjà venu ici.

**C. Traduire :**

1. Saremmo molto contente, se andassimo in Italia.
2. (Lei) sarebbe contento, se tornasse in Italia quest'anno?
3. Se lo sapessi, Glielo direi.
4. Lo faresti molto volentieri, se tu avessi più tempo.

## C 4 CIVILISATION : **religions**

| | | | |
|---|---|---|---|
| **Dio** | *Dieu* | **la fede** | *la foi* |
| **Gesù Cristo** | *Jésus Christ* | **la religione** | *la religion* |
| **la Madonna** | *la Vierge* | **evangelico** | *évangélique* |
| **religioso** | *religieux* | **l'ateismo** | *l'athéisme* |
| **il buddismo** | *le boudhisme* | **il cattolicesimo** | *le catholicisme* |
| **il critianesimo** | *le christianisme* | **la massoneria** | *la franc-maçonnerie* |
| **il giudaismo** | *le judaisme* | | |
| **il protestantesimo** | *le protestantisme* | **il paganesimo** | *le paganisme* |
| | | **agnostico** | *agnostique* |
| **clericale** | *clérical* | **credente** | *croyant* |
| **pagano** | *païen* | **israelitico** | *israélite* |
| **ebreo** | *juif* | **musulmano** | *musulman* |
| **il parrocco** | *le curé* | **il vescovo** | *l'évêque* |
| **la parocchia** | *la paroisse* | **il prete** | *le prêtre* |
| **il duomo** | *la cathédrale* | **il baciapile** | *la grenouille de bénitier* |
| **la croce** | *la croix* | | |
| **il crocifisso** | *le crucifix* | **il miscredente** | *le mécréant* |

# Dialogue et civilisation

## D 1 La chiesa degli Italiani

**S : Straniero I : Italiano**

**S — Mi può spiegare il perché dell' ora di religione nelle scuole pubbliche italiane?**

**I — Ma questo riflette la quasi unanimità degli Italiani di fronte al fatto religioso. Pensi che la totalità, o quasi, dei bambini sono battezzati.**

**S — E i mangiapreti (1), dove sono andati a finire?**

**I — Ce n'erano quando fondavano il loro anticlericalismo sulle posizioni politiche del papato, nel secolo scorso.**

**S — All' epoca del Risorgimento?**

**I — Sì. Oggi, soprattutto da quando sono stati firmati i Patti Lateranensi, sono cambiate tante cose e il senso religioso degli Italiani è sempre fervido.**

**S — In modo particolare presso le donne, mi sembra, a vedere l'assistenza alla messa... No?**

**I — Ha ragione. Anche se le pratiche religiose variano a seconda delle regioni. Ma come scriveva Curzio MALAPARTE « la chiesa, in Italia, non è, come altrove, soltanto la casa di Dio. Ma la casa di tutti, dove ognuno si ritrova come a casa propria... »**

(1) mot à mot « mangeurs de prêtres ».

## D 2 CIVILISATION : **l'Eglise et l'Etat**

Le IX^e siècle voit la création des Etats Pontificaux. Leur existence s'illustre de conflits, au XII^e siècle, lors des luttes qui mettaient aux prises l'empereur d'Allemagne et le Pape. De région à région, de ville à ville, dans une même région, dans une même ville. Sans provoquer d'hérésie durable dans la péninsule.

L'Italie est restée catholique. Dans ce pays, le sens de la religion est vif et spontané. Certains l'expliquent par le fait que la papauté et la hiérarchie sont très proches de la population.

Le Risorgimento, l'annexion des Etats Pontificaux favorisaient l'anticléricalisme. Mais les accords du Latran **i Patti Lateranensi,** signés en 1929, ont clarifié la situation. Il a alors été stipulé que :

1°) — il était créé un Etat du Vatican,
2°) — le Concordat précisait les rapports entre l'Eglise et l'Etat,
3°) — une convention dédommageait l'Eglise de la perte de ses Etats.

Le Concordat a été modifié positivement en 1984.

## D 3 L'église des Italiens

E : Étranger I : Italien

E — Pouvez-vous m'expliquer la raison d'être de l'heure de religion dans les écoles publiques italiennes?
I — Mais cela reflète la quasi unanimité des italiens en matière de comportement religieux. Songez que la totalité, ou presque, des enfants sont baptisés.
E — Et les bouffeurs de curés, que sont-ils devenus?
I — Il y en avait, quand ils fondaient leur anticléricalisme sur les positions politiques de la papauté, au siècle dernier.
S — A l'époque du Risorgimento?
I — Oui. Aujourd'hui, et depuis la signature des accords du Latran, bien des choses ont changé et le sentiment religieux des Italiens est toujours fervent.
E — Surtout chez les femmes, me semble-t-il, à en juger par l'assistance à la messe... N'est-ce pas?
I — Vous avez raison. Même si les pratiques religieuses varient d'une région à l'autre. Mais comme l'écrivait Curzio MALAPARTE « l'église, en Italie, n'est pas, comme dans d'autres pays, seulement la maison de Dieu. Mais la maison de tous, où chacun se retrouve comme chez lui... »

## D 4 PRATIQUES **religieuses**

Quelques phénomènes ne trompent pas : les fêtes de famille revêtent un caractère religieux; le nombre des mariages civils est très réduit; le nombre des prêtres est très élevé.
Aussi est-il très facile d'assister aux offices. Et de s'entretenir avec un prêtre. Il remplit auprès des familles un rôle de conseiller mais, aussi, d'intercesseur. C'est un personnage public parfaitement inserré dans le tissu social. Combien de touristes ont-ils été dépannés, quelle qu'ait été leur confession, par M. le Curé!
Ce comportement a pu connaître certaines dérives politiques. Mais l'adhésion aux réalités est évidente. On pourrait se reporter à l'autorité des Conciles. On trouvera un bel exemple dans la construction de l'église Saint Jean Baptiste sur une aire de stationnement de l'autoroute, près de Florence : un lieu de repos (il y fait si frais l'été!), mais aussi de rencontres et de dialogues, ouvert jour et nuit, à tous les errants de la route. Il reste pour les non-catholiques à trouver le lieu de culte souhaité; tâche fort ardue, en dehors des grandes villes qui disposent de centres oecuméniques.

## 37 Se ieri fossimo andati al ristorante, oggi sarei al verde

### A 1 PRÉSENTATION

| | | | | |
|---|---|---|---|---|
| **Se** | **andrò**<br>**andassi**<br>**fossi andato** | **al ristorante,** | **prenderò**<br>**prenderei**<br>**avrei preso** | **gli gnocchi** |
| *Si* | *je vais*<br>*j'allais*<br>*j'étais allé* | *au restaurant,* | *je prendrai*<br>*je prendrais*<br>*j'aurais pris* | *des gnocchi* |

- Andrò **a** fare un giro a Cortina : j'irai faire un tour à Cortina.

| | |
|---|---|
| **Ostia** | *Ostie* |
| **gli scavi** | *les fouilles* |
| **Tivoli** [tivoli] | *Tivoli* |
| **sciare** | *skier* |
| **essere promosso** | *être reçu* |
| **la probabilità** | *la chance, la probabilité* |
| **di più** | *davantage* |

### A 2 APPLICATION

1. **Se andremo al ristorante, prenderò gli gnocchi.**
   **Se andassimo al ristorante, sarei contento di assaggiare lo zabaione.**
   **Se ieri fossimo andati al ristorante, oggi sarei al verde.**
2. **Se avrò tempo, farò una gita ad Ostia antica.**
   **Se avessi tempo, potrei andare a visitare gli scavi di Pompei.**
   **Se avessi avuto tempo, sarei andata a fare un giro a Tivoli.**
3. **Se avrò molti soldi, passerò le vacanze a Sanremo.**
   **Se avessi molti soldi, mi piacerebbe andare a sciare a Cortina d'Ampezzo.**
   **Se avessi avuto molti soldi, mi sarebbe piaciuto andare a Venezia.**
4. **Se studierai, sarai promosso.**
   **Se tu studiassi di più, avresti più probabilità di laurearti prima.**
   **Se tu avessi studiato di più, ti saresti laureato in quattro anni, invece di sette.**

## A 3 REMARQUES

### Grammaire

- Considérons les deux parties de la phrase conditionnelle suivante :

**Se potessi rivedere la Cappella Sistina,** **sarei felice**.

A B

Dans la première, phrase A, on exprime la condition, dans la seconde, phrase B, les conséquences de la condition.
En italien et en français, le verbe de la phrase B se met dans les trois types de proposition conditionnelle (réelle, possible, impossible) au même mode et au même temps (v. A 1) :

a) **prenderò** *je prendrai,*
b) **prenderei** *je prendrais,*
c) **avrei preso** *j'aurais pris.*

Dans la phrase A, par contre, les modes et/ou les temps ne sont pas les mêmes (v. A 1).

## A 4 TRADUCTION

1. Si nous allons au restaurant, je prendrai les gnocchi.
   Si nous allions au restaurant, je serais content de goûter le sabayon.
   Si hier nous étions allés au restaurant, aujourd'hui je serais fauché.
2. Si j'ai le temps, je ferai une excursion à l'ancienne Ostie.
   Si j'avais le temps, je pourrais aller visiter les fouilles de Pompéi.
   Si j'avais eu le temps, je serais allé faire un tour à Tivoli.
3. Si j'ai beaucoup d'argent, je passerai les vacances à Sanremo.
   Si j'avais beaucoup d'argent, j'aimerais aller faire du ski à Cortina d'Ampezzo.
   Si j'avais eu beaucoup d'argent, j'aurais aimé aller à Venise.
4. Si tu travailles (étudies), tu seras reçu.
   Si tu travaillais (étudiais) davantage, tu aurais plus de chances d'avoir ta licence plus tôt.
   Si tu avais travaillé davantage, tu aurais eu ta licence en quatre ans, au lieu de sept.

## 37 Quando si è assicurati, non si deve temere mai niente

### B 1 PRÉSENTATION

•

a)

| Non | è | capitato<br>successo<br>accaduto | **niente**<br>**nulla** |
|---|---|---|---|

ou

| **niente**<br>**nulla** | è | capitato<br>successo<br>accaduto |
|---|---|---|

*Il n'est rien arrivé / Rien n'est arrivé*

b)

| Non | è arrivato | **nessuno** |
|---|---|---|

ou

| **nessuno** | è | arrivato |
|---|---|---|

*Il n'est arrivé personne / Personne n'est arrivé*

**ad ogni modo** — *en tout cas*
**essere convinto** — *être convaincu*
**accorgersene** [ak**kor**djerséné] — *s'en apercevoir*
**l'incidente** — *l'accident*
**la polizia** — *la police*
**il testimone** — *le témoin*
**sfuggire** — *échapper*
**il guaio** — *l'ennui, le « pépin »*
**serio** [**sé**rio] — *sérieux, grave*
**fare il dritto** — *faire le malin*
**essere assicurato** — *être assuré*

### B 2 APPLICATION

**1. — Non sarebbe capitato niente se tu avessi fatto attenzione.**
**2. — Sei sicuro che niente sarebbe accaduto se io fossi stata più attenta?**
**3. — Ad ogni modo, io sono convinto che nessuno se ne sarebbe accorto, se io fossi partito dopo l'incidente.**
**4. — La polizia sarebbe arrivata subito sul posto, sai?**
**5. C'è sempre qualche testimone, anche se a te sembra che nessuno abbia visto niente.**
**6. Nulla le sarebbe sfuggito, allora.**
**7. E a te, che cosa sarebbe successo? Dei guai seri!**
**8. Non serve a niente fare il dritto.**
**9. Tanto più che sei assicurato.**
**10. Se tu non fossi stato assicurato, allora avresti potuto temere qualcosa.**
**11. Ma quando si è assicurati, non si deve temere niente.**
**12. — Con te non capita mai niente! Non succede mai nulla!**

## B 3 REMARQUES

■ Grammaire

• Avec **nessuno** (pronom) *personne*, **nessun** (adjectif) *aucun*, **niente** ou **nulla** *rien* on ne met la négation **non** *ne... pas...* que si ces indéfinis suivent le verbe.

Ex. :

| | | | |
|---|---|---|---|
| **Non** | è venuto | **nessuno** | Il *n'*est venu *personne* |
| **Nessuno** | è venuto | | *Personne n'*est venu |

| | | | |
|---|---|---|---|
| **Non** | è accaduto | **nulla/niente** | Il *n'*est rien arrivé |
| **Nulla/niente** | è accaduto | | *Rien n'*est arrivé |

**Nulla** et **niente** sont synonymes.

• *Arriver* se traduit :

a) **Capitare, accadere, succedere,** quand il s'agit d'un événement dans le temps ou de *quelque chose* qui « arrive ».

b) **Arrivare,** quand il s'agit du contraire de partir, de *quelqu'un* qui arrive.

• **Fare il dritto** *faire le malin.*

## B 4 TRADUCTION

1. — Il ne serait rien arrivé si tu avais fait attention.
2. — Es-tu sûr qu'il ne serait rien arrivé si j'avais été plus attentive?
3. — De toute façon (en tout cas), moi, je suis convaincu que personne ne s'en serait aperçu, si j'étais parti après l'accident.
4. — La police serait arrivée aussitôt sur les lieux, sais-tu?
5. Il y a toujours quelques témoins, même si toi, tu crois que personne n'a rien vu.
6. Rien ne lui aurait échappé alors.
7. Et à toi, qu'est-ce qu'il te serait arrivé? De gros ennuis!
8. Ça ne sert à rien de faire le malin.
9. D'autant plus que tu es assuré.
10. Si tu n'avais pas été assuré, alors tu aurais pu craindre quelque chose.
11. Mais quand on est assuré, on ne doit rien craindre.
12. — Avec toi il n'arrive jamais rien! Il ne se passe (produit) jamais rien.

# Exercices

## C 1 EXERCICES

**A. Mettere alla prima persona plurale le frasi 4, 5, 6 di A 2**

**B. Tradurre :**

1. Rien ne serait arrivé, si vous aviez fait attention.
2. Êtes-vous sûr qu'il ne serait rien arrivé, si vous aviez été plus attentif?

**C. Tradurre :**

1. Aucun carabinier n'est arrivé sur place.
2. Personne n'a rien dit de ce qui était arrivé.

## C 2 VOCABULAIRE

■ **Qualche espressione idiomatica o proverbio**
*Quelques expressions idiomatiques ou proverbes*

a) **Vedere tutto nero** *voir tout en noir, broyer du noir*
b) **Azzeccare un dodici (al Totocalcio)** *deviner douze résultats et, donc, gagner.*
c) **Divertirsi un sacco** *s'amuser follement*
d) **Nascere con la camicia** *naître coiffé*
e) **Unire l'utile al dilettevole** *joindre l'utile à l'agréable*
f) **Mettersi di buona lena** *travailler avec entrain*
g) **Darla a bere** *faire avaler, faire marcher*
h) **Fregarsene** [frégarséné] *s'en ficher*

## C 3 CORRIGÉ

**A. Mettre à la première personne du pluriel les phrases 4, 5, 6 de A 2 :**

4. Se avremo... faremo...
5. Se avessimo... potremmo...
6. Se avessino avuto... saremmo andati...

**B. Traduire :**

1. Niente (nulla) sarebbe capitato, se Lei avesse fatto attenzione.
2. (Lei) è sicuro che non sarebbe accaduto niente, se fosse stato più attento?

**C. Traduire :**

1. Nessun carabiniere è arrivato sul posto.
2. Nessuno ha detto nulla di ciò che era successo (accaduto, capitato).

## C 4 CIVILISATION : **les transports**

| | | | |
|---|---|---|---|
| **La macchina** | *la voiture* | **il camion** | *le camion* |
| **il pullman** | *le car* | **il pulmino** | *le minibus* |
| **il fuoristrada** | *le tout-terrain* | **l'autista** | *le chauffeur* |
| **il tassista** | *le chauffeur* | **il distributore** | *la pompe à essence* |
| **la targa** | *la plaque* | | |
| **la tangenziale** | *le périphérique* | **la gomma** | *le pneu* |
| **la multa** | *l'amende* | **l'incidente** | *l'accident* |
| **il bollo di circolazione** | *la vignette* | **il sorpasso** | *le dépassement* |
| | | **l'ingorgo** | *le bouchon* |
| **la ferrovia** | *le chemin de fer* | **le luci d'arresto** | *les stops* |
| **la carrozza** | *la voiture* | **il treno** | *le train* |
| **la biglietteria** | *le guichet* | **la coincidenza** | *la correspondance* |
| **andata e ritorno** | *aller et retour* | **valido** | *valable* |
| **il facchino** | *le porteur* | **la prenotazione** | *la réservation* |
| **l'aereo** | *l'avion* | **il binario** | *la voie* |
| **la rete** | *le réseau* | **l'aeroporto** | *l'aéroport* |
| **il nastro trasportatore** | *le tapis roulant* | **l'imbarco** | *l'embarquement* |
| | | **la hostess** | *l'hôtesse* |
| **il decollo** | *le décollage* | | |

## D 1 Soccorso stradale

**T : turista M : meccanico**

**M — Buongiorno ! Nei guai ?**

**T — Sì. Lei è mandato dall' A.C.I (1) ?**

**M — Esatto ! Ma prima spingiamo la macchina sulla corsia di emergenza, altrimenti provochiamo un ingorgo.**

**T — E con tutti questi pirati della strada, può essere pure pericoloso. Siamo parcheggiati bene adesso ?**

**M — Sì. Vediamo prima il carburatore. Con questo caldo è presto ingolfato.**

**T — E' vero. Ma ho fatto verificare dal meccanico l'accensione, le candele e il motorino di avviamento. Anche il cambio dell' olio è stato fatto.**

**M — Benone ! D'altronde, poichè ha un cambio automatico non può essere la frizione. Sarà l'iniezione. Ma per questo devo smontare il motore e dunque occorre portarla in officina. Adesso, chiamo il carro-attrezzi. Dovrebbe arrivare fra una ventina di minuti.**

**T — Sono veramente nei guai, allora ! Intanto, sia così gentile da dare un' occhiata alla marmitta. Sento uno strano rumorino...**

(1) Automobile Club Italiano.

## D 2 CIVILISATION : le réseau des transports

Le réseau général est marqué par quelques dominantes géographiques :

- la partition entre versant adriatique et versant tyrrhénien;
- l'existence des deux grandes îles : la Sardaigne et la Sicile, et par une dominante d'ordre historique :
- de nombreux Etats dans un passé proche.

1° Le chemin de fer se plie à ces contraintes. Un écrivain, Massimo D'AZEGLIO, déclarait : **Le ferrovie serviranno a ricucire lo stivalone d'Italia** *les chemins de fer serviront à recoudre la botte italienne.* Malgré les performants **Intercity** et **Pendolino** le service est médiocre.

2° L'autoroute supplée aux insuffisances du système ferroviaire. Le réseau actuel est en passe d'atteindre les 6.500 km.

3° Les voies maritimes sont aujourd'hui parcourues par des navires ultra-modernes, dont **l'aliscafo** *l'hydrofoil* est l'emblème.

4° Les lignes aériennes sont desservies par la compagnie nationale **Alitalia** et d'autres compagnies publiques ou privées. Les grands aéroports **(Milano, Roma, Venezia)** accueillent les charters.

## D 3 Secours routier

T : touriste M : mécanicien

M — Bonjour! Vous avez des ennuis?

T — Oui. C'est l'Automobile Club Italien qui vous envoie?

M — Exact. Mais d'abord, poussons la voiture sur la voie d'arrêt d'urgence. Sinon, nous allons provoquer un bouchon.

T — Et avec tous ces chauffards ça peut être même dangereux. Nous sommes bien garés, maintenant?

M — Oui. Voyons d'abord le carburateur. Avec cette chaleur, il est facilement noyé.

T — C'est vrai. Mais avant de partir, j'ai fait vérifier par le garagiste l'allumage, les bougies et le démarreur. Il a également fait la vidange.

M — Vous avez bien fait. Par ailleurs, comme vous avez une boîte automatique, ça ne peut pas être l'embrayage. Ce sera l'injection. Mais pour ça, il faut que je démonte le moteur et donc que j'emmène la voiture au garage. Là, j'appelle la dépanneuse. Elle devrait être là dans une vingtaine de minutes

T — Je suis vraiment dans le pétrin, alors! En attendant, auriez-vous la gentillesse de jeter un coup d'œil au pot d'échappement? J'entends un drôle de bruit...

## D 4 VIE PRATIQUE : **quel moyen de transport?**

1° Vu les réalités géographiques, l'automobile est le moyen le mieux adapté. Même si l'essence coûte cher.
La circulation est difficile dans les grandes villes. Il est difficile de se garer. Le prix d'un parking **parcheggio** est élevé tout comme celui des taxis.
Le réseau d'autoroutes **autostrade** est de qualité. On y pratique le plus souvent le péage **pedaggio.**
2° Les **Ferrovie dello Stato (FS)** *les chemins de fer de l'Etat?* Attention aux appellations flatteuses **diretto, espresso, direttissimo.** Le **diretto** dessert les gares secondaires. Seul le **locale** affiche sa réalité : c'est un train omnibus. On y rencontre « l'Italie profonde »! Et il n'est pas cher! Les grandes gares disposent de l'original **albergo diurno** *hôtel de jour* : on peut y faire sa toilette dans des conditions de prix et de confort exceptionnelles.
3° La réputation de la flotte est établie. Les amateurs de croisière sont attirés par un éventail de prix très ouvert et la variété des destinations.
4° L'avion répond au souhait de Massimo D'AZEGLIO : les lignes aériennes enserrent la péninsule et les îles dans un maillage très dense. Reste à trouver le bon prix pour sa destination : il peut varier du simple au triple!

# 38 Pensi che serva veramente a qualcosa?

## A 1 PRÉSENTATION

En italien **l'idée de futur dans le passé** s'exprime par le **conditionnel passé**.

- Exemples de concordance des temps :

| | |
|---|---|
| 1) **Penso che venga** | *je pense qu'il vient* |
| **Penso che sia venuto** | *je pense qu'il est venu* |
| **Penso che verrà** | *je pense qu'il viendra* |
| 2) **Pensavo che fosse venuto** | *je pensais qu'il était venu* |
| 3) **Mi piacerebbe che tu venissi** | *j'aimerais bien que tu viennes* |

| | | | |
|---|---|---|---|
| **favorevole** | *favorable* | **l'istituzione** | *l'institution* |
| **completamente** | *complètement* | **il burattino** | *la marionnette* |
| **la farsa** | *la farce* | **il Parlamento** | *le Parlement* |
| **la democrazia** | *la démocratie* | **lo strumento** | *l'instrument* |
| **avere un senso** | *avoir un sens* | **il discorso** | *le discours* |
| **riconoscere** | *reconnaître* | **soporifico** | *soporifique* |
| **sragionare** | *déraisonner* | **l'elezione** | *l'élection* |
| **a tal punto** | *à ce point* | **spiegare** | *expliquer* |
| **la partecipazione** | *la participation* | **arrabbiato** | *furieux* |

## A 2 APPLICATION

**1. — Che barba! Ancora un referendum!**
**2. — Come! Pensavo che tu fossi favorevole al referendum abrogativo!**
**3. — Me ne frego completamente, ormai. Basta con queste farse!**
**4. Sono stufa! Tu pensi che serva veramente a qualcosa?**
**5. Se fossimo in una vera democrazia, esso avrebbe un senso. Ma qui...!**
**6. — Non ti riconosco più! Possibile che tu sragioni a tal punto?**
**7. Possibile che tu sia cambiata in poco tempo? Che cosa è successo?**
**8. Tu sai bene che se non ci fosse questa istituzione, tu diresti che siamo i burattini di quei signori del Parlamento e che la democrazia è una vera farsa...**
**9. Adesso che c'è questa forma di partecipazione...**
**10. — Basta! Sono i soliti discorsi soporifici!**
**11. Al diavolo il Parlamento, le elezioni, il referendum!**
**12. — Ehi! Calma! Calma! Vorrei che tu mi spiegassi perché sei così arrabbiata. Così non va proprio!**
**13. Non mi piace che tu parli in questo modo.**

# 38 Penses-tu que ça sert vraiment à quelque chose?

## A 3 REMARQUES

### ■ Grammaire

• Concordance des modes et des temps :

| | | |
|---|---|---|
| **1) Non penso** *Je ne pense pas qu'il* | **che venga** | *vienne* |
| | **che sia venuto** | *soit venu* |
| | **che verrà** | *viendra* |
| **2) Non pensavo** *Je ne pensais pas* | **che venisse** | *vienne (vînt)* |
| | **che fosse venuto** | *soit venu (fût venu)* |
| | **che sarebbe venuto** | *viendrait* |

**3) Mi piacerebbe che tu venissi**
*J'aimerais bien que tu viennes (vinsses)*

**4) Mi sarebbe piaciuto che fosse venuto**
*J'aurais bien aimé qu'il soit venu (fût venu)*

## A 4 TRADUCTION

1. — La barbe alors! Encore un référendum!
2. — Comment! Je croyais que tu étais favorable au référendum abrogatif.
3. — Je m'en fiche complètement, désormais. On en a assez de ces farces!
4. Je suis excédée! Tu penses que ça sert vraiment à quelque chose?
5. Si nous étions dans une vraie démocratie, il aurait un sens. Mais ici...!
6. — Je ne te reconnais plus! Est-il possible que tu déraisonnes à ce point?
7. Est-il possible que tu aies changé en peu de temps? Qu'est-il arrivé?
8. Tu sais que s'il n'y avait pas cette institution, tu dirais que nous sommes les marionnettes de ces messieurs du Parlement et que la démocratie est une vraie farce...
9. Maintenant qu'il y a cette forme de participation...
10. — Ça suffit! Ce sont les habituels discours soporifiques!
11. Au diable le Parlement, les élections, le référendum!
12. — Eh! Du calme! Du calme! Je voudrais que tu m'expliques pourquoi tu es si furieuse. Ça ne va pas du tout!
13. Je n'aime pas que tu parles de la sorte.

# 38 Sebbene sembri tanto sicuro di sé...

## B 1 PRÉSENTATION

- Emploi du subjonctif

On emploie le subjonctif

a) après les conjonctions suivantes :
**benché, quantunque, sebbene** *bien que, quoique*
**perché, affinché** *afin que*
**comunque (sia)** *quoi qu'il en soit / fût*

b) après **fare in modo che**, *faire en sorte que*

| | |
|---|---|
| **comportarsi** | *se comporter* |
| **fragile** [**fra**djilé] | *fragile* |
| **sicuro di sé** | *sûr de lui-même* |
| **assolutamente** | *absolument* |
| **far paura** | *faire peur* |
| **la situazione** | *la situation* |
| **la salute** | *la santé* |
| **licenziare** | *licencier* |
| **disoccupato** | *chômeur* |
| **capace** | *capable* |
| **esasperato** | *exaspéré* |
| **depresso** | *déprimé* |

## B 2 APPLICATION

1. **— Benché Graziella l'abbia lasciato, non doveva comportarsi così.**
2. **— Ma, sai, devi capirlo; è un ragazzo alquanto fragile, sebbene sembri tanto sicuro di sé.**
3. **— Comunque sia, mi dispiace per lui. Peccato!**
4. **— Non penso che sia prudente parlare di politica con lui in questo momento.**
5. **— Ah no! Assolutamente! Questo l'ho capito, ormai.**
6. **— Ciò che mi preoccupa e mi fa paura è che la situazione peggiori e la sua salute ne risenta.**
7. **— Spero che non faccia sciocchezze dove lavora.**
8. **— Altrimenti c'è da temere che lo licenzino e rimanga disoccupato.**
9. **— Quantunque sia capace di fregarsene in questo momento se viene licenziato, esasperato e depresso com'è...**

# 38 Même s'il paraît si sûr de lui...

## B 3 REMARQUES

- Avec **comunque** le verbe est souvent omis :

**Comunque, non ne parlerò.** *Quoi qu'il en soit, je n'en parlerai pas.*

- **Disoccupato** *chômeur* est le contraire de **occupato** *employé.* **Occupazione** *emploi,* **disoccupazione** *chômage.*

En italien on obtient le contraire avec les préfixes suivants :

| | | |
|---|---|---|
| a) **dis-** | **occupato/disoccupato** | *employé/chômeur* |
| | **piacere/dispiacere** | *plaisir/déplaisir* |
| b) **in-** | **felice/infelice** | *heureux/malheureux* |
| | **capace/incapace** | *capable/incapable* |
| c) **s-** | **contento/scontento** | *content/mécontent* |
| | **coprire/scoprire** | *couvrir/découvrir* |

- **Viene licenziato** *il est licencié.* **Venire** remplace ici **essere** pour former le passif.

- **Graziella** est diminutif de **Grazia**. Les suffixes sont très employés en italien et permettent d'enrichir considérablement la langue de chacun.

Voici quelques suffixes :

| | |
|---|---|
| augmentatifs : | **-one** (**amico** → **amicone** *grand ami*) |
| diminutifs : | **-etto, -etta** (**amica** → **amichetta** *petite amie*, **foglio** → **foglietto** *feuillet*) |
| péjoratifs : | **-accio** (**ragazzo** → **ragazzaccio** *mauvais garçon*) |

## B 4 TRADUCTION

1. — Bien que Graziella l'ait quitté, il ne devait pas se comporter de la sorte...
2. — Mais, tu sais, tu dois le comprendre ; c'est un garçon un peu fragile, même s'il paraît si sûr de lui.
3. — Quoi qu'il en soit, je le regrette pour lui. Dommage !
4. — Je ne pense pas qu'il soit prudent de parler politique avec lui en ce moment.
5. — Ah non ! Absolument ! Cela je l'ai compris, désormais.
6. — Ce qui me préoccupe et me fait peur c'est que la situation vienne à s'aggraver et que sa santé s'en ressente.
7. — J'espère qu'il ne fera pas de bêtises là où il travaille.
8. — Autrement on peut craindre qu'on ne le licencie et qu'il ne reste au chômage.
9. — Bien qu'il soit capable de s'en ficher en ce moment si on le licencie exaspéré et déprimé comme il l'est...

# 38 Exercices

## C 1 EXERCICES

**A. Passare dal presente indicativo all'imperfetto :**

1. Penso che tu sia favorevole.
2. Sono ragazzi alquanto fragili, sebbene sembrino tanto sicuri di sé.
3. Credi che se ne freghi completamente?

**B. Completare le frasi :** — spiegassi, prendesse, a riposarsi, non va;

1. Vorrei che tu mi ..... perché sei arrabbiato.
2. Così ........ proprio!
3. L'ideale sarebbe che ....... qualche giorno di vacanza e andasse .........

**C. Coniugare le espressioni verbali secondo questo modello :**

— penso che venga, che sia venuto, che verrà

1. Non succedere niente.
2. Essere favorevole.
3. Peggiorare.

## C 2 VOCABULAIRE

■ Pour ce qui concerne **c, g** et **sc**, la tendance est, pour les verbes aussi, comme pour les noms (voir L34-B 3), à garder le même son dans la conjugaison. Exemples :

a) Si à l'infinitif il y a un son dur, ce même son est gardé dans toute la conjugaison. Il s'agit surtout des verbes de la première conjugaison. Ex. : **collegare** *relier*

| Indicatif présent | Subjonctif présent | Futur |
|---|---|---|
| colle**g**- o | colle**g-h**-i | colle**g-h**-erò |
| colle**g-h**-i | colle**g-h**-i | colle**g-h**-erai |
| colle**g**- a | colle**g-h**-i | colle**g-h**-erà |
| colle**g-h**-iamo | colle**g-h**-iamo | colle**g-h**-eremo |
| colle**g** -ate | colle**g-h**-iate | colle**g-h**-erete |
| colle**g** -ano | colle**g-h**-ino | colle**g-h**-eranno |

b) Pour les verbes de la deuxième conjugaison, par contre, il y a alternance de son : dur devant **a, o**; doux devant **e, i**. Ex. : prés. ind. de **vincere** [**vin**tchéré] *vaincre*, **leggere** [**led**djéré] *lire* **vinc-o, vinc-i, vinc-e, vinc-iamo, vinc-ete, vinc-ono; legg-o, legg-i, legg-e, legg-iamo, legg-ete, legg-ono**

# Exercices

## C 3 CORRIGÉ

**A. Passer du présent indicatif à l'imparfait :**

1. Pensavo che tu fossi favorevole.
2. Erano ragazzi alquanto fragili, sebbene sembrassero tanto sicuri di sé.
3. Credevi che se ne fregasse completamente?

**B. Compléter les phrases :**

1. ....... spiegassi .... ; 2. ..... non va ..... ; 3. .... prendesse ..., ..... a riposarsi.

**C. Conjuguer les expressions verbales selon ce modèle :**

1. Penso che non succeda niente, che non sia successo niente, che non succederà niente.
2. Penso che sia favorevole, che sia stato favorevole, che sarà favorevole.
3. Penso che peggiori, che sia peggiorato, che peggiorerà.

## C 4 CIVILISATION : **vie politique**

| | | | |
|---|---|---|---|
| **politico** | *politique* | | |
| **la repubblica** | *la république* | **il Senato** | *le sénat* |
| **il senatore** | *le sénateur* | **la Camera** | *la Chambre* |
| **il deputato** | *le député* | **la maggioranza** | *la majorité* |
| **la minoranza** | *la minorité* | **la rappresentanza** | *la délégation* |
| **votare** | *voter* | **presiedere** | *présider* |
| **il governo** | *le gouvernement* | **governativo** | *gouvernemental* |
| **il partito** | *le parti* | **il dirigente** | *le dirigeant* |
| **il politicante** | *le politicien* | **la bustarella** | *le pot de vin* |
| **il socialista** | *le socialiste* | **il democratico** | *le démocrate* |
| **il fascista** | *le fasciste* | **il comunista** | *le communistse* |
| **l'ambientalista** | *l'écologiste* | **ecologico** | *écologique* |
| **lo statista** | *l'homme d'État* | **maggioritario** | *majoritaire* |
| **minoritario** | *minoritaire* | **la scheda** | *le bulletin* |
| **il primo scrutinio** | *le premier tour* | **dare le dimissioni** | *démissionner* |

# Dialogue et culture

## D 1 Fine della partitocrazia?

**S : Sandro O : Ornella**

**S — Simpatico, il tuo amico inglese!**
**O — Sì. E' appassionato dell' Italia. E specialmente della vita politica.**
**S — Davvero? S'interessa al nostro malgoverno endemico?**
**O — Non scherzare! Lui nota punti positivamente originali nel funzionamento della nostra democrazia.**
**S — Come mai? E' sedotto dalla nostra partitocrazia (1)? Dalla presenza di tanti politicanti nelle nostre assemblee?**
**O — Questo si verifica pure in altri paesi. Lui pensa che l'Italia dà l'esempio di una crescente maturità politica. Allude ai risultati delle ultime elezioni, al ridimensionamento dei partiti politici...!**
**S — Ma non è diminuito il numero dei partiti...**
**O — Certo. Ma conoscitore com' è del bipartitismo, considera che il nostro sistema permette ai cittadini di capire che tocca a loro decidere del loro avvenire.**
**S — Già : un paese ha il governo che si merita!**

(1) entente entre les partis qui vise à assurer leur hégémonie.

## D 2 CULTURE : deux siècles d'histoire

Connaître l'histoire du pays aide à compendre sa vie politique. Sans remonter trop loin, considérons les deux derniers siècles.

- Le Risorgimento s'achève par la fondation du **royaume d'Italie**.
- 1918 voit l'Italie dans le camp des vainqueurs. Puis, c'est la brutale arrivée du **fascisme** (1922) et sa dictature pendant vingt ans.
- 1940 : l'Italie de Mussolini s'allie à l'Allemagne nazie de Hitler.
- 1945 : défaite du fascisme, la Résistance aidant, chute de la Monarchie et proclamation de la **République** (1946).
- Puis s'ouvre une période d'une quarantaine d'années marquée :

— par la prépondérance d'un des plus importants partis politiques la **Democrazia Cristiana** avec pour vis à vis le **Partito Comunista Italiano** et le **Partito Socialista Italiano**,
— par une forte instabilité politique : cinquante gouvernements.
— par un début de rupture avec ce passé, à l'occasion de la révélation des pratiques douteuses de certains hommes politiques importants, que, symbolise, pour une part, le **référendum** de 1993 : les citoyens exigent plus de trasnparence.

## D 3 Fin de la partitocratie?

S : Sandro O : Ornella

S — Il est sympathique ton ami anglais!
O — Oui, c'est un passionné de l'Italie. Et surtout de sa vie politique.
S — Vraiment? Il s'intéresse à notre incapacité gouvernemtale endémique?
O — Ne plaisante pas! Pour sa part, il relève des points positifs et originaux dans le fonctionnement de notre démocratie.
S — Comment est-ce possible? Il est séduit par notre partitocratie? Par la présence de tant de politiciens dans nos assemblées?
O — Cela existe dans d'autres pays. Pour sa part, il pense que l'Italie donne l'exemple d'une maturité politique croissante.Il se réfère aux résultats des dernières élections, à la réorganisation des partis politiques.
S — Mais leur nombre n'a pas diminué...!!!
O — Bien sûr. Mais en connaisseur du bipartisme, il considère que notre système permet aux citoyens de comprendre que c'est bien à eux qu'il revient de décider de leur avenir.
S — Evidemment : un pays a le gouvernement qu'il mérite!

## D 4 CIVILISATION : les partis politiques

● Pour certains, « combinazione » et vie politique ne font qu'un. Cette caricature ne prend pas en compte les fondements historiques d'un pragmatisme efficace qui a hissé l'Italie au rang des premières nations. La multiplicité des partis est le reflet des appétits de pouvoir mais, aussi, de la volonté des citoyens de s'exprimer.

■ Jusqu'au milieu des années 80, l'échiquier politique se présentait ainsi : **Democrazia Cristiana (D.C)**, **Partito Comunista Italiano (P.C.I)**, **Partito Socialista Italiano (P.S.I)**. Face à ces poids lourds : **Partito Radicale (P.R)**, **Partito Socialista Democratico Italiano (P.S.D.I)**, **Partito Repubblicano Italiano (P.R.I)**, **Partito Liberale Italiano (P.L.I)**. Preuve paradoxale et concrète de la vitalité de la démocratie italienne, il y eut un **Partito Monarchico** et un **Movimento Sociale Italiano (M.S.I)**, à la filiation fasciste établie.

● Les partis aujourd'hui : **Partito Popolare Italiano** (ex-D.C), **la Rete** (d'inspiration D.C), **Alleanza Democratica** (une partie de la gauche), **Rifondazione Comunista** (marxiste), **Alleanza Nazionale** (d'inspiration M.S.I), **Lega Lombarda** (l'autonomie du Nord face au Sud), **Forza Italia** (pour le libéralisme économique), les **Verdi** (écologistes).

# 39 Andò a prendere un foglio e cominciò a scrivere

## A 1 PRÉSENTATION

- **Le passato remoto** (mot à mot : passé éloigné) = *passé simple.*

| parl-are | ripet-ere | part-ire |
|---|---|---|
| parl-**ai** *(je parlai)* | ripet-**ei** *(je répétai)* | part-**ii** *(je partis)* |
| parl-**asti** | ripet-**esti** | part-**isti** |
| parl-**ò** | ripet-**è** | part-**ì** |
| parl-**ammo** | ripet-**emmo** | part-**immo** |
| parl-**aste** | ripet-**este** | part-**iste** |
| parl-**arono** | ripet-**erono** | part-**irono** |

**il soggettista** *scénariste*
**il produttore** *le producteur*
**il manoscritto** *le manuscrit*
**urlare** *hurler*
**la storia** *l'histoire*
**condensare** *condenser*
**furibondo** *furibond*
**lacerare** *lacérer*
**il riassunto** *le résumé*
**replicare** *répliquer*
**raccontare** *raconter*
**I Promessi Sposi** *Les Fiancés*
**riassumere** [riass**ou**méré] *résumer*
**ridurre (p.p. ridotto)** *réduire (p.p. réduit)*

## A 2 APPLICATION

1. **Un soggettista portò a un produttore, pieno di lavoro, un manoscritto di cinquecento pagine.**
2. **« Ma crede che io abbia tempo da perdere ? » urlò il produttore.**
3. **« Mi riassuma la sua storia, se vuole che la legga. »**
4. **Otto giorni dopo, il soggettista tornò con il manoscritto ridotto ad una cinquantina di pagine.**
5. **« Riassuma, riassuma ancora ; ho troppo da fare per leggere un manoscritto come questo. »**
6. **Mettendosi di buona lena, il soggettista riuscì a condensare in cinque pagine la sua storia.**
7. **« Ancora troppo ; troppo, troppo lungo, giovanotto. »**
8. **Furibondo, il soggettista lacerò allora il suo riassunto, andò a prendere un foglio e cominciò a scrivere :**
9. **« Un uomo ama una donna, che ama un altro uomo. »**
10. **« Ecco la mia storia » replicò al produttore, dandogli il foglietto.**
11. **« Ma non è possibile ! La storia che Lei racconta è, parola per parola, la stessa dei** *Promessi Sposi.* **»**

## A 3 REMARQUES

■ Grammaire

- En italien le passé simple est plus employé qu'en français.
- Il y a deux façons d'indiquer les siècles en italien :

a) **à la française : ventesimo secolo** *vingtième siècle*
b) **à l'italienne : il Novecento** *le vingtième siècle*

Cette dernière façon d'indiquer les siècles consiste à ne retenir que la centaine. Ex. : **nel** 1918 (nel mille **novecento** diciotto) **o nel Novecento**. Notez que les siècles prennent une majuscule. Cette façon d'indiquer les siècles a concerné, au début, seulement les arts et les lettres à partir du XIIIe, puisque la culture italienne s'est développée à partir de ce siècle.

■ **I Promessi Sposi,** *Les Fiancés,* célèbre roman historique du XIXe siècle. L'auteur, **Alessandro Manzoni**, y évoque les amours contrariées des deux principaux protagonistes : Renzo et Lucia.

■ Prononcez : [par**la**rono], [ripé**té**rono], [par**ti**rono].

## A 4 TRADUCTION

1. Un scénariste porta à un producteur, écrasé de travail, un manuscrit de cinq cents pages.
2. « Mais vous croyez que j'ai du temps à perdre ? » hurla le producteur.
3. « Résumez-moi votre histoire, si vous voulez que je la lise. »
4. Huit jours après, le scénariste revint avec le manuscrit réduit à une cinquantaine de pages.
5. « Résumez, résumez encore : j'ai trop à faire pour lire un manuscrit comme ça. »
6. En travaillant dur, le scénariste réussit à condenser l'histoire en cinq pages.
7. « Encore trop ; trop, trop long, jeune homme. »
8. Furibond, le scénariste déchira alors son résumé, alla prendre une feuille et se mit à écrire :
9. « Un homme aime une femme qu'aime un autre homme. »
10. « Voici mon histoire », répliqua-t-il au producteur en lui donnant le feuillet.
11. « Mais ce n'est pas possible ! L'histoire que vous racontez est, mot à mot, la même que celle des *Fiancés.* »

# 39 Quali furono gli avvenimenti più importanti?

## B 1 PRÉSENTATION

- Le **passato remoto** de **essere** et **avere**.

| essere | avere |
|---|---|
| **fui** *je fus*<br>**fosti**<br>**fu**<br>**fummo**<br>**foste**<br>**furono** [**fou**rono] | **ebb**-i *j'eus*<br>**av**-*esti*<br>**ebb**-e<br>**av**-*emmo*<br>**av**-*este*<br>**ebb**-ero [**eb**béro] |

- Le **passato remoto** de **accadere**, *arriver* est **accadde**, de **nascere** (**na**chéré) *naître* est **nacque**.

| | | | |
|---|---|---|---|
| **generale** | *général* | **realizzare** | *réaliser* |
| **l'avvenimento** | *l'événement* | **proclamare** | *proclamer* |
| **incoronare** | *couronner* | **il trabocchetto** | *le piège* |
| **l'imperatore** | *l'empereur* | **diventare** | *devenir* |

## B 2 APPLICATION

1. **(Maestro) — Pierino, che cosa accadde nel 1807?**
2. **(Pierino) — Nel 1807 nacque Garibaldi.**
3. **M. — Fantastico, Pierino! E nel 1848 che cosa successe?**
4. **P. — Nel 1848 Garibaldi ebbe quarantun anni.**
5. **M. — Ho capito; è meglio fare domande più generali.**
6. **Quali furono gli avvenimenti più importanti dell'Ottocento?**
7. **P. — Carlo Magno fu incoronato imperatore.**
8. **M. — Ma ti parlavo del diciannovesimo secolo, del Risorgimento, dell'Unità...**
9. **P. — Ma, signor maestro, Lei deve essere più chiaro.**
10. **M. — Senti, Pierino, un'ultima domanda.**
11. **Quando si realizzò l'Unità italiana?**
12. **P. — Ma questa domanda è facilissima: nel 1861.**
13. **M. — E quando fu proclamata capitale d'Italia Roma?**
14. **P. — Ah! Ah! Il trabocchetto!**
15. **M. — Non fare lo spiritoso, Pierino. Rispondi!**
16. **P. — E' evidente, nel 1861.**
17. **M. — Ma no! Roma diventò capitale nel 1871.**
18. **P. — Ma allora all'inizio l'Italia non ebbe nessuna capitale?**
19. **M. — Ma sì: Torino fino al 1864 e Firenze dal 1864 al 1871.**

## B 3 REMARQUES

• Les formes du **passato remoto** rappellent encore celles du *parfait* en latin. Ex. :

| **Parfait** *(en latin)* | | **Passato remoto** *(en italien)* | |
|---|---|---|---|
| amare (aimer) | esse (être) | **amare** | **essere** |
| ama(v)i | fui | **amai** | **fui** |
| ama(vi)sti | fuisti | **amasti** | **fosti** |
| ama(vit) | fuit | **amò** | **fu** |
| ama(vi)mu(s) | fuimus | **amammo** | **fummo** |
| ama(vi)sti(s) | fuistis | **amaste** | **foste** |
| ama(ve)run(t) | fuerunt | **amarono** | **furono** |

L'italien est bel et bien le latin du temps de Cicéron parlé au XX$^{e}$ siècle, après avoir subi de nombreuses évolutions et modifications.

## B 4 TRADUCTION

1. (L'instituteur) — Pierrot, que se passa-t-il en 1807?
2. (Pierrot) — En 1807 naquit Garibaldi.
3. I. — Fantastique, Pierrot! Et en 1848 qu'arriva-t-il?
4. P. — En 1848 Garibaldi eut 41 ans.
5. I. — J'ai compris; il vaut mieux poser des questions plus générales.
6. Quels furent les événements les plus importants de l'Ottocento?
7. P. — Charlemagne fut couronné empereur.
8. I. — Mais je te parlais du dix-neuvième siècle, du Risorgimento, de l'Unité...
9. P. — Mais, monsieur, vous devez être plus clair.
10. I. — Écoute, Pierrot, une dernière question.
11. Quand se réalisa l'Unité italienne?
12. P. — Mais cette question est très facile : en 1861.
13. I. — Et quand Rome fut-elle proclamée capitale de l'Italie?
14. P. — Ah! Ah! C'est le piège!
15. I. — Ne fais pas le malin, Pierrot. Réponds!
16. P. — C'est évident : en 1861.
17. I. — Mais non, Rome devint capitale en 1871.
18. P. — Mais alors au début l'Italie n'a pas eu de capitale?
19. I. — Mais si : Turin jusqu'en 1864 et Florence de 1864 à 1871.

# 39 Exercices

## C 1 EXERCICES

**A. Coniugare al passato remoto i verbi *essere* e *avere*.**

**B. Indicare i secoli all'italiana e alla francese :**

1. 1848  2. 1321  3. 1942

**C. Passare dal passato prossimo (quest'anno...) al passato remoto (l'anno scorso...)**

1. Quest'anno ho avuto molti libri.
2. Quest'anno sono andato in Italia.
3. Quest'anno ho lavorato assai.
4. Quest'anno Pierino non è stato promosso.

## C 2 CIVILISATION

■ Ne pas confondre **Rinascimento** *Renaissance* et **Risorgimento** (de « **risorgere** » *naître à nouveau*) ; de ce point de vue il est synonyme de **Rinascimento** (de « **rinascere** » *« renaître »*).

Le **Rinascimento** est l'époque du renouveau dans les arts, les lettres et la pensée. Son essor coïncide avec le **Quattrocento** et le **Cinquecento** *(le quinzième et le seizième siècles)*. Il a donc une connotation culturelle au sens strict du mot.

● Quelques exemples de production culturelle de la Renaissance :
*Le Prince* de Machiavel, le manuel du Prince qui veut le pouvoir ;
*Le Courtisan* de Castiglione, le manuel du parfait courtisan ;
*Le Galateo* de Della Casa, le livre des bonnes manières, d'où l'expression, encore courante en Italie : **non conoscere il Galateo,** *ne pas connaître le Galateo,* **leggere il Galateo,** *lire le Galateo.*

● Le **Risorgimento**, par contre, a une connotation politique : c'est le temps de la lutte pour l'indépendance, d'abord (indépendance vis-à-vis de l'Autriche qui occupait au siècle dernier une grande partie de l'Italie du Nord et de l'Ouest : Lombardie, Trentin, Haut-Adige, Vénétie, Frioul), et, ensuite, pour l'unité de l'Italie, qui s'est déroulée au cours du dix-neuvième siècle **(l'Ottocento)** et au début du vingtième **(il Novecento)**.

## C 3 CORRIGÉ

**A. Conjuguer au passé simple les verbes *essere* et *avere*.**

1. Fui, fosti, fu, fummo, foste, furono.
2. Ebbi, avesti, ebbe, avemmo, aveste, ebbero.

**B. Indiquer les siècles à l'italienne et à la française :**

1. L'Ottocento o il diciannovesimo secolo.
2. Il Trecento o il quattordicesimo secolo.
3. Il Novecento o il ventesimo secolo.

**C. Passer du passé composé au passé simple :**

1. L'anno scorso ebbi molti libri.
2. L'anno scorso andai in Italia.
3. L'anno scorso lavorai assai.
4. L'anno scorso Pierino non fu promosso.

## C 4 CIVILISATION : petit vocabulaire patriotique

| | | | |
|---|---|---|---|
| **il Risorgimento** | *la « Résurrection »* | **il patriota** | *le patriote* |
| **il Rinascimento** | *la Renaissance* | **la potenza** | *la puissance* |
| **la società segreta** | *la société secrète* | **l'annessione** | *l'annexion* |
| **l'esercito** | *l'armée* | **la lotta** | *la lutte* |
| **la vicenda** | *l'évènement* | **il moto** | *le mouvement*(1) |
| **i Carbonari** | *les Carbonari* | **la rivolta** | *la révolte* |
| **l'insurrezione** | *l'insurrection* | **il regno** | *le royaume* |
| **l'indipendenza** | *l'indépendance* | **il re** | *le roi* |
| **il convegno** | *la rencontre* | **l'intesa** | *l'entente* |
| **la liberazione** | *la libération* | **la cessione** | *la cession* |
| **il plebiscito** | *le plébiscite* | **l'unità** | *l'unité* |
| **l'unificazione** | *l'unification* | **la bandiera** | *le drapeau* |
| **il compatriota** | *le compatriote* | **il popolo** | *le peuple* |
| **la rivoluzione** | *la révolution* | **l'esule** | *l'exilé* |
| **il nazionalismo** | *le nazionalisme* | **la nazione** | *la nation* |
| **la monarchia** | *la monarchie* | **la patria** | *la patrie* |
| **la repubblica** | *la république* | **monarchico** | *monarchique* |
| **le camice rosse** | *les chemises rouges* | **patriottico** | *patriotique* |

(1) sous entendu : insurrectionnel.

## 39 Dialogues et culture

### D 1 L'Italia farà da sé

**S : Sandro P : Paolo**

**S — Non sapevo che un tuo avo fosse stato incarcerato dagli Austriaci.**

**P — Sì, la famiglia conserva tanti dei suoi ricordi. Lettere dalla prigione, poi messaggi clandestini trasmessi da amici carbonari quando aveva potuto raggiungere il Piemonte.**

**S — Sono ricordi di valore. Storici no?**

**P — Sì, hai ragione. Tanto più che permettono di capire l'atteggiamento di Cavour di fronte all' imperatore Napoleone III.**

**S — Cioè?**

**P — Utilizzare l'aiuto francese contro l'Austria pur sapendo che Napoleone III voleva rimanere padrone della faccenda.**

**S — Vale a dire?**

**P — Che, per esempio, non voleva che si toccasse a Roma, città del Sommo Pontefice.**

**S — Infatti fu la disfatta di Sedan che, indirettamente, facilitò l'entrata delle truppe italiane in Roma diventata poi capitale d'Italia.**

**P — E così finì l'epoca del Risorgimento : mezzo secolo di lotte per l'indipendenza nazionale. Bella storia, non ti pare?**

### D 2 CULTURE : et Rome devint capitale

■ Vers 1800..., il y avait **1)** le royaume lombardo-vénitien (Lombardia, Veneto, Trentino-Alto Adige, Friuli, Venezia Giulia). **2)** le royaume de Sardaigne (Piemonte, Valle d'Aosta, Liguria, Sardegna). 3) le duché de Parme (une partie de l'Emilia-Romagna). **4)** le duché de Modène (une partie de l'Emilia-Romagna). **5)** le grand duché de Toscane (Toscana). **6)** Les États de l'Église (partie de l'Emilia-Romagna, Marche, Umbria, Lazio). **7)** le royaume des Deux-Siciles (Abruzzo, Molise, Campania, Puglia, Basilicata, Calabria, Sicilia).

■ Lutte pour l'unité et la liberté : **1820** — révolte à Naples. Le Piémont accueille les patriotes. La société secrète des Carbonari(1) complote. **1848** : insurrection à Milan. Charles-Albert, roi de Sardaigne, proclame **« L'Italia è in grado di fare da sé ». 1858** : Cavour entraîne la France dans la guerre contre l'Autriche. **1859** : Victoires : Magenta, Solférino. Garibaldi débarque en Sicile. **1861** : proclamation du Royaume d'Italie. **1871** : Rome devient la capitale de l'Italie.

(1) se réunissaient dans les bois, déguisés en charbonniers.

## D 3 L'Italie agira seule

S : Sandro P : Paolo

S — Je ne savais pas qu'un de tes aieux avait été emprisonné par les Autrichiens.

P — Oui, ma famille conserve bon nombre de ses souvenirs. Lettres de prison, puis messages clandestins acheminés par ses amis « carbonari » quand il avait pu rejoindre le Piémont.

S — Ce sont des souvenirs de valeur. C'est historique, n'est-ce pas?

P — Tu as raison. D'autant plus qu'ils permettent de comprendre l'attitude de Cavour face à l'empereur Napoléon III.

S — C'est-à-dire?

P — Utiliser l'aide des Français contre l'Autriche tout en sachant que Napoléon III voulait rester maître du processus.

S — Ce qui signifie?

P — Que, par exemple, il ne voulait pas qu'on touche à Rome, la ville du Souverain Pontife.

S — En effet, ce fut la défaite de Sedan qui, indirectement, a facilité l'entrée des troupes italiennes à Rome devenue, par la suite, capitale de l'Italie.

P — Et ainsi s'acheva l'épopée du Risorgimento : un demi-siècle de luttes pour l'indépendance nationale. Une belle histoire, tu ne crois pas?

## D 4 CIVILISATION : actualité de l'hymne de Mameli

■ Des cérémonies sont scandées par l'hymne national. C'est l'occasion de se souvenir des luttes pour l'unification du pays. Cet air entraînant, souvent désigné par ses premières paroles **« Fratelli d'Italia »** (les Français diraient « Allons enfants ») a pour titre officiel **« Inno di Mameli ».** Ce rappel à la nécessaire unité de la nation prend tout son sens quand on dialogue avec les Italiens. Il arrive d'entendre des propos peu amènes. Les gens du Nord traitent, alors, les méridionaux de **terroni** *culs-terreux* qui leur répliquent par le terme de **polentoni** *bouffeurs de polenta*(1). Ce qui pouvait relever du folklore lorsqu'il arrivait de lire sur les murs « **terroni, avete impestato il Nord** *culs-terreux vous avez contaminé le Nord* » prend une autre tournure lorsque certains hommes politiques réclament l'autonomie du Nord. Esprit de clocher a pour synonyme « campanilisme » (**campanile** *clocher*). Pendant des siècles la péninsule a été divisée : les traces demeurent.

(1) bouillie de maïs (voir L.23-C4).

## 40 Conobbe le città più importanti d'Italia

### A 1 PRÉSENTATION

- Pour les verbes irréguliers, la conjugaison au **passato remoto** (passé simple) est analogue à celle d'**avere** :

| avere | vedere | venire |
|---|---|---|
| **ebb**-i *j'eus* | **vid**-i *je vis* | **venn**-i *je vins* |
| *av*-esti | *ved*-esti | *ven*-isti |
| **ebb**-e | **vid**-e | **venn**-e |
| *av*-emmo | *ved*-emmo | *ven*-immo |
| *av*-este | *ved*-este | *ven*-iste |
| **ebb**-ero | **vid**-ero | **venn**-ero |

**il soggiorno** *le séjour*
**meraviglioso** *merveilleux*
**colpire** *frapper*
**il gioiello** *le joyau*
**il ruolo** *le rôle*
**creare** *créer*
**europeo** *européen*
**fiorire** *fleurir, s'épanouir*
**una corte illustre** *une cour illustre*
**il trattato** *le traité*
**regnare** *régner*
**svolgere un ruolo** *jouer un rôle*
**(p.p svolto)**
[**zvol**djéré]

### A 2 APPLICATION

1. **— Come trovò il tuo amico il soggiorno in Italia?**
2. **— Disse che era stato meraviglioso.**
3. **Vide moltissime cose e conobbe le città più importanti.**
4. **Ma fu colpito soprattutto dal fascino di piccole città come Parma, Lucca, Urbino, Caserta, Salerno, Pavia, Mantova...**
5. **— Fantastiche! Sono veri gioielli!**
6. **— E poi sono città che hanno svolto un ruolo politico e culturale di primo piano nel passato.**
7. **— Effettivamente. Bologna, per esempio, dove fu creata la prima università italiana ed europea.**
8. **— Urbino dove fiorì una corte illustre e fu scritto uno dei libri più letti del Rinascimento, ma anche dei secoli successivi, soprattutto in Francia : *il Cortigiano*.**
9. **— Senza parlare di Mantova dove regnarono i Gonzaga e fu scritto il primo trattato delle buone maniere : il famoso *Galateo*.**

## A 3 REMARQUES

### Grammaire

• Quelques verbes irréguliers au **passato remoto** :
**dire** *dire :* dissi, dicesti, disse, dicemmo, diceste, **dis**sero
**fare** *faire :* feci, facesti, fece, facemmo, faceste, **fe**cero
**decidere** *décider :* decisi, decidesti, decise, decidemmo, decideste, de**ci**sero
**volere** *vouloir :* volli, volesti, volle, volemmo, voleste, **vol**lero
**conoscere** *connaître :* conobbi, conoscesti, conobbe, conoscemmo, conosceste, co**nob**bero
**sapere** *savoir :* seppi, sapesti, seppe, sapemmo, sapeste, **sep**pero
**vincere** *vaincre, gagner* : vinsi, vincesti, vinse, vincemmo, vinceste, **vin**sero

• **Dire** et **fare,** qui sont des verbes de la 2e conjugaison puisqu'ils sont des formes contractées de **dicere > di(ce)re** et **facere > fa(ce)re**, font à la deuxième personne du singulier **dicesti** et **facesti**.

## A 4 TRADUCTION

1. — Comment ton ami a-t-il trouvé son séjour en Italie?
2. — Il dit que ça avait été merveilleux.
3. Il vit de très nombreuses choses et fit la découverte des villes les plus importantes.
4. Mais il fut surtout frappé par le charme des petites villes comme Parme, Lucques, Urbino, Caserte, Salerne, Pavie, Mantoue...
5. — Fantastiques! Ce sont de vrais joyaux!
6. — Et puis ce sont des villes qui ont joué un rôle politique et culturel de premier plan dans le passé.
7. — Effectivement. Bologne, par exemple, où fut créée la première université italienne et européenne.
8. — Urbino où fleurit (s'épanouit) une cour illustre et où fut écrit un des livres les plus lus de la Renaissance, mais également (au cours) des siècles suivants, surtout en France, *le Courtisan* (l'homme de la cour).
9. — Sans parler de Mantoue, où régnèrent les Gonzague et où fut écrit le premier traité des bonnes manières : le fameux *Galatée.*

## 40 Prima di partire, fece molti acquisti

### B 1 PRÉSENTATION

•

> **Stare per** + l'infinitif = *être sur le point de.*

**Stavo per dire** *j'étais sur le point de dire, j'allais dire.*

• **Darla a bere** *faire marcher, faire avaler.*

| | | | |
|---|---|---|---|
| **il bagno** | *le bain* | **l'aperitivo** | *l'apéritif* |
| **il folklore** | *le folklore* | **l'acquavite** | *l'eau-de-vie* |
| **autocensurarsi** | *s'autocensurer* | **la provvista** | *la provision* |
| **fare l'autostop** | *pratiquer l'autostop* | **delizioso** | *délicieux* |
| | | **lo spumante** | *le mousseux* |
| **l'acquisto** | *l'achat* | **piemontese** | *piémontais* |

### B 2 APPLICATION

1. — **Ma quel tuo amicone non passò tutto il tempo a visitare città, spero!**
2. — **No! Seppe unire abilmente l'utile al dilettevole:**
3. **bagni e tintarelle, gelati e pastasciutta, teatro nelle strade e folklore, passeggiate e amichette...**
4. — **Si vede che è nato colla camicia.**
5. — **Lo sai che azzeccò anche un bel dodici al Totocalcio e vinse al lotto?**
6. — **Che fortunato! Stavo per dire un'altra parola!**
7. — **Ehi, attenzione! Meno male che ti sei autocensurata!**
8. **Così potè divertirsi un sacco.**
9. **Inoltre, lui che aveva fatto l'autostop per venire in Italia, ritornò col treno a Parigi.**
10. **Ma prima di partire fece molti acquisti.**
11. **Comprò scarpe, vestiti, aperitivi italiani ed anche whisky,**
12. — **... e cognac! Ma a chi vuoi darla a bere?**
13. — **Ma davvero, sai! Non costa molto il whisky in Italia.**
14. **Però comprò anche acqueviti tipicamente italiane come la grappa e il brandy,**
15. **e fece anche una buona provvista di ottimi vini: dal Chianti al Barbera, senza dimenticare il delizioso spumante piemontese.**

## B 3 REMARQUES

■ Grammaire

• Rappelons que le **passato remoto** est très employé en Italie. En tout cas il l'est plus qu'en France.

• **Azzeccare un bel dodici** (mot à mot *décrocher un beau douze*) signifie *avoir la chance de deviner douze résultats* (sur treize) de matchs de football au Totocalcio et donc avoir droit à une somme d'argent qui varie en fonction du nombre des gagnants.

• **Acquisto** *achat*; **fare acquisti** *faire des achats*

■ Prononcer : ak**koui**sto. En italien le double -qu- s'écrit presque toujours ainsi : -cqu-.
Exemples : **acqua** *eau*, **nacque** *il naquit*, **tacque** *il se tut.*

## B 4 TRADUCTION

1. — Mais j'espère que ton grand ami ne passa pas tout son temps à visiter des villes!
2. — Non ! Il sut allier, habilement, l'utile à l'agréable :
3. bains, séances de bronzette, glaces et pâtes, théâtre dans les rues et folklore, promenades et petites amies...
4. — On voit qu'il est né coiffé (né avec une chemise).
5. — Sais-tu qu'il décrocha un beau douze au Totocalcio et qu'il gagna au loto?
6. — Qu'est-ce qu'il est chanceux! J'allais employer un autre mot!
7. — Eh! attention! Heureusement que tu t'es autocensurée !
8. De la sorte il put s'amuser énormément.
9. De plus, lui qui avait pratiqué l'autostop pour venir en Italie, il retourna à Paris par le train.
10. Mais, avant de partir, il fit de nombreux achats.
11. Il acheta des chaussures, des costumes, des apéritifs italiens et même du whisky,
12. — ... et du cognac! Mais à qui veux-tu faire avaler ça?
13. — Mais c'est vrai, je t'assure! Le whisky ne coûte pas cher en Italie.
14. Mais il acheta aussi des eaux-de-vie typiquement italiennes comme la grappa et le brandy.
15. Et il fit aussi une bonne provision d'excellents vins : du chianti au barbera sans oublier le délicieux mousseux piémontais.

# Exercices

## C 1 EXERCICES

**A. Passare dalla seconda persona alla prima del singolare e mettere alla forma negativa :**

1. Dicesti che il viaggio era stato meraviglioso.
2. Facesti un buon viaggio.
3. Venisti troppo tardi.

**B. Completare le seguenti frasi :**

1. Vide le ......... importanti.
2. Sono città che hanno ........ un ruolo culturale di primo piano.
3. Seppe unire l'utile .........
4. Così potè divertirsi ........

**C. Mettere al plurale :**

1. Vide moltissime cose.
2. Come trovò il tuo amico il soggiorno in Italia?
3. Stavo per dire un' altra parola.
4. Ma a chi vuoi darla a bere?

## C 2 CIVILISATION

### Grappa e brandy

● Savez-vous que whisky et vodka sont synonymes? Ils signifient, en effet, dans leur langue respective, *eau-de-vie,* en italien **acqua di vita** ou **acquavita,** ce qui est une déformation de l'expression **acqua di vite** (mot à mot *eau de vigne*), d'où le mot actuel **acquavite**.

Pendant longtemps l'eau-de-vie de vin a été appelée cognac; mais depuis 1948 l'Italie a renoncé à cette appellation et a choisi, le snobisme aidant, le mot anglais **brandy**, qui signifie *(vin) brûlé* et qui rappelle l'expression ancienne **aqua ardens, acqua ardente,** *eau ardente,* **l'arzente,** mot toscan par lequel D'Annunzio proposait de remplacer le mot cognac.

La **grappa** est **l'acquavite di vinaccia**, *l'eau-de-vie de marc (de raisin).*

## C 3 CORRIGÉ

**A. Passer de la deuxième personne à la première du singulier et mettre à la forme négative :**

1. No, non dissi che il viaggio era stato meraviglioso.
2. No, non feci un buon viaggio.
3. No, non venni troppo tardi.

**B. Compléter les phrases suivantes :**

1. Vide le città più importanti.
2. Sono città che hanno svolto un ruolo culturale di primo piano.
3. Seppe unire l'utile al dilettevole.
4. Così potè divertirsi un sacco.

**C. Mettre au pluriel :**

1. Videro moltissime cose.
2. Come trovarono i tuoi amici il soggiorno in Italia?
3. Stavamo per dire un' altra parola.
4. Ma a chi volete darla a bere?

## C 4 CIVILISATION : informer

**Informare** *Informer*

**la notizia** *la nouvelle*
**la stampa** *la presse*
**il giornalino** *le journal pour enfants*
**l'intervistatore** *l'intervieweur*
**il paparazzo** *le paparazzo*
**l'articolo** *l'article*
**la cronaca** *la chronique*
**la cronaca nera** *le fait divers*
**il fatto di cronaca** *le fait divers*
**la recensione** *le compte rendu*
**il canale** *la chaîne*
**dal vivo** *en direct*
**il cavo** *le câble*
**il satellite** *le satellite*
**il videoregistratore** *le magnétoscope*
**attendibile** *digne de foi*
**diffondere** *diffuser*
**il redattore** *le rédacteur*
**il cronista** *le reporter*
**il fotoreporter** *le photoreporter*
**il giornalaio** *le marchand de journaux*
**la vignetta** *le dessin humoristique*
**l'esclusiva** *l'exclusivité*
**il telegiornale** *le journal télé*
**il notiziario** *le bulletin*
**la differata** *le différé*
**la parabola** *la parabole*
**al rallentatore** *au ralenti*
**il decodificatore** *le décodeur*

# 40 Dialogues et civilisation

## D 1 Stampa o televisione?

**S : Sandro P : Paolo**

**S — Come trovi il tempo di leggere giornali, settimanali, mensili e via di seguito?**
**P — Quando si vuole essere informati, si fa tutto ciò che si può. Logico, no?**
**S — Non ti bastano le reti televisive che ricevi via cavo e via satellite? Non ti basta, neanche, di essere collegato con Internet tramite il microcomputer?**
**P — Certo, la televisione è ricchissima di programmi, ma spesso sono scadenti. I più interessanti li conservo sulle videocassette : ho il videoregistratore. Ma, secondo me, la stampa è insostituibile.**
**S — Insomma, ti ci vuole un pluralismo da professionista!**
**P — No, direi piuttosto da cittadino che vuole partecipare attivamente alla vita politica. E poi, mi piace leggere l'articolo di un cronista o un semplice corsivo. O ancora scorrere i titoloni, le didascalie. M'interesso all' impaginazione.**
**S — Insomma la TiVu non t'interessa molto?**
**P — Ti sbagli. Vedo telegiornali, dibattiti, telefilm italiani e stranieri, sceneggiati e chi più ne ha più ne metta...**
**S — Ma dimmi : guardi pure lo specchio segreto?**
**P — Non tanto, a dire il vero anche se talvolta è spassosissimo. Ma, sai, ti diverti pure a leggere la stampa...**

## D 2 CIVILISATION : presse, radio et télévision

Les médias électroniques se multiplient : la presse est toujours là (voir p. 131-132). L'Italie autorise l'existence de chaînes de télévision et de **radio libere** *radios libres* qui coexistent avec les chaînes et les émetteurs publics.
Si le secteur de la **RAI (Radio Audizioni Italiane)** est limité à trois chaînes, le secteur privé, en compte des centaines, et autant de radios, mêlant diffusion nationale et surtout locale. La loi permet la libre diffusion, par voie hertzienne et par câble.
La presse italienne a connu des transformations inspirées par des journalistes de talent, qui lui permettent de survivre. Et n'oublions pas que chaque capitale régionale possède sa publication et que les organes des partis politiques sont très lus. Le plus fort tirage est atteint par **Sorrisi e Canzoni** *Sourires et Chansons,* journal consacré à la télévision : synthèse emblématique entre les deux centres d'intérêt?

## D 3 Presse ou Télévision?

S : Sandro P : Paolo

S — Comment trouves-tu le temps de lire journaux, hedomadaires, mensuels et tout ce qui s'ensuit?
P — Quand on veut être informé, on fait tout ce qu'il faut pour cela. C'est logique, non?
S — Les chaînes télévisées que tu reçois par le câble et le satellite ne te suffisent pas? Il ne te suffit même pas d'être relié à Internet avec ton ordinateur?
P — Certes, la télévision est très riche en programmes mais ils sont souvent de mauvaise qualité. Les plus intéressants, je les conserve sur vidéocassettes : j'ai un magnétoscope. Mais, à mon avis, la presse est irremplaçable.
S — En somme, il te faut un pluralisme de professionnel!
P — Non, je dirais plutôt de citoyen qui veut participer activement à la vie politique. Et puis j'aime lire l'article d'un chroniqueur ou un simple billet. Ou encore parcourir les gros titres et les légendes. Je m'intéresse à la mise en pages.
S — En somme, la Télé ne t'intérese pas tellement?
P — Tu te trompes. Je regarde informations, débats, téléfilms italiens et étrangers, feuilletons, en veux-tu, en voilà.
S — Mais dis-moi : tu regardes aussi la caméra invisible?
P — Pas tellement, en vérité, même si c'est parfois très drôle. Mais, tu sais, on s'amuse aussi à lire la presse...

## D 4 CULTURE : **ô mon soleil!**

Cet air napolitain a fait le tour du monde : *ó sole mio.*

| | |
|---|---|
| ■ **Che bella cosa'na** | *Quelle belle chose* |
| **iurnata'e sole** | *qu'une journée de soleil.* |
| **n'aria serena doppo** | *Un ciel serein, après* |
| **'na tempesta!** | *une tempête!* |
| **Pe' llaria fresca pare** | *Dans l'air frais il y a déjà* |
| **già'na festa.** | *une atmosphère de fête.* |
| **Che bella cosa'na** | *Quelle belle chose* |
| **iurnata'e sole!** | *qu'une journée de soleil.* |

.....................................................................

.....................................................................

| | |
|---|---|
| **'O sole mio, 'o sole mio** | *Ô mon soleil, ô mon soleil* |
| **sta nfronte a te.** | *est devant toi.* |

## 31-40 Tests

**A. Cochez la forme correcte :**

**1.** Devo cenare con Paolo ... tre giorni.
1) fa 2) prima
3) in 4) fra

**2.** Se ... incontri, ... di ...
1) la ..., digli ... mi scrivere 2) lo ..., dille ... scrivermi
3) lo ..., digli ... scrivermi 4) la ..., di loro ... scrivermi

**3.** Se ... ricco, avrei comprato in contanti.
1) ero stato 2) sarei stato
3) fossi stato 4) avrei stato

**4.** E' tornato da Firenze ...
1) ci sono due mesi 2) fa due mesi
3) due mesi fa 4) fanno due mesi

**5.** L'altro ieri gli avevo detto che ... stamattina.
1) torni 2) fossi tornato
3) tornerei 4) sarei tornato

**6.** Dubitava che ... venuti.
1) sono 2) fossero
3) siano 4) erano

**7.** Ci abbiamo soggiornato ...
1) qualche anno 2) qualcun'anno
3) alcuno anno 4) ognuno anno

**8.** Da un'ora ... telefonando.
1) è 2) eri
3) sta 4) stando

## 31-40 Tests

**B.** Utilisez **qualche, alcuni, ogni** ou **parecchie :**

1. ... settimana, da gennaio a dicembre, vado al cinema.
2. Riceverò ... amico per l'onomastico.
3. Comprarono ... regali a buon mercato.
4. Da vent'anni, ha avuto ... macchine!

**C. Quelle phrase est-elle correcte?**

1) Si beve vini freschi d'estate. 2) Si mangia volentieri pastasciutta.
3) Si vede, qua e là, bei negozi. 4) Si è sempre felice di partire.

**D. Par une flèche, reliez la date et le siècle :**

1) 1515 2) 1870 3) 1905 4) 1265
a) Duecento b) Novecento c) Cinquecento d) Ottocento

**E. Traduisez :**

1) J'étais en train d'écrire. 2) Il est sur le point de partir.
3) Il dormait quand on est arrivé. 4) Les bureaux vont ouvrir.

**F. Chassez l'intrus : quelle est la forme incorrecte?**

1) Se andrò a Roma, visiterò il Colosseo.
2) Se avessi tempo, farei una gita.
3) Mangerei colle mani, se fosse stato permesso.
4) Avrei preso una pizza, se fossimo andati fuori.

**G. Chassez l'intrus : quelle est la forme correcte?**

1) Non pensavo che era così bella!
2) Credevo che eri già venuto a Venezia.
3) Vorrei che tu mi spieghi perchè sei in ritardo.
4) Benchè avesse lasciato la città, non la poteva dimenticare.

Résultats pages 340-341

## 1-20 Résultats des tests

■ Leçons 1 à 10

**A.** *1. il — 2. gli — 3. l' — 4. gli — 5. le — 6. gli — 7. lo.*

**B.** *1. Le piazze sono piccole o grandi? — 2. Sono signorine tedesche. — 3. Ci sono (delle) banche qui vicino? — 4. Che ore sono? — 5. Ci sono macchine veloci — 6. Gli uffici postali sono chiusi o aperti?*

**C.** *1. Che — 2. E' ... sono... — 3. ... sono — 4. ... è — 5. ... le ... e un ... — 6. Quanti...*

**D.** *1. L'estate è una bella stagione. — 2. Le regioni italiane sono autonome. — 3. C'è un ristorante qui vicino? — 4. Quanti anni ha? — 5. Che cosa c'è / Che c'è / Cosa c'è? — 6. Che cos'è / Che è / Cos'è?*

**E.** *1. il turista — 2. gli studenti — 3. Il signore — 4. i professori — 5. tedeschi — 6. pochi.*

**F.** *1. la bevanda — 2. per favore / per cortesia — 3. grazie mille — 4. veloce.*

**G.** *1. ... molta.... — 2. Quante... — 3. Quali... — 4. ... buon.... — 5. ... poche....*

**H.** *1. Che ora è? / Che ore sono? — 2. Sono le due e un quarto. — 3. Che giorno è oggi? — 4. Quanti anni ha?*

**I.** *1. L'addition, s'il vous plaît! — 2. Qu'est-ce qu'il y a? / Qu'y a- t-il? — 3. Toujours tout droit et ensuite à gauche. — 4. La grève est finie. — 5. Un café avec un nuage de lait, s'il vous plaît!*

**L.** *1. Lì, in fondo, a destra. — 2. Dov'è il ristorante? — 3. Non è lontano; ecco, è qui. — 4. Prego! — 5. E' qui vicino, a sinistra.*

**M.** *1. E' una turista fiorentina. — 2. Sono turiste fiorentine e milanesi. — 3. E' una signora francese. — 4. Ci sono signore italiane e francesi. — 5. Le signore sono belle e eleganti. — 6. La signora è bella e elegante.*

■ Leçons 11 à 20

**A.** *1. ... alle... — 2. ... dalle... alle... — 3. Da... all' ... — 4. ... della... dal.... — 5. ... di... da... — 6. ... da... — 7. A... in... — 8. ... di... al...*

**B.** *1. parla / parlano — 2. desidera / desiderano — 3. preferisce / preferiscono — 4. se ne va / se ne vanno — 5. si sveglia / si svegliano — 6. telefona / telefonano — 7. viene / vengono — 8. fa / fanno*

**C.** *1. ... è piaciuto... — 2. ... se ne è andato... — 3. ... hai detto... — 4. ... si è ricordato. — 5. Siamo state... — 6. Che c'è stato? — 7. Che cos'è stato? — 8. ... è stata amata...*

**D.** *1. L' ... — 2. Le... — 3. ... trovarci... — 4. Me ne... — 5. Lo... — 6. Ci... — 7. Gli / A loro... — 8. ... di lei...*

**E.** *1. C'è un posto non prenotato. / Ce n'è uno. — 2. Non gli piace andare al cinema. Preferisce andare a teatro. — 3. Sbrigati! — 4. Non fare il broncio! — 5. Gli do sempre del tu. E tu? — 6. Di qui si vedono bene le montagne. — 7. Non si usano più le macchine da scrivere. — 8. Ci vuole molto denaro / ci vogliono molti soldi per comprare una Ferrari.*

## Leçons 21 à 30

**A.** ***1.*** *3* — **2.** *2* — **3.** *4* — **4.** *3* — **5.** *1* — **6.** *2* — **7.** *4* — **8.** *3*

**B.** *1. Ho visitato tanti palazzi quante chiese — 2. Firenze è così bella come Venezia? — 3. Questo film è abbastanza noioso — 4. E' un libro molto interessante.*

**C.** *2.*

**D.** *1. ... va... — 2. ... vieni... — 3. ... andata... — 4. ... Verrai...*

**E.** *4.*

**F.** *1. ...piacerebbero... — 2. ... sarebbe... — 3. ... piacerebbe... — 4. ... vorrebbero...*

**G.** *1. ... stavi... — 2. ... eravate... — 3. ...erano... vedevo... — 4. ... piaceva...*

**H.** *1. Sto per parlargli... — 2. Sto per portarti... — 3. Sto per farvelo... — 4. Sto per regalarle....*

## Leçons 31 à 40

**A.** **1.** *4* — **2.** *3* — **3.** *3* — **4.** *3* — **5.** *4* — **6.** *2* — **7.** *1* — **8.** *3*

**B.** *1. ... ogni... — 2. ... qualche... — 3. ... alcuni... — 4. ... parecchie...*

**C.** *2.*

**D.** *1. / c-2. / d-3. / b-4. / a*

**E.** *1. Stavo scrivendo — 2. Sta per partire — 3. Stava dormendo quando siamo arrivati — 4. Gli uffici stanno per aprire.*

**F.** *3.*

**G.** *4.*

# PRÉCIS GRAMMATICAL

## LA PRONONCIATION DE L'ITALIEN

### A. L'ALPHABET ITALIEN

| Les lettres : | Comment on les épelle : | Comment on les prononce : |
|---|---|---|
| **a** | [a] | |
| **b** | [bi] | |
| **c** | [tchi] | **ca** [ka] **co** [ko] **cu** [kou]<br>**ce** [tché] **ci** [tchi]<br>**cia** [tcha] **cio** [tcho] **ciu** [tchou] |
| **d** | [di] | |
| **e** | [é] | [è] ou [é] |
| **f** | [**ef**fé] | |
| **g** | [dji] | **ga** [ga] **go** [go] **gu** [gou]<br>**ge** [djé] **gi** [dji]<br>**gia** [dja] **gio** [djo] **giou** [djou] |
| **h** | [**ak**ka] | sert à durcir le **c** et le **g** : **che** [ké] **chi** [ki] **ghe** [gué] **ghi** [gui] |
| **i** | [i] | |
| **j** | [i **loun**ga] | remplacé par **i**, sauf dans certains mots étrangers |
| **k** | [**kap**pa] | mots étrangers seulement |
| **l** | [**el**lé] | |
| **m** | [**em**mé] | } sont toujours prononcés distinctement de la voyelle qui les précède |
| **n** | [**en**né] | |
| **o** | [o] | [ò] ou [ó] |
| **p** | [pi] | |
| **q** | [kou] | le **u** qui le suit se prononce : **quando** [**kouan**do] |
| **r** | [**er**ré] | |
| **s** | [**es**sé] | [s] ou [z] |
| **t** | [ti] | |
| **u** | [ou] | [ou] |
| **v** | [vou] | **la TV** [la tivou] |
| **w** | [**dop**pia vou] | } mots étrangers, ou remplacés par : **v, ss** ou **s, i** |
| **x** | [iks] | |
| **y** | [**ip**silon] | |
| **z** | [**dzé**ta] | [ts] ou [dz] |

■ En italien, tout ce qui se prononce s'écrit, tout ce qui s'écrit se prononce (sauf le **h**) : **Europa** [éou**ro**pa] ; **autobus** [**aou**tobus] ; **chiunque** [**kioun**koué] *quiconque.*

■ Par conséquent, il faut bien détacher les doubles consonnes : **abbiamo** [ab**bia**mo] *nous avons*; **macchina** [**mak**kina] *voiture, auto;* **addirittura** [addirit-**tou**ra] *carrément*; **affato** [af**fat**to] *tout à fait*; **oggi** [**od**dji] *aujourd'hui.*
ATTENTION : **un capello** [ka**pel**lo] *un cheveu,* n'est pas **un cappello** [kap**pel**lo] *un chapeau.* Tous les **giovani** [**djo**vani] *jeunes gens,* ne s'appellent pas **Giovanni** [djo**van**ni] *Jean*!

■ Il faut aussi prononcer distinctement la voyelle suivie d'un **n** ou d'un **m**, puisqu'il n'y a pas de nasalisation en italien : anche [**an**ké] *aussi, même;* **quanto** [**kouan**to] *combien*; **volentieri** [volen**tié**ri] *volontiers*; **comunque** [ko**moun**koué] *de toute façon, en tout cas.*

## B. LES VOYELLES

**A** et **i** se prononcent comme en français; mais le premier est plus ouvert, le second plus fermé. **U** se prononce **[ou]**. **E** n'est jamais muet : il se prononce ouvert [è] ou fermé [é].

ATTENTION aux finales en **-io** et **-ia** dont le **i** peut être accentué ou non : **la storia e la geografia** [la **sto**ria é la djéogra**fi**a] ; **la Lombardia e l'Umbria** [la lombar**di**a é l'**oum**bria]. (N.B. : **Lombardia** est le seul nom de région italienne dont le **i** soit accentué.)

## C. LES CONSONNES

La plupart des consonnes se prononcent comme en français. Voici les seuls cas particuliers à l'italien :

1. **C** devant **e** et **i** se prononce [tch]; **g,** devant ces mêmes voyelles, [dj] : **francese** [fran**tché**zé] *français*; **c'è, ci sono** [**tché,** tchi **so**no] *il y a*; **accento** [at**tchen**to] *accent*; **eccetera** [et**tché**téra] *etc.*; **gelato** [djé**la**to] *glace*; **giro** [**dji**ro] *tour*; **oggetto** [od**djet**to] *objet.*

■ La même prononciation s'obtient, devant **a, o, u,** en intercalant un **i** : **ciao** [tch**a**o] *adieu*; **giardino** [djar**di**no] *jardin*; **giorno** [**djor**no] *jour*; **giugno** [**djou**gno] *juin*; **comincio, cominci, comincia** [ko**min**tchio, ko**min**tchi, ko**min**tcha] ; **leggo, leggi, legge, leggiamo** [**leg**go, **led**dji, **led**djé, led**dja**mo].

■ Inversement, pour durcir le **c** [k] et le **g** [gu] devant **e** et **i**, on intercale un **h** : **che** [ké] ; **chi** [ki] ; **chiaro** [**kia**ro] *clair*; **Pinocchio** [pi**nok**kio] ; **chiuso** [**kiou**so] *fermé*; **ghiaccio** [**guiat**tcho] *glace.*

■ Au son français [ch] correspond, en italien, le groupe **sc(i)** : **scegliere** [**chel**liéré] *choisir*; **sci** [chi] *ski*; **uscita** [ou**chi**ta] *sortie*; **sciare** [**chia**ré] *skier*; **sciopero** [**cho**péro] *grève.*

2. **gli** se prononce comme « lli » dans le français « million ». (Mais **gn** se prononce comme en français : **montagna**.)

• **Q** est toujours distinct du **u** qui le suit (comme **g**, dans **gu**) : **qualche** [**koua**lké] ; **guida** [**goui**da].

3. Le **r** est roulé en italien comme on le roule encore dans certaines régions de France.

4. Le **s** entre deux voyelles peut être doux [z], comme en français : **rosa** [**ro**za] *rose*; **viso** [**vi**zo] *visage*; **televisione** [télévi**zio**né] ; **per esempio** [pér é**zè**mpio] *par exemple*; **scusi** [**skou**zi] *excusez-moi...*

- ou dur [s] : **casa** [**ka**sa] *maison*; **che cosa?** [ké**ko**sa] *qu'est-ce que?*; **così** [ko**si**] *ainsi, comme ça.*

Le **s** est dur [s] quand un mot est formé à partir d'un autre mot où le **s** est dur (cf. en français : *parasol, tournesol*) : **disegno** [di**sé**gno] *dessin*...

Dans la finale en **-oso** : **curioso** [kou**rio**so]...

Et, bien sûr, s'il s'agit d'un pronom complément : **facendosi** [fa**tchen**dosi] *(en) se faisant*...

Le **s** est doux [z] si la consonne qui le suit est douce : finales en **-ismo : turismo, ciclismo** [tou**ri**zmo, tchi**kli**zmo].

(Si la consonne qui suit le **s** est dure, celui-ci reste dur : **scusi** [**skou**zi] *excusez-moi*; **mi dispiace** [mi di**spia**tché] *je regrette*; **La disturbo?** [la di**stour**bo] *je vous dérange?*; **risposta** [ri**spo**sta] *réponse.*)

5. **Z** se prononce dur [ts] — **zz** [tts] — dans la plupart des cas : **Firenze** [fi**ren**tsé] *Florence*; **Venezia** [vé**net**sia] *Venise*; **grazie** [**gra**tsié] *merci*; **ragazzo** [ra**gat**tso] *enfant*; **piazza** [**piat**tsa] *place*; **palazzo** [pa**lat**tso] *palais.*

- Quelquefois il est doux [dz] — **zz** [ddz] —, notamment dans les mots suivants : **azzurro** [ad**dzou**rro] *bleu*; **benzina** [ben**dzi**na] *essence*; **mezzo** [**med**dzo] *demi, milieu*; **orizzonte** [orid**dzo**nté] *horizon*; **pranzo** [**pra**ndzo] *repas, déjeuner*; **romanzo** [ro**man**dzo] *roman (livre)*; **zanzara** [dzan**dza**ra] *moustique*; **zero** [**dzé**ro] *zéro*...

■ ATTENTION à bien différencier, dans la finale **-izzazione**, les deux prononciations du **z** : **specializzazione** [spétchaliddza**tsio**ne] *spécialisation*...

## D. L'ACCENT TONIQUE EN ITALIEN

■ La voyelle, la diphtonque ou la syllabe accentuée d'un mot italien doit s'entendre plus fortement et surtout plus longtemps que les autres du même mot, comme si elle durait deux fois plus de temps. (Rappelons qu'elle est écrite en **gras** dans notre transcription phonétique.)

1. ■ Certains mots italiens sont accentués sur la première syllabe en partant de la fin du mot (on les appelle **parole tronche** [pa**ro**lé **tro**nké] *mots tronqués*) : **città** [tchit**ta**] *ville*; **lunedì** [louné**di**] *lundi*, **potrò** [po**tro**] *je pourrai*...

2. ■ La plupart sont accentués sur **la seconde** (ou avant-dernière), toujours en partant de la fin du mot (ce sont les **parole piane** [**pia**né] : mots sans relief, comparés aux autres) : **Italia** [i**ta**lia]; **ragazzo** [ra**gat**tso] *garçon*...

3. ■ Un certain nombre le sont sur **la troisième** syllabe en partant de la fin du mot (**parole sdrucciole** [**zdrout**tchiolé] : mots glissants; on « glisse » sur les syllabes non accentuées) : **macchina** [**mak**kina] *voiture, auto*; **visita** [**vi**zita] *visite*; **subito** [**sou**bito] *tout de suite, aussitôt*; **di solito** [di **so**lito] *d'habitude*; **eccetera** [ét**tché**téra]...

(Certaines formes verbales peuvent être accentuées sur la quatrième syllabe : **significano** [signi**fi**kano] *ils signifient*; **abitano** [**a**bitano] *ils habitent*; **diteglielo** [**di**télliélo] *dites-le-lui* pronoms accolés à la forme verbale, à l'impératif.)

# 1 — L'ARTICLE INDÉFINI

1. Masculin **un, uno** / féminin **una, un'** } (singulier)

**un signore, un Italiano, uno Stato** *un monsieur, un Italien, un État* **una signora, un'Italiana** *une dame, une Italienne.*

■ Il n'a pas de forme au pluriel — **signori** *des messieurs*, etc. —; mais on peut dire :

**dei signori, degli Italiani, degli Stati** *des messieurs, des Italiens, des États* **delle signore, delle Italiane** *des dames, des Italiennes.*

2. La forme en **-o, uno,** s'emploie (cf. L'ARTICLE DÉFINI 2) devant **s** « impur » (c'est-à-dire **s** suivi d'une consonne), **z, x, pn, ps : uno Stato, uno zoo, uno psicologo** *un État, un zoo, un psychologue.*

3. Devant une voyelle, SEUL LE FÉMININ prend l'APOSTROPHE :
**un'Italiana,** mais : **un Italiano.**

L'ARTICLE INDÉFINI

| | | |
|---|---|---|
| masculin | **un**<br>**uno**<br><br>**un** | **l**ibro<br>**st**udente<br>**z**io<br>**I**taliano |
| féminin | **una**<br>**un'** | **r**agazza<br>**I**taliana |

## 2 — L'ARTICLE DÉFINI

1. Masculin **il, lo, l'** / féminin **la, l'** (sing.) — **i, gli** / **le** (pl.)

(sing). **il signore, lo Stato, l'Italiano** *le monsieur/monsieur, l'État, l'Italien* **la signora, l'Italiana** *la dame/madame, l'Italienne.*
(pl.) **i signori; gli Stati, gli Italiani; le signore, le Italiane**.

2. L'article **lo**, s'emploie dans les mêmes cas que l'article indéfini **« uno »** (v. 1, 2) : **lo Stato, lo zoo, lo piscologo**; il s'emploie aussi devant les noms qui commencent par une voyelle; mais dans ce cas-là l'article s'élide. Ex. : **l'Italiano** *l'Italien,* **l'uomo** *l'homme.*

■ Le pluriel de « **lo** » et de « **l'** » au masculin est : **gli : gli Stati, gli zoo, gli psicologi**.
(N.B. : Le pluriel de ces deux derniers noms sera expliqué plus loin : v. 5, 2 et 4.)

L'ARTICLE DÉFINI

| | singulier | | pluriel | |
|---|---|---|---|---|
| masculin | **il**<br>**lo**<br><br>**l'** | **l**ibro<br>**st**udente<br>**z**io<br>**I**taliano | **i**<br>**gli** | **l**ibri<br>**st**udenti<br>**z**ii<br>**I**taliani |
| féminin | **la**<br><br><br>**l'** | **r**agazza<br>studentessa<br>**z**ia<br>**I**taliana | **le** | **r**agazze<br>**st**udentesse<br>**z**ie<br>**I**taliane |

## 3 — EMPLOIS DE L'ARTICLE DÉFINI

1. L'article défini sert à former l'adjectif possessif (v. 10) : **il mio** *mon,* etc.
2. A indiquer l'heure et l'année (mais pas la date : **Roma, 5 dicembre...**) :

● **Che ora è? Che ore sono?** *Quelle heure est-il?*

**È l'una** *Il est une heure.*
**Sono le due; le due e cinque, e un quarto, e mezzo; le tre meno venticinque, meno un quarto; sono le tre** *Il est deux heures*, etc.

● **Nell'ottobre del 1982,** ou **dell'82 :** *En octobre 1982.*

3. A déterminer, préciser, spécifier, dans de nombreux cas : **il serbatoio della benzina** *le réservoir d'essence*; **la societa dei consumi** *la société de consommation.*

■ Aussi n'est-il pas employé dans les expressions fréquentatives ou générales lorsque le nom n'est pas déterminé : **vado a teatro :** *je vais au théâtre;* mais **vado al Teatro alla Scala**... *de la Scala*

■ Non plus que dans certaines autres expressions, par ex. : **a Nord, a Sud...** *au Nord, au Sud...*; **ogni due giorni** *tous les deux jours*; **tutt'e due** *tous les deux*; **in mezzo a...** *au milieu de...*, etc.

## 4 — LES « PREPOSIZIONI ARTICOLATE »

■ Les articles définis se contractent avec les prépositions (dont on étudiera la signification plus loin, v. 11) (voir leçon 18, B 3).

● Avec **« con »**, la contraction (**collo, colla,** etc.) n'est pas obligatoire; on n'emploie plus que **col** et **coi**.

■ D'une façon analogue aux articles et aux prépositions-articles varient le démonstratif **quello** et les adjectifs **bello, buono, santo** et **grande**.

| | | **quello** *celui-là* | **bello** *beau* | **buono** *bon* | **santo** *saint* | **grande** *grand* |
|---|---|---|---|---|---|---|
| Masc. | **il** | **quel** | **bel** | **buon** | **san** | **gran** ou **grande** |
| | **i** | **quei** | **bei** | **buoni** | **santi** | **grandi** |
| | **lo** | **quello** | **bello** | **buono** | **santo** | **grande** |
| | **gli** | **quegli** | **begli** | **buoni** | **santi** | **grandi** |
| Fém. | **la** | **quella** | **bella** | **buona** | **santa** | **gran** ou **grande** |
| | **le** | **quelle** | **belle** | **buone** | **sante** | **grandi** |

Ex. : **quell'uomo** *cet homme (-là)*
**quel bello spettacolo** *ce beau spectacle*
**San Francesco d'Assisi e Sant'Antonio di Padova** *Saint François d'Assise et Saint Antoine de Padoue.*

## 5 — SINGULIER ET PLURIEL DES NOMS ET DES ADJECTIFS

■ Les noms et adjectifs terminés en **-a** au FÉMININ SINGULIER font leur pluriel en **-e** : **la signora italiana, le signore italiane**.

■ LES AUTRES le font en **-i** :

• les masculins en **-o** (qui sont les plus nombreux) : **il treno italiano, i treni italiani,** *le train italien...*

• Les masculins et féminins en **-e** : **il padre francese, i padri francesi,** *le père français...* **la madre inglese, le madri inglesi,** *la mère anglaise...*
→ ATTENTION ! Cette finale appartient aux deux genres : **un grande aereo** *un grand avion,* **due grandi aerei; una grande casa** *une grande maison,* **due grandi case**.

■ → N.B. : Les noms en **-ore**, et **il mare** *la mer,* sont masculins :
**il colore, i colori** *la couleur,* etc.
**i mari italiani,** *les mers italiennes.*
(On notera que les noms de villes sont au féminin en italien : **la Torino barocca** *le Turin baroque*; **la nuova Milano** *le nouveau Milan*; **Firenze è bella...** *Florence est belle.*)

• les noms **masculins** en **-a** (venant pour la plupart du grec et se terminant en **-ma, -ta, -sta**) : **il problema, i problemi** *le problème...*, **il poeta, i poeti** *le poète...* **il turista, i turisti** *le touriste...* (Mais, s'il s'agit de femmes, la forme au féminin s'emploie normalement : **la turista, le turiste...**)

• le féminin en **-o** : **la mano, le mani** *la main...*

## IRRÉGULARITÉS ET EXCEPTIONS

1. **L'uomo, gli uomini** [**uo**mini] *l'homme...*; **la moglie, le mogli** *la femme (l'épouse)...*; **l'uovo, le uova** *l'œuf...*

2. Sont INVARIABLES :

• Les mots accentués sur la voyelle finale (l'accent est alors écrit) : **la grande città, le grandi città** *la grande ville...*, **il caffè italiano, i caffè italiani** *le café italien....*

• Les mots d'une syllabe : **il tè cinese, i tè cinesi** *le thé chinois...* **il re, i re** *le roi...*

• Les mots en **-ie** : **una serie, due serie** *une série...*
(Exception : **la moglie,** v. ci-dessus.)

• Les mots scientifiques et techniques abrégés : **lo zoo, gli zoo; la radio libera, le radio libere** *la radio libre...*, **il cinema italiano, i cinema italiani** *le cinéma italien...*

• Et bien sûr les mots terminés par un **-i** ou une consonne : **la crisi economica, le crisi economiche** *la crise économique...* **il film italiano, i film italiani** *le film italien...*

3. Quelques masculins en **-o** ont deux formes au pluriel : la forme au FÉMININ en **-a** exprime généralement le sens propre et concret, celle au masculin en **-i**, le sens figuré : **il braccio** *le bras,* **le braccia** (du corps) et **i bracci** (d'un fleuve, d'une croix, par ex.)

4. Le PLURIEL des mots terminés en **-co** et **-go** : **il gioco olimpico** [oli**m**piko], **i giochi olimpici** *le jeu olympique...*

■ Les mots terminés en **-co** (et **-go**) accentués sur l'avant-dernière syllabe font leur pluriel en **-chi** (et **-ghi**) : **il gioco, i giochi; il lago, i laghi** *le lac...*

N.B. : Quelques exceptions : **amico, amici** *ami* et son contraire : **nemico, nemici; greco, greci** *grec*; **porco, porci** *porc*; **belga, belgi** *belge.*

■ Ceux qui sont accentués sur la troisième syllabe en partant de la fin du mot

(**parole sdrucciole,** v. PRONONCIATION, D) font leur pluriel en : **-ci** (et **-gi**) : **il medico** [m**é**diko], **i medici; lo psicologo** [psi**ko**logo], **gli psicologi**.
RAPPEL! La plupart des mots en **-co** (sauf les exceptions indiquées ci-dessus, de même que **antico, fatica** et quelques autres) sont ainsi accentués sur la troisième syllabe... (parole sdrucciole).

5. Les mots en **-io** dont le **i** n'est pas accentué n'ont qu'un **i** au pluriel : **l'annuncio** [an**noun**tchio] **economico, gli annunci economici** *la petite annonce...* **il viaggio, i viaggi** *le voyage...*
Mais : **lo zio** [**tsi**o], **gli zii** *l'oncle...*

## 6 — LA QUANTITÉ

1. Ce sont des adjectifs quantitatifs qui correspondent, en italien, aux adverbes de quantité français : ils s'accordent donc et la préposition « de » n'est pas utile :

• **Quanto, quanti, quanta, quante...?** *Combien de...?*
**Quanta gente!** *Que de monde!*
**Quanti ne abbiamo oggi?** *Le combien sommes-nous aujourd'hui?*
**In quanti siete? Siamo in venti** *Combien êtes-vous? Nous sommes vingt.*

• **Poco, pochi, poca, poche** *peu de...*
**Ho pochi spiccioli** *J'ai peu de monnaie.*

• **Molto, molti, molta, molte** *beaucoup de, bien de(s)...*
**(Lei) ha comprato molte cartoline?** *Vous avez acheté beaucoup de cartes postales?*

• **Tanto, tanti, tanta, tante** *tant de...*
**In estate, ci sono tanti turisti stranieri!** *En été, il y a tant de touristes étrangers!*

• **Troppo, troppi, troppa, troppe** *trop de...*
**Sì, ci sono troppi turisti** *Oui, il y a trop de touristes.*

■ Par analogie, on dira : **Ci sono più stranieri e meno Italiani** *Il y a plus d'étrangers et moins d'Italiens.*

2. « **Qualche** » et « **ogni** » sont toujours au singulier (même si, le plus souvent, ils désignent un pluriel) :

• **Fra qualche giorno** *dans quelques jours.*
Pour accorder avec la forme au pluriel de « **giorni** », on pourrait dire **alcuni giorni**.

• **Ogni giorno = tutti i giorni** *chaque jour, tous les jours.*

## 7 — LA NÉGATION

1. Lorsqu'un mot négatif italien précède un verbe, il se suffit à lui seul, puisqu'il est négatif par nature (ce que montre son **n** initial, survivance de formes négatives latines).
Il n'a donc pas besoin d'être accompagné d'une autre forme négative.
Mais celle-ci (non : *ne... pas*) devient nécessaire, lorsqu'il suit le verbe, pour donner son sens négatif à la phrase.

— **Nessuno è venuto?** *Personne n'est venu?*
— **No, non è venuto nessuno** *Non, il n'est venu personne.*
(En français, par contre, « ne... pas... » est toujours nécessaire.)
On construira donc sur le modèle de **nessuno** les autres mots négatifs italiens :

- **Nessuno** *aucun, pas un, nul...* (qui suit la règle orthographique de **un, uno...;** v. 1, 2).

- **Niente = nulla** *rien, pas de...*

- **Neanche = nemmeno = neppure** *pas même, même pas, non plus...*

- **Né = E... non...** *Et.. ne... pas...* (qu'il ne faut pas confondre avec le pronom « **ne** » — sans accent! — : *« en »)*
« **Ne voglio** » *J'en veux*; « **Ne prende?** » *Vous en prenez?* « **Mc ne vado** » *Je m'en vais*; etc. (v. 12, 3).
N.B. : Répété : **né... né...** signifie *ni... ni...*
Ainsi : **Nulla è successo** *Rien ne s'est passé*; mais **Non ho fatto niente** *Je n'ai rien fait,* etc.

2. On verra que l'impératif négatif de la 2e personne du singulier est formé avec l'infinitif précédé de **non** :

| | | |
|---|---|---|
| Parla, | **Non parlare** | *Parle, ne parle pas.* |
| Scrivi, | **Non scrivere** | *Écris, n'écris pas.* |
| Vieni, | **Non venire** | *Viens, ne viens pas.* |

3. En italien, à la forme française « ne... que... », correspond l'adverbe **solo = soltanto** *seulement*: **Ho solo (soltanto) questa guida** *Je n'ai que ce guide-ci.*

## 8 — L'ADJECTIF ET L'ADVERBE

1. Le **comparatif d'égalité** :

- **così ... come ...** *aussi ... que ...*

- **tanto ... quanto ...** *autant ... que ...*

- **tale ... quale ...** *tel ... que ...*

**Roma è così bella come Firenze** *Rome est aussi belle que Florence.*
**Lei ha tanto denaro quanto me** *vous avez autant d'argent que moi.*

2. Le comparatif de supériorité et d'infériorité :

- **più ... di ...** *plus ... que ...*

- **meno ... di ...** *moins ... que ...*

**Milano è più industriale di Roma** *Milan est plus industriel que Rome.* **Torino è meno grande di Milano** *Turin est moins grand que Milan.*
N.B. : **Di** s'emploie ainsi devant un nom ou un pronom, lorsqu'on compare deux personnes ou deux choses par rapport à une qualité. (Sinon, lorsqu'on compare deux qualités d'une même personne ou chose, on dit : **la provincia di Milano è più industriale che agricola** *la « province » de Milan est plus industrielle qu'agricole.)*

3. Le superlatif relatif :

- **il ... più ...** *le ... le plus ...*

- **il ... meno ...** *le ... le moins ...*

**Genova e Marsiglia sono i porti più importanti del Mediterraneo.**
*Gênes et Marseille sont les ports les plus importants de la Méditerranée.*

L'article n'est pas répété en italien.

4. Le superlatif absolu :

- *« très beau »* **bellissimo, assai bello, molto bello.**

ATTENTION ! **« Assai »** signifie : *très. « Assez »* se traduit : **abbastanza**.

5. Les adverbes italiens se forment de deux façons :

- **facile + mente = facilmente** (avec chute du « e » final)
- **certo → certa + mente = certamente** (avec l'adjectif au féminin)

6. Les nombres italiens :

**Les nombres cardinaux**

| **unità**<br>*unités* | **diecine**<br>*dizaines* | **centinaia**<br>*centaines* | **migliaia**<br>*milliers* |
|---|---|---|---|
| uno | diec**i**[1] | cent**o** | mi**lle** |
| due | vent**i**[2] | duecent**o** | duemi**la** |
| tre | trent**a** | trecent**o** | tremi**la** |
| quattro | quarant**a** | quattrocent**o** | quattromi**la** |
| cinque | cinquant**a** | cinquecent**o** | cinquemi**la** |
| sei | sessant**a** | seicent**o** | seimi**la** |
| sette | settant**a** | settecent**o** | settemi**la** |
| otto | ottant**a** | ottocent**o** | ottomi**la** |
| nove | novant**a** | novecent**o** | novemi**la** |

(1) undici, dodici, tredici, quattordici, quindici, sedici, diciassette, diciotto, diciannove.
(2) ventuno, trentuno, quarantuno...
ventotto, trentotto, quarantotto...

**Les nombres ordinaux**

Primo, secondo, terzo, quarto, quinto, sesto, settimo, ottavo, nono, decimo, undicesimo, dodicesimo, tredicesimo, quattordicesimo, quindicesimo, sedicesimo, etc.

■ **mille, due mila,** mais **cento, due cento.**

- On dit : **Giovanni Paolo secondo** (puisque c'est un numéro d'ordre : chiffre ordinal).
- Les siècles de la culture italienne : on dit souvent **il tredicesimo secolo** ou **il Duecento (il 200)**, parce qu'il comprend les années 200 à 299, après l'an Mille. Et ainsi de suite : **il Trecento (il 300)... l'Ottocento (l'800),** jusqu'au **Novecento (il 900)**.

7. Les suffixes italiens :
Ils sont nombreux, très expressifs et vivants. Voici les principaux :

- Diminutifs : **un ragazzo** *un garçon*
**-etto** **un ragazzetto** *un petit garçon*
**-ino** **un ragazzino** *un (gentil) petit garçon*
- Augmentatifs : **un giovane** *un jeune*
**-otto** **un giovanotto** *un jeune homme (assez grand, ou assez fort, etc.)*
**il naso** *le nez*
**-one** **il nasone di Pinocchio** *le grand nez...*
**il cupolone di Firenze (cupola)** *la belle (= grande) coupole de Florence.*

| | | |
|---|---|---|
| • Péjoratifs : -accio | **il bel tempo** | *le beau temps* |
| | **che tempaccio!** | *quel mauvais, sale, vilain, triste temps!* |
| | **un cappello** | *un chapeau* |
| | **un cappellaccio** | *un vilain, sale, vieux, etc., chapeau* |

## 9 — LE DÉMONSTRATIF

■ Comme ils l'étaient déjà en latin, les démonstratifs sont plus précis en italien qu'en français :
a) **questo** ristorante, **quest'**albergo *ce restaurant, cet hôtel (-ci);* **questa** banca, **quest'**agenzia *cette banque, cette agence (-ci);* **questi, queste...**

• **questo** indique ce qui est près de la personne qui parle, *près de moi* **(vicino a me)**, *près de nous* **(vicino a noi)**; et, carrément, ce qui est à moi, à nous **(il mio, il nostro** *mon, notre...*) (v. 10).

• A **questo** correspondent les adverbes de lieu : **qua, qui :** *ici = là où je suis, où nous sommes* **(dove sono, dove siamo),** *= près de moi, près de nous, = de ce côté-ci :* **da questa parte**.
b) **quel** ristorante, **quell'**albergo *ce restaurant, cet hôtel (-là);* **quella** banca, **quell'agenzia** *cette banque, cette agence;* **quei** ristoranti, **quegli** alberghi, **quelle** banche.
(Remarquez que **quel** suit la règle de l'article défini. v. 4.)

• **quel, quello...** indique ce qui est loin de la personne qui parle; *loin de moi* **(lontano da me)**, *loin de nous* **(lontano da noi).**

• A **quel, quello** correspondent les adverbes de lieu : **là = lì :** *là, là-bas = loin de moi; = de ce côté-là* **da quella parte**.

• Pour être plus précis, on peut dire **laggiù** : *là-bas,* et **lassù** *là-haut.*

• Il existe un démonstratif correspondant à la seconde personne : « **codesto** ». Son emploi est plus rare, parfois péjoratif.

■ Les pronoms démonstratifs correspondants sont :
**questo, questa, questi, queste** *celui-ci...*
**quello, quella, quelli, quelle (che)** *celui-là...; celui (qui,* ou *que)...*
**ciò = questo** *ceci*

## 10 — LE POSSESSIF

■ Il est formé de l'article défini et d'un mot possessif :

| | |
|---|---|
| **il mio, la mia** *mon, ma* | **i miei, le mie** |
| **il tuo, la tua** *ton, ta* | **i tuoi, le tue** |
| **il suo, la sua** *son, sa* (ou : votre..., forme de politesse) | **i suoi, le sue** |
| **il nostro, la nostra** *notre...* | **i nostri, le nostre** |
| **il vostro, la vostra** *votre...* | **i vostri, le vostre** |
| **il loro, la loro** *leur...* | **i loro, le loro** |

ATTENTION : a) les trois premières formes du masculin pluriel sont irrégulières.
b) « **loro** » est invariable.

1. L'article défini peut être remplacé par un article indéfini ou un autre adjectif (numéral, démonstratif, indéfini) :
**un mio amico** *un de mes amis*; **tre amici miei** *trois de mes amis*; **nessun mio amico** *aucun/pas un de mes amis*, etc.

2. Souvent on n'utilise que l'article, lorsque la possession est évidente : parties du coprs, vêtements, objets personnels, etc. :
**Lei ha preso la chiave?** *Avez-vous pris votre clef?*

3. On emploie le possessif (sauf : « **loro** ») sans article dans quelques cas précis :
a) noms de parenté employés seuls et au singulier :
**mio padre, tua madre, suo fratello,** etc. *mon père, ta mère, son* ou *votre frère...*
b) expressions variées : **a casa mia** *chez moi*, **a parer tuo** *à ton avis*, etc.

■ ATTENTION À NE PAS CONFONDRE :

- **il mio...** *mon...* « **il mio ombrello** » **:** *mon parapluie*
- **è il mio** *c'est le mien* (pronom possessif)
- **è mio** *il est à moi* (qui répond à la question : **Di chi è? :** *À qui est-ce?* (v. 11, 5).

## 11 — LES PRÉPOSITIONS

Elles ont, en italien, une valeur plus précise et plus forte qu'en français (jusqu'à valoir parfois un verbe d'action).
1. La préposition **A** exprime la direction, la destination, avec le sens de **verso** *vers*; de **per** *pour*; de **contro** *contre*, etc.

- **Vado alla stazione a prendere Giovanni :** *Je vais à la gare chercher Jean* (elle introduit donc tous les compléments y compris l'infinitif des verbes de mouvement) (v. 14, 3). **Fino a...** *Jusqu'à...*
- Et, par analogie, on dira : **vicino a, accanto a** *près de...*; **di fronte a** *en face de*; **avvicinarsi a...** *s'approcher de...*; **in mezzo a...** *au milieu de...*
- **A poco a poco :** *peu à peu;* **a uno a uno** *un à un*, etc.

2. **CON** exprime la compagnie, l'accompagnement (avec qui ou quoi est, se trouve, etc.), le moyen-instrument (ce avec quoi on fait...), les circonstances, etc.

- **Con chi vai? Vado con due miei amici** *Avec qui vas-tu? Je vais avec deux de mes amis.*
- **Scrivo con una penna a sfera** *J'écris avec un* (ou *au) stylo à bille.*
- **Partirò con questo bel tempo, col treno delle undici** *Je partirai par (avec) ce beau temps, par le train d'onze heures.*

3. **IN** indique un lieu ou une période de temps :

- San Pietro in Vaticano *Saint-Pierre du Vatican.*
**In mezzo a...** *Au milieu de...*
**Abito in via degli Abruzzi** *J'habite rue des Abruzzes.*
- **In quel momento...** *À ce moment-là...*

ATTENTION À NE PAS CONFONDRE :

- **Lo farò in un mese** *Je le ferai en un mois* (durée).
- **Lo farò fra un mese** *Je le ferai dans un mois* (futur).
- **Lo farò entro il mese** *Je le ferai dans le courant du mois = d'ici la fin du mois*, etc.

• **Da un mese non faccio nulla** *Depuis un mois je ne fais rien = Cela fait/Voilà un mois que je ne fais rien.* (v. 11, 6.)

• **Un mese fa, lo facevo** *Il y a un mois, je le faisais.* (v. 13, 2.)

4. **PER** exprime le passage (**attraverso** *à travers, par*) et la **durée** (**durante** *pendant*) :

• **Vado per i campi** *Je vais à travers les champs* (cf. « par monts et par vaux »); **Il treno passerà per (/da) Genova** (v. 11, 6.) *Le train passera par Gênes.*

• **Ho passeggiato per un'ora** *Je me suis promené (pendant) une heure.*

■ Et, bien sûr, le but **Per favore, vada per un medico** *S'il vous plaît, allez chercher un docteur.*

■ Ainsi que la cause **per = per causa di = per via di...** : *à cause de,* etc. **Per questo...** *Pour cela...*

5. **DI** exprime l'appartenance, la propriété :

• E questo, di chi è? *Et cela, à qui est-ce?*
**È di questa signora. Non è di nessuno. È di tutti.** *C'est à cette dame. Ce n'est à personne. C'est à tout le monde.*

La matière :
• **Una statua di marmo, un busto di bronzo** *Une statue en marbre, un buste en bronze.*
N.B. : **Penso di farlo** *Je pense le faire* (v. 14, 3).

6. La préposition **DA** est la plus importante — par son éventail de significations — des prépositions italiennes.

■ Elle exprime principalement l'origine, la provenance : en général, et dans l'espace :

• **L'italiano viene dal latino** *L'italien vient du latin.*
— **Da che cosa dipende...?** — **Dipende da...** — *De quoi cela dépend-il? De quoi dépend...?* — *Cela dépend de...*
— **Che cosa vuoi da me?** *Que veux-tu de moi?*

• **Vengo, torno da Genova** *Je viens, je reviens de Gênes.* **È in arrivo il treno da Ginevra** *Le train en provenance de Genève entre en gare.*

■ Et, par conséquent, la séparation, l'éloignement, la différence :

• **Lontano da...** *Loin de...* **Questo è diverso da quello** *Celui-ci est différent de celui-là.* **Diviso da** *Séparé de,* ou : *d'avec...*

■ Le passage, mais en concurrence avec « **per** » **(v. 4) :**

• **Il treno passerà da** (ou **per**) **Bologna?** *Le train passera-t-il par Bologne?*
SEULEMENT pour les PERSONNES et avec **PARTE, da** peut exprimer la destination, l'arrivée, le séjour chez, etc.

• **Vado dal barbiere, poi da mio cugino** *Je vais chez le coiffeur, puis chez mon cousin.* **Da una parte e dall'altra** *d'un côté et de l'autre.*
ATTENTION! Cet usage n'est possible qu'avec des sujets différents, sinon on dira « **vado a casa mia** » *je vais chez moi.*
■ **Da** exprime également **l'origine :**
dans le temps :

• **Da quando...?** *Depuis quand...?* — **Dapprima** *D'abord* — **Da molto tempo** *Depuis longtemps*; **da due mesi** *depuis deux mois*; **fin da domani :** *dès demain,* etc. **Da tre giorni non la vedo** *Voilà/Cela fait trois jours que je ne vous vois plus (= Depuis...).*

■ et dans l'action : **da** introduit dans le « complément d'agent », puisque celui qui « agit » est bien à l'origine de la chose faite!

• **Da chi, da che cosa è stato fatto?** *Par qui, par quoi cela a-t-il été fait?* **La volta della Sistina fu dipinta da Michelangelo** *La voûte de la Sixtine fut peinte par Michel-Ange.*

■ Autres emplois et fonctions : **Da** peut exprimer la manière d'être, le comportement, la fonction, la condition, etc.

• **Vive da re** *Il vit en roi* (= comme, à la manière d'un roi : mais il n'en est pas un!). **È un personaggio da romanzo** *C'est un personnage de roman* (il agit comme s'il en était un).

■ L'obligation, la conséquence devant un infinitif :

• **Ho molte cose da dire** *J'ai beaucoup de choses à dire.* **Non c'è niente da mangiare?** *Il n'y a rien à manger?* **In modo da...** *De façon à...* **Non c'è da ridere!** *Il n'y a pas de quoi rire!*

■ L'usage, la destination :

• **Carta da lettere** *papier à lettres.* **Vestiti da uomo** *vêtements pour homme.* NE PAS CONFONDRE la **« tazza di tè »**, qui contient du thé (v. 5) et la **« tazza da tè »** qui est faite pour, destinée à en contenir : ... *de,* et *à thé.*

■ La valeur, le prix :

• **Un francobollo da mille lire** *Un timbre à mille lires.* **Un biglietto da mille** *Un billet de mille.* **Una cravatta da trenta mila lire** *Une cravate à trente mille lires.*

■ Le détail caractéristique auquel, par lequel on reconnaît :

• **La Fata dai capelli turchini (di Pinocchio)** *La Fée aux cheveux bleus.*

## 12 — LES PRONOMS PERSONNELS

• Voir tableau page 135, leçon 16, A 3

1. Les pronoms sujets ne sont pas obligatoires en italien, sauf pour mettre en évidence la personne ou éviter l'ambiguïté :

• **Se non lo faccio io, lo farai tu,** *si moi, je ne le fais pas, toi, tu le feras (c'est toi qui...)* (v. 13, 8). **Ci penserò io!** *C'est moi qui m'en chargerai.*

2. La forme de politesse **(« forma di cortesia »)** est une troisième personne :

• **(Lei) è pronto** (si c'est un homme), **pronta** (si c'est une femme)? *Êtes-vous prêt (e)?*

Toutes les formes prennent la majuscule :

• le sujet est **« Lei »**.

• le complément tonique : **« Lei » : vado con Lei** *je vais avec vous.*

• le complément direct : **« La » : Sono felice di incontrarLa** *Je suis heureux de vous rencontrer.* **ArrivederLa** *au* (mot à mot *à vous*) *revoir.*

• le complément indirect : **« Le » : Posso dirLe...?** *Puis-je vous dire...?*

• Le pronom réfléchi : **« si » : S'accomodi!** *Mettez-vous à votre aise = Installez-vous* etc.

• Le possessif : **« il Suo » : Lei dimentica la Sua cartella** *Vous oubliez votre serviette.*

3. Les pronoms compléments :
Le pronom complément indirect (mi, ti, gli, le, ci, vi) précède le direct, avec modification orthographique : **me lo dice** *il me le dit*, **te lo dice...**, **glielo dice** *il le lui* (masc. et fém.) *dit*, **se lo dice** *il se le dit*, **ce lo dice...**, **ve lo dice...**, **glielo dice** *il leur* (masc. et fém.) *dit* (ou **lo dice loro**).
— **« lo », « li »; « la », « le »** *le, les, la, les*
Ils s'unissent, sans trait d'union, à l'infinitif, au gérondif, à l'impératif (2e, 4e et 5e personnes), et à **« ecco »** : *voici, voilà :* **Lei deve farlo** *Vous devez le faire*; **voglio servirmi di questo**; **voglio servirmene** *je veux me servir de cela; je veux m'en servir.*
**Rivolgetevi allo sportello numero cinque** *Adressez-vous au guichet numéro cinq.*
**Fermandoti, lo vedrai** *En t'arrêtant, tu le verras.* **Eccoli!** *Les voici!* **eccone altri** *en voilà d'autres.*
N.B. : Quand la forme de l'impératif de la 2e personne est **tronca** au monosyllabique, la consonne du pronom (sauf **g**) est redoublée :
**di'** *dis*; **dimmi** *dis-moi*; **dimmelo** *dis-le-moi*
**fa'** *fais*; **fallo** *fais-le*; **faglielo vedere** *fais-le-lui voir.*
ATTENTION : La présence de pronoms accolés ne déplace évidemment pas l'accent tonique du verbe : **DIte, DItemi, DItemelo,** *dites, dites-moi, dites-le-moi;* **INdica, INdicagli, INdicaglielo** *indique-lui, indique-le-lui...*

## 13 — SUJET APPARENT, SUJET RÉEL

Le sujet « apparent » français, en général, ne se traduit pas : c'est le complément du sujet français qui devient le sujet réel italien : le verbe s'accorde donc avec lui :
1. *Il est une heure* **È l'una.**
   *Il est trois heures* **Sono le tre.**
2. *Il y a un train* **C'è un treno.**
   *Il y a deux trains* **Ci sono due treni.**
- *Il y a eu ...* **C'è stato, ci sono stati...**
- *Il y en a ...* **Ce n'è, ce ne sono...**
- *Il y en a eu ...* **Ce n'è stato, ce ne sono stati...**

ATTENTION À NE PAS CONFONDRE : **C'è, ci sono...** *Il y a ...* AVEC : **È, sono...** *C'est, il est,* etc. NON PLUS QU'AVEC LES AUTRES ÉQUIVALENCES DE « IL Y A » :
a) temps écoulé : **Un anno fa andavo in Italia** *Il y a un an j'allais en Italie.* (v. 11, 3.)
b) origine dans le temps : **Da un anno studio l'italiano** *Il y a, cela fait, voilà un an que j'étudie l'italien = j'étudie l'italien depuis un an.* (v. 11, 6.)
3. • *Il faut revenir* **Bisogna (= occorre) tornare** (devant un verbe).
   • *Il faut une heure pour revenir* **Occorre (= ci vuole) un'ora per tornare** (devant un nom).
*Il faut deux heures pour revenir* **Occorrono (= ci vogliono) due ore per tornare** (devant un nom).
4. • *Il suffit de le faire* **Basta farlo.**
   • *Il suffit d'une heure, de deux heures pour le faire* **Basta un'ora, bastano due ore per farlo.**
N.B. : L'infinitif étant devenu le sujet réel en italien, il n'y a plus besoin de la préposition « de ».
5. *Il est dangereux de se pencher (au-dehors)* **È pericoloso sporgersi.**
   *Défense de fumer = (Il est) défendu de fumer* **Vietato fumare.**

*Il est possible, facile, nécessaire, etc., de faire comme ceci :* **È possibile, facile, necessario, ecc. fare così.**

6. Et, par analogie : *J'aime les pâtes à l'italienne* **Mi piace la pasta all'italiana.** *J'aime les glaces italiennes* **Mi piacciono i gelati italiani.**

• *Vous avez aimé cette excursion?* **Le è piaciuta questa gita?**
*Vous avez aimé ces fresques?* **Le sono piaciuti quegli affreschi?**

ATTENTION : L'auxiliaire de tous ces verbes est toujours « **essere** » : **ci sono volute due ore; è bastata un'ora...; mi è piaciuta, mi sono piaciuti...** *Il a fallu deux heures; il a suffit d'une heure; j'ai aimé...*

7. Les équivalents du français « ON » :

• *On voit une gondole* **Si vede una gondola.**
*On voit plusieurs gondoles* **Si vedono più gondole.**

C'est la forme réfléchie — avec « **si** » — qui est la plus courante.

• **Dicono tante cose sui giornali!** *On dit tant de choses sur/dans les journaux!* Verbe à la 3e personne du pluriel, à la latine.

ATTENTION À CERTAINS ACCORDS :

• **Quando si è viaggiato molto, si è stanchi** *Quand on a beaucoup voyagé, on est fatigué :*
(a) « **si è viaggiato** » est une action : on pourrait dire « **abbiamo viaggiato** »;
(b) « **si è stanchi** » est un état : on pourrait dire « **siamo stanchi** », ce qui explique le **pluriel**.

De même pour les autres tournures impersonnelles, par exemple :

• **Bisogna essere prudenti** *Il faut être prudent.*

• **È necessario essere prudenti** *Il est nécessaire d'être prudent.*

ATTENTION À L'ORDRE DES PRONOMS :

■ *On se voit :* **Ci si vede;** *on y voit* **ci si vede...** C'est le contexte qui permet de les différencier.

8. *C'est moi...* **Sono io...** (v. 12, 1.)
*C'est bien vous!* **È proprio lei!**

• *C'est moi qui le fais* **Lo faccio io = Sono io a farlo...**

• *C'est à moi de le faire = C'est mon tour...* **Tocca** ou **Spetta a me farlo. Mi tocca** ou **Mi spetta farlo.**
*C'est à qui (le tour)? — C'est à vous* **A chi tocca? — Tocca a Lei.**

## 14 — LES EMPLOIS DU VERBE en italien :

1. Auxiliaires :

• Les verbes d'état prennent l'auxiliaire **essere**, à la place du français « avoir » : **sono stato** *j'ai été...* **Sono vissuto a Firenze per due anni** *J'ai vécu à Florence (pendant) deux ans.* **Mi è costato caro** *Cela m'a coûté cher.* **Stanotte è piovuto molto** *Cette nuit, il a beaucoup plu.*

• De même que les verbes à la forme passive : **La macchina è stata riparata dal meccanico** *La voiture a été réparée par le mécanicien.*

• Cas particulier : les verbes **dovere, potere, volere, sapere** prennent l'auxiliaire de l'infinitif qui les suit : **Ho dovuto** *J'ai dû.* **Ho dovuto farlo** *J'ai dû le faire* (parce qu'on dit : **l'ho fatto**). Mais **sono dovuto partire** *J'ai dû partir* (parce qu'on dit : **sono partito**). De même : **Non è potuto tornare in tempo** *Il n'a pas pu revenir à l'heure,* etc. *(suite page 369)*

## 15 — CONJUGAISON DE ESSERE, *ÊTRE*

| INDICATIF (indicativo) | | | |
|---|---|---|---|
| **présent** *(presente)* | **imparfait** *(imperfetto)* | **passé simple** *(passato remoto)* | **futur simple** *(futuro semplice)* |
| sono<br>sei<br>è<br>siamo<br>siete<br>sono | ero<br>eri<br>era<br>eravamo<br>eravate<br>erano | fui<br>fosti<br>fù<br>fummo<br>foste<br>furono | sarò<br>sarai<br>sarà<br>saremo<br>sarete<br>saranno |
| **passé composé** *(passato prossimo)* | **plus-que-parfait** *(trapassato prossimo)* | **passé antérieur** *(trapassato remoto)* | **futur antérieur** *(futuro anteriore)* |
| sono stato<br>sei stato<br>è stato<br>siamo stati<br>siete stati<br>sono stati | ero stato<br>eri stato<br>era stato<br>eravamo stati<br>eravate stati<br>erano stati | fui stato<br>fosti stato<br>fù stato<br>fummo stati<br>foste stati<br>furono stati | sarò stato<br>sarai stato<br>sarà stato<br>saremo stati<br>sarete stati<br>saranno stati |
| **SUBJONCTIF** *(congiuntivo)* | | | |
| **présent** *(presente)* | **passé** *(passato)* | **imparfait** *(imperfetto)* | **plus-que-parfait** *(trapassato)* |
| sia<br>sia<br>sia<br>siamo<br>siate<br>siano | sia stato<br>sia stato<br>sia stato<br>siamo stati<br>siate stati<br>siano stati | fossi<br>fossi<br>fosse<br>fossimo<br>foste<br>fossero | fossi stato<br>fossi stato<br>fosse stato<br>fossimo stati<br>foste stati<br>fossero stati |

| CONDITIONNEL *(condizionale)* | | IMPÉRATIF *(imperativo)* |
|---|---|---|
| **présent** *(presente)* | **passé** *(passato)* | **présent** *(presente)* |
| sarei<br>saresti<br>sarebbe<br>saremmo<br>sareste<br>sarebbero | sarei stato<br>saresti stato<br>sarebbe stato<br>saremmo stati<br>sareste stati<br>sarebbero stati | (io) –<br>(tu) sii<br>(Lei) sia<br>(noi) siamo<br>(voi) siate<br>(Loro) siano |

| **Infinitif présent** *(infinito presente)* | **Infinitif passé** *(infinito passato)* | **Gérondif présent** *(gerundio presente)* | **Gérondif passé** *(gerundio passato)* |
|---|---|---|---|
| essere | essere stato | essendo | essendo stato |

**Participe présent** *(participio presente)* : —
**Participe passé** *(participio passato)* : **stato, stata, stati, state**

## 16 — CONJUGAISON DE **AVERE** *AVOIR*

### INDICATIF *(indicativo)*

| **présent** *(presente)* | **imparfait** *(imperfetto)* | **passé simple** *(passato remoto)* | **futur simple** *(futuro semplice)* |
|---|---|---|---|
| ho | avevo | ebbi | avrò |
| hai | avevi | avesti | avrai |
| ha | aveva | ebbe | avrà |
| abbiamo | avevamo | avemmo | avremo |
| avete | avevate | aveste | avrete |
| hanno | avevano | ebbero | avranno |

| **passé composé** *(passato prossimo)* | **plus-que-parfait** *(trapassato prossimo)* | **passé antérieur** *(trapassato remoto)* | **futur antérieur** *(futuro anteriore)* |
|---|---|---|---|
| ho avuto | avevo avuto | ebbi avuto | avrò avuto |
| hai avuto | avevi avuto | avesti avuto | avrai avuto |
| ha avuto | aveva avuto | ebbe avuto | avrà avuto |
| abbiamo avuto | avevamo avuto | avemmo avuto | avremo avuto |
| avete avuto | avevate avuto | aveste avuto | avrete avuto |
| hanno avuto | avevano avuto | ebbero avuto | avranno avuto |

### SUBJONCTIF *(congiuntivo)*

| **présent** *(presente)* | **passé** *(passato)* | **imparfait** *(imperfetto)* | **plus-que-parfait** *(trapassato)* |
|---|---|---|---|
| abbia | abbia avuto | avessi | avessi avuto |
| abbia | abbia avuto | avessi | avessi avuto |
| abbia | abbia avuto | avesse | avesse avuto |
| abbiamo | abbiamo avuto | avessimo | avessimo avuto |
| abbiate | abbiate avuto | aveste | aveste avuto |
| abbiano | abbiano avuto | avessero | avessero avuto |

### CONDITIONNEL *(condizionale)* / IMPÉRATIF *(imperativo)*

| **présent** *(presente)* | **passé** *(passato)* | **présent** *(presente)* | |
|---|---|---|---|
| avrei | avrei avuto | (io) | – |
| avresti | avresti avuto | (tu) | abbia |
| avrebbe | avrebbe avuto | (Lei) | abbia |
| avremmo | avremmo avuto | (noi) | abbiamo |
| avreste | avreste avuto | (voi) | abbiate |
| avrebbero | avrebbero avuto | (Loro) | abbiano |

| **Infinitif présent** *(infinito presente)* | **Infinitif passé** *(infinito passato)* | **Gérondif présent** *(gerundio presente)* | **Gérondif passé** *(gerundio passato)* |
|---|---|---|---|
| avere | aver avuto | avendo | avendo avuto |

**Participe présent** *(participio presente)* : avente
**Participe passé** *(participio passato)* : avuto

# 17 — CONJUGAISON DE **PARL-ARE**, *PARLER*

**INDICATIF (indicativo)**

| **présent** *(presente)* | **imparfait** *(imperfetto)* | **passé simple** *(passato remoto)* | **futur simple** *(futuro semplice)* |
|---|---|---|---|
| parl-o | parl-a-vo | parl-a-i | parl-e-r-ò |
| parl-i | parl-a-vi | parl-a-sti | parl-e-r-ai |
| parl-a | parl-a-va | parl-ò | parl-e-r-à |
| parl-iamo | parl-a-vamo | parl-a-mmo | parl-e-r-emo |
| parl-ate | parl-a-vate | parl-a-ste | parl-e-r-ete |
| parl-ano | parl-a-vano | parl-a-rono | parl-e-r-anno |

| **passé composé** *(passato prossimo)* | **plus-que-parfait** *(trapassato prossimo)* | **passé antérieur** *(trapassato remoto)* | **futur antérieur** *(futuro anteriore)* |
|---|---|---|---|
| ho parlato | avevo parlato | ebbi parlato | avrò parlato |
| hai parlato | avevi parlato | avesti parlato | avrai parlato |
| ha parlato | aveva parlato | ebbe parlato | avrà parlato |
| abbiamo parlato | avevamo parlato | avemmo parlato | avremo parlato |
| avete parlato | avevate parlato | aveste parlato | avrete parlato |
| hanno parlato | avevano parlato | ebbero parlato | avranno parlato |

**SUBJONCTIF** *(congiuntivo)*

| **présent** *(presente)* | **passé** *(passato)* | **imparfait** *(imperfetto)* | **plus-que-parfait** *(trapassato)* |
|---|---|---|---|
| parl-i | abbia parlato | parl-a-ss-i | avessi parlato |
| parl-i | abbia parlato | parl-a-ss-i | avessi parlato |
| parl-i | abbia parlato | parl-a-ss-e | avesse parlato |
| parl-iamo | abbiamo parlato | parl-a-ss-imo | avessimo parlato |
| parl-iate | abbiate parlato | parl-a-s-te | aveste parlato |
| parl-ino | abbiano parlato | parl-a-ss-ero | avessero parlato |

| **CONDITIONNEL** *(condizionale)* | | **IMPÉRATIF** *(imperativo)* | |
|---|---|---|---|
| **présent** *(presente)* | **passé** *(passato)* | **présent** *(presente)* | |
| parl-e-r-ei | avrei parlato | (io) | – |
| parl-e-r-esti | avresti parlato | (tu) | parl-a |
| parl-e-r-ebbe | avrebbe parlato | (Lei) | parl-i |
| parl-e-r-emmo | avremmo parlato | (noi) | parl-iamo |
| parl-e-r-este | avreste parlato | (voi) | parl-ate |
| parl-e-r-ebbero | avrebbero parlato | (Loro) | parl-ino |

| **Infinitif présent** *(infinito presente)* | **Infinitif passé** *(infinito passato)* | **Gérondif présent** *(gerundio presente)* | **Gérondif passé** *(gerundio passato)* |
|---|---|---|---|
| parl-are | aver parlato | parl-ando | avendo parlato |

**Participe présent** *(participio presente)* : par-lante
**Participe passé** *(participio passato)* : parl-ato

## 18 — CONJUGAISON DE **RIPET–ERE**, *RÉPÉTER*

**INDICATIF (indicativo)**

| **présent** *(presente)* | **imparfait** *(imperfetto)* | **passé simple** *(passato remoto)* | **futur simple** *(futuro semplice)* |
|---|---|---|---|
| ripet-o | ripet-e-v-o | ripet-e-i | ripet-e-r-ò |
| ripet-i | ripet-e-v-i | ripet-e-sti | ripet-e-r-ai |
| ripet-e | ripet-e-v-a | ripet-è | ripet-e-r-à |
| ripet-iamo | ripet-e-v-amo | ripet-e-mmo | ripet-e-r-emo |
| ripet-ete | ripet-e-v-ate | ripet-e-ste | ripet-e-r-ete |
| ripet-ono | ripet-e-v-ano | ripet-e-rono | ripet-e-r-anno |

| **passé composé** *(passato prossimo)* | | **plus-que-parfait** *(trapassato prossimo)* | | **passé antérieur** *(trapassato remoto)* | | **futur antérieur** *(futuro anteriore)* | |
|---|---|---|---|---|---|---|---|
| ho | ripetuto | avevo | ripetuto | ebbi | ripetuto | avrò | ripetuto |
| hai | ripetuto | avevi | ripetuto | avesti | ripetuto | avrai | ripetuto |
| ha | ripetuto | aveva | ripetuto | ebbe | ripetuto | avrà | ripetuto |
| abbiamo | ripetuto | avevamo | ripetuto | avemmo | ripetuto | avremo | ripetuto |
| avete | ripetuto | avevate | ripetuto | aveste | ripetuto | avrete | ripetuto |
| hanno | ripetuto | avevano | ripetuto | ebbero | ripetuto | avranno | ripetuto |

**SUBJONCTIF** *(congiuntivo)*

| **présent** *(presente)* | **passé** *(passato)* | | **imparfait** *(imperfetto)* | **plus-que-parfait** *(trapassato)* | |
|---|---|---|---|---|---|
| ripet-a | abbia | ripetuto | ripet-e-ss-i | avessi | ripetuto |
| ripet-a | abbia | ripetuto | ripet-e-ss-i | avessi | ripetuto |
| ripet-a | abbia | ripetuto | ripet-e-ss-e | avesse | ripetuto |
| ripet-iamo | abbiamo | ripetuto | ripet-e-ss-imo | avessimo | ripetuto |
| ripet-iate | abbiate | ripetuto | ripet-e-s-te | aveste | ripetuto |
| ripet-ano | abbiano | ripetuto | ripet-e-ss-ero | avessero | ripetuto |

| **CONDITIONNEL** *(condizionale)* | | | **IMPÉRATIF** *(imperativo)* | |
|---|---|---|---|---|
| **présent** *(presente)* | **passé** *(passato)* | | **présent** *(presente)* | |
| ripet-e-r-ei | avrei | ripetuto | (io) | – |
| ripet-e-r-esti | avresti | ripetuto | (tu) | ripet-i |
| ripet-e-r-ebbe | avrebbe | ripetuto | (Lei) | ripet-a |
| ripet-e-r-emmo | avremmo | ripetuto | (noi) | ripet-iamo |
| ripet-e-r-este | avreste | ripetuto | (voi) | ripet-ete |
| ripet-e-r-ebbero | avrebbero | ripetuto | (Loro) | ripet-ano |

| **Infinitif présent** *(infinito presente)* | **Infinitif passé** *(infinito passato)* | **Gérondif présent** *(gerundio presente)* | **Gérondif passé** *(gerundio passato)* |
|---|---|---|---|
| ripet-ere | aver ripetuto | ripet-endo | avendo ripetuto |

**Participe présent** *(participio presente)* : ripet-ente
**Participe passé** *(participio passato)* : ripet-uto

| INDICATIF (indicativo) | | | |
|---|---|---|---|
| **présent** *(presente)* | **imparfait** *(imperfetto)* | **passé simple** *(passato remoto)* | **futur simple** *(futuro semplice)* |
| dorm-o<br>dorm-i<br>dorm-e<br>dorm-iamo<br>dorm-ite<br>dorm-ono | dorm-i-v-o<br>dorm-i-v-i<br>dorm-i-v-a<br>dorm-i-v-amo<br>dorm-i-v-ate<br>dorm-i-v-ano | dorm-i-i<br>dorm-i-sti<br>dorm-ì<br>dorm-i-mmo<br>dorm-i-ste<br>dorm-i-rono | dorm-i-r-ò<br>dorm-i-r-ai<br>dorm-i-r-à<br>dorm-i-r-emo<br>dorm-i-r-ete<br>dorm-i-r-anno |
| **passé composé** *(passato prossimo)* | **plus-que-parfait** *(trapassato prossimo)* | **passé antérieur** *(trapassato remoto)* | **futur antérieur** *(futuro anteriore)* |
| ho dormito<br>hai dormito<br>ha dormito<br>abbiamo dormito<br>avete dormito<br>hanno dormito | avevo dormito<br>avevi dormito<br>aveva dormito<br>avevamo dormito<br>avevate dormito<br>avevano dormito | ebbi dormito<br>avesti dormito<br>ebbe dormito<br>avemmo dormito<br>aveste dormito<br>ebbero dormito | avrò dormito<br>avrai dormito<br>avrà dormito<br>avremo dormito<br>avrete dormito<br>avranno dormito |

| SUBJONCTIF *(congiuntivo)* | | | |
|---|---|---|---|
| **présent** *(presente)* | **passé** *(passato)* | **imparfait** *(imperfetto)* | **plus-que-parfait** *(trapassato)* |
| dorm-a<br>dorm-a<br>dorm-a<br>dorm-iamo<br>dorm-iate<br>dorm-ano | abbia dormito<br>abbia dormito<br>abbia dormito<br>abbiamo dormito<br>abbiate dormito<br>abbiano dormito | dorm-i-ss-i<br>dorm-i-ss-i<br>dorm-i-ss-e<br>dorm-i-ss-imo<br>dorm-i-s-te<br>dorm-i-s-ero | avessi dormito<br>avessi dormito<br>avesse dormito<br>avessimo dormito<br>aveste dormito<br>avessero dormito |

| CONDITIONNEL *(condizionale)* | | IMPÉRATIF *(imperativo)* |
|---|---|---|
| **présent** *(presente)* | **passé** *(passato)* | **présent** *(presente)* |
| dorm-i-r-ei<br>dorm-i-r-esti<br>dorm-i-r-ebbe<br>dorm-i-r-emmo<br>dorm-i-r-este<br>dorm-i-r-ebbero | avrei dormito<br>avresti dormito<br>avrebbe dormito<br>avremmo dormito<br>avreste dormito<br>avrebbero dormito | (io) –<br>(tu) dorm-i<br>(Lei) dorm-a<br>(noi) dorm-iamo<br>(voi) dorm-ite<br>(Loro) dorm-ano |

| **Infinitif présent** *(infinito presente)* | **Infinitif passé** *(infinito passato)* | **Gérondif présent** *(gerundio presente)* | **Gérondif passé** *(gerundio passato)* |
|---|---|---|---|
| dorm-ire | aver dormito | dorm-endo | avendo dormito |

**Participe présent** *(participio presente)* : dorm-ente (o dorm-iente)
**Participe passé** *(participio passato)* : dorm-ito

| INDICATIF (indicativo) | | | |
|---|---|---|---|
| **présent** *(presente)* | **imparfait** *(imperfetto)* | **passé simple** *(passato remoto)* | **futur simple** *(futuro semplice)* |
| fi**n**-**i**sc-o<br>fi**n**-**i**sc-i<br>fi**n**-**i**sc-e<br>fi**n**- **ia**mo<br>fi**n**- **i**te<br>fi**n**-**i**sc-ono | fin-i-v-o<br>fin-i-v-i<br>fin-i-v-a<br>fin-i-v-amo<br>fin-i-v-ate<br>fin-i-v-ano | fin-i-i<br>fin-i-sti<br>fin-ì<br>fin-i-mmo<br>fin-i-ste<br>fin-i-rono | fin-i-r-ò<br>fin-i-r-ai<br>fin-i-r-à<br>fin-i-r-emo<br>fin-i-r-ete<br>fin-i-r-anno |
| **passé composé** *(passato prossimo)* | **plus-que-parfait** *(trapassato prossimo)* | **passé antérieur** *(trapassato remoto)* | **futur antérieur** *(futuro anteriore)* |
| ho finito<br>hai finito<br>ha finito<br>abbiamo finito<br>avete finito<br>hanno finito | avevo finito<br>avevi finito<br>aveva finito<br>avevamo finito<br>avevate finito<br>avevano finito | ebbi finito<br>avesti finito<br>ebbe finito<br>avemmo finito<br>aveste finito<br>ebbero finito | avrò finito<br>avrai finito<br>avrà finito<br>avremo finito<br>avrete finito<br>avranno finito |

| SUBJONCTIF *(congiuntivo)* | | | |
|---|---|---|---|
| **présent** *(presente)* | **passé** *(passato)* | **imparfait** *(imperfetto)* | **plus-que-parfait** *(trapassato)* |
| fin-isc-a<br>fin-isc-a<br>fin-isc-a<br>fin- iamo<br>fin- iate<br>fin-isc-ano | abbia finito<br>abbia finito<br>abbia finito<br>abbiamo finito<br>abbiate finito<br>abbiano finito | fin-i-ss-i<br>fin-i-ss-i<br>fin-i-ss-e<br>fin-i-ss-imo<br>fin-i-s-te<br>fin-i-s-sero | avessi finito<br>avessi finito<br>avesse finito<br>avessimo finito<br>aveste finito<br>avessero finito |

| CONDITIONNEL *(condizionale)* | | IMPÉRATIF *(imperativo)* |
|---|---|---|
| **présent** *(presente)* | **passé** *(passato)* | **présent** *(presente)* |
| fin-i-re-i<br>fin-i-r-esti<br>fin-i-r-ebbe<br>fin-i-r-emmo<br>fin-i-r-este<br>fin-i-r-ebbero | avrei finito<br>avresti finito<br>avrebbe finito<br>avremmo finito<br>avreste finito<br>avrebbero finito | (io) –<br>(tu) fin-isc-i<br>(Lei) fin-isc-a<br>(noi) fin-iamo<br>(voi) fin-ite<br>(Loro) fin-isc-ano |

| **Infinitif présent** *(infinito presente)* | **Infinitif passé** *(infinito passato)* | **Gérondif présent** *(gerundio presente)* | **Gérondif passé** *(gerundio passato)* |
|---|---|---|---|
| fin-ire | aver finito | fin-endo | avendo finito |

**Participe présent** *(participio presente)* : fin-ente
**Participe passé** *(participio passato)* : fin-ito

## VERBES AVEC DES MODIFICATIONS D'ORTHOGRAPHE

**1.** Verbes en **-(s)care** (**pesc-are** *pêcher,* **tocc-are** *toucher...*) : **PESC-ARE** *pêcher*

| Indicatif présent | Indicatif futur | Subjonctif présent | Conditionnel présent | Impératif présent |
|---|---|---|---|---|
| pesc -o | pesc-**h**-erò | pesc-**h**-i | pesc-**h**-erei | — |
| pesc-**h**-i | pesc-**h**-erai | pesc-**h**-i | pesc-**h**-eresti | pesc -a |
| pesc -a | pesc-**h**-erà | pesc-**h**-i | pesc-**h**-erebbe | pesc **h**-i |
| pesc-**h**-iamo | pesc-**h**-eremo | pesc-**h**-iamo | pesc-**h**-eremmo | pesc-**h**-iamo |
| pesc -ate | pesc-**h**-erete | pesc-**h**-iate | pesc-**h**-ereste | pesc -ate |
| pesc -ano | pesc-**h**-eranno | pesc-**h**-ino | pesc-**h**-erebbero | pesc-**h**-ino |

**2.** Verbes en **-gare** (**leg-are** *lier,* **spieg-are** *expliquer...*) : **LEG-ARE** *lier*

| Indicatif présent | Indicatif futur | Subjonctif présent | Conditionnel présent | Impératif présent |
|---|---|---|---|---|
| leg -o | leg-**h**-erò | leg-**h**-i | leg-**h**-erei | — |
| leg-**h**-i | leg-**h**-erai | leg-**h**-i | leg-**h**-eresti | leg -a |
| leg -a | leg-**h**-erà | leg-**h**-i | leg-**h**-erebbe | leg-**h**-i |
| leg-**h**-iamo | leg-**h**-eremo | leg-**h**-iamo | leg-**h**-eremmo | leg-**h**-iamo |
| leg-ate | leg-**h**-erete | leg-**h**-iate | leg-**h**-ereste | leg -ate |
| leg-ano | leg-**h**-eranno | leg-**h**-ino | leg-**h**-erebbero | leg-**h**-ino |

**3.** Verbes en **-ciare** (**lanci-are** *lancer,* **abbracci-are** *embrasser...*) : **LANCI-ARE** *lancer*

| Indicatif présent | Indicatif futur | Subjonctif présent | Conditionnel présent | Impératif présent |
|---|---|---|---|---|
| lanci-o | lanc-erò | lanc-i | lanc-erei | — |
| lanc-i | lanc-erai | lanc-i | lanc-eresti | lanci-a |
| lanci-a | lanc-erà | lanc-i | lanc-erebbe | lanc-i |
| lanc-iamo | lanc-eremo | lanc-iamo | lanc-eremmo | lanc-iamo |
| lanci-ate | lanc-erete | lanc-iate | lanc-ereste | lanci-ate |
| lanci-ano | lanc-eranno | lanc-ino | lanc-erebbero | lanc-ino |

**4.** Verbes en **-giare** (**mangi-are** *manger,* **assaggi-are** *goûter...*) : **MANGI-ARE** *manger*

| Indicatif présent | Indicatif futur | Subjonctif présent | Conditionnel présent | Impératif présent |
|---|---|---|---|---|
| mangi-o | mang-erò | mang-i | mang-erei | — |
| mang-i | mang-erai | mang-i | mang-eresti | mangi-a |
| mangi-a | mang-erà | mang-i | mang-erebbe | mang-i |
| mang-iamo | mang-eremo | mang-iamo | mang-eremmo | mang-iamo |
| mangi-ate | mang-erete | mang-iate | mang-ereste | mangi-ate |
| mangi-ano | mang-eranno | mang-ino | mang-erebbero | mang-ino |

# 21 — VERBES IRRÉGULIERS

## A — Première conjugaison

**andare** *aller*
*ind présent* vado, vai, va, andiamo, andate, vanno
*futur* andrò, andrai......
*sub présent* vada, vada, vada, andiamo, andiate, **va**dano
*sub imparfait* andassi, andassi, andasse......
*impératif* va' (vai, va), vada, andiamo, andate, **va**dano
**dare** *donner*
*ind présent* do, dai, dà, diamo, date, danno
*ind imparfait* davo, davi, dava, davamo, davate, **da**vano
*passé simple* diedi *(detti)*, desti, diede *(dette)*, demmo, deste, **die**dero *(**det**tero)*
*futur* darò, darai, darà, daremo, darete, daranno
*sub présent* dia, dia, dia, diamo, diate, diano
*sub imparfait* dessi, dessi, desse, dessimo, deste, **des**sero
*impératif* dà (dai, da'), dia, diamo, date, **di**ano
*part passé* dato
**stare** *être*, *demeurer* (même modèle : **distare** *être loin* )
*ind présent* sto, stai, sta, stiamo, state, stanno
*ind imparfait* stavo, stavi, stava, stavamo, stavate, **sta**vano
*passé simple* stetti, stesti, stette, stemmo, steste, **stet**tero
*futur* starò, starai, starà, staremo, starete, staranno
*sub présent* **sti**a, **sti**a, **sti**a, sti**a**mo, sti**a**te, **sti**ano
*sub imparfait* stessi, stessi, stesse, stessimo, steste, **stes**sero
*impératif* sta (stai, sta'), **sti**a, sti**a**mo, state, **sti**ano
*part passé* stato
*passé composé* sono stato

## B — Deuxième conjugaison
### a) verbi con l'accento sulla penultima sillaba (parole piane)

**cadere** *tomber* (même modèle : **accadere** *arriver*, **decadere** *déchoir*, **ricadere** *retomber* )
*passé simple* caddi, cadesti, cadde, cademmo, cadeste, **cad**dero
*futur* cadrò, cadrai, cadrà, cadremo, cadrete, cadranno
*cond* cadrei, cadresti, cadrebbe.........
**dolersi** *se plaindre*
*ind présent* mi dolgo, ti duoli, si duole, ci doliamo, vi dolete, si **dol**gono
*passé simple* mi dolsi, ti dolesti si dolse, ci dolemmo, vi doleste, si **dol**sero
*futur* mi dorrò, ti dorrai, si dorrà, ci dorremo, vi dorrete, si dorranno
*cond.* mi dorrei, ti dorresti,......
*sub présent* mi dolga (doglia), ti dolga (doglia), si dolga (doglia), ci do(g)liamo, vi do(g)liate, si **dol**gano
**dovere** *devoir*
*ind présent* devo (debbo), devi, deve, dobbiamo, dovete, **de**vono (**deb**bono)
*passé simple* dovei (dovetti), dovesti, dové (dovette), dovemmo, doveste, do**ve**rono (do**vet**-tero)
*futur* dovrò, dovrai, dovrà, dovremo, dovrete, dovranno
*cond.* dovrei, dovresti......
*sub présent* deva, deva, deva (debba, debba, debba) dobbiamo, dobbiate, **de**vano (**deb**bano)
**godere** *jouir*
*passé simple* godei o godetti (*voir* dovere)
*futur* godrò, godrai, godrà, godremo, godrete, godranno
*cond.* godrei, godresti......
**persuadere** *persuader* (même modèle : **dissuadere** *dissuader* )
*passé simple* persuasi, persuadesti, persuase, persuademmo, persuadeste, persu**a**sero
*part passé* persuaso
**parere** *paraître*
*ind présent* paio, pari, pare, paiamo, parete, **pa**iono
*passé simple* parvi, paresti, parve, paremmo, pareste, **par**vero
*futur* parrò, parrai, parrà, parremo, parrete, parranno
*cond.* parrei, parresti......
*sub. présent* paia, paia, paia, paiamo, paiate, **pa**iano
*part passé* parso;
*passé composé (ausiliare* essere : mi è parso...)
**piacere** *plaire* (même modèle : **compiacere** complaire, **dispiacere** *déplaire*, **spiacere** *déplaire*; **giacere** *être coucher*; **tacere** *se taire*)
*ind présent* piaccio, piaci, piace, pia(c)ciamo, piacete, **piac**ciono
*passé simple* piacqui, piacesti, piacque, piacemmo, piaceste, **piac**quero
*sub présent* piaccia, piaccia, piaccia, pia(c)ciamo, pia(c)ciate, **piac**ciano

*part passé* piaciuto ;
*passé composé (ausiliare* essere : mi è piaciuto...)

**potere** *pouvoir*
*ind présent* posso, puoi, può, possiamo, potete, **pos**sono
*passé simple* potei o potetti (*voir* dovere)
*futur* potrò, potrai, potrà, potremo, potrete, potranno
*cond.* potrei, potresti......
*sub présent* possa, possa, possa, possiamo, possiate, **pos**sano

**rimanere** *rester*
*ind présent* rimango, rimani, rimane, rimaniamo, rimanete, ri**man**gono
*passé simple* rimasi, rimanesti, rimase, rimanemmo, rimaneste, ri**ma**sero
*futur* rimarrò, rimarrai, rimarrà, rimarremo, rimarrete, rimarranno
*cond.* rimarrei, rimarresti.........
*sub présent* rimanga, rimanga, rimanga, rimaniamo, rimaniate, ri**man**gano
*impératif* rimani, rimanga, rimaniamo, rimanete, ri**man**gano
*part passé* rimasto
*passé composé* sono rimasto

**sapere** *savoir*
*ind présent* so, sai, sa, sappiamo, sapete, sanno
*passé simple* seppi, sapesti, seppe, sapemmo, sapeste, **sep**pero
*futur* saprò, saprai,saprà, sapremo, saprete, sapranno
*cond.* saprei, sapresti......
*sub présent* sappia, sappia, sappia, sappiamo, sappiate, **sap**piano

**sedere**, **sedersi** *s'asseoir* (même modèle : **possedere** *posséder;* **risiedere** *résider,* **presiedere** *présider...)*
*ind présent* siedo, siedi, siede, sediamo, sedete, **sie**dono
*passé simple* sedei o sedetti (*voir* dovere)
*sub présent* sieda, sieda, sieda, sediamo, sediate, **sie**dano
*impératif* siedi, sieda, sediamo sedete, **sie**dano

**tenere** *tenir* (même modèle : **contenere** *contenir,* **ritenere** *penser, trouver,* **trattenere** *retenir...)*
*ind présent* tengo, tieni, tiene, teniamo, tenete, **ten**gono
*passé simple* tenni, tenesti, tenne, tenemmo, teneste, **ten**nero
*futur* terrò, terrai, terrà, terremo, terrete, terranno
*cond.* terrei, terresti......
*sub présent* tenga, tenga, tenga, teniamo, teniate, **ten**gano
*impératif* tieni, tenga, teniamo, tenete, **ten**gano

**valere** *valoir* (même modèle : **avvalersi** *se prévaloir,* **prevalere** *prévaloir)*
*ind présent* valgo, vali, vale, valiamo, valete, **val**gono
*passé simple* valsi, valesti, valse, valemmo, valeste, **val**sero
*futur* varrò, varrai, varrà, varremo, varrete, varranno
*cond.* varrei, varresti......
*sub présent* valga, valga, valga, valiamo, valiate, **val**gano
*part passé* valso

**vedere** *voir* (même modèle : **intravedere** *entrevoir,* **prevedere** *prévoir,* **provvedere** *pourvoir,* **ravvedersi** *se repentir,* **rivedere** *revoir...)*
*passé simple* vidi, vedesti, vide, vedemmo, vedeste, **vi**dero
*futur* vedrò, vedrai, vedrà, vedremo, vedrete, vedranno
*cond.* vedrei, vedresti... ;
*part passé* veduto *ou* visto

**volere** *vouloir*
*ind présent* voglio, vuoi, vuole, vogliamo, volete, **vo**gliono
*passé simple* volli, volesti, volle, volemmo, voleste, **vol**lero
*futur* vorrò, vorrai, vorrà, vorremo, vorrete, vorranno
*cond.* vorrei, vorresti...
*sub présent* voglia, voglia, voglia, vogliamo, vogliate, **vo**gliano

## b) verbi con l'accento sulla terzultima sillaba (parole **sdruc**ciole)

**accendere** *allumer* (même modèle : **appendere** *accrocher, suspendre*; **difendere** *défendre,* **offendere** *offenser...)*
*passé simple* accesi, accendesti, accese, accendemmo, accendeste, ac**ce**sero
*part passé* acceso

**assumere** *assumer, embaucher* (même modèle : **desumere** *déduire,* **presumere** *présumer,* **riassumere** *résumer)*
*passé simple* assunsi, assumesti, assunse, assumemmo, assumeste, as**sun**sero
*part passé* assunto

**bere** (de « **be**vere ») *boire*
*ind présent* bevo, bevi, beve, beviamo, bevete, **be**vono
*ind imparfait* bevevo, bevevi, beveva, bevevamo, bevevate, be**ve**vano
*passé simple* bevvi, bevesti, bevve, bevemmo, beveste, **bev**vero
*futur* berrò, berrai, berrà, berremo, berrete, berranno
*cond.* berrei, berresti, berrebbe, berremmo, berreste, ber**reb**bero
*sub présent* beva, beva, beva, beviamo, beviate, **be**vano
*sub imparfait* bevessi, bevessi, bevesse, be**ves**simo, beveste, be**ves**sero
*impératif* bevi, veva, beviamo, bevete, **be**vano
*part passé* bevuto

**chiedere** *demander* (même modèle : **richiedere** *demander,exiger* )
*passé simple* chiesi, chiedesti, chiese, chiedemmo, chiedeste, **chie**sero
*part passé* chiesto

**chiudere** *fermer* (même modèle : **accludere** *joindre inclure,* **concludere** *conclure,* **escludere** *exclure,* **includere** *inclure;* **alludere**, *faire allusion,* **deludere** *décevoir,* **eludere** *éluder,* **illudere** *leurrer,* **illudersi** *se faire des ilusions,* **preludere** *annoncer* )
*passé simple* chiusi, chiudesti, chiuse, chiudemmo, chiudeste, **chiu**sero
*part passé* chiuso
**cingere** *ceindre* (même modèle : **dipingere** peindre ; **fingere** *feindre;* **respingere** *repousser,* **sospingere** *repousser,* **spingere** *pousser;* **tingere** *teindre*)
*passé simple* cinsi, cingesti, cinse, cingemmo, cingeste, **cin**sero
*part passé* cinto
**cogliere** *cueillir* (même modèle : **accogliere** *accueillir,* **raccogliere** *cueillir;* **sciogliere** *dissoudre,* **disciogliere** *dissoudre;* **togliere** *enlever,* **distogliere** *détourner;* **scegliere** *choisir*)
*ind présent* colgo, cogli, coglie, cogliamo, cogliete, **col**gono
*passé simple* colsi, cogliesti, colse, cogliemmo, coglieste, **col**sero
*sub présent* colga, colga, colga, cogliamo, cogliate, **col**gano
*impératif* cogli, colga, cogliamo, cogliete, **col**gano
*part passé* colto
**concedere** *concéder* (même modèle : **retrocedere** *retrocéder,* **succedere** *arriver*)
*passé simple* concessi, concedesti, concesse, concedemmo, concedeste, con**ces**sero
*part passé* concesso
**condurre** (de « **condu**cere ») *conduire* (même modèle : **dedurre** *déduire,* **indurre** *induire,* **introdurre** *introduire,* **produrre** *produire,* **ridurre** *réduire,* **riprodurre** *reproduire,* **sedurre** *séduire,* **tradurre** *traduire*)
*ind présent* conduco, conduci, conduce, conduciamo, conducete, con**du**cono
*ind imparfait* conducevo, conducevi, conduceva, conducevamo, conducevate, condu**ce**vano
*passé simple* condussi, conducesti, condusse, conducemmo, conduceste, con**dus**sero
*futur* condurrò, condurrai, condurrà, condurremo, condurrete, condurranno
*cond.* condurrei, condurresti, condurrebbe, condurremmo, condurreste, condur**reb**bero
*sub présent* conduca, conduca, conduca, conduciamo, conduciate, con**du**cano
*sub imparfait* conducessi, conducessi, condecesse, condu**ces**simo, conduceste, condu**ces**sero
*impératif* conduci, conduca, conduciamo, conducete, con**du**cano
*part passé* condotto
**conoscere** *connaître*
*passé simple* conobbi, conoscesti, conobbe, conoscemmo, conosceste, co**nob**bero
*part passé* conosciuto
**correre** *courir* (même modèle : **accorrere** *accourir,* **concorrere** *concourir,* **decorrere** *partir,* **discorrere** *discourir,* **intercorrere** *s'écouler, passer,* **percorrere***parcourir,* **occorrere** *falloir,* **ricorrere** *recourir,* **rincorrere** *poursuivre,* **scorrere** *s'écouler,* **soccorrere** *secourir,* **trascorrere** *passer* )
*passé simple* corsi, corresti, corse, corremmo, correste, **cor**sero
*part passé* corso
**crescere** *grandir*
*passé simple* crebbi, crescesti, crebbe, crescemmo, cresceste, **creb**bero
*part passé* cresciuto ;
*passé composé* sono cresciuto.....
**dire** (de « **di**cere ») dire (même modèle : **addirsi** *convenir,* **contraddire** *contredire,* **disdire** *décommander,* **indire** *organiser,* **interdire** *interdire,* **predire** *prédire*)
*ind présent* dico, dici, dice, diciamo, dite, **di**cono
*ind imparfait* dicevo, dicevi, diceva, dicevamo, dicevate, di**ce**vano
*passé simple* dissi, dicesti, disse, dicemmo, diceste, **dis**sero
*futur* dirò, dirai, dirà, diremo, direte, diranno
*cond.* direi, diresti, direbbe, diremmo, direste, di**reb**bero
*sub présent* dica, dica, dica, diciamo, diciate, **di**cano
*sub imparfait* dicessi, dicessi, dicesse, di**ces**simo, diceste, di**ces**sero
*impératif* di'(di), dica, diciamo, dite, **di**cano
*part passé* detto
**dirigere** *diriger* (même modème : **erigere** *ériger*)
*passé simple* diressi, dirigesti, diresse, dirigemmo, dirigeste, di**res**sero
*part passé* diretto
**discutere** *discuter*
*passé simple* discussi, discutesti, discusse, discutemmo, discuteste, di**scus**sero ;
*part passé* discusso
**distinguere** *distinguer*
*passé simple* distinsi, distinguesti, distinse, distinguemmo, distingueste, di**stin**sero
*part passé* distinto
**distruggere** *détruire*
*passé simple* distrussi, distruggesti, distrusse, distruggemmo, distruggeste, di**strus**sero
*part passé* distrutto
**dividere** *diviser*
*passé simple* divisi, dividesti, divise, dividemmo, divideste, di**vi**sero
*part passé* diviso
**espellere** *expulser*
*passé simple* espulsi, espellesti, espulsi, espellemmo, espelleste, e**spul**sero
*part passé* espulso
**esplodere** *exploser*
*passé simple* esplosi, esplodesti, esplose, esplodemmo, esplodeste, e**splo**sero
*part passé* esploso

**fare** (de « **fa**cere ») *faire* (même modèle : **disfare** *défaire*, **liquefare** *liquefier*, **soddisfare** *satisfaire*)
*ind présent* faccio, fai, fa, facciamo, fate, fanno
*ind imparfait* facevo, facevi, faceva, facevamo, facevate, fa**ce**vano
*passé simple* feci, facesti, fece, facemmo, faceste, **fec**ero
*futur* farò, farai, farà, faremo, farete, faranno
*cond.* farei, faresti, farebbe, faremmo, fareste, fa**rebb**ero
*sub présent* faccia, faccia, faccia, facciamo, facciate, **fac**ciano
*sub imparfait* facessi, facessi, facesse, fa**ces**simo, faceste, fa**ces**sero
*impératif* fa (fai, fa'), faccia, facciamo, fate, **fac**ciano
*part passé* fatto

**fondere** *fondre* (même modèle : **confondere** confondre, **diffondere** diffuser)
*passé simple* fusi, fondesti, fuse, fondemmo, fondeste, **fu**sero
*part passé* fuso

**giungere** *arriver* (même modèle : **aggiungere** *ajouter*, **congiungere** *joindre*, **raggiungere** *rattraper*, **soggiungere** *ajouter*...)
*passé simple* giunsi, giungesti, giunse, giungemmo, giungeste, **giun**sero
*part passé* giunto
*passé composé* sono giunto...

**immergere** *tremper, plonger*
*passé simple* immersi, immergesti, immerse, immergemmo, immergeste, im**mer**sero
*part passé* immerso

**invadere** *envahir*
*passé simple* invasi, invadesti, invase, invademmo, invadeste, in**va**sero
*part passé* invaso

**ledere** *léser*
*passé simple* lesi, ledesti, lese, ledemmo, ledeste, **le**sero
*part passé* leso

**leggere** *lire* (même modèle : **eleggere** *élire*)
*passé simple* lessi, leggesti, lesse, leggemmo, leggeste, **les**sero
*part passé* letto

**mettere** *mettre* (même modèle : **ammettere** *admettre*, **commettere** *commettre*, **compromettere** *compromettre*, **dimettersi** *démissionner*, **scommettere** *parier*, **promettere** *promettre*, **smettere** *cesser, arrêter*...)
*passé simple* misi, mettesti, mise, mettemmo, metteste, **mi**sero
*part passé* messo

**mordere** *mordre*
*passé simple* morsi, mordesti, morse, mordemmo, mordeste, **mor**sero
*part passé* morso

**muovere** *bouger, déplacer*
*passé simple* mossi, m(u)ovesti, mosse, m(u)ovemmo, m(u)oveste, **mos**sero
*part passé* mosso

**nascere** *naître*
*passé simple* nacqui, nascesti, nacque, nascemmo, nasceste, **nac**quero
*part passé* nato

**nascondere** *cacher*
*passé simple* nascosi, nascondesti, nascose, nascondemmo, nascondeste, na**sco**sero ;
*part passé* nascosto

**nuocere** *nuire*
*passé simple* nocqui, n(u)ocesti, nocque, n(u)ocemmo, n(u)oceste, **noc**quero
*part passé* n(u)ociuto

**perdere** *perdre*
*passé simple* persi, perdesti, perse, perdemmo, perdeste, **pers**ero
*part passé* perso

**piangere** *pleurer* (même modèle : **rimpiangere** *regretter*)
*passé simple* piansi, piangesti, pianse, piangemmo, piangeste, **pian**sero
*part passé* pianto

**piovere** *pleuvoir*
*passé simple* piovve
*part passé* piovuto
passé composé è/ha piovuto

**porgere** *donner*
*passé simple* porsi, porgesti, porse, porgemmo, porgeste, **por**sero
*part passé* porto

**porre** (de « **po**nere ») *poser* (même modèle : **comporre** *composer*, **contrapporre** *opposer*, **deporre** *déposer*, **proporre** *proposer*, **riporre** *ranger*) **supporre** *supposer*)
*ind présent* pongo, poni, pone, poniamo, ponete, **pon**gono
*ind imparfait* ponevo, ponevi, poneva, ponevamo, ponevate, po**ne**vano
*passé simple* posi, ponesti, pose, ponemmo, poneste, **po**sero
*futur* porrò, porrai, porrà, porremo, porrete, porranno
*cond.* porrei, porresti, porrebbe, porremmo, porreste, por**rebb**ero
*sub présent* ponga, ponga, ponga, poniamo, poniate, **pon**gano
*sub imparfait* ponessi, ponessi, ponesse, po**nes**simo, poneste, po**nes**sero
*impératif* poni, ponga, poniamo, ponete, **pon**gano
*part passé* posto

**prendere** *prendre* (même modèle : **comprendere** *comprendre*, **sorprendere** *surprendre*)
*passé simple* presi, prendesti, prese, prendemmo, prendeste, **pre**sero
*part passé* preso

**proteggere** *protéger*
*passé simple* protessi, proteggesti, protesse, proteggemmo, proteggeste, pro**tes**sero
*part passé* protetto
**pungere** *piquer*
*passé simple* punsi, pungesti, punse, pungemmo, pungeste, **pun**sero
*part passé* punto
**radere** *raser*
*passé simple* rasi, radesti, rase, rademmo, radeste, **ras**ero
*part passé* raso
**redigere** *rédiger*
*passé simple* redassi, redigesti, redasse, redigemmo, redigeste, re**das**sero
*part passé* redatto
**reggere** *tenir, soutenir* (même modèle : **correggere** *corriger*)
*passé simple* ressi, reggesti, resse, reggemmo, reggeste, **res**sero
*part passé* retto
**rendere** *rendre*
*passé simple* resi, rendesti, rese, rendemmo, rendeste, **re**sero
*part passé* reso
**reprimere** *réprimer*
*passé simple* repressi, reprimesti, represse, reprimemmo, reprimeste, re**pres**sero
*part passé* represso
**ridere** *rire*
*passé simple* risi, ridesti, rise, ridemmo, rideste, **ri**sero
*part passé* riso
**rispondere** *répondre*
*passé simple* risposi, rispondesti, rispose, rispondemmo, rispondeste, ri**spo**sero
*part passé* risposto
**rompere** *rompre* (même modèle : **interrompere** *interrompre*)
*passé simple* ruppi, rompesti, ruppe, rompemmo, rompeste, **rup**pero
*part passé* rotto
**scegliere** *choisir*
*passé simple* scelsi, scegliesti, scelse, scegliemmo, sceglieste, **scel**sero
*part passé* scelto
**scendere** *descendre*
*passé simple* scesi, scendesti, scese, scendemmo, scendeste, **sce**sero
*part passé* sceso
**scorgere** *apercevoir* (même modèle : **accorgersi**, *s'apercevoir*, **sporgersi** *se pencher*)
*passé simple* scorsi, scorgesti, scorse, scorgemmo, scorgeste, **scor**sero
*part passé* scorto
**scrivere** *écrire*
*passé simple* scrissi, scrivesti, scrisse, scrivemmo, scriveste, **scris**sero
*part passé* scritto
**scuotere** *secouer*
*passé simple* scossi, sc(u)otesti, scosse, sc(u)otemmo, sc(u)oteste, **scos**sero
*part passé* scosso
**sorgere** *surgir, naître*
*passé simple* sorsi, sorgesti, sorse, sorgemmo, sorgeste, **sor**sero
*part passé* sorto
**spargere** *répandre*
*passé simple* sparsi, spargesti, sparse, spargemmo, spargeste, **spar**sero
*part passé* sparso
**spegnere** (**spengere**) *éteindre*
*ind présent* spengo, spegni, spegne, spegniamo, spegnete, **spen**gono
*passé simple* spensi, spegnesti, spense, spegnemmo, spegneste, **spen**sero
*sub présent* spenga, spenga, spenga, spegniamo, spegniate, **spen**gano
*impératif* spegni, spenga, spegniamo, spegnete, **spen**gano
*part passé* spento
**stringere** *serrer* (même modèle : **costringere** *contraindre*)
*passé simple* strinsi, stringesti, strinse, stringemmo, stringeste, **strin**sero
*part passé* stretto
**tendere** *tendre*
*passé simple* tesi, tendesti, tese, tendemmo, tendeste, **te**sero
*part passé* teso
**torcere** *tordre*
*passé simple* torsi, torcesti, torse, torcemmo, torceste, **tor**sero
*part passé* torto
**trarre** (de « **tra**ere ») *tirer* (même modèle : **attrarre** *attirer*, **contrarre** *contracter*, **detrarre** *déduire*, **distrarre** *distraire*, **estrarre** *extraire*, **protrarre** *différer, proroger*, **ritrarre** *représenter*, **sottrarre** *soustraire* )
*ind présent* traggo, trai, trae, traiamo, traete, **trag**gono
*ind imparfait* traevo, traevi, traeva, traevamo, traevate, tra**e**vano
*passé simple* trassi, traesti, trasse, traemmo, traeste, **tras**sero
*futur* trarrò, trarrai, trarrà, trarremo, trarrete, trarranno
*cond.* trarrei, trarresti, trarrebbe, trarremmo, trarreste, trar**reb**bero
*sub présent* tragga, tragga, tragga, traiamo, traiate, **trag**gano
*sub imparfait* traessi, traessi, traesse, tra**es**simo, traeste, tra**es**sero
*impératif* trai, tragga, traiamo, traete, **trag**gano
*part passé* tratto

**uccidere** *tuer*
*passé simple* uccisi, uccidesti, uccise, uccidemmo, uccideste, uc**ci**sero
*part passé* ucciso
**ungere** *oindre*
*passé simple* unsi, ungesti, unse, ungemmo, ungeste, **un**sero
*part passé* unto
**vincere** *vaincre*
*passé simple* vinsi, vincesti, vinse, vincemmo, vinceste, **vin**sero
*part passé* vinto
**vivere** *vivre*
*passé simple* vissi, vivesti, vise, vivemmo, viveste, **vis**sero
*part passé* vissuto
*passé composé :* sono vissuto
**volgere** *retourner* (même modèle : **avvolgere** *envelopper*, **rivolgere** *adresser*, **rivolgersi** *s'adresse* )
*passé simple* volsi, volgesti, volse, volgemmo, volgeste, **vol**sero
*part passé* volto

## C — Troisième conjugaison

**apparire** *apparaître* (même modèle : **scomparire** *disparaître*)
*ind présent* appaio, appari, appare, appariamo, apparite, ap**pa**iono
*passé simple* apparvi (apparsi), apparisti, apparve (apparse), apparimmo, appariste, ap**par**vero (ap**par**sero)
*sub présent* appaia, appaia, appaia, appariamo, appariate, ap**pa**iano
*impératif* appari, appaia, appariamo, apparite, ap**pa**iano
*part passé* apparso
**aprire** *ouvrir* (même modèle : **coprire** *couvrir*, **ricoprire** *recouvrir*, **scoprire** *découvrir*; **offrire** *offrir*, **soffrire** *souffrir*)
*part passé* aperto
**cucire** coudre
*ind présent* cucio, cuci, cuce, cuciamo, cucite, **cu**ciono
*sub présent* cucia, cucia, cucia, cuciamo, cuciate, **cu**ciano
*impératif* cuci, cucia, cuciamo, cucite, **cu**ciano
*part passé* cucito
**fuggire** *fuir*
*passé composé* sono fuggito
**morire** *mourir*
*ind présent* muoio, muori, muore, moriamo, morite, **muo**iono
*sub présent* muoia, muoia, muoia, moriamo, moriate, **muo**iano
*impératif* muori, muoia, moriamo, morite, **muo**iano
*part passé* morto
**salire** *monter*
*ind présent* salgo, sali, sale, saliamo, salite, **sal**gono
*sub présent* salga, salga, salga, saliamo, saliate, **sal**gano
*impératif* sali, salga, saliamo, salite, **sal**gano
**udire** *entendre*
*ind présent* odo, odi, ode, udiamo, udite, **o**dono
*sub présent* oda, oda, oda, udiamo, udiate, **o**dano
*impératif* odi, oda, udiamo, udite, **o**dano
**uscire** *sortir* (même modèle : **riuscire** *réussir*)
*ind présent* esco, esci, esce, usciamo, uscite, **e**scono
*sub présent* esca, esca, esca, usciamo, uscite, **e**scano
*impératif* esci, esca, usciamo, uscite, **e**scano
**venire** *venir*
*ind présent* vengo, vieni, viene, veniamo, venite, **ven**gono
*passé simple* venni, venisti, venne, venimmo, veniste, **ven**nero
*futur* verrò, verrai, verrà, veremo, verrete, verranno
*sub présent* venga, venga, venga, veniamo, veniate, **ven**gano
*impératif* vieni, venga, veniamo, venite, **ven**gano
*part passé* venuto

■ EMPLOI DU VERBE en italien (suite)

- Les semi-auxiliaires : **venire** qui remplace **essere** pour indiquer une action en cours : **Ogni abuso (del segnale d'allarme) verrà punito** *Tout abus (du signal d'alarme) sera puni.*

**Andare,** qui remplace **essere** pour exprimer une idée de nécessité, d'opportunité : **Questa lettera va impostata stasera** *Cette lettre doit être postée ce soir.*

2. Les principales expressions du temps et de l'action.

PASSÉ PROCHE

| | |
|---|---|
| • *Je venais de dire* | **Avevo appena detto** |
| • *Je viens de dire* | **Ho appena detto** |

FUTUR PROCHE

| | |
|---|---|
| • *Je vais dire* | **Sto per dire**<br>**Ora dico = Ora dirò**<br>**Dirò** |

SIMULTANÉITÉ

| | |
|---|---|
| • *Je suis en train de dire* | **Sto dicendo** |

PROBABILITÉ

| | |
|---|---|
| • *Il a dû dire = il doit (bien) avoir dit,* etc. | **Avrà detto** |
| *Quelle heure peut-il bien être?* | **Che ore saranno?** |
| *Il doit être dix heures* | **Saranno le dieci** |
| *Ça se peut* | **Può darsi = Sarà** |

3. L'infinitif

• **Dico di farlo** *Je dis que je le fais,* ou : *le ferai.* (sujet unique)
**Penso di farlo** *Je pense le faire.*
**Dico che lei lo faccia** *Je vous dis de le faire.* (sujet différents)

• **Vado a prenderlo alla stazione** *Je vais le chercher à la gare.* (v. 11, 1.). L'infinitif complément d'un verbe de mouvement est introduit par la préposition **« a »**.

4. Le passé et le participe :

• **Ho letto la Divina Commedia che Dante scrisse nel '300** *J'ai lu (récemment) la Divine Comédie que Dante écrivit* (il y a longtemps : l'événement est définitivement passé) *au XIV$^e$ siècle.*

• **Ho ricevuto una lettera. La lettera che ho ricevuto** ou **ricevuta. L'ho ricevuta stamattina** *J'ai reçu une lettre,* etc.

L'accord du participe passé conjugué avec **avere** n'est obligatoire que lorsque le complément est représenté par un pronom précédant le verbe.

5. Le subjonctif :

Après tout verbe exprimant une opinion, une pensée, un doute, etc., ex. :

• **Mi pare che** *Il me semble = Je crois que...* (c'est une opinion)
• **Ritengo che** *Je crois = Je considère = Je pense que...*
• **Penso che** *Je pense que...* (c'est vraiment une pensée)
• **Credo che** *Je crois que...* (c'est une croyance)
• **Non so se** *Je ne sais pas si...*

Le verbe de la subordonnée sera :

| | |
|---|---|
| (a) à l'**indicatif** s'il exprime une **certitude** objective et absolue. | (b) au **subjonctif** s'il exprime une simple **opinion, subjective, relative,** une **incertitude,** une **hypothèse**. |

• Il faudra, naturellement, respecter strictement la correspondance/concordance des temps en italien :

**Mi pare/Penso/Credo che/Non so se sia malato** (présent/présent) *Je crois... qu'il est malade; je ne sais pas s'il est...*
**Mi pareva/Pensavo/Credevo che/Non sapevo se fosse malato** (passé/imparfait)... *qu'il/s'il était...*

Ce qui est possible en français ne l'est pas en italien :
*Il fallait qu'il vienne* **Bisognava che venisse.**

6. Le conditionnel ou « futur du passé » :

• **Mi disse/ha detto/diceva** *Il me dit* (passé)/*m'a dit/me disait*
**che sarebbe venuto** *qu'il viendrait*
**che avrebbe telefonato** *qu'il téléphonerait*

ATTENTION! Au conditionnel simple français exprimant une possibilité correspond, en italien, le conditionnel composé.

# LEXIQUE ITALIEN-FRANÇAIS

■ Les abréviations en *italique* sont utilisées lorsqu'une confusion est possible entre les deux langues (cf. les genres : *m, f*).

| | |
|---|---|
| **abbastanza** | assez |
| **abboccato** | moelleux |
| **abbondante** | abondant |
| **abbracciare** | embrasser |
| **abbronzato** | bronzé |
| **abitante** | habitant |
| **abitare** | habiter |
| **abito** | habit |
| **accadere** | arriver |
| **accendere** | allumer |
| **accentare** | accentuer (un mot) |
| **accento** | accent |
| **accentuare** | accentuer |
| **accettare** | accepter |
| **accludere** | joindre, inclure |
| **accogliere** | accueillir |
| **accompagnare** | accompagner |
| **accordo (d')** | d'accord |
| **accorgersi** | s'apercevoir |
| **accorrere** | accourir |
| **acqua** | eau |
| **acquavite** | eau-de-vie |
| **acquistare** | acheter |
| **acquisto** | achat |
| **adagiare** | coucher, étendre |
| **addirsi** | convenir |
| **addormentare, si** | (s') endormir |
| **adesso** | maintenant |
| **adriatico** | adriatique |
| **aereo** | avion |
| **aeroporto** | aéroport |
| **affare m** | affaire f |
| **affarone m** | belle affaire f |
| **affascinante** | fascinant, charmant |
| **affatto** | tout à fait; pas du tout |
| **affidare** | confier |
| **affidarsi** | se fier |
| **affittare** | louer |
| **affitto** | loyer |
| **affinchè** | afin que |
| **affrancare (lettera)** | affranchir (lettre) |
| **affrancatura *f*** | affranchissement *m* |
| **affrescare** | peindre à fresque |
| **affresco *m*** | fresque *f* |
| **agenzia** | agence |
| **aggiornamento m** | mise f à jour |
| **aggiornare** | mettre à jour |
| **aggiungere** | ajouter |
| **agnostico** | agnostique |
| **agosto** | août |
| **aiuola** | plate-bande |
| **aiuto *m*** | aide f |
| **alabastro** | albâtre |
| **albergo** | hôtel |
| **albero** | arbre |
| **albume** | blanc (d'œuf) |
| **alcolici** | spiritueux |
| **alcolico** | alcoolisé |
| **alcool** | alcool |
| **alcuni pr** | quelques-uns |
| **alcuni/e adj** | quelques |
| **alcuno** | quelque |
| **allacciare** | connecter |
| **allegorico** | allégorique |
| **allievo** | élève |
| **allineare** | aligner |
| **alloggio** | logement |
| **allora** | alors |
| **allucinante! *(fam)*** | épatant(e)! |
| **alludere** | faire allusion |
| **almeno** | au moins |
| **alquanto** | quelque peu |
| **alto** | haut; grand |
| **altrettanto** | autant (tout) |
| **altrimenti** | autrement |
| **altrove** | ailleurs |
| **alunno *m*** | élève |
| **alzare** | couper (cartes) |
| **alzare, si** | (se) lever |
| **amabile** | gentil; doux *(vin)* |
| **amare** | aimer; plaire |
| **amaro** | amer |
| **ambientalista** | écologiste |
| **ambientazione storica** | reconstitution historique |
| **americano** | américain |
| **amica** | amie |
| **amichetta** | amie (petite) |
| **amico** | ami |
| **ammettere** | admettre |

| | |
|---|---|
| **ammirare** | admirer |
| **ammonimento** | avertissement |
| **amore** | amour |
| **anche** | aussi |
| **ancora** | encore |
| **andare** | aller |
| **andare avanti** | avancer |
| **andare dentro** | entrer, rentrer |
| **andare fuori** | sortir |
| **andare giù** | descendre |
| **andare in ufficio** | aller au bureau |
| **anfiteatro** | amphithéâtre |
| **angolo** | coin de la rue |
| **annessione *f*** | annexion |
| **anno m** | année f |
| **annuncio *m*** | annonce *f* |
| **anticipo *m*** | avance f |
| **anticlericalismo *m*** | anticléricalisme |
| **antico** | ancien, antique |
| **antipasto** | hors-d'œuvre |
| **antipasto** | hors-d'oeuvre |
| **anzi** | et même; au contraire; de plus |
| **anziano** | âgé; personne âgée |
| **aperitivo** | apéritif |
| **aperto** | ouvert |
| **apparecchiare (la tavola)** | dresser (la table) |
| **apparire** | apparaître |
| **appartamento** | appartement |
| **appassionato *adj*** | passionné. |
| **appendere** | accrocher, suspendre |
| **appieno** | pleinement |
| **apprezzato** | apprécié, estimé |
| **approfittare** | profiter |
| **appuntamento** | rendez-vous |
| **appunto** | précisément |
| **aprile** | avril |
| **aprire** | ouvrir |
| **arancia (spremuta *f* d')** | orange (jus *m* d') |
| **architetto** | architecte |
| **aria *f*** | air *m* |
| **aromatico** | aromatique |
| **arrabbiato** | faché; furieux |
| **arrestare** | arrêter |
| **arrivare** | arriver |
| **arrosto** | rôti |
| **arte *f*** | art *m* |
| **articolo** | article |
| **artistico** | artistique |
| **ascensore** | ascenseur |
| **asciugare** | sécher |
| **asciutto** | sec |
| **asfalto** | asphalte |
| **asilo *m*** | école *f* maternelle |
| **assaggiare** | goûter |
| **assai** | très |
| **assegno** | chèque |
| **assetato** | assoiffé |
| **assicurare** | assurer |
| **assicurazione** (contratto) | assurance (contrat) |
| **assistenza** | assistance |
| **assistere** | assister |
| **asso** | as |
| **assolutamente** | absolument |
| **assumere** | assumer, embaucher |
| **astemio** | qui ne boit pas d'alcool |
| **ateismo** | athéisme |
| **atmosfera** | atmosphère |
| **atteggiamento *m*** | attitude *f* |
| **attendibile** | digne de foi |
| **attentato** | attentat |
| **attenzione** | attention |
| **attimo (un)!** | un petit instant |
| **attività** | activité |
| **attore** | acteur |
| **attrarre** | attirer |
| **attraversare** | traverser |
| **attribuire** | attribuer |
| **attrice** | actrice |
| **attuale** | actuel |
| **attualità** | actualité |
| **augurare** | souhaiter |
| **auguri!** | tous mes vœux! |
| **augurio** | souhait |
| **auguroni!** | tous mes vœux! |
| **aula** | salle de classe |
| **aula magna *f*** | amphithéâtre *m* |
| **auricolare** | écouteur |
| **australiano** | australien |
| **autobus** | autobus |
| **autocensurarsi** | s'autocensurer |
| **automobile** | automobile |
| **automobilistico** | de l'automobile |
| **autonomo** | autonome |
| **autore** | auteur |
| **autostop** (fare l') ***m* *inv*** | auto-stop (faire de l') |
| **autostrada** | autoroute |
| **autunnale** | automnal, d'automne |
| **autunno** | automne |
| **avanti** | devant; tout droit |
| **avere** | avoir |
| **avo** | aieul |
| **avvalersi** | se prévaloir |
| **avvenimento** | événement |
| **avvenire** | avenir |
| **avventura** | aventure |

| | |
|---|---|
| **avvertire** | avertir |
| **avviamento (il motorino di)** | démarreur |
| **avvincente** | captivant |
| **avvocatessa** | avocate |
| **avvocato** | avocat |
| **avvolgere** | envelopper |
| **azzeccare** | deviner |
| **azzurro** | bleu |
| **babbo** | papa |
| **Babbo Natale** | Père Noël |
| **baciapile *m*** | grenouille *f* de bénitier |
| **bagaglio** | bagage |
| **bagnante** | baigneur |
| **bagnare** | tremper |
| **bagno** | bain |
| **bagno (fare il)** | se baigner; prendre son bain |
| **baldoria** | fête |
| **baldoria (fare)** | faire la fête |
| **ballare** | danser |
| **balle *f pl* (dire)** | histoires (raconter des) |
| **baloccarsi** | s'amuser |
| **balocco** | jouet |
| **bambino** | enfant; petit enfant |
| **banca** | banque |
| **bancarotta** | banqueroute |
| **banchiere** | banquier |
| **banco *m*** | banc, comptoir; banque *f* |
| **banconota *f*** | billet *m* |
| **bandiera *f*** | drapeau *m* |
| **bar** | bar |
| **barare** | tricher |
| **barba** | barbe |
| **barca *f*** | barque, bateau *m* |
| **barzelletta** | histoire drôle |
| **basilica** | basilique |
| **basta!** | ça suffit! |
| **bastare** | suffire |
| **battaglia** | bataille |
| **batteria** | batterie |
| **battezzare** | baptiser |
| **befana** | épiphanie; sorcière |
| **belga** | belge |
| **bellezza** | beauté |
| **bellezza (che)!** | chouette! |
| **bello** | beau |
| **bene** | bien |
| **benedetto** | bénit |
| **benedire** | bénir |
| **benino** | assez bien |
| **benone** | très bien |
| **benzina** | essence |
| **bere** | boire |
| **bevitore** | buveur |
| **bianco** | blanc |
| **bibita** | boisson |
| **bicchiere** | verre |
| **bicchierino** | petit verre |
| **bicicletta** | bicyclette |
| **bidello** | concierge; appariteur |
| **biglietto** | billet |
| **bilancia** | balance |
| **bipartitismo** | bipartisme |
| **biricchino** | espiègle |
| **birra** | bière |
| **birra alla spina** | bière pression |
| **biscotto** | biscuit |
| **bisognare** | falloir |
| **bistecca *f*** | bifteck *m* |
| **bizantino** | byzantin |
| **blocchetto di francobolli** | carnet de timbres |
| **blu** | bleu |
| **boccale** | pichet |
| **bolognese** | bolognais, de Bologne |
| **borsa *f*** | sac *m* |
| **bosco** | bois |
| **botte *f*** | tonneau *m* |
| **botteghino** | guichet |
| **bottiglia** | bouteille |
| **brace** | braise |
| **brandy *m*** | cognac (sorte de) |
| **bravo!** | bravo! |
| **bravo *adj*** | bon, fort |
| **breve** | bref |
| **briscola *f*** | atout *m* |
| **brodo** | bouillon |
| **broncio (fare il)** | bouder |
| **buca** | boîte aux lettres |
| **buddismo** | boudhisme |
| **bufala** | buflesse, buflonne |
| **buono** | bon |
| **burattino *m*** | marionnette *f* |
| **bussare** | frapper |
| **bustarella *f*** | pot *m* de vin |
| **buttare** | jeter |
| **cabina telefonica** | cabine de téléphone |
| **cadere *v intr*** | tomber |
| **caduta** | chute |
| **caffè** | café |
| **caffè corretto** | café arrosé |
| **caffè espresso** | café express |
| **caffè macchiato** | café avec un soupçon de lait |
| **caffellatte** | café au lait |
| **calare** | baisser |
| **calcolatrice** | calculatrice |

**caldo** chaud
**caldo *m*** chaleur *f*
**calmo** calme
**calpestare** piétiner; marcher dessus
**cambiare** changer
**cambio** change
**camera** chambre
**cameriere** garçon
**camicia** chemise
**camicia (nascere con la)** naître coiffé
**camminare *v intr*** marcher
**campanile** clocher
**campano** de la Campanie
**canale *m*** chaîne *f* (Télé)
**candela *f*** bougie
**cannuccia** paille
**canovaccio** canevas; scénario
**cantare** chanter
**cantina** cave
**canto** chant
**capace *adj*** capable
**capatina (fare una)** faire un saut
**capello** cheveu
**capire** comprendre
**capitale *m adj*** capital *m adj*
**capitale *f*** capitale *f*
**capo a (fare)** dépendre (de)
**capo *m*** pièce *f*
**Capodanno** Jour de l'an
**capoluogo** chef-lieu
**capomastro** contremaître
**caporeparto** chef de service
**cappella** chapelle
**cappello** chapeau
**capra** chèvre
**carabiniere** carabinier
**carbone** charbon
**cardinale** cardinal
**carino** joli, mignon, charmant
**carnevale** carnaval
**caro** cher; couteux, cher
**carrellata *f*** travelling *m*
**carretta *f*** charrette; tacot *m*
**carro armato** char d'assaut
**carta di credito** carte de crédit
**carta *f*** carte; papier *m*
**cartella *f*** cartable *m*
**cartellone (essere al)** être à l'affiche
**cartellone *m*** affiche *f*
**cartolina** carte postale
**casa** maison
**cascatore** cascadeur
**casinò** casino
**caspita!** bigre!
**cattolicesimo** catholicisme
**cauto** prudent
**cavaliere** chevalier
**cavilloso *adj*** pointilleux
**cavo (via)** câble (par)
**cavolo** choux
**celebre** célèbre
**celibe *(au masculin)*** célibataire
**cena (la)** dîner (le)
**cenare** dîner; souper
**censimento** recensement
**centinaio *m*** centaine *f*
**centrale** central
**centro** centre
**cercare** chercher
**cerchio** cercle; cerceau
**certamente** certainement
**certo *adj*** certain
**cessione** cession
**cetriolo** cornichon
**che** que; quel, quelle
**chi *pr*** qui
**chiamare** appeler
**chiamata *f*** appel *m*
**chiaro** clair
**chiave** clef
**chicco** grain
**chiedere** demander
**chiesa** église
**chilo** kilo
**chiosco** kiosque
**chiudere** fermer
**chiuso** fermé
**cieco** aveugle
**cielo** ciel
**cinema** cinéma
**cinematografico** cinématographique
**cineteca** cinémathèque
**cingere** ceindre
**ciò** cela
**cioccolata *f*** chocolat *m* (à boire).
**cioccolatino** chocolat
**cioccolato** chocolat (qu'on croque)
**cioè** c'est à dire
**circa** environ
**citofono** interphone
**città** ville
**cittadino** citoyen
**civile** civile
**clandestino** clandestin
**classico** classique
**clericale** clérical
**cliente** client
**coccolato** choyé

| | |
|---|---|
| **codice postale** | code postal |
| **cogliere** | cueillir |
| **cognata** | belle-sœur |
| **cognato** | beau-frère |
| **cognome** | nom |
| **colazione *f*** | petit *m* déjeuner; déjeuner |
| **collega *m f*** | collègue *m f* |
| **colletti *m pl* bianchi (i)** | employés (les) |
| **colletti *m pl* blù (i)** | ouvriers (les) |
| **collezione** | collection |
| **collina** | colline; butte |
| **collo** | cou; colis |
| **colmo** | comble |
| **colore *m*** | couleur *f* |
| **colori *m pl* (a)** | couleurs *f pl* (en) |
| **Colosseo** | Colisée |
| **colpa** | faute |
| **colpire** | frapper |
| **colpo** | coup |
| **coltello** | couteau |
| **come** | comme; comment |
| **come (mai!)** | mais comment! |
| **cominciare** | commencer |
| **comizio** | meeting |
| **commedia** | comédie; pièce |
| **commendatore** | commandeur |
| **commerciale** | commercial |
| **commerciante** | commerçant |
| **commettere** | commettre |
| **commissione** | commission |
| **comodità *f*** | commodités, confort *m* |
| **comparsa *f*** | comparse; figurant *m* |
| **compatriota** | compatriote |
| **compiacere** | complaire |
| **compitare** | épeler |
| **compleanno** | anniversaire |
| **completamente** | complètement |
| **completo *m.*** | complet; ensemble |
| **completo *adj*** | complet |
| **complimenti!** | toutes mes félicitations! |
| **comporre** | composer |
| **comportarsi** | se comporter |
| **composto** | composé |
| **comprare** | acheter |
| **comprendere** | comprendre |
| **compromettere** | compromettre |
| **computer *m inv*** | ordinateur *m var* |
| **comune *m*** | commune *f* |
| **comunicazione** | communication |
| **comunque** | quoi qu'il en soit |
| **concedere** | concéder |
| **concludere** | conclure |
| **concorrere** | concourir |
| **condensare** | condenser |
| **condizionale** | conditionnel |
| **conducente** | conducteur |
| **condurre** | conduire |
| **confezionato su misura** | fait sur mesure |
| **confidare** | confier |
| **confondere** | confondre |
| **congiungere** | joindre |
| **congiuntivo** | subjonctif |
| **conoscenza** | connaissance |
| **conoscere** | connaître |
| **conoscitore** | connaisseur |
| **conosciuto** | connu |
| **conscio *adj*** | conscient |
| **conseguire** | obtenir |
| **considerare** | considérer |
| **consultare** | consulter |
| **contante** | comptant |
| **contenere** | contenir |
| **contento** | content |
| **continuare** | continuer |
| **conto *m*** | note *f*, addition *f* |
| **contorno *m*** | garniture *f* (de légumes) |
| **contraddire** | contredire, |
| **contrapporre** | opposer |
| **contrarre** | contracter |
| **controfigura** | doublure |
| **controllare** | contrôler |
| **controllore** | contrôleur |
| **convegno *m*** | rencontre *f* |
| **convenire *v intr*** | convenir |
| **convincere** | convaincre |
| **convinto** | convaincu |
| **convinzione** | conviction |
| **convittore** | pensionnaire |
| **coperto *adj*** | couvert |
| **copia *f*** | exemplaire *m* |
| **copia (brutta) *f*** | brouillon *m* |
| **copione** | script |
| **coppia *f*** | paire ; couple *m* |
| **coprire** | couvrir |
| **coriandoli** | confettis |
| **coricare, si** | (se) coucher |
| **cornice *f*** | cadre *m* |
| **cornicione *m*** | corniche *f* |
| **correggere** | corriger |
| **correre** | courir |
| **correttamente** | correctement |
| **corsa** | course |
| **corsivo** | billet (presse) |
| **corso** | cours |
| **corte** | cour |
| **cortese** | courtois |
| **cortesia** | politesse |

| | |
|---|---|
| **cortesia (per)** | s'il vous plaît! |
| **corto** | court |
| **cosa** | chose |
| **così** | ainsi, comme ça |
| **così via (e...)** | et ainsi de suite |
| **costa** | côte |
| **costare** | coûter |
| **costituzione** | constitution |
| **costringere** | contraindre |
| **costruire** | construire |
| **costruzione** | construction |
| **cotto** | cuit |
| **cravatta** | cravate |
| **creanze (le buone) *f pl*** | éducation *f sing* (la bonne) |
| **creare** | créer |
| **creatore** | créateur |
| **credente *adj*** | croyant |
| **credere *v intr*** | croire |
| **credito** | crédit |
| **crema** | crème |
| **crescente *adj*** | croissant |
| **crescere *v intr*** | grandir |
| **cretino** | crétin |
| **cristiano** | chrétien |
| **cristsianesimo** | christianisme |
| **critica** | critique |
| **criticare** | critiquer |
| **critico** | critique |
| **croccante** | croustillant |
| **croce** | croix |
| **crocevia** | carrefour |
| **crociera** | croisière |
| **crocifisso** | crucifix |
| **crogiolarsi al sole** | se prélasser au soleil |
| **cronaca** | chronique |
| **cronaca *f* (fatto *m* di)** | fait divers |
| **cronaca *f* nera** | fait *m* divers |
| **cronista** | reporter |
| **cruciverba (i)** | mots croisés (les) |
| **cuccagna** | cocagne! |
| **cucchiaino *m*** | petite cuiller *f* |
| **cucchiaio *m*** | cuiller *f* |
| **cucina** | cuisine |
| **cucire** | coudre |
| **cugina** | cousine |
| **cugini** | cousins |
| **cugino** | cousin |
| **culla *f*** | berceau *m* |
| **cultura** | culture |
| **culturale** | culturel |
| **cuoio** | cuir |
| **cuore** | cœur |
| **cura (prendersi...)** | garder |
| **curare** | soigner |

| | |
|---|---|
| **curioso *adj*** | curieux |
| **custodire** | garder |
| **dado** | dé |
| **dai!** | allons! / voyons! |
| **danaro / denaro *sing*** | sous *pl* |
| **dare** | donner |
| **dare (un film)** | jouer un film |
| **dare del lei** | parler à la troisième personne |
| **dare del tu** | tutoyer |
| **dare del voi** | vouvoyer |
| **data** | date |
| **davvero** | vraiment |
| **decadere *v intr*** | déchoir |
| **decidere** | décider |
| **decodificatore** | décodeur |
| **decoro *m*** | bienséance *f* |
| **decorrere *v intr*** | prendre effet |
| **dedurre** | déduire |
| **deliberare** | délibérer |
| **delizioso *adj*** | délicieux |
| **deludere** | décevoir |
| **democratico** | démocrate |
| **democrazia** | démocratie |
| **denaro** | argent |
| **dente *m*** | dent *f* |
| **dentro** | dedans, à l'intérieur |
| **deporre** | déposer |
| **depresso** | déprimé |
| **deputato** | député |
| **desiderare** | désirer |
| **destra** | droite |
| **desumere** | déduire |
| **detrarre** | déduire |
| **dialetto** | dialecte |
| **dialoghista** | dialoguiste |
| **dialogo** | dialogue |
| **diario** | journal intime |
| **dibattito** | débat |
| **dicembre** | décembre |
| **didascalia *f*** | légende; sous-titre *m* |
| **diecina** | dizaine |
| **dietro** | derrière |
| **difendere** | défendre |
| **differente** | différent; divers |
| **differita *f*** | différé *m* |
| **difficile** | difficile |
| **diffondere** | diffuser |
| **diffuso** | répandu, écouté |
| **dilettevole** | agréable |
| **dimenticare, si** | oublier |
| **dimettersi** | démissionner |
| **dimissioni (dare le )** | démissionner |
| **dinamico** | dynamique |
| **Dio** | Dieu |

| | |
|---|---|
| **dipendente** | employé |
| **dipendere** | dépendre |
| **dipingere** | peindre |
| **dire** | dire |
| **diretta** *f* **(in)** | en directe ; automatique *m* (par l') |
| **direttore** | directeur |
| **direzione** | direction |
| **dirigente** | dirigeant |
| **dirigere, si** | (se) diriger |
| **diritto** | tout droit |
| **diritto** *m* | droit |
| **disattento** | dissipé ; non attentif |
| **dischetto** *m* | disquette *f* |
| **disciogliere** | dissoudre |
| **disco** | disque |
| **discorrere** | discourir |
| **discorso** | discours |
| **discutere** | discuter |
| **disdire** | décommander |
| **disfare** | défaire |
| **disfatta** | défaite |
| **disoccupato** | chômeur |
| **dispense** *f pl* | polycopiés *m pl* |
| **disperare** | désespérer |
| **disperazione** *f* | désespoir *m* |
| **dispiacere** *v intr* | déplaire |
| **dispiacere** | déplaisir ; chagrin |
| **dissetante** | désaltérant |
| **dissolvenza** *f* | fondu *m* (film) |
| **dissuadere** | dissuader |
| **distare** *v intr* | être loin |
| **distinguere** | distinguer |
| **distogliere** | détourner |
| **distrarre** | distraire |
| **distribuire** | distribuer ; étaler |
| **distruggere** | détruire |
| **ditta** | firme |
| **divenire** *v intr* | devenir |
| **diventare** | devenir |
| **diverso** | différent, divers |
| **divertire, si** | s'amuser |
| **dividere** | diviser |
| **docente** | professeur |
| **documento** *m* | pièce *f* |
| **doganiere** | douanier |
| **dolce** *adj* | doux |
| **dolce** *m* | gâteau ; dessert |
| **dolersi** | se plaindre |
| **dollaro** | dollar |
| **dolore** *m* | douleur *f* |
| **domanda** | demande ; question |
| **domandare** | demander |
| **domenica** | dimanche |
| **donna** | femme |
| **dopo** | après |
| **dopodomani** | après-demain |
| **doppiaggio** | doublage |
| **doppio** | double |
| **dormire** | dormir |
| **dottore** | docteur |
| **dove** | où |
| **dovere** | devoir |
| **dovere (il)** | devoir (le) |
| **dritto** *m* **(fare il)** | faire le malin |
| **dunque** | donc |
| **duomo** *m* | cathédrale *f* |
| **durante** | pendant |
| **duro** | dur |
| **ebbro** | gris |
| **ebreo** | juif |
| **ecco** | voici |
| **eco** *f* | écho *m* |
| **ecologico** *adj* | écologique |
| **economia** | économie |
| **educazione** | éducation |
| **effettivamente** | effectivement |
| **egiziano** | égyptien |
| **egoista** *adj* | égoiste |
| **elegante** | élégant |
| **eleggere** | élire |
| **elementare** | élémentaire |
| **elenco** | annuaire |
| **elenco** *m* | liste *f* |
| **elenco telefonico** | annuaire téléphonique |
| **elettrodomestici** | electroménagers |
| **elezione** | élection |
| **eludere** | éluder |
| **emiliano** | de l'Emilie |
| **endemico** *adj* | endémique |
| **enorme** | énorme |
| **enoteca** *f* | marchand *m* de vin ; oenothèque |
| **entrata** | entrée |
| **epoca** | époque |
| **eppure** | et pourtant |
| **equilibrare** | équilibrer |
| **erigere** | ériger |
| **esagerare** | exagerer |
| **esasperato** *adj* | exaspéré |
| **esattamente** | exactement |
| **esaurito** | épuisé ; complet |
| **escludere** | exclure |
| **esclusiva (in)** | exclusivité |
| **esempio** | exemple |
| **esercito** *m* | armée *f* |
| **espellere** | expulser |
| **esplodere** | exploser |
| **esporre** | exposer |
| **esportare** | exporter |

| | |
|---|---|
| **esportazione** | exportation |
| **esposto** | exposé |
| **essere** | être |
| **estate** ***f*** | été *m* |
| **estendersi** | s'étendre |
| **esterno** ***adj*** | extérieur |
| **estero** | étranger |
| **esteso** | étendu |
| **estivo** | estival, d'été |
| **estraneo** ***adj*** | étranger |
| **estrarre** | extraire |
| **estrazione** ***f*** | tirage *m* (jeu) |
| **esule** ***adj*** | exilé |
| **esultare** | exulter |
| **età** ***f*** | âge *m* |
| **ettolitro** | hectolitre |
| **euro** | (monnaie européenne) |
| **europeo** | européen |
| **evadere** | s'évader |
| **evangelico** ***adj*** | évangélique |
| **evidente** | évident |
| **evidentemente** | évidemment |
| **evidenziatore** | surligneur |
| **evitare** | éviter |
| **fa (due giorni)** | il y a deux jours |
| **facile** | facile |
| **facilitare** | faciliter |
| **facoltativo** | facultatif |
| **falegname** | menuisier |
| **falso** | faux |
| **fame** | faim |
| **famiglia** | famille |
| **famoso** | fameux, célèbre |
| **fantastico** | fantastique |
| **farcela** | s'en sortir |
| **fare** | faire |
| **fare tredici (al totocalcio)** | gagner le gros lot |
| **farmacia** | pharmacie |
| **farmacista** ***m f*** | pharmacien, pharmacienne |
| **farsa** | farce |
| **fascino** | charme |
| **fascista** ***adj*** | fasciste |
| **fava** | fève |
| **favoloso** | fabuleux, extraordinaire |
| **favore (per)** | s'il vous plaît! |
| **favore** ***m*** | faveur *f* |
| **favorevole** ***adj*** | favorable |
| **fax** ***m*** | fax |
| **febbraio** | février |
| **febbricitante** | fiévreux |
| **fede** | foi |
| **fedele** | fidèle |
| **felice** | heureux |
| **femmina** | femelle; fille, femme |
| **femminile** | féminin |
| **feriale** | ouvrable |
| **ferie** | vacances |
| **fermare, si** | (s') arrêter |
| **fermata** ***f*** **obbligatoria** | arrêt *m* obligatoire |
| **fermata** ***f*** | arrêt *m* |
| **ferri vecchi (i)** ***m pl*** | ferraille *f sing* |
| **ferro da stiro** | fer à repasser |
| **fervido** | fervent |
| **festa** | fête |
| **festivo** | férié |
| **fiasco (fare)** | échouer |
| **fiasco** ***m*** | flasque *f* |
| **figli** | enfants |
| **figlia** | fille |
| **figlio** | fils |
| **figuri (si)** | pensez-vous! |
| **film** | film |
| **film rosa** | film à l'eau de rose |
| **film dell'orrore** | film d'horreur |
| **filosofo** | philosophe |
| **finalmente** | finalement, enfin |
| **fine** ***m*** **(lieto)** | happy-end |
| **fine m (il)** | fin f (la), résultat |
| **fine (la)** | fin (la), issue |
| **fine settimana** ***m, f*** | week-end *m* |
| **finestra** | fenêtre |
| **fingere** | feindre |
| **finire** | finir |
| **finito** | fini |
| **fino a** | jusqu'à |
| **fiore** ***m*** | fleur *f* |
| **fiorentino** | florentin |
| **fiorino** | florin |
| **fiorire** | fleurir; s'épanouir |
| **firma** | signature |
| **firmare** | signer |
| **firmato** | signé; griffé |
| **fischiare** | siffler |
| **fisica** ***f*** | physique |
| **fittare** | louer |
| **fitto** | loyer |
| **foglio** ***m*** | feuille *f* |
| **folklore** | folklore |
| **folla** | foule |
| **fondere** | fondre |
| **forchetta** | fourchette |
| **formaggio** | fromage |
| **formula** | formule |
| **forno** | four |
| **forse** | peut-être |
| **forte** | fort |
| **fortuna** | chance |

| | |
|---|---|
| **fortuna (che)!** | quelle chance! |
| **fortunato** | chanceux |
| **fortunato (essere)** | avoir de la chance |
| **forza** | force |
| **fotoreporter *m*** | photoreporter |
| **fra** | entre; dans |
| **fragile *adj*** | fragile |
| **fragola** | fraise |
| **fragrante** | parfumé |
| **francamente** | franchement |
| **francese** | français |
| **Francia** | France |
| **franco** | franc |
| **fratellino** | petit frère |
| **fratello** | frère |
| **freccia *f*** | clignotant *m*; flèche |
| **freddo** | froid |
| **fresco** | frais; en forme |
| **frigo, frigorifero** | réfrigérateur |
| **frizzante** | pétillant |
| **fronte a (di)...** | en face de...; face à... |
| **frutta *f*, dolce *m*** | dessert *m* |
| **frutta *f sing*** | fruits *m pl* |
| **fuggire** | fuir |
| **fumare** | fumer |
| **funzionamento** | fonctionnement |
| **fuori** | dehors |
| **fuori campo *m*** | hors champ |
| **fuoriserie** | voiture spéciale |
| **furibondo *adj*** | furibond |
| **furto** | vol |
| **futuro** | futur |
| **galleria** | galerie |
| **garantire** | garantir |
| **gelato *m*** | glace *f* |
| **generale** | général |
| **generico** | figurant |
| **genero** | gendre |
| **genitori (i) *m pl*** | parents (les) |
| **gennaio** | janvier |
| **gente *sing*** | gens *pl* |
| **gentile** | gentil |
| **genuino *adj*** | naturel |
| **geografia** | géographie |
| **geometra** | géomètre |
| **gerundio** | gérondif |
| **gesso *m*** | craie *f* |
| **Gesù Cristo** | Jésus Christ |
| **gettone** | jeton |
| **ghiotto** | gourmand |
| **già** | déjà |
| **giacca** | veste |
| **giacere** | être couché |
| **gianduiotto** | praliné |
| **giapponese** | japonais |
| **giardino** | jardin |
| **giocare** | jouer |
| **giocattolo** | jouet |
| **gioia** | joie |
| **gioiello** | joyau |
| **giornalaio** | marchand de journaux |
| **giornale** | journal |
| **giornalismo** | journalisme |
| **giornata** | journée |
| **giorno** | jour |
| **giovane** | jeune |
| **giovedì** | jeudi |
| **gioventù** | jeunesse |
| **girare** | tourner; endosser (chèque) |
| **giro** | tour |
| **giro (fare un)** | faire un tour |
| **gita** | promenade |
| **giù** | en bas |
| **giubileo** | jubilé |
| **giudaismo** | judaisme |
| **giugno** | juin |
| **giungere** | arriver |
| **godere** | jouir |
| **governativo** | gouvernemental |
| **governo** | gouvernement |
| **gradevole** | agréable |
| **gradire** | aimer bien, souhaiter |
| **grammatica** | grammaire |
| **grammo** | gramme |
| **grande** | grand |
| **grano** | blé |
| **granoturco** | maïs |
| **grappa *f*** | marc *m* |
| **grave** | grave |
| **grazie** | merci |
| **guai (essere nei)** | être dans le pétrin |
| **guaio *m*** | difficulté *f*; ennui, "pépin" |
| **guardare** | regarder |
| **guardia *f*** | garde *m, f* |
| **guasto** | en dérangement, en panne |
| **guida *f*** | guide *m* |
| **gusto** | goût |
| **hotel** | hôtel |
| **illudere** | leurrer |
| **illudersi** | se faire des illusions |
| **illustre** | illustre |
| **Immacolata Concezione** | Immaculée Conception |
| **immergere** | tremper, plonger |
| **impaginazione** | mise en pages |
| **imparare** | apprendre |
| **impegnato *adj*** | engagé |

| | |
|---|---|
| **imperativo** | impératif |
| **imperatore** | empereur |
| **imperfetto** | imparfait |
| **impestare** | contaminer |
| **impiegato** | employé |
| **importante** | important |
| **importare** | importer |
| **importazione** | importation |
| **impossibile** | impossible |
| **impostare** | poster |
| **impressione** | impression |
| **in** | en, dans |
| **in fondo** | au fond |
| **inammissibile** | inadmissible |
| **incantevole** | charmant, ravissant; de rêve |
| **incapace *adj*** | incapable |
| **incarcerare** | emprisonner |
| **incidente** | accident |
| **includere** | inclure |
| **incominciare** | commencer |
| **incontrare, si** | (se) rencontrer |
| **incoronare** | couronner |
| **incremento *m*** | augmentation *f* |
| **indicare (la direzione)** | indiquer (la direction) |
| **indicativo** | indicatif |
| **indietro** | derrière |
| **indietro (andare)** | reculer, retarder (pour montre) |
| **indimenticabile** | inoubliable |
| **indipendenza** | indépendance |
| **indire** | organiser |
| **indirizzo *m*** | adresse *f* |
| **indomani (l')** | lendemain (le) |
| **indovinello *m*** | devinette *f* |
| **indurre** | induire |
| **industriale** | industriel |
| **industrializzato** | industrialisé |
| **infanzia** | enfance |
| **infatti** | en effet |
| **infelice** | malheureux |
| **infinito** | infinitif |
| **informarsi** | s'informer |
| **informazione *f*** | renseignement *m* |
| **ingegnere** | ingénieur |
| **inglese** | anglais |
| **ingrediente** | ingrédient |
| **inizio** | début |
| **innamorarsi** | tomber amoureux |
| **inno** | hymne |
| **inoltre** | en outre |
| **inquadratura *f*** | cadrage *m* |
| **insalata** | salade |
| **insegnante** | enseignant |
| **insieme** | ensemble |
| **insistere** | insister |
| **insomma** | en somme, bref |
| **insurrezione** | insurrection |
| **intenditore** | entendeur |
| **intercorrere** | s'écouler, passer |
| **interdire** | interdire |
| **interessante** | intéressant |
| **interessare** | interesser |
| **interesse** | intérêt |
| **interno** | intérieur |
| **interpretare** | jouer (acteur) |
| **interrompere** | interrompre |
| **intervallo *m*** | entracte; interclasse *f* |
| **intervista *f*** | interview *m* |
| **intervistatore** | intervieweur |
| **intesa** | entente |
| **intitolato** | intitulé |
| **intravedere** | entrevoir |
| **introdurre** | introduire |
| **inutile** | inutile |
| **invadere** | envahir |
| **invece** | en revanche; au contraire |
| **invece di** | au lieu de |
| **invernale** | hivernal, d'hiver |
| **inverno** | hiver |
| **invitare** | inviter |
| **iscrivere** | inscrire |
| **isola** | île |
| **israeliano** | israélien |
| **israelitico** | israélite |
| **istituzione** | institution |
| **Italia** | Italie |
| **italiano** | italien |
| **jolly *m*** | joker |
| **là** | là-bas |
| **lacerare** | lacérer |
| **ladro** | voleur |
| **lago** | lac |
| **laguna** | lagune |
| **lamentarsi** | se plaindre |
| **lampone *m*** | framboise *f* |
| **lanciare** | lancer |
| **largo** | large |
| **lasciare** | laisser |
| **latte** | lait |
| **laurea *f*** | diplôme *m* universitaire |
| **laurearsi** | passer sa licence |
| **laureato** | diplômé |
| **lavare, si** | (se) laver |
| **lavorare** | travailler |
| **lavoro** | travail |

| | |
|---|---|
| **laziale** | du Latium |
| **ledere** | léser |
| **legare** | lier |
| **legge** *f* | droit *m*; loi |
| **leggere** | lire |
| **leggermente** | légèrement |
| **leggero** | léger |
| **leggiadro** | charmant |
| **lettera** | lettre |
| **letto** | lit |
| **lì** | là-bas |
| **libanese** | libanais |
| **liberazione** | libération |
| **libero** | libre |
| **libertà** | liberté |
| **libretto (assegni)** | carnet (chèques) |
| **libro** | livre |
| **licenza** *f* **media** | brevet *m* |
| **licenziare** | licencier |
| **liceo** | lycée |
| **lieto** | heureux |
| **linea** | ligne |
| **lingua** | langue |
| **liquefare** | liquéfier |
| **liquore** *m* | liqueur *f*, alcool |
| **lira** | lire |
| **lira sterlina** | livre sterling |
| **listino dei cambi** | cours des changes |
| **litigare** | se disputer |
| **livellare** | niveler |
| **livello** | niveau |
| **locale** | local |
| **località** *f* | localité, l'endroit *m* |
| **lombardo** | lombard |
| **lontano** | loin |
| **lotta** | lutte |
| **lotto** | loto |
| **luglio** | juillet |
| **lumaca** *f* | escargot *m* |
| **luminoso** | lumineux, éclatant |
| **lunedì** | lundi |
| **lungo** | long |
| **lungometraggio** | long métrage |
| **luogo** | lieu |
| **ma** | mais |
| **macchina** | voiture |
| **macchina coi fiocchi** | voiture « formidable » |
| **macchina da scrivere** | machine à écrire |
| **macchina da presa** | caméra |
| **macchina** *f* **fotografica** | appareil *m* photo |
| **Madonna (la)** | Vierge (la) |
| **madre** | mère |
| **maestoso** | majestueux |
| **maestra** | institutrice, maîtresse |
| **maestro** | maître; instituteur |
| **mafioso** | mafieux |
| **magazzino** | magasin |
| **maggio** | mai |
| **maggioranza** | majorité |
| **maggiore** | majeur, plus grand |
| **maggioritario** | majoritaire |
| **magnifico** | magnifique |
| **mai** | jamais |
| **male** *m* **(prendersela a)** | mal (le prendre) |
| **malgoverno** | mauvais gouvernement |
| **mamma** | maman |
| **mancare** | rater |
| **mancia** *f* | pourboire *m* |
| **mandare** | envoyer |
| **mangiapreti** | anticlérical |
| **mangiare** | manger |
| **manica** *f* | manche *m* |
| **manicomio** | asile |
| **manifestazione** | manifestation |
| **manifesto** *m* | affiche *f* |
| **mano** | main |
| **manoscritto** | manuscrit |
| **marco** | mark |
| **marconista** | radio-télégraphiste |
| **mare** *m* | mer *f* |
| **marito** | mari |
| **martedì** | mardi |
| **marzo** | mars |
| **mascarpone** | mascarpone (fromage) |
| **maschera** *f* | masque *m* |
| **maschile** | masculin |
| **maschio** | mâle, homme; garçon |
| **massoneria** | franc-maçonnerie |
| **matematica** *f sing* | mathématiques *f pl* |
| **matta** *f* | joker *m* |
| **mattina** *f* | matin *m* |
| **mattino** | matin |
| **mattone** *fig* | navet *fig* |
| **maturità** *f* | baccalauréat *m*; maturité |
| **mausoleo** | mausolée |
| **mazziere** | donneur (jeu) |
| **mazzo** | jeu de cartes |
| **meccanico** | mécanicien; garagiste |
| **medico** | médecin |
| **medio** | moyen |
| **Medioevo** | Moyen Age |
| **meglio** | mieux |
| **memoria** | mémoire |
| **memoria** *f* **(a)** | coeur *m* (par) |
| **meno** | moins |
| **mensa** | cantine |
| **mensile** | mensuel |
| **mentre** | tandis que |

| | |
|---|---|
| **meraviglioso** | merveilleux |
| **mercato** | marché |
| **mercoledì** | mercredi |
| **merenda** *f* | goûter *m* |
| **meridionale** | méridional, du sud |
| **mescolare** | mélanger |
| **mese** | mois |
| **messa** | messe |
| **messaggio** | message |
| **mestiere** | métier |
| **metodo m** | méthode f |
| **metropolitana** *f* | métro *m* |
| **mettere** | mettre |
| **mettere (la freccia)** | mettre le clignotant |
| **mettere, si** | (se) mettre |
| **mezza manica** | manche courte, demi-manche |
| **mezzanotte** | minuit |
| **mezzo** ***adj*** | demi |
| **mezzo** ***m*** | moyen |
| **mezzogiorno** | midi |
| **microtelefono** | combiné |
| **migliaio** | millier |
| **migliore** | meilleur |
| **milanese** | milanais |
| **milione** | million |
| **minoranza** | minorité |
| **minore** | plus petit |
| **minoritario** | minoritaire |
| **miscredente** | mécréant |
| **misero** | malheureux |
| **mistero** | mystère |
| **mittente** | expéditeur |
| **mobile** | mobile |
| **moda** | mode |
| **moderno** | moderne |
| **modo (ad ogni)** | cas (en tout) |
| **modo che (fare in)** | sorte que (faire en) |
| **moglie** | épouse |
| **molle** | mou |
| **molto** | beaucoup |
| **momentino** | petit moment |
| **monaco** | moine |
| **monarchia** | monarchie |
| **monarchico** | monarchique |
| **mondo** | monde |
| **mondo (mettere al)** | avoir un enfant |
| **monello** | espiègle |
| **moneta** | monnaie |
| **moneta spicciola** | petite monnaie |
| **montagna** | montagne |
| **montare a neve** | monter en neige |
| **monumento** | monument |
| **morbido** | moelleux |
| **mordere** | mordre |
| **morire** | mourir |
| **mostra** | exposition |
| **mostra** *f* | festival *m* |
| **moto** | mouvement |
| **movimento** | mouvement |
| **mozzarella** | mozzarelle (fromage) |
| **muovere** | bouger, déplacer |
| **museo** | musée |
| **musulmano** | musulman |
| **nascere** | naître |
| **nascere con la camicia** | naître coiffé |
| **nascondere** | cacher |
| **Natale** | Noël |
| **naturalmente** | naturellement |
| **nazionale** | national |
| **nazionalismo** | nationalisme |
| **nazione** | nation |
| **né** | ni |
| **neanche** | non plus |
| **necessario** | nécessaire |
| **negozio** | magasin |
| **nessuno** | personne |
| **niente** | rien |
| **nipote m** | neveu; nièce f |
| **nipotina** | petite fille |
| **nipotino** | petit-fils |
| **no** | non |
| **noioso** | ennuyeux |
| **nome** | prénom; nom |
| **nonna** | grand-mère |
| **nonni** | grand-parents |
| **nonno** | grand-père |
| **nostrano** | nous (de chez ) |
| **notaio** | notaire |
| **notare** | noter, remarquer |
| **notizia** | nouvelle |
| **notiziario** | bulletin (Télé, radio) |
| **notte** | nuit |
| **novembre** | novembre |
| **nubile** ***(au féminin)*** | célibataire |
| **numero** | nombre; numéro |
| **nuocere** | nuire |
| **nuora** | belle-fille |
| **nuotare** | nager |
| **nuotatore** | nageur |
| **o** | ou |
| **obbligatorio** | obligatoire |
| **obbligo (scuola dell')** | école obligatoire |
| **occhiata (dare un')** | donner un coup d'œil |
| **occhiata** *f* | coup *m* d'œil |
| **occhio** | œil; attention! |
| **occorrere** | falloir |
| **odore** ***m*** | odeur *f* |
| **offendere** | offenser |

| | |
|---|---|
| **offrire** | offrir |
| **oggetto** | objet |
| **oggi** | aujourd'hui |
| **ogni** | chaque |
| **Ognissanti** | Toussaint |
| **ognuno** | chacun |
| **olandese** | hollandais |
| **oltre** | plus loin |
| **oltre (andare)** | aller plus loin |
| **omogeneizzato** | homogénéisé |
| **omogeneo** | homogène |
| **onda (andare in)** | passer, donner (à la télévision), diffuser |
| **onomastico *m*** | fête *f* |
| **onorevole** | honorable; député |
| **opera** | œuvre |
| **oppio** | opium |
| **oppure** | ou bien |
| **opuscolo *m*** | brochure *f* |
| **ora** | maintenant |
| **ora (l')** | heure (l') |
| **orario** | horaire |
| **ordinare** | commander |
| **ordinario** | ordinaire |
| **ordine** | ordre |
| **orgoglio *m*** | fierté *f* |
| **orgoglioso** | fier |
| **originale** | original |
| **origine** | origine |
| **ormai** | désormais |
| **ospedale** | hôpital |
| **oste** | aubergiste |
| **ostello *m* della gioventù** | auberge *f* de jeunesse |
| **osteria *f*** | petit restaurant *m* typique, bistrot *m* |
| **ottenere** | obtenir |
| **ottimista** | optimiste |
| **ottimo** | excellent, très bon |
| **ottobre** | octobre |
| **ovviamente** | évidemment |
| **ovvio** | naturel |
| **pacchetto** | paquet |
| **padella** | poêle |
| **padovano** | de Padoue |
| **padre** | père |
| **padrona di casa (la)** | maîtresse de maison (la) |
| **padrone** | patron, maître |
| **paese** | pays |
| **paganesimo** | paganisme |
| **pagano** | païen |
| **pagare** | payer |
| **pagare a rate** | payer à tempérament |
| **pagare in contanti** | payer comptant |
| **pagella *f*** | carnet *m* de notes |
| **pagina** | page |
| **paio *m*** | paire *f* |
| **palazzo** | palais, hôtel particulier, immeuble |
| **palla** | balle |
| **panca *f*** | banc *m* |
| **pancia *f*** | ventre *m* |
| **pane** | pain |
| **pane e coperto** | pain et couvert |
| **panino** | petit pain; sandwich |
| **panino imbottito** | sandwich |
| **panna** | crème chantilly |
| **panno** | habit, vêtement |
| **pantaloni *pl*** | pantalon *sing* |
| **papà** | papa |
| **paparazzo** | paparazzo |
| **papato *m*** | papauté *f* |
| **pappina** | bouillie |
| **parabola** | parabole |
| **paradiso** | paradis |
| **paragonare** | comparer |
| **paragone *m*** | comparaison *f* |
| **parecchio** | pas mal de |
| **parentela** | parenté |
| **parere** | paraître |
| **parere (il) *m*** | avis (l'), opinion (l') *f* |
| **parlamento** | parlement |
| **parlare** | parler |
| **parola *f*** | parole, mot *m* |
| **parola *f* tronca** | mot *m* tronqué |
| **parola *f* piana** | mot *m* plat |
| **parola *f* sdrucciola** | mot *m* glissant |
| **parrocchia** | paroisse |
| **parroco** | curé |
| **partecipare** | participer |
| **partecipazione** | participation |
| **participio** | participe |
| **partire** | partir |
| **partito** | parti |
| **partitocrazia** | partiitocratie |
| **Pasqua** | Pâque |
| **passaggio** | passage |
| **passante** | passant |
| **passaporto** | passeport |
| **passare** | passer |
| **passato** | passé |
| **passeggero** | passager |
| **passeggiata** | promenade |
| **pasta *f sing*** | gateau *m*; pâtes *f pl* |
| **pastasciutta *f sing*** | pâtes *f pl* (égouttées) |
| **pasticcino** | petit four |
| **pasto** | repas |

| | |
|---|---|
| **patente *f*** | permis *m* de conduire |
| **patria** | patrie |
| **patriota** | patriote |
| **patriottico** | patriotique |
| **patto** | pacte, accord |
| **paura** | peur |
| **pazzo** | fou |
| **peccato** | péché; dommage ! |
| **pedonale *adj*** | piétons (pour) |
| **pedone** | piéton |
| **peggio** | pire, pis |
| **peggiore** | pire |
| **pelle *f*** | cuir *m*; peau |
| **pelliccia** | fourrure |
| **pellicola *f*** | pellicule; film *m* |
| **pelo** | poil |
| **pennarello** | marqueur |
| **pennello (andare a)** | aller à ravir |
| **pennello (stare a)** | aller comme un gant |
| **pennichella** | sieste |
| **pensare** | penser |
| **pensiero *m*** | pensée *f* |
| **pensionato** | retraité |
| **pensione** | pension |
| **penultimo** | avant-dernier |
| **peperone** | poivron |
| **per** | pour |
| **percentuale *f*** | pourcentage *m* |
| **perché** | parce que; pourquoi; pour que... |
| **perciò** | pour cela |
| **percorrere** | parcourir |
| **perdere** | perdre |
| **perfettamente** | parfaitement |
| **perfetto** | parfait |
| **pericoloso** | dangereux |
| **periferia** | banlieue |
| **permettere** | permettre |
| **persona** | personne |
| **personaggio** | personnage |
| **personale (il)** | personnel (le) |
| **persuadere** | persuader |
| **pescare** | pêcher; piocher (cartes) |
| **pesce** | poisson |
| **peseta** | peseta |
| **pettinare, si** | (se) coiffer |
| **pezzettino** | petit morceau |
| **piacere** | plaire |
| **piacere!** | enchanté! |
| **piacere (il)** | plaisir (le) |
| **piacere (per)** | s'il vous plaît! |
| **piacevole** | agréable |
| **piangere** | pleurer |
| **piano** | plan; étage |
| **pianta *f*** | plan *m* |
| **pianto *m sing*** | pleurs *m pl*, larmes *f pl* |
| **piatto *m*** | assiette *f*; plat |
| **piazza** | place |
| **piccione** | pigeon |
| **piccolino** | bébé |
| **piccolo** | petit |
| **piemontese** | piémontais |
| **pieno** | plein |
| **piovere** | pleuvoir |
| **pipa** | pipe |
| **pirofila *f*** | pyrex *m* |
| **piscina** | piscine |
| **pittore** | peintre |
| **più** | plus |
| **piuma** | plume |
| **piuttosto** | plutôt |
| **pizza** | pizza |
| **pizza *f fig (film)*** | navet *m fig (film)* |
| **pizzeria** | pizzeria |
| **plebiscito** | plébiscite |
| **plurale** | pluriel |
| **pneumatico** | pneu |
| **poco** | peu de |
| **poesia *f*** | poésie, poème *m* |
| **poi** | après; puis |
| **poichè** | puisque |
| **poker** | poker; carré |
| **politica** | politique |
| **politicante** | politicien |
| **politico** | politique |
| **polizia** | police |
| **pollo** | poulet |
| **poltrone** | paresseux |
| **pomeriggio** | après-midi |
| **pomodoro *m*** | tomate *f* |
| **Pontefice (Sommo)** | Pontife (Souverain) |
| **popolare** | populaire |
| **popolato** | peuplé |
| **popolazione** | population |
| **popolo** | peuple |
| **porca miseria!** | ça alors! |
| **porgere** | donner |
| **porre** | poser |
| **porta** | porte |
| **portare** | porter |
| **portatile** | portable |
| **portoghese** | portugais |
| **portoghese (fare il)** | resquiller |
| **portone *m*** | grande porte *f* |
| **posata *f*** | couvert *m* |
| **posate *f pl*** | couvert *m sing* |
| **possedere** | posséder |
| **possibile** | possible |
| **possibilità** | possibilité |

| | |
|---|---|
| **posta** | mise (jeu) ; poste |
| **posta celere *f*** | chronopost *m* |
| **postagiro** | virement postal |
| **postale (ufficio)** | bureau de poste |
| **postino** | facteur |
| **posto *m*** | place *f* |
| **potenza** | puissance |
| **potere** | pouvoir |
| **potere (il)** | pouvoir (le) |
| **povero** | pauvre |
| **pranzare** | déjeuner |
| **pranzo** | déjeuner; dîner |
| **pratica *f*** | pratique, stage *m* |
| **precisamente** | précisèment |
| **precoce** | précoce |
| **predire** | prédire |
| **preferibile** | préférable |
| **preferire** | préférer |
| **preferito** | préféré |
| **prefetto** | préfet |
| **prefisso telefonico** | indicatif téléphonique |
| **prego!** | s'il vous plaît! / je vous en prie! |
| **prego?** | pardon? |
| **preludere** | annoncer |
| **premiato** | lauréat |
| **prendere** | prendre |
| **prendersela** | faire (s'en) |
| **prendersi cura di...** | garder |
| **prenotato** | réservé, loué, retenu |
| **preoccuparsi** | s'inquiéter, s'en faire |
| **preparare, si** | (se) préparer |
| **prepotente (fare il)** | petit chef (jouer au) |
| **presa** | levée *(jeu)* |
| **presentare, si** | (se) présenter |
| **presentazione** | présentation |
| **presente** | présent |
| **presepe *m*** | crèche *f* |
| **preside** | proviseur |
| **presidente** | président |
| **presiedere** | présider |
| **prestigioso** | prestigieux |
| **prestissimo** | très tôt |
| **presto** | vite; tôt |
| **presto (fare)** | faire vite |
| **presumere** | présumer |
| **prete** | prêtre |
| **pretendere** | prétendre |
| **prevalere** | prévaloir |
| **prevedere** | prévoir |
| **prezzo** | prix |
| **prigione** | prison |
| **prima (di)** | avant (de) |
| **primavera *f*** | printemps *m* |
| **primaverile** | printanier, de printemps |
| **primo (piatto)** | plat principal |
| **principe** | prince |
| **principessa** | princesse |
| **privato** | privé |
| **probabilità** | probabilité |
| **problema** | problème |
| **procedimento *m*** | préparation *f*; procédure *f* |
| **proclamare** | proclamer |
| **proclamazione** | proclamation |
| **prodotto** | produit |
| **produrre** | produire |
| **produttore** | producteur |
| **produzione** | production |
| **professione** | profession |
| **professore** | professeur |
| **professoressa** | professeur *(femme)* |
| **profumare, si** | (se) parfumer |
| **programma** | programme |
| **proibito** | interdit |
| **proiezionista** | projectionniste |
| **promettere** | promettre |
| **promosso (essere)** | être reçu *(examen)* |
| **promuovere** | promouvoir |
| **pronostico** | pronostic |
| **pronto** | prêt |
| **pronto!** | allô! |
| **pronunciare** | prononcer |
| **proporre** | proposer |
| **proposito (a)** | à propos |
| **proposta** | proposition |
| **prospettiva** | perspective |
| **prossimo** | prochain |
| **protagonista** | protagoniste |
| **proteggere** | protéger |
| **protestantesimo** | protestantisme |
| **protrarre** | différer, proroger |
| **provare** | essayer |
| **proverbio** | proverbe |
| **provincia *f*** | province, département *m* |
| **provocare** | provoquer |
| **provvedere** | pourvoir |
| **provvista** | provision |
| **prudente** | prudent |
| **pseudonimo** | pseudonyme |
| **psicanalista** | psychanalyste |
| **pubblicazione** | publication |
| **pubblicità** | publicité |
| **pubblico** | public |
| **pugliese** | des Pouilles |
| **pulire** | nettoyer |
| **pulito** | propre |

| | |
|---|---|
| **pungere** | piquer |
| **puntata** ***f*** | mise; épisode *m (TV)* |
| **punto** | point |
| **pure** | aussi |
| **purtroppo** | malheureusement |
| **qua** | ici |
| **quadro** | tableau |
| **qualche** | quelque, (s) |
| **qualcosa** | quelque chose |
| **qualcuno** | quelqu'un |
| **quale** | lequel, laquelle |
| **qualità** | qualité |
| **quando** | quand |
| **quanto** | combien |
| **quantunque** | bien que |
| **quartiere** | quartier |
| **quasi** | presque |
| **quattrini** ***pl*** | sous, argent *sing* |
| **questo** | ce, cet |
| **questo (per)** | pour cela |
| **questura** ***f*** | commissariat *m* |
| **qui** | ici |
| **qui vicino** | près d'ici |
| **quindi** | ensuite |
| **quotazione** ***f*** | cours *m* |
| **quotidiano** | quotidien |
| **racchiuso** | renfermé |
| **raccogliere** | cueillir |
| **raccoglitore** | classeur |
| **raccomandare** | recommander |
| **raccontare** | raconter |
| **racconto** | récit |
| **radere** | raser |
| **radio** | radio |
| **ragazza** | jeune fille; fille |
| **ragazzo** | garçon; enfant |
| **raggiungere** | rattraper |
| **ragione** | raison |
| **ragionevole** | raisonnable |
| **ragioniere** | comptable |
| **rallegrarsi** | se réjouir |
| **rallentatore (al)** | ralenti (au) |
| **ramino** | rami |
| **rapido** | rapide |
| **rappresentanza** | délégation |
| **rappresentativo** | représentatif |
| **raro** | rare |
| **rata** | mensualité |
| **ravvedersi** | se repentir |
| **re** | roi |
| **realizzare** | réaliser |
| **realtà** | réalité |
| **realtà (in)** | en fait |
| **recensione** ***f*** | compte *m* rendu |
| **recente** | récent |
| **recitare** | réciter; jouer |
| **recitazione** ***f*** | jeu *m (acteur)* |
| **redattore** | rédacteur |
| **reddito pro capite** | revenu par tête |
| **redigere** | rédiger |
| **regalare** | offrir |
| **regalo** | cadeau |
| **reggere** | tenir, soutenir |
| **regione** | région |
| **regista** | réalisateur, metteur en scène |
| **regnare** | régner |
| **regno** | royaume |
| **relativo** | relatif |
| **religione** | religion |
| **religioso** | religieux |
| **remo** ***m*** | rame *f* |
| **remoto** | éloigné |
| **rendere** | rendre |
| **reparto dell'esercito** | détachement de l'armée |
| **replicare** | répliquer |
| **reprimere** | réprimer |
| **repubblica** | république |
| **respingere** | repousser |
| **restare in linea** | ne pas quitter *(tél.)* |
| **resto (del)** | reste (du) |
| **rete** ***f*** | chaîne de télévision; réseau *m* |
| **retrocedere** | retrocéder |
| **rialzo** ***m*** | hausse *f* |
| **riassumere** | résumer |
| **riassunto** | résumé |
| **ribasso (in)** | en baisse |
| **ribasso** ***m*** | baisse *f* |
| **ricadere** | retomber |
| **ricco** | riche |
| **ricetta** | recette |
| **ricevere** | recevoir |
| **ricevuta** ***f*** **fiscale** | reçu *m*, facture |
| **richiedere** | demander, exiger |
| **riconoscere** | reconnaître |
| **ricoprire** | recouvrir |
| **ricordare, si** | (se) rappeler |
| **ricordo** | souvenir |
| **ricorrere** | recourir |
| **ridere** | rire |
| **ridimensionamento** ***m*** | réorganisation *f* |
| **ridurre** | réduire |
| **riduzione** | réduction |
| **rigirare** | tourner des deux côtés |

| | |
|---|---|
| **riguardare** | concerner |
| **rimandare** | ajourner |
| **rimando (di)** | en retour |
| **rimanere** | rester |
| **rimorchiare *(fam)*** | draguer |
| **rimpiangere** | regretter |
| **rimpinzarsi** | gaver (se) |
| **Rinascimento *m*** | Renaissance *f* |
| **rincorrere** | poursuivre |
| **rinfresco** | rafraîchissement |
| **ringraziare** | remercier |
| **rinomato** | renommé |
| **rinviare** | ajourner |
| **riparare** | réparer |
| **ripetere** | répéter |
| **riporre** | ranger |
| **riposare, si** | se reposer |
| **riprodurre** | reproduire |
| **risata *f*** | rire *m* (éclat de) |
| **rischio** | risque |
| **riscuotere *(assegno)*** | toucher *(chèque)* |
| **risiedere** | résider |
| **riso** | rire; riz |
| **risparmio *m*** | épargne *f* |
| **rispondere** | répondre |
| **risposta** | réponse |
| **ristorante** | restaurant |
| **ritardo** | retard |
| **ritenere** | penser, trouver |
| **ritorno** | retour |
| **ritrarre** | représenter |
| **riuscire** | réussir |
| **rivedere** | revoir |
| **rivolgere, si** | (s') adresser |
| **rivolta** | révolte |
| **rivoluzione** | révolution |
| **roba da matti!** | histoire de fous! |
| **romano** | romain |
| **romanzo** | roman |
| **rompere** | rompre |
| **rosato** | rosé |
| **rosso** | rouge |
| **rosticceria** | rôtisserie |
| **rotondo** | rond |
| **ruba (andare a)** | se vendre très bien |
| **rubare** | voler |
| **rumore** | bruit |
| **ruolo** | rôle |
| **ruolo (di)** | titulaire |
| **sabato** | samedi |
| **sabbia *f*** | sable *m* |
| **sacco** | sac; beaucoup de |
| **salato** | salé |
| **sale** | sel |
| **salire** | monter |
| **salita** | montée; entrée |
| **salute** | santé |
| **salute (alla)!** | à la santé |
| **salvare** | sauver; sauvegarder |
| **sano** | sain |
| **sapere** | savoir |
| **sapido** | savoureux |
| **sapore *m*** | saveur *f* |
| **sardo** | sarde |
| **satellite** | satellite |
| **satellite (via)** | satellite (par) |
| **sbadato (che)!** | quel étourdi! |
| **sbagliare, si** | (se) tromper |
| **sbaglio m** | erreur f |
| **sbarbare, si** | (se) raser |
| **sbornia** | cuite |
| **sbrigarsi** | se dépêcher |
| **sbronza** | cuite |
| **sbronzo** | saoul |
| **scacchi *pl*** | échecs *pl* |
| **scadente** | qualité (de mauvaise) |
| **scala** | suite (cartes) |
| **scala *f* mobile** | escalier *m* roulant |
| **scalo *m*** | escale *f* |
| **scarico** | déchargé |
| **scarpa** | chaussure |
| **scartare di mano** | se défausser |
| **scavi *m pl*** | fouilles *f pl* |
| **scegliere** | choisir |
| **scenaggiatura f** | scénario m |
| **scenario** | décor |
| **scendere** | descendre |
| **sceneggiato** | feuilleton |
| **sceneggiatore** | scénariste |
| **scenografo** | décorateur |
| **scervellarsi** | se creuser la tête |
| **scheda *f*** | bulletin *m*; fiche |
| **scheda magnetica** | carte magnétique |
| **scherzare** | plaisanter |
| **schiavo** | esclave, serviteur |
| **schiuma** | mousse |
| **sci** | ski |
| **sciare** | skier |
| **sciatore** | skieur |
| **scientifico** | scientifique |
| **sciocchezza** | sottise |
| **sciogliere** | dissoudre |
| **sciopero *m*** | grève *f* |
| **scolare** | vider |
| **scolaro** | écolier |
| **scolastico** | scolaire |
| **scommessa *f*** | pari *m* |
| **scommettere** | parier |

| | |
|---|---|
| **scomparire** | disparaître |
| **sconosciuto** | inconnu |
| **scontento** | mécontent |
| **sconto *m*** | remise *f* |
| **scopone *m*** | belote *f* (sorte de) |
| **scoprire** | découvrir |
| **scorgere** | apercevoir |
| **scorrere** | s'écouler |
| **scorso** | dernier, passé |
| **screanzato** | élevé (mal) |
| **scrittore** | écrivain |
| **scrittrice** | écrivain (femme) |
| **scrivere** | écrire |
| **scrutinio** | scrutin |
| **scuola** | école |
| **scuola *f* media** | collège *m* |
| **scuotere** | secouer |
| **scusa** | excuse |
| **scusami** | excuse-moi |
| **scusare** | excuser |
| **scusi** | s'il vous plaît! / excusez-moi |
| **sebbene** | bien que |
| **seccante *(fam)*** | embêtant(e) |
| **seccare** | ennuyer |
| **secco** | sec |
| **secolo** | siècle |
| **secondo (il)** | plat de résistance |
| **sede *f*** | siège *m* |
| **sedere, si** | (s') asseoir |
| **sedotto** | séduit |
| **sedurre** | séduire |
| **seduta** | séance |
| **segreteria *f* telefonica** | répondeur *m* |
| **segreto** | secret |
| **semaforo** | feu tricolore |
| **semmai** | au besoin |
| **semplice** | simple |
| **sempre** | toujours |
| **Senato** | Sénat |
| **senatore** | sénateur |
| **senso** | sens; sentiment |
| **sentire** | entendre; écouter; sentir |
| **sentirsi** | se sentir; se téléphoner |
| **senz'altro** | doute (sans aucun) |
| **sequestrare** | retirer (un permis de conduire) |
| **sera *f*** | soir *m* |
| **serata** | soirée |
| **serbare** | garder |
| **serio** | sérieux |
| **servire** | servir |
| **servirsene** | s'en servir |
| **servitore** | serviteur |
| **servizio** | service |
| **sete** | soif |
| **settembre** | septembre |
| **settentrionale** | du nord, septentrional |
| **settimana** | semaine |
| **settimanale** | hebdomadaire |
| **sfilata *f*** | défilé *m* |
| **sfuggire** | échapper |
| **sganciare** | décrocher |
| **sgobbone** | bosseur |
| **sguardo** | regard |
| **sguardo (dare uno)** | jeter un coup d'œil |
| **sì** | oui |
| **Sicilia** | Sicile |
| **siciliano** | sicilien |
| **siccome** | puisque |
| **sicuro** | sûr |
| **significare** | signifier |
| **signora** | madame |
| **signore** | monsieur |
| **signorile** | distingué |
| **signorina** | mademoiselle |
| **silenzio** | silence |
| **silenzioso** | silencieux |
| **sillaba** | syllabe |
| **silurare** | limoger |
| **simpatico** | sympathique |
| **sindaco** | maire |
| **singolare** | singulier |
| **sinistra** | gauche |
| **siriano** | syrien |
| **sistema** | système |
| **situazione** | situation |
| **slavo** | slave |
| **smettere** | cesser, arrêter |
| **smetterla** | cesser |
| **soccorrere** | secourir |
| **socialista** | socialiste |
| **socievolezza** | sociabilité |
| **soddisfare** | satisfaire |
| **soffice** | moelleux |
| **soffocare** | étouffer |
| **soffrire** | souffrir |
| **soggettista** | scénariste |
| **soggetto *m*** | synopsis *f* |
| **soggiorno** | séjour |
| **soggiungere** | ajouter |
| **sognare** | rêver |
| **sogno** | rêve |
| **solamente** | seulement |
| **soldi *pl*** | sous *pl* |
| **sole** | soleil |
| **solito** | habituel |

| | |
|---|---|
| **solito (di)** | d'habitude |
| **solo** | seul; seulement |
| **solo (da)** | tout seul |
| **soltanto** | seulement |
| **soluzione** | solution |
| **somaro** | âne bâté |
| **soporifico** | soporifique |
| **sopra** | au-dessus |
| **sopratassa** | surtaxe |
| **soprattutto** | surtout |
| **sorella** | sœur |
| **sorellina** | petite sœur |
| **sorgere** | surgir, naître |
| **sorprendente** | surprenant |
| **sorprendere** | surprendre |
| **sorpresa** | surprise |
| **sorridere v intr** | sourire |
| **sorso *m*** | gorgée *f* |
| **sorteggiare** | sort (tirer au) |
| **sorvegliare** | surveiller |
| **sospingere** | repousser |
| **sotto** | au-dessous |
| **sottosviluppato** | sous-développé |
| **sottrarre** | soustraire |
| **spaghetti** | spaghetti |
| **spagnolo** | espagnol |
| **sparecchiare la tavola** | débarasser la table. |
| **spargere** | répandre |
| **spasso (andare a)** | aller se promener |
| **spatolina** | petite spatule |
| **spazio** | espace |
| **specialità** | spécialité |
| **specie** | espèce |
| **spegnere** | éteindre |
| **spendere** | dépenser |
| **spengere** | éteindre |
| **speranza *f*** | espoir *m* |
| **sperare** | espérér |
| **spesa (fare la)** | faire les courses |
| **spese (fare le)** | faire des achats |
| **speso** | dépensé |
| **spesso** | souvent |
| **spettacolo** | spectacle |
| **spettatore** | spectateur |
| **spezzatino** | ragoût |
| **spiacere** | déplaire |
| **spiaggia** | plage |
| **spiccioli *m pl*** | petite monnaie *f sing* |
| **spiegare** | expliquer |
| **spilorcio** | avare, radin |
| **spingere** | pousser |
| **spiritoso** | spirituel |
| **spiritoso (fare lo)** | esprit (faire de l') |
| **spolverinare** | saupoudrer |
| **spontaneità** | spontanéité |
| **spontaneo** | spontané |
| **sporcare** | salir |
| **sporco** | sale |
| **sporgersi** | se pencher |
| **sportello** | guichet |
| **sposato** | marié |
| **spuma** | mousse |
| **spumante** | mousseux |
| **squillare** | sonner |
| **sragionare** | déraisonner |
| **stadio** | stade |
| **stagione** | saison |
| **stamattina** | ce matin |
| **stampa** | presse |
| **stampante** | imprimante |
| **stanco** | fatigué |
| **stappare** | déboucher |
| **stare** | être, demeurer |
| **stasera** | ce soir |
| **statale *adj*** | public |
| **statista** | homme d'Etat |
| **stazione** | gare |
| **stendersi al sole** | s'allonger au soleil |
| **stesso** | même |
| **stesso (lo)** | quand même; tout de même |
| **stirare** | repasser |
| **stivale *m*** | botte *f* |
| **storia** | histoire |
| **penisola** | péninsule |
| **storia** | histoire |
| **storico** | historique |
| **strada** | route; rue |
| **straniero** | étranger |
| **straordinario** | extraordinaire |
| **strapuntino** | strapontin |
| **strato *m*** | couche *f* |
| **strega** | sorcière |
| **strenna *sing*** | étrennes *pl* |
| **stringere** | serrer |
| **strumento** | instrument |
| **studente** | étudiant |
| **studentesco *adj*** | étudiant (d') |
| **studentessa** | étudiante |
| **studiare** | étudier |
| **studio m** | étude f |
| **stufo** | agacé |
| **stufo (essere)** | être agacé, en avoir assez |
| **stupido** | stupide |
| **stupito** | étonné |
| **su** | sur; en haut |
| **su (andare)** | monter |
| **subire** | subir |
| **succedere** | arriver |

| | | | |
|---|---|---|---|
| **successivo** | 1) successif 2) suivant | **tenere** | garder; garder |
| **suggerire** | suggérer | **tenga!** | tenez! |
| **sughero** | liège | **terminare** | terminer, achever |
| **suocera** | belle-mère | **terrina** | terrine |
| **suoceri** | beaux-parents | **terzultimo** | antépénultième |
| **suocero** | beau-père | **testa** | tête |
| **suonare** | sonner | **testata *f*** | titre *m* |
| **superficie** | superficie; surface | **testimone** | témoin |
| **supporre** | supposer | **testualmente** | textuellement |
| **svegliare, si** | (se) réveiller | **timbro** | tampon |
| **svestire, si** | (se) déshabiller | **tingere** | teindre |
| **sviluppare, si** | (se) développer | **tintarella (prendere la)** | se faire bronzer |
| **sviluppato** | développé | **tintarella *f fam*** | bronzette *f fam* |
| **svizzero** | suisse | **tipaccio (che)!** | quel drôle de type! |
| **svogliato** | paresseux | **tipicamente** | typiquement |
| **tacere** | se taire | **tirare** | tirer |
| **taglia** | taille | **tiratura *f*** | tirage *m* |
| **tagliare** | couper | **tirrenico** | thyrrhénien |
| **tallone** | talon *(cartes)* | **tirreno** | tyrrhénien |
| **talvolta** | quelquefois | **titoli *pl* di testa (i)** | générique *sing* |
| **tamburelli (giocare a)** | jouer au tambourin | **titolo** | titre |
| **tappo** | bouchon | **titolone** | gros titre |
| **tarantella** | tarentelle | **toccare** | toucher |
| **tardi** | tard | **togliere** | enlever |
| **tardivo** | tardif | **tomba** | tombe |
| **targa** | plaque d'immatriculation | **tonalità** | teinte |
| **tarocchi *pl*** | tarots *pl* | **torcere** | tordre |
| **tasca** | poche | **torinese** | turinois |
| **tasso** | taux | **tornare** | retourner, revenir |
| **tastiera *f*** | clavier *m* | **torneo** | tournoi |
| **tavola** | table | **torto** | tort |
| **tavola *f* calda** | snack *m* ou self-service *m* | **toscano** | toscan |
| **tavolino *m*** | guéridon, table *f* de café | **totip** | P.M.U |
| **tavolo *m*** | table *f* | **totocalcio** | loto sportif |
| **taxi** | taxi | **tovaglia** | nappe |
| **tazza** | tasse | **tovagliolo *m*** | serviette *f* de table |
| **teatro** | théâtre | **tra** | entre |
| **tedesco** | allemand | **trabocchetto** | piège |
| **telefonare** | téléphoner | **tradurre** | traduire |
| **telefonata *f*** | coup *m* de téléphone | **traffico *m*** | circulation *f* |
| **telefonico (elenco)** | annuaire téléphonique | **tram** | tramway |
| **telefono** | téléphone | **tramezzino** | sandwich |
| **telefono (colpo di)** | coup de téléphone | **tramonto del sole** | coucher du soleil |
| **telegiornale** | journal télévisé | **trarre** | tirer |
| **telegramma** | télégramme | **trascorrere** | passer |
| **televisione** | télévision | **traslocare** | déménager |
| **televisore** | poste de télévision | **trasloco** | déménagement |
| **tema** | sujet | **trasmettere** | émettre |
| **temere** | craindre | **trasmissione** | émission |
| **tempo** | temps | **trasparente** | transparent |
| **tendenza** | tendance | **trasporto** | transport |
| **tendere** | tendre | **trastullarsi** | s'amuser |
| | | **trattato** | traité |
| | | **trattenere** | retenir |

| | |
|---|---|
| **trattoria** *f* | petit restaurant *m* typique |
| **treno** | train |
| **trentino** | du Trentin ; de Trente |
| **tricolore** | tricolore |
| **tris** | brelan |
| **trovare** | trouver |
| **trucco** | maquillage |
| **truppa** | troupe |
| **tuffare, si** | plonger |
| **tuffo** | plongeon |
| **tuorlo** | jaune d'œuf |
| **turco** | turc |
| **turista** | touriste |
| **turno (primo)** | tour (premier) |
| **tutti** | tous ; tout le monde |
| **tutto** | tout |
| **Tv** | télé |
| **ubriacarsi** | s'enivrer |
| **ubriacone** | ivrogne |
| **ubriaco** | ivre |
| **uccidere** | tuer |
| **udire** | entendre |
| **ufficio** | bureau |
| **ultimo** | dernier |
| **umbro** | de l'Ombrie |
| **unanimità** | unanimité |
| **ungere** | oindre |
| **unificazione** | unification |
| **uniformemente** | uniformément |
| **unire** | unir |
| **unità** | unité |
| **università** | université |
| **uomo** | homme |
| **uovo** | œuf |
| **urgente** | urgent |
| **urlare** | hurler |
| **urtare** | cogner |
| **uscire** | sortir |
| **uscita** | sortie ; ouverture *(jeu)* |
| **utile** | utile |
| **utilizzare** | utiliser |
| **uva** *f* | raisin *m* |
| **uvaggio** | coupage |
| **vacanza** | vacance |
| **vacca** | vache |
| **valere** | valoir |
| **mucca** | vache |
| **valigia** | valise |
| **valuta** | devise |
| **variare** | varier |
| **vario** | différent |
| **vassoio** | plateau |
| **vecchietto** | vieillard |
| **vecchio** | vieux, vieil |
| **vedere, si** | (se) voir |
| **veloce** | rapide |
| **vendere** | vendre |
| **vendita** | vente |
| **venerabile** | vénérable |
| **venerdì** | vendredi |
| **veneziano** | vénitien |
| **venire** | venir |
| **vento** | vent |
| **veramente** | vraiment |
| **verde** | vert |
| **vergogna** | honte |
| **verificare, si** | (se) produire |
| **verità** | vérité |
| **vero** | vrai |
| **versare** | verser |
| **verso** | vers |
| **vescovo** | évêque |
| **vestire, si** | (s') habiller |
| **vestito** | vêtement |
| **vestito *m (da donna)*** | robe *f* |
| **vestito *(da uomo)*** | costume |
| **vetrina** | vitrine |
| **vetro** *m* | verre ; vitre *f* |
| **via** | rue |
| **viaggiare** | voyager |
| **viaggiatore** | voyageur |
| **viale** *m* | avenue *f* |
| **vicenda** *f* | évènement *m* |
| **vicino** | proche |
| **prossimo** | proche ; prochain |
| **vicino (qui)** | près d'ici |
| **vicino a** | près de |
| **vicino di casa** | voisin de maison |
| **vicolo** *m* | impasse *f* |
| **videocassetta** | vidéocassette |
| **videoregistratore** | magnétoscope |
| **vietato** | interdit |
| **vigile** | agent de police |
| **vigilessa** *f* | agent *m* de police *(femme)* |
| **vigneto** | vignoble |
| **vignetta** *f* | dessin *m* humoristique |
| **vigore (in)** | en vigueur |
| **villaggio** | village |
| **villeggiare** | être en vacances |
| **vincere** | vaincre |
| **vincita** | gain *(jeu)* |
| **vinello** | vin (petit) |
| **vino** | vin |
| **vino da pasto** | vin de table |
| **visione (prima)** | exclusivité (projection en) |
| **visitare** | visiter |
| **viso** | visage |

| | |
|---|---|
| **vite** | vigne |
| **vitigno** | cépage |
| **vitto (il)e l'alloggio** | le gîte et le couvert |
| **vivere** | vivre |
| **vivo (dal)** | en direct |
| **vocabolario** | vocabulaire |
| **voce** | voix |
| **volentieri** | volontiers |
| **voler bene** | aimer |
| **volere** | vouloir |
| **volgere** | retourner |
| **volpe** *f* | renard *m* |
| **volta** | fois |
| **voltare** | tourner |
| **votare** | voter |
| **vuoto** | vide |
| **xilofono** | xylophone |
| **zabaione** | sabayon |
| **zero** | zéro |
| **zia** | tante |
| **zii** | oncles |
| **zio** | oncle |
| **zoccolo** | sabot |
| **zonzo (andare a)** | flâner |
| **zucca** | citrouille |
| **zumata** *f* | zooming *m* |

# LEXIQUE FRANÇAIS-ITALIEN

**abondant** abbondante
**absolument** assolutamente
**accent** accento
**accentuer** accentuare
**accentuer (un mot)** accentare
**accepter** accettare
**accident** incidente
**accompagner** accompagnare
**accord** accordo, patto
**accord (d')** d'accordo
**accourir** accorrere
**accrocher** appendere
**accueillir** accogliere
**achat** acquisto
**acheter** acquistare, comprare
**achever** terminare
**acteur** attore
**activité** attività
**actrice** attrice
**actualité** attualità
**actuel** attuale
**addition *f*** conto *m*
**admettre** ammettere
**admirer** ammirare
**adresse *f*** indirizzo *m*
**adresser, s'** rivolgere, (si)
**adriatique** adriatico
**aéroport** aeroporto
**affaire *f*** affare *m*
**affaire *f* (une belle)** affarone *m*
**affiche *f*** cartellone *m*; manifesto *m*
**affranchir *(lettre)*** affrancare *(lettera)*
**affranchissement *m*** affrancatura *f*
**afin que** affinchè
**agacé** stufo
**âgé** anziano
**agence** agenzia
**agent de police *m*** vigile *m*; vigilessa *f*
**agnostique** agnostico
**agréable** dilettevole
**agréable** gradevole; piacevole
**aide *f*** aiuto *m*
**aieul** avo
**ailleurs** altrove
**aimer** amare, voler bene; piacere
**ainsi** così
**air *m*** aria *f*
**ajourner** rimandare; rinviare
**ajouter** aggiungere; soggiungere
**albâtre** alabastro
**alcool** alcool
**alcool** liquore
**alcoolisé** alcolico
**aligner** allineare
**allégorique** allegorico
**allemand** tedesco
**aller** andare
**aller au bureau** andare in ufficio
**aller (comme un gant)** stare a pennello
**aller plus loin** andare oltre
**aller (à ravir)** andare a pennello
**allô!** pronto!
**allonger, s' (au soleil)** stendersi al sole
**allons! voyons!** dai!
**allumer** accendere
**alors** allora
**amer** amaro
**américain** americano
**ami** amico
**amie** amica
**amie (petite)** amichetta
**amour** amore
**amphithéâtre** anfiteatro
**amphithéâtre *m*** aula magna *f*
**amuser, s'** divertirsi
**ancien** antico
**âne bâté** somaro
**anglais** inglese
**année *f*** anno *m*
**annexion** annessione
**anniversaire** compleanno
**annonce *f*** annuncio *m*
**annoncer** preludere
**annuaire téléphonique** elenco telefonico

| | |
|---|---|
| **antépénultième** | terzultimo |
| **anticlérical** | mangiapreti |
| **anticléricalisme** | anticlericalismo |
| **antique** | antico |
| **août** | agosto |
| **apercevoir** | scorgere |
| **apercevoir, s'** | accorgersi |
| **apéritif** | aperitivo |
| **apparaître** | apparire |
| **appareil *m* photo** | macchina *f* fotografica |
| **appariteur** | bidello |
| **appartement** | appartamento |
| **appel *m*** | chiamata *f* |
| **appeler** | chiamare |
| **apprécié, estimé** | apprezzato |
| **apprendre** | imparare |
| **après-demain** | dopodomani |
| **après-midi** | pomeriggio |
| **après, puis** | poi, dopo |
| **arbre** | albero |
| **architecte** | architetto |
| **argent *sing*** | quattrini *pl* |
| **armée *f*** | esercito *m* |
| **aromatique** | aromatico |
| **arrêt *m*** | fermata *f* |
| **arrêt *m* obligatoire** | fermata *f* obbligatoria |
| **arrêter** | arrestare |
| **arrêter, s'** | fermare, si |
| **arriver** | giungere, arrivare |
| **arriver** | accadere, succedere |
| **art *m*** | arte *f* |
| **article** | articolo |
| **artistique** | artistico |
| **as** | asso |
| **ascenseur** | ascensore |
| **asile** | manicomio |
| **asphalte** | asfalto |
| **asseoir, s'** | sedere, si |
| **assez** | abbastanza |
| **assez bien** | benino |
| **assiette *f*, plat** | piatto *m* |
| **assistance** | assistenza |
| **assister** | assistere |
| **assoiffé** | assetato |
| **assurance *(contrat)*** | assicurazione *(contratto)* |
| **assurer** | assicurare |
| **athéisme** | ateismo |
| **atmosphère** | atmosfera |
| **atout *m*** | briscola *f* |
| **attentat** | attentato |
| **attention** | attenzione |
| **attirer** | attrarre |
| **attitude *f*** | atteggiamento *m* |
| **attribuer** | attribuire |

| | |
|---|---|
| **au-dessous** | sotto |
| **au-dessus** | sopra |
| **auberge *f* de jeunesse** | ostello *m* della gioventù |
| **aubergiste** | oste |
| **augmentation *f*** | incremento *m* |
| **aujourd'hui** | oggi |
| **aussi** | anche |
| **aussi** | pure |
| **australien** | australiano |
| **autant (tout)** | altrettanto |
| **auteur** | autore |
| **auto-stop (faire de l')** | autostop *m inv* (fare l') |
| **autobus** | autobus |
| **automnal** | autunnale |
| **automne** | autunno |
| **automne (d')** | autunnale |
| **automobile** | automobile |
| **autonome** | autonomo |
| **autoroute** | autostrada |
| **autrement** | altrimenti |
| **avance *f*** | anticipo *m* |
| **avancer** | andare avanti |
| **avant de** | prima di |
| **avant-dernier** | penultimo |
| **avare** | spilorcio |
| **avenir** | avvenire |
| **aventure** | avventura |
| **avenue f** | viale m |
| **avertir** | avvertire |
| **avertissement** | ammonimento |
| **aveugle** | cieco |
| **avion** | aereo |
| **avis (l')** | parere (il) |
| **avocat** | avvocato |
| **avocate** | avvocatessa |
| **avoir** | avere |
| **avril** | aprile |
| **baccalauréat *m*** | maturità *f* |
| **bagage** | bagaglio |
| **baigner, se** | fare il bagno |
| **baigneur** | bagnante |
| **bain** | bagno |
| **baisse *f*** | ribasso *m* |
| **baisser** | calare |
| **balance** | bilancia |
| **balle** | palla |
| **banc** | banco |
| **banc *m*** | panca *f* |
| **banlieue** | periferia |
| **banque *f*** | banca; banco *m* |
| **banqueroute** | bancarotta |
| **banquier** | banchiere |
| **baptiser** | battezzare |
| **bar** | bar |
| **barbe** | barba |

| | |
|---|---|
| **barque** | barca |
| **basilique** | basilica |
| **bataille** | battaglia |
| **bateau *m*** | barca *f* |
| **batterie** | batteria |
| **beau** | bello |
| **beau-frère** | cognato |
| **beau-père** | suocero |
| **beaucoup** | molto |
| **beauté** | bellezza |
| **beaux-parents** | suoceri |
| **bébé** | piccolino, piccolo, bambino |
| **belge** | belga |
| **belle-fille** | nuora |
| **belle-mère** | suocera |
| **belle-sœur** | cognata |
| **belote *f*** | scopone *m* (sorte de) |
| **bénir** | benedire |
| **bénit** | benedetto |
| **berceau *m*** | culla *f* |
| **besoin (au)** | semmai |
| **bicyclette** | bicicletta |
| **bien** | bene |
| **bien que** | sebbene |
| **bien que** | quantunque |
| **bienséance *f*** | decoro *m* |
| **bière** | birra |
| **bière pression** | birra alla spina |
| **bifteck *m*** | bistecca *f* |
| **bigre!** | caspita! |
| **billet *m*** | banconota *f*, biglietto |
| **billet (presse)** | corsivo |
| **bipartisme** | bipartitismo |
| **biscuit** | biscotto |
| **bistrot *m*** | osteria *f*, trattoria *f* |
| **blanc** | bianco |
| **blanc (d'œuf)** | albume |
| **blé** | grano |
| **bleu** | azzurro |
| **bleu** | blu |
| **boire** | bere |
| **bois** | bosco |
| **boisson** | bibita |
| **boîte aux lettres** | cassetta delle lettere |
| **bolognais** | bolognese |
| **bon** | bravo |
| **bon** | buono |
| **bosseur** | sgobbone |
| **botte *f*** | stivale *m* |
| **bouchon** | tappo |
| **bouder** | fare il broncio |
| **boudhisme** | buddismo |
| **bouger** | muovere |
| **bougie** | candela |
| **bouillie** | pappina |
| **bouillon** | brodo |
| **bouteille** | bottiglia |
| **braise** | brace |
| **bravo!** | bravo! |
| **bref** | breve |
| **brelan** | tris |
| **brevet *m*** | licenza *f* media |
| **brochure *f*** | opuscolo *m* |
| **bronzé** | abbronzato |
| **bronzette *f fam*** | tintarella *f fam* |
| **brouillon *m*** | brutta copia *f* |
| **bruit** | rumore |
| **buflesse** | bufala |
| **buflonne** | bufala |
| **bulletin *m*; fiche** | scheda *f* |
| **bulletin (Télé, radio)** | notiziario |
| **bureau** | ufficio |
| **bureau de poste** | ufficio postale |
| **buveur** | bevitore |
| **byzantin** | bizantino |
| **ça alors!** | porca miseria! |
| **ça suffit!** | basta! |
| **cabine de téléphone** | cabina telefonica |
| **câble (par)** | cavo *m* (via) |
| **cacher** | nascondere |
| **cadeau** | regalo |
| **cadrage *m*** | inquadratura *f* |
| **cadre *m*** | cornice *f* |
| **café** | caffè |
| **café arrosé** | caffè corretto |
| **café au lait** | caffellatte |
| **café avec un soupçon de lait** | caffé macchiato |
| **café express** | caffé espresso |
| **calculatrice** | calcolatrice |
| **calme** | calmo |
| **caméra** | macchina da presa |
| **canevas** | canovaccio |
| **cantine** | mensa |
| **capable** | capace |
| **capital *m adj*** | capitale *m adj* |
| **capitale *f*** | capitale *f* |
| **captivant** | avvincente |
| **carabinier** | carabiniere |
| **cardinal** | cardinale |
| **carnaval** | carnevale |
| **carnet *(chèque)*** | libretto *(assegni)* |
| **carnet de timbres** | blocchetto di francobolli |
| **carnet *m* de notes** | pagella *f* |
| **carrefour** | crocevia |
| **cartable *m*** | cartella *f* |
| **carte** | carta |
| **carte de crédit** | carta di credito |
| **carte magnétique** | scheda magnetica |

| | |
|---|---|
| **carte postale** | cartolina |
| **cas (en tout)** | ad ogni modo |
| **cascadeur** | cascatore |
| **casino** | casinò |
| **cathédrale *f*** | duomo *m* |
| **catholicisme** | cattolicesimo |
| **cave** | cantina |
| **ce, cet** | questo |
| **ceindre** | cingere |
| **cela** | ciò |
| **célèbre** | famoso, celebre |
| **célibataire** | celibe *(masculin)*; nubile *(féminin)* |
| **centaine *f*** | centinaio *m* |
| **central** | centrale |
| **centre** | centro |
| **cépage** | vitigno |
| **cerceau** | cerchio |
| **cercle** | cerchio |
| **certain** | certo |
| **certainement** | certamente |
| **cesser, arrêter** | smettere |
| **cession** | cessione *f* |
| **c'est-à-dire** | cioè |
| **chacun** | ognuno |
| **chagrin** | dispiacere |
| **chaîne *f (Télé)*** | canale *m* , rete |
| **chaleur *f*** | caldo *m* |
| **chambre** | camera |
| **chance** | fortuna. |
| **chance (avoir de la)** | essere fortunato |
| **chance (quelle)!** | che fortuna! |
| **chanceux** | fortunato |
| **change** | cambio |
| **changer** | cambiare |
| **chant** | canto |
| **chanter** | cantare |
| **chapeau** | cappello |
| **chapelle** | cappella |
| **chaque** | ogni |
| **char d'assaut** | carro armato |
| **charbon** | carbone |
| **charmant** | incantevole |
| **charmant** | leggiadro |
| **charmant** | affascinante |
| **charmant** | carino |
| **charme** | fascino |
| **charrette** | carretta *f* |
| **chaud** | caldo |
| **chaussure** | scarpa |
| **chef de service** | caporeparto |
| **chef-lieu** | capoluogo |
| **chemise** | camicia |

| | |
|---|---|
| **chèque** | assegno |
| **cher** | caro |
| **chercher** | cercare |
| **chevalier** | cavaliere |
| **cheveu** | capello |
| **chèvre** | capra |
| **chocolat *m (à boire)*** | cioccolata *f* |
| **chocolat *(qu'on croque)*** | cioccolato; cioccolatino |
| **choisir** | scegliere |
| **chômeur** | disoccupato |
| **chose** | cosa |
| **chouette!** | bellezza (che)! |
| **choux** | cavolo |
| **choyé** | coccolato |
| **chrétien** | cristiano |
| **christianisme** | cristsianesimo |
| **chronique *f*** | cronaca |
| **chronopost *m*** | posta celere *f* |
| **chute** | caduta |
| **ciel** | cielo |
| **cinéma** | cinema |
| **cinémathèque** | cineteca |
| **cinématographique** | cinematografico |
| **circulation *f*** | traffico *m* |
| **citoyen** | cittadino *m* |
| **citrouille** | zucca |
| **civile** | civile |
| **clair** | chiaro |
| **clandestin** | clandestino |
| **classeur** | raccoglitore |
| **classique** | classico |
| **clavier *m*** | tastiera *f* |
| **clef** | chiave |
| **clérical** | clericale |
| **client** | cliente |
| **clignotant (mettre le)** | mettere la freccia |
| **clignotant *m*** | freccia *f* |
| **clocher** | campanile |
| **cocagne!** | cuccagna |
| **code postal** | codice postale |
| **coeur (par)** | a memoria |
| **cogner** | urtare |
| **coiffer, se** | pettinare, si |
| **coin de la rue** | angolo |
| **colis** | collo |
| **Colisée** | Colosseo |
| **collection** | collezione |
| **collège *m*** | scuola *f* media |
| **collègue** | collega |
| **colline, butte** | collina |
| **combien** | quanto |
| **combiné** | microtelefono |
| **comble** | colmo |
| **comédie, pièce** | commedia |

**commander** ordinare
**commandeur** commendatore
**comme** come
**comme ça** così
**commencer** cominciare, incominciare
**comment** come
**commerçant** commerciante
**commercial** commerciale
**commettre** commettere
**commissariat *m*** questura *f*
**commission** commissione
**commodités, confort *m sing*** comodità *f pl*
**commune *f*** comune *m*
**communication** comunicazione
**comparaison *f*** paragone *m*
**comparer** paragonare
**comparse, figurant *m*** comparsa *f*
**compatriote** compatriota
**complaire** compiacere
**complet *adj*** completo
**complet, ensemble** completo
**complètement** completamente
**comporter, se** comportarsi
**composé** composto
**composer** comporre
**comprendre** capire
**comprendre** comprendere
**compromettre** compromettere
**comptable** ragioniere
**comptant** contante
**compte *m* rendu** recensione *f*
**comptoir** banco
**concéder** concedere
**concerner** riguardare
**concierge** bidello
**conclure** concludere
**concourir** concorrere
**condenser** condensare
**conditionnel** condizionale
**conducteur** conducente
**conduire** condurre
**confettis** coriandoli
**confier** affidare
**confier** confidare
**confondre** confondere
**connaissance** conoscenza
**connaisseur** conoscitore
**connaître** conoscere
**connecter** allacciare
**connu** conosciuto
**conscient** conscio
**considérer** considerare
**constitution** costituzione

**construction** costruzione
**construire** costruire
**consulter** consultare
**contaminer** impestare
**contenir** contenere
**content** contento
**continuer** continuare
**contracter** contrarre
**contraindre** costringere
**contraire (au)** invece
**contredire** contraddire
**contremaître** capomastro
**contrôler** controllare
**contrôleur** controllore
**convaincre** convincere
**convaincu** convinto
**convenir** addirsi
**convenir** convenire
**conviction** convinzione
**corniche *f*** cornicione *m*
**cornichon** cetriolo
**correctement** correttamente
**corriger** correggere
**costume** vestito da uomo
**côte** costa
**cou** collo
**couche *f*** strato *m*
**coucher du soleil** tramonto del sole
**coucher, se** coricare, si
**coudre** cucire
**couleur *f*** colore *m*
**couleurs *f pl* (en)** colori *m pl* (a)
**coup** colpo
**coup de téléphone** telefono (colpo di)
**coup *m* de téléphone** telefonata *f*
**coup *m* d'œil** occhiata *f*
**coupage** uvaggio
**couper** tagliare
**couple *m*** coppia *f*
**cœur** cuore
**cour** corte
**courir** correre
**couronner** incoronare
**cours** corso
**cours des changes** listino dei cambi
**cours *m*** quotazione *f*
**course** corsa
**court** corto
**courtois** cortese
**cousin** cugino
**cousine** cugina
**couteau** coltello
**coûter** costare
**couteux** caro
**couvert *adj*** coperto

| | |
|---|---|
| **couvert *m sing*** | posate *f pl* |
| **couvert *m*** | posata *f* |
| **couvrir** | coprire |
| **craie *f*** | gesso *m* |
| **craindre** | temere |
| **cravate** | cravatta |
| **créateur** | creatore |
| **crèche *f*** | presepe *m* |
| **crédit** | credito |
| **créer** | creare |
| **crème** | crema |
| **crème chantilly** | panna |
| **crétin** | cretino |
| **creuser, se *(la tête)*** | scervellarsi |
| **critique *f*** | critica |
| **critique *m*** | critico |
| **critiquer** | criticare |
| **croire** | credere |
| **croisière** | crociera |
| **croissant *adj*** | crescente |
| **croix** | croce |
| **croustillant** | croccante |
| **croyant** | credente |
| **crucifix** | crocifisso |
| **cueillir** | raccogliere |
| **cueillir** | cogliere |
| **cuiller *f*** | cucchiaio *m* |
| **cuiller (petite) *f*** | cucchiaino *m* |
| **cuir *m*** | cuoio; pelle *f* |
| **cuisine** | cucina |
| **cuit** | cotto |
| **cuite** | sbornia |
| **cuite** | sbronza |
| **culture** | cultura |
| **culturel** | culturale |
| **curé** | parroco |
| **curieux** | curioso |
| **dangereux** | pericoloso |
| **dans** | fra, tra |
| **danser** | ballare |
| **date** | data |
| **dé** | dado |
| **débarasser la table** | sparecchiare la tavola |
| **débat** | dibattito |
| **déboucher** | stappare |
| **début** | inizio |
| **décembre** | dicembre |
| **décevoir** | deludere |
| **déchargé** | scarico |
| **déchoir** | decadere |
| **décider** | decidere |
| **décodeur** | decodificatore |
| **décommander** | disdire |
| **décor** | scenario |
| **décorateur** | scenografo |
| **découvrir** | scoprire |
| **décrocher** | sganciare |
| **dedans** | dentro |
| **déduire** | desumere, dedurre; detrarre |
| **défaire** | disfare |
| **défaite** | disfatta |
| **défendre** | difendere |
| **défilé *m*** | sfilata *f* |
| **dehors** | fuori |
| **déjà** | già |
| **déjeuner** | pranzare; far colazione |
| **déjeuner *m*** | pranzo; colazione *f* |
| **déjeuner *m* (petit)** | colazione *f*; piccola colazione |
| **délégation** | rappresentanza |
| **délibérer** | deliberare |
| **délicieux** | delizioso |
| **demande** | domanda |
| **demander** | chiedere, domandare |
| **démarreur** | motorino d'avviamento |
| **déménagement** | trasloco |
| **déménager** | traslocare |
| **demeurer** | stare |
| **demi** | mezzo |
| **démissionner** | dimettersi |
| **démissionner** | dare le dimissioni |
| **démocrate** | democratico |
| **démocratie** | democrazia |
| **dent *f*** | dente *m* |
| **département *m*** | provincia *f* |
| **dépêcher, se** | sbrigarsi |
| **dépendre** | dipendere |
| **dépensé** | speso |
| **dépenser** | spendere |
| **déplacer** | muovere |
| **déplaire** | dispiacere, spiacere |
| **déplaisir** | dispiacere |
| **déposer** | deporre |
| **déprimé** | depresso |
| **député** | deputato |
| **déraisonner** | sragionare |
| **dérangement (en)** | guasto |
| **dernier** | ultimo; scorso |
| **derrière** | dietro; indietro |
| **désaltérant** | dissetante |
| **descendre** | scendere, andare giù |
| **désespérer** | disperare |
| **désespoir *m*** | disperazione *f* |
| **déshabiller, se** | svestire, si |
| **désirer** | desiderare |
| **désormais** | ormai |
| **dessert *m*** | frutta *f*, dolce *m* |
| **dessin *m* humoristique** | vignetta *f* |

| | |
|---|---|
| **détachement *(de l'armée)*** | reparto *(dell'esercito)* |
| **détourner** | distogliere |
| **détruire** | distruggere |
| **développé** | sviluppato |
| **développer, se** | sviluppare, si |
| **devenir** | divenire, diventare |
| **deviner** | indovinare; azzeccare |
| **devinette *f*** | indovinello *m* |
| **devise** | valuta |
| **devoir** | dovere |
| **devoir (le)** | dovere (il) |
| **dialecte** | dialetto |
| **dialogue** | dialogo |
| **Dieu** | Dio |
| **différé *m*** | differita *f* |
| **différent** | diverso, differente; vario |
| **différer** | protrarre |
| **difficile** | difficile |
| **difficulté *f*** | guaio *m* |
| **diffuser** | diffondere |
| **diffuser à la télévision** | andare in onda |
| **digne de foi** | attendibile |
| **dimanche** | domenica |
| **dîner** | cenare; pranzare |
| **dîner (le)** | cena (la) |
| **diplômé** | laureato |
| **diplôme universitaire** | laurea |
| **dire** | dire |
| **directeur** | direttore |
| **direction** | direzione |
| **dirigeant** | dirigente |
| **diriger, se** | dirigere, si |
| **discourir** | discorrere |
| **discours** | discorso |
| **discuter** | discutere |
| **disparaître** | scomparire |
| **disputer, se** | litigare |
| **disque** | disco |
| **disquette *f*** | dischetto *m* |
| **dissoudre** | sciogliere |
| **dissuader** | dissuadere |
| **distingué** | signorile |
| **distinguer** | distinguere |
| **distraire** | distrarre |
| **distribuer** | distribuire |
| **divers** | diverso, differente; vário |
| **diviser** | dividere |
| **dizaine** | diecina |
| **docteur** | dottore |
| **dollar** | dollaro |
| **donc** | dunque |
| **donner** | porgere |
| **donner** | dare |
| **donner à la télévision** | andare in onda |
| **donner un coup d'œil** | dare un'occhiata |
| **dormir** | dormire |
| **douanier** | doganiere |
| **doublage** | doppiaggio |
| **double** | doppio |
| **douleur *f*** | dolore *m* |
| **doute (sans aucun)** | senz'altro |
| **doux** | dolce |
| **doux *(vin)*** | amabile |
| **draguer** | rimorchiare *(fam)* |
| **drapeau *m*** | bandiera *f* |
| **dresser la table** | apparecchiare la tavola |
| **droit *adj*** | diritto |
| **droit *m*** | diritto; legge *f* |
| **droite** | destra |
| **dur** | duro |
| **dynamique** | dinamico |
| **eau** | acqua |
| **eau-de-vie** | acquavite |
| **échapper** | sfuggire |
| **échecs *pl*** | scacchi *pl* |
| **echo *m*** | eco *f* |
| **échouer** | fare fiasco |
| **éclatant** | luminoso |
| **école** | scuola |
| **école obligatoire** | scuola dell'obbligo |
| **école *f* maternelle** | asilo *m* |
| **écolier** | scolaro |
| **écologique** | ecologico |
| **écologiste** | ambientalista |
| **économie** | economia |
| **écouler, s'** | scorrere |
| **écouter** | ascoltare |
| **écouteur** | auricolare |
| **écrire** | scrivere |
| **écrivain** | scrittore; scrittrice *f* |
| **éducation** | educazione |
| **effectivement** | effettivamente |
| **effet (en)** | infatti |
| **église** | chiesa |
| **égoiste** | egoista |
| **égyptien** | egiziano |
| **élection** | elezione |
| **electroménagers** | elettrodomestici |
| **élégant** | elegante |
| **élémentaire** | elementare |
| **élève** | allievo, alunno |
| **élevé (mal)** | maleducato, screanzato |
| **élire** | eleggere |

| | |
|---|---|
| **éloigné** | remoto |
| **éluder** | eludere |
| **embaucher** | assumere |
| **embêtant** | seccante *(fam)* |
| **embrasser** | abbracciare |
| **émettre** | trasmettere |
| **émission** | trasmissione |
| **empereur** | imperatore |
| **employé** | impiegato; dipendente |
| **employés (les)** | gli impiegati; i colletti *pl* bianchi |
| **emprisonner** | incarcerare |
| **enchanté!** | piacere! |
| **encore** | ancora |
| **endormir, s'** | addormentare, si |
| **endosser *(chèque)*** | girare |
| **endroit *m*** | località *f* |
| **enfance** | infanzia |
| **enfant** | bambino |
| **enfant** | ragazzo |
| **enfant (avoir un)** | mettere al mondo |
| **enfants** | figli |
| **enfin** | finalmente |
| **engagé** | impegnato |
| **enlever** | togliere |
| **ennivrer, s'** | ubriacarsi |
| **ennui** | guaio |
| **ennuyer** | seccare |
| **ennuyeux** | noioso |
| **énorme** | enorme |
| **enseignant** | insegnante |
| **ensemble** | insieme |
| **ensuite** | quindi |
| **entendeur** | intenditore |
| **entendre** | udire |
| **entendre** | sentire, ascoltare |
| **entente** | intesa |
| **entracte** | intervallo |
| **entre** | tra, fra |
| **entrée** | entrata |
| **entrée *f*** | ingresso *m*; salita |
| **entrer** | entrare, andare dentro |
| **entrevoir** | intravedere |
| **envahir** | invadere |
| **envelopper** | avvolgere |
| **environ** | circa |
| **envoyer** | mandare |
| **épargne *f*** | risparmio *m* |
| **épatant(e)!** | allucinante! *(fam)* |
| **épeler** | compitare |
| **épiphanie** | epifania; befana |
| **épisode *m (TV)*** | puntata *f* |
| **époque** | epoca |
| **épouse** | moglie |
| **épuisé** | esaurito; completo |
| **équilibrer** | equilibrare |
| **ériger** | erigere |
| **erreur *f*** | sbaglio *m* |
| **escale *f*** | scalo *m* |
| **escalier *m* roulant** | scala *f* mobile |
| **escargot *m*** | lumaca *f* |
| **esclave** | schiavo |
| **espace** | spazio |
| **espagnol** | spagnolo |
| **espèce** | specie |
| **espérér** | sperare |
| **espiègle** | biricchino |
| **espiègle** | monello |
| **espoir *m*** | speranza *f* |
| **esprit (faire de l')** | fare lo spiritoso |
| **essayer** | provare |
| **essence** | benzina |
| **estival** | estivo |
| **étage** | piano |
| **étaler** | distribuire |
| **été *m*** | estate *f* |
| **éteindre** | spegnere |
| **éteindre** | spengere |
| **étendre, s'** | estendersi |
| **étendu** | esteso |
| **étonné** | stupito |
| **étouffer** | soffocare |
| **étourdi (quel)!** | che sbadato |
| **étranger *m, adj*** | estero |
| **étranger *m, adj*** | estraneo |
| **étranger *m, adj*** | straniero |
| **être** | essere |
| **étrennes *pl*** | strenna *sing* |
| **étude** | studio |
| **étudiant** | studente |
| **étudiant (d')** | studentesco *adj* |
| **étudiante** | studentessa |
| **étudier** | studiare |
| **européen** | europeo |
| **évader, s'** | evadere |
| **évangélique** | evangelico |
| **événement** | avvenimento |
| **événement *m*** | vicenda *f* |
| **évêque** | vescovo |
| **évidemment** | evidentemente, ovviamente |
| **évident** | evidente |
| **éviter** | evitare |
| **exactement** | esattamente |
| **exagerer** | esagerare |
| **exaspéré** | esasperato |
| **excellent** | ottimo |
| **exclure** | escludere |
| **excursion** | gita |
| **excuser** | scusare |
| **exemplaire *m*** | copia *f* |

| | |
|---|---|
| **exemple** | esempio |
| **exiger** | richiedere, esigere |
| **exilé** | esule |
| **expéditeur** | mittente |
| **expliquer** | spiegare |
| **exploser** | esplodere |
| **exportation** | esportazione |
| **exporter** | esportare |
| **exposé** | esposto |
| **exposer** | esporre |
| **exposition** | mostra |
| **expulser** | espellere |
| **extérieur** | esterno |
| **extraire** | estrarre |
| **extraordinaire** | straordinario, favoloso |
| **exulter** | esultare |
| **fabuleux** | favoloso |
| **face de (en)** | di fronte a |
| **faché** | arrabbiato |
| **facile** | facile |
| **faciliter** | facilitare |
| **facteur** | postino |
| **facultatif** | facoltativo |
| **faim** | fame |
| **faire** | fare |
| **faire allusion** | alludere |
| **faire des achats** | fare le spese |
| **faire du ski** | sciare |
| **faire les courses** | fare la spesa |
| **faire, se *(bronzer)*** | prendere la tintarella |
| **faire, se *(des illusions)*** | illudersi |
| **faire, s'en** | prendersela |
| **faire, s'en** | preoccuparsi |
| **fait (en)** | in realtà |
| **fait *m* divers** | cronaca *f* nera; fatto di cronaca |
| **falloir** | bisognare |
| **falloir** | occorrere |
| **fameux** | famoso, celebre |
| **famille** | famiglia |
| **fantastique** | fantastico |
| **farce** | farsa |
| **fascinant** | affascinante |
| **fasciste** | fascista |
| **fatigué** | stanco |
| **faute** | colpa |
| **faux** | falso |
| **faveur *f*** | favore *m* |
| **favorable** | favorevole |
| **feindre** | fingere |
| **femelle** | femmina |
| **féminin** | femminile |
| **femme** | donna |
| **fenêtre** | finestra |

| | |
|---|---|
| **fer à repasser** | ferro da stiro |
| **férié** | festivo |
| **fermé** | chiuso |
| **fermer** | chiudere |
| **ferraille *f*** | ferri vecchi (i) *m pl* |
| **festival *m*** | mostra *f* |
| **fête** | festa; baldoria |
| **fête *f*** | onomastico *m* |
| **feu tricolore** | semaforo |
| **feuille *f*** | foglio *m* |
| **feuilleton** | sceneggiato |
| **fève** | fava |
| **février** | febbraio |
| **fidèle** | fedele |
| **fier** | orgoglioso |
| **fier, se** | affidarsi |
| **fierté *f*** | orgoglio *m* |
| **fiévreux** | febbricitante |
| **fille** | figlia |
| **fille** | ragazza |
| **film** | film |
| **fils** | figlio |
| **finalement** | finalmente |
| **fin (la)** | fine (la) |
| **fine (la)** | fine (il) |
| **fini** | finito |
| **finir** | finire |
| **firme** | ditta |
| **flâner** | andare a zonzo |
| **flèche** | freccia |
| **fleur *f*** | fiore *m* |
| **fleurir** | fiorire |
| **florentin** | fiorentino |
| **florin** | fiorino |
| **foi** | fede |
| **fois** | volta |
| **fonctionnement** | funzionamento |
| **fond (au)** | in fondo |
| **fondre** | fondere |
| **force** | forza |
| **formule** | formula |
| **fort** | bravo |
| **fort** | forte |
| **fou** | pazzo |
| **fouilles *f pl*** | scavi *m pl* |
| **foule** | folla |
| **four** | forno |
| **fourchette** | forchetta |
| **fourrure** | pelliccia |
| **fragile** | fragile |
| **frais** | fresco |
| **fraise** | fragola |
| **framboise *f*** | lampone *m* |
| **franc** | franco |
| **franc-maçonnerie** | massoneria |

| | |
|---|---|
| **français** | francese |
| **France** | France |
| **franchement** | francamente |
| **frapper** | bussare |
| **frapper** | colpire |
| **frère** | fratello |
| **fresque *f*** | affresco *m* |
| **froid** | freddo |
| **fromage** | formaggio |
| **fruits *m pl*** | frutta *f sing* |
| **fuir** | fuggire |
| **fumer** | fumare |
| **furibond** | furibondo |
| **furieux** | arrabbiato |
| **futur** | futuro |
| **gain *(jeu) m*** | vincita *f* |
| **galerie** | galleria |
| **garagiste** | meccanico |
| **garantir** | garantire |
| **garçon** | ragazzo |
| **garçon** | cameriere |
| **garde *m, f*** | guardia *f* |
| **garder** | prendersi cura; tenere, custodire, serbare |
| **gare** | stazione |
| **garniture *f* de légumes** | contorno *m* |
| **gâteau *m*** | dolce; pasta *f* |
| **gauche** | sinistra |
| **gaver, se** | rimpinzarsi |
| **gendre** | genero |
| **général** | generale |
| **gens *pl*** | gente *sing* |
| **gentil** | gentile |
| **géographie** | geografia |
| **géomètre** | geometra *m* |
| **gérondif** | gerundio |
| **gîte et couvert** | vitto e alloggio |
| **glace *f*** | gelato *m* |
| **gorgée *f*** | sorso *m* |
| **gourmand** | ghiotto |
| **goût** | gusto |
| **goûter** | assaggiare |
| **goûter *m*** | merenda *f* |
| **gouvenement** | governo |
| **gouvernemental** | governativo |
| **grain** | chicco |
| **grammaire** | grammatica |
| **grand** | grande; alto |
| **grand-mère** | nonna |
| **grand-parents** | nonni |
| **grand-père** | nonno |
| **grandir** | crescere |
| **grave** | grave |
| **grenouille *f* de bénitier** | baciapile *m* |
| **grève *f*** | sciopero *m* |
| **griffé** | firmato |
| **gris** | ebbro |
| **guichet** | sportello; botteghino |
| **guide *m*** | guida *f* |
| **habiller, s'** | vestire, si |
| **habit** | abito |
| **habitant** | abitante |
| **habiter** | abitare |
| **habitude (d')** | di solito |
| **habituel** | solito |
| **hausse *f*** | rialzo *m* |
| **haut** | grande; alto |
| **hebdomadaire** | settimanale |
| **hectolitre** | ettolitro |
| **heure** | ora |
| **heureux** | felice; lieto |
| **histoire** | storia |
| **histoire drôle** | barzelletta |
| **histoires (raconter des)** | dire balle |
| **historique** | storico |
| **hiver** | inverno |
| **hivernal** | invernale |
| **hollandais** | olandese |
| **homme** | uomo |
| **homogène** | omogeneo |
| **homogénéisé** | omogeneizzato |
| **honorable** | onorevole |
| **honte** | vergogna |
| **hôpital** | ospedale |
| **horaire** | orario |
| **hors-d'œuvre** | antipasto |
| **hôtel** | albergo, hotel |
| **hôtel particulier** | palazzo |
| **hurler** | urlare |
| **hymne** | inno |
| **ici** | qua |
| **île** | isola |
| **illustre** | illustre |
| **imparfait** | imperfetto |
| **impasse *f*** | vicolo *m* |
| **impératif** | imperativo |
| **important** | importante |
| **importation** | importazione |
| **importer** | importare |
| **impossible** | impossibile |
| **impression** | impressione |
| **imprimante** | stampante |
| **inadmissible** | inammissibile |
| **incapable** | incapace |
| **inclure** | includere |
| **inconnu** | sconosciuto |
| **indépendance** | indipendenza |

| | |
|---|---|
| **indicatif** | indicativo |
| **indicatif téléphonique** | prefisso telefonico |
| **indiquer la direction** | indicare la direzione |
| **induire** | indurre |
| **industrialisé** | industrializzato |
| **industriel** | industriale |
| **infinitif** | infinito |
| **informer, s'** | informarsi |
| **ingénieur** | ingegnere |
| **ingrédient** | ingrediente |
| **inoubliable** | indimenticabile |
| **inquiéter, s'** | preoccuparsi |
| **inscrire** | iscrivere |
| **insister** | insistere |
| **instant (un petit)!** | un attimo! |
| **instituteur** | maestro |
| **institution** | istituzione |
| **institutrice** | maestra |
| **instrument** | strumento |
| **insurrection** | insurrezione |
| **interdire** | interdire |
| **interdit** | proibito |
| **interdit** | vietato |
| **intéressant** | interessante |
| **interesser** | interessare |
| **intérêt** | interesse |
| **intérieur** | interno |
| **intérieur (à l')** | dentro |
| **interrompre** | interrompere |
| **interview *m*** | intervista *f* |
| **intervieweur** | intervistatore |
| **intitulé** | intitolato |
| **introduire** | introdurre |
| **inutile** | inutile |
| **inviter** | invitare |
| **israélien** | israeliano |
| **israélite** | israelitico |
| **Italie** | Italia |
| **italien** | italiano |
| **ivre** | ubriaco |
| **ivrogne** | ubriacone |
| **jamais** | mai |
| **janvier** | gennaio |
| **japonais** | giapponese |
| **jardin** | giardino |
| **jaune d'œuf** | tuorlo |
| **Jésus Christ** | Gesù Cristo |
| **jeter** | buttare |
| **jeter un coup d'œil** | dare uno sguardo |
| **jeton** | gettone |
| **jeu de cartes** | mazzo |
| **jeu *m* (acteur)** | recitazione *f* |
| **jeudi** | giovedì |
| **jeune** | giovane |
| **jeune fille** | ragazza |
| **jeunesse** | gioventù |
| **joie** | gioia |
| **joindre** | congiungere |
| **joindre, inclure** | accludere |
| **joker** | jolly |
| **joli** | carino |
| **jouer** | giocare |
| **jouer (acteur)** | interpretare |
| **jouer au tambourin** | giocare a tamburelli |
| **jouer un film** | dare (un film) |
| **jouet** | giocattolo; balocco |
| **jouir** | godere |
| **jour** | giorno |
| **Jour de l'an** | Capodanno |
| **journal** | giornale |
| **journal intime** | diario |
| **journal télévisé** | telegiornale |
| **journalisme** | giornalismo |
| **journée** | giornata |
| **joyau** | gioiello |
| **jubilé** | giubileo |
| **judaisme** | giudaismo |
| **juif** | ebreo |
| **juillet** | luglio |
| **juin** | giugno |
| **jus** | succo |
| **jusqu'à** | fino a |
| **kilo** | chilo |
| **kiosque** | chiosco |
| **là-bas** | là, lì |
| **lac** | lago |
| **lacérer** | lacerare |
| **lagune** | laguna |
| **laisser** | lasciare |
| **lait** | latte |
| **lancer** | lanciare |
| **langue** | lingua |
| **large** | largo |
| **larmes *f pl*** | lacrime, pianto *m sing* |
| **lauréat** | premiato |
| **laver, se** | lavare, si |
| **légende** | didascalia |
| **léger** | leggero |
| **légèrement** | leggermente |
| **lendemain (le)** | l'indomani |
| **léser** | ledere |
| **lettre** | lettera |
| **leurrer** | illudere |
| **lever, se** | alzare, si |
| **libération** | liberazione |
| **liberté** | libertà |
| **libre** | libero |

| | |
|---|---|
| **licencier** | licenziare |
| **liège** | sughero |
| **lier** | legare |
| **lieu** | luogo |
| **lieu de (au)** | invece di |
| **ligne** | linea |
| **limoger** | silurare |
| **liquéfier** | liquefare |
| **liqueur *f*** | liquore *m* |
| **lire** | leggere |
| **lire** | lira |
| **liste *f*** | elenco *m* |
| **lit** | letto |
| **livre *m*** | libro |
| **livre sterling** | lira sterlina |
| **local** | locale |
| **localité** | località |
| **logement** | alloggio |
| **loi** | legge |
| **loin** | lontano |
| **lombard** | lombardo |
| **long** | lungo |
| **long métrage** | lungometraggio |
| **loto** | lotto |
| **loto sportif** | totocalcio |
| **loué** | affittato; noleggiato |
| **louer** | affittare, fittare |
| **loyer** | affitto, fitto |
| **lumineux** | luminoso |
| **lundi** | lunedì |
| **lutte** | lotta |
| **lycée** | liceo |
| **machine à écrire** | macchina da scrivere |
| **madame** | signora |
| **mademoiselle** | signorina |
| **mafieux** | mafioso |
| **magasin** | magazzino |
| **magasin** | negozio |
| **magnétoscope** | videoregistratore |
| **magnifique** | magnifico |
| **mai** | maggio |
| **main** | mano |
| **maintenant** | adesso, ora |
| **maire** | sindaco |
| **maïs** | granoturco |
| **mais** | ma |
| **maison** | casa |
| **maître** | padrone; maestro |
| **maîtresse** | maestra |
| **maîtresse de maison** | padrona di casa |
| **majestueux** | maestoso |
| **majeur** | maggiore |
| **majoritaire** | maggioritario |
| **majorité** | maggioranza |
| **mâle** | maschio |
| **malheureusement** | purtroppo |
| **malheureux** | infelice |
| **malheureux** | misero |
| **maman** | mamma |
| **manche *m*** | manica *f* |
| **manger** | mangiare |
| **manifestation** | manifestazione |
| **manuscrit** | manoscritto |
| **maquillage** | trucco |
| **marc *m*** | grappa *f* |
| **marchand de journaux** | giornalaio |
| **marché** | mercato |
| **marcher** | camminare |
| **marcher dessus** | calpestare |
| **mardi** | martedì |
| **mari** | marito |
| **marié** | sposato |
| **marionette *f*** | burattino *m* |
| **mark** | marco |
| **marqueur** | pennarello |
| **mars** | marzo |
| **mascarpone *(fromage)*** | mascarpone |
| **masculin** | maschile |
| **masque *m*** | maschera *f* |
| **mathématiques *f pl*** | matematica *f sing* |
| **matin *m*** | mattina *f*, mattino |
| **maturité** | maturità |
| **mausolée** | mausoleo |
| **mécanicien** | meccanico |
| **mécontent** | scontento |
| **mécréant** | miscredente |
| **médecin** | medico |
| **meeting** | comizio |
| **meilleur** | migliore |
| **mélanger** | mescolare |
| **même** | stesso |
| **mémoire** | memoria |
| **mensualité** | rata |
| **mensuel** | mensile |
| **menuisier** | falegname |
| **mer *f*** | mare *m* |
| **merci** | grazie |
| **mercredi** | mercoledì |
| **mère** | madre |
| **méridional** | meridionale |
| **merveilleux** | meraviglioso |
| **message** | messaggio |
| **messe** | messa |
| **méthode *f*** | metodo *m* |
| **mêtier** | mestiere |
| **métro *m*** | metropolitana *f* |
| **metteur en scène** | regista |

| | |
|---|---|
| **mettre** | mettere |
| **mettre à jour** | aggiornare |
| **mettre, se** | mettere, si |
| **midi** | mezzogiorno |
| **mieux** | meglio |
| **mignon** | carino |
| **milanais** | milanese |
| **millier** | migliaio |
| **million** | milione |
| **minoritaire** | minoritario |
| **minorité** | minoranza |
| **minuit** | mezzanotte |
| **mise en pages** | impaginazione |
| **mise *(jeu)*** | posta *(in gioco)* |
| **mise *f* à jour** | aggiornamento *m* |
| **mobile** | mobile |
| **mode** | moda |
| **moderne** | moderno |
| **moelleux** | morbido; soffice; abboccato *(vin)* |
| **moine** | monaco |
| **moins** | meno |
| **moins (au)** | almeno |
| **mois** | mese |
| **monarchie** | monarchia |
| **monarchique** | monarchico |
| **monde** | mondo |
| **monnaie *f*** | moneta; spiccioli *m pl*; resto *m* |
| **monnaie (petite) *f* *sing*** | spiccioli *m pl*, moneta spicciola |
| **monsieur** | signore |
| **montagne** | montagna |
| **montée** | salita |
| **monter** | salire, andare su |
| **monter en neige** | montare a neve |
| **monument** | monumento |
| **mordre** | mordere |
| **mot *m*** | parola *f* |
| **mot *m* glissant** | parola *f* sdrucciola |
| **mot *m* plat** | parola *f* piana |
| **mot *m* tronqué** | parola *f* tronca |
| **mots croisés (les)** | cruciverba (i) |
| **mou** | molle |
| **mourir** | morire |
| **mousse** | spuma, schiuma |
| **mousseux** | spumante |
| **mouvement** | moto |
| **mouvementé** | movimento |
| **moyen *adj*** | medio |
| **Moyen Age** | Medioevo |
| **moyen *m*** | mezzo |
| **musée** | museo |
| **musulman** | musulmano |
| **mystère** | mistero |

| | |
|---|---|
| **nager** | nuotare |
| **nageur** | nuotatore |
| **naître** | nascere; sorgere |
| **naître coiffé *v intr*** | nascere con la camicia |
| **nappe** | tovaglia |
| **nation** | nazione |
| **national** | nazionale |
| **nationalisme** | nazionalismo |
| **naturel** | genuino; ovvio |
| **naturellement** | naturalmente, ovviamente |
| **navet *m fig (film)*** | pizza *f fig (film); mattone* |
| **nécessaire** | necessario |
| **nettoyer** | pulire |
| **neveu** | nipote *m* |
| **nièce** | nipote *f* |
| **niveau** | livello |
| **niveler** | livellare |
| **Noël** | Natale |
| **nom** | cognome |
| **nombre** | numero |
| **notaire** | notaio |
| **noter** | notare; prendere appunti |
| **nouvelle** | notizia |
| **novembre** | novembre |
| **nuire *v intr*** | nuocere |
| **nuit** | notte |
| **objet** | oggetto |
| **obligatoire** | obbligatorio |
| **obtenir** | ottenere; conseguire |
| **octobre** | ottobre |
| **odeur *f*** | odore *m* |
| **offenser** | offendere |
| **offrir** | offrire |
| **offrir** | regalare |
| **œil** | occhio |
| **oindre** | ungere |
| **oncle** | zio |
| **opinion *f*** | parere *m* |
| **opium** | oppio |
| **opposer** | contrapporre |
| **optimiste** | ottimista |
| **orange** | arancia |
| **orange (jus *m* d')** | arancia (spremuta *f* d') |
| **ordinaire** | ordinario |
| **ordinateur *m var*** | computer *m inv* |
| **ordre** | ordine |
| **organiser** | organizzare; indire *(elezioni)* |
| **original** | originale |
| **origine** | origine |
| **ou** | o, oppure |
| **où** | dove |

| | |
|---|---|
| **ou bien** | oppure |
| **oublier** | dimenticare, si |
| **œuf** | uovo |
| **outre (en)** | inoltre |
| **ouvert** | aperto |
| **ouvrable** | feriale |
| **œuvre** | opera |
| **ouvrier** | operaio |
| **ouvrir** | aprire |
| **P.M.U** | totip |
| **pacte** | patto |
| **page** | pagina |
| **païen** | pagano |
| **paille** | cannuccia |
| **pain** | pane |
| **pain et couvert** | pane e coperto |
| **paire *f*** | paio *m*; coppia *f* |
| **palais** | palazzo |
| **panne (en)** | guasto |
| **pantalon *sing*** | pantaloni *pl* |
| **papa** | papà, babbo |
| **papauté *f*** | papato *m* |
| **papier *m*** | carta *f* |
| **Pâque** | Pasqua |
| **paquet** | pacchetto |
| **parabole** | parabola |
| **paradis** | paradiso |
| **paraître** | parere |
| **parce que** | perché |
| **parcourir** | percorrere |
| **pardon?** | prego? |
| **parenté** | parentela |
| **parents (les)** | genitori (i) |
| **pareusseux** | poltrone, svogliato, pigro |
| **parfait** | perfetto |
| **parfaitement** | perfettamente |
| **parfumer, se** | profumare, si |
| **pari *m*** | scommessa *f* |
| **parier** | scommettere |
| **parlement** | parlamento |
| **parler** | parlare |
| **parler à la troisième personne** | dare del lei |
| **paroisse** | parrocchia |
| **parole** | parola |
| **parti** | partito |
| **participation** | partecipazione |
| **participe** | participio |
| **participer** | partecipare |
| **partir** | partire; decorrere |
| **pas mal de** | parecchio |
| **passage** | passaggio |
| **passager** | passeggero |
| **passant** | passante |
| **passé** | scorso |
| **passé** | passato |
| **passeport** | passaporto |
| **passer** | trascorrere |
| **passer** | passare |
| **passer à la télévision** | andare in onda |
| **passer sa licence** | laurearsi |
| **passionné** | appassionato |
| **pâtes *f pl (égouttées)*** | pasta *f sing*, pastasciutta *f sing* |
| **patrie** | patria |
| **patriote** | patriota |
| **patriotique** | patriottico |
| **patron** | padrone |
| **pauvre** | povero |
| **payer** | pagare |
| **payer à tempérament** | pagare a rate |
| **payer comptant** | pagare in contanti |
| **pays** | paese |
| **peau** | pelle |
| **péché** | peccato |
| **pêcher** | pescare |
| **peindre** | dipingere |
| **peindre à fresque** | affrescare |
| **peintre** | pittore |
| **pellicule** | pellicola |
| **pencher, se** | sporgersi |
| **pendant** | durante |
| **péninsule** | penisola |
| **pensée *f*** | pensiero *m* |
| **penser** | pensare; ritenere |
| **pension** | pensione |
| **pépin *m*** | guaio *m* |
| **perdre** | perdere |
| **père** | padre |
| **Père Noël** | Babbo Natale |
| **permettre** | permettere |
| **permis *m* de conduire** | patente *f* |
| **personnage** | personaggio |
| **personne** | nessuno |
| **personne âgée** | anziano, anziana |
| **personnel (le)** | personale (il) |
| **perspective** | prospettiva |
| **persuader** | persuadere |
| **peseta** | peseta |
| **pétillant** | frizzante |
| **petit** | piccolo |
| **petit-fils** | nipotino |
| **petite-fille** | nipotina |
| **peu de** | poco |

| | |
|---|---|
| **peuplé** | popolato |
| **peuple** | popolo |
| **peur** | paura |
| **peut-être** | forse |
| **pharmacie** | farmacia |
| **pharmacien, pharmacienne** | farmacista *m f* |
| **philosophe** | filosofo |
| **physique *f*** | fisica *f* |
| **pichet** | boccale |
| **pièce *f*** | documento *m* |
| **piège** | trabocchetto |
| **piémontais** | piemontese |
| **piétiner** | calpestare |
| **piéton** | pedone; pedonale |
| **pigeon** | piccione |
| **pipe** | pipa |
| **piquer** | pungere |
| **pire** | peggiore; peggio |
| **pis** | peggio |
| **piscine** | piscina |
| **place *f*** | posto *m*; piazza |
| **plage** | spiaggia |
| **plaindre, se** | dolersi, lamentarsi |
| **plaire** | piacere |
| **plaisanter** | scherzare |
| **plaisir** | piacere |
| **plan *m adj*** | pianta *f*; piano *adj* |
| **plaque d'immatriculation** | targa |
| **plat de résistance** | secondo piatto |
| **plat principal** | primo piatto |
| **plate-bande** | aiuola |
| **plateau** | vassoio |
| **plébiscite** | plebiscito |
| **plein** | pieno |
| **pleinement** | appieno |
| **pleurer** | piangere |
| **pleurs *m pl*** | pianto *m sing* |
| **pleuvoir** | piovere |
| **plongeon** | tuffo |
| **plonger** | tuffarsi *v pr* |
| **plonger** | immergere, bagnare |
| **plume** | piuma |
| **pluriel** | plurale |
| **plus** | più |
| **plutôt** | piuttosto |
| **pneu** | pneumatico |
| **poche** | tasca |
| **poêle** | padella |
| **poème *m*** | poesia *f* |
| **poésie** | poesia |
| **poil** | pelo |
| **point** | punto |
| **pointilleux** | cavilloso |
| **poisson** | pesce |
| **poivron** | peperone |
| **police** | polizia |
| **politesse** | cortesia |
| **politicien** | politicante |
| **politique *f*** | politica |
| **politique *m*** | politico |
| **polycopiés *m pl*** | dispense *f pl* |
| **Pontife (Souverain)** | Sommo Pontefice |
| **populaire** | popolare |
| **population** | popolazione |
| **portable** | portatile |
| **porte** | porta |
| **porter** | portare |
| **portugais** | portoghese |
| **poser** | porre |
| **posséder** | possedere |
| **possibilité** | possibilità |
| **possible** | possibile |
| **poste** | posta |
| **poste de télévision** | televisore |
| **poster** | impostare, imbucare |
| **pot *m* de vin** | bustarella *f*, tangente *f* |
| **poulet** | pollo |
| **pour** | per |
| **pourboire *m*** | mancia *f* |
| **pourcentage *m*** | percentuale *f* |
| **pourquoi** | perché |
| **poursuivre** | rincorrere |
| **pourtant (et)** | eppure |
| **pourvoir** | provvedere |
| **pousser** | spingere |
| **pouvoir** | potere |
| **pouvoir (le)** | potere (il) |
| **pratique *f*** | pratica |
| **précisément** | appunto |
| **précisément** | precisamente |
| **précoce** | precoce |
| **prédire** | predire |
| **préférable** | preferibile |
| **préféré** | preferito |
| **préférer** | preferire |
| **préfet** | prefetto |
| **prélasser, se *(au soleil)*** | crogiolarsi al sole |
| **prendre** | prendere |
| **prendre son bain** | fare il bagno |
| **prénom** | nome |
| **préparation** | preparazione |
| **préparer, se** | preparare, si |
| **près de** | vicino a |
| **présent** | presente |
| **présentation** | presentazione |
| **présenter, se** | presentare, si |
| **président** | presidente |

| | | | |
|---|---|---|---|
| **présider** | presiedere | **prudent** | prudente |
| **presque** | quasi | **pseudonyme** | pseudonimo |
| **presse** | stampa | **psychanalyste** | psicanalista |
| **prestigieux** | prestigioso | **public** | pubblico |
| **présumer** | presumere | **publication** | pubblicazione |
| **prêt** | pronto | **publicité** | pubblicità |
| **prétendre** | pretendere | **puisque** | poiché, siccome |
| **prêtre** | prete | **puissance** | potenza |
| **prévaloir** | prevalere | **qualité** | qualità |
| **prévaloir, se** | avvalersi | **quand** | quando |
| **prévoir** | prevedere | **quand même** | lo stesso |
| **prince** | principe | **quartier** | quartiere |
| **princesse** | principessa | **quelque chose** | qualcosa |
| **printanier** | primaverile | **quelqu'un** | qualcuno |
| **printemps** ***m*** | primavera *f* | **question** | domanda |
| **prison** | prigione | **qui** ***pr*** | chi |
| **privé** | privato | **quotidien** | quotidiano |
| **prix** | prezzo | **raconter** | raccontare |
| **probabilité** | probabilità | **radin** | spilorcio |
| **problème** | problema | **radio** | radio |
| **procédure** ***f*** | procedimento *m* | **rafraîchissement** | rinfresco |
| **prochain** | prossimo | **ragoût** | spezzatino |
| **proche** | vicino; prossimo | **raisin** ***m*** | uva *f* |
| **proclamation** | proclamazione | **raison** | ragione |
| **proclamer** | proclamare | **raisonnable** | ragionevole |
| **producteur** | produttore | **ralenti (au)** | al rallentatore |
| **production** | produzione | **ranger** | riporre; sistemare |
| **produire** | produrre | **rapide** | rapido, veloce |
| **produire, se** | verificarsi | **rappeler, se** | ricordare, si |
| **produit** | prodotto | **rare** | raro |
| **professeur** | professore; docente | **raser** | radere |
| **profession** | professione | **raser, se** | sbarbare, si |
| **profiter** | approfittare | **rater** | mancare |
| **programme** | programma | **rattraper** | raggiungere |
| **promenade** | passeggiata | **ravissant** | incantevole |
| **promener, se** | passeggiare, andare a spasso | **réalisateur** | regista |
| | | **réaliser** | realizzare |
| **promettre** | promettere | **réalité** | realtà |
| **promouvoir** | promuovere | **recensement** | censimento |
| **prononcer** | pronunciare | **récent** | recente |
| **pronostic** | pronostico | **recette** | ricetta; introiti *m pl* |
| **propos (à)** | a proposito | **recevoir** | ricevere |
| **proposer** | proporre | **récit** | racconto |
| **proposition** | proposta | **réciter** | recitare |
| **propre** | pulito | **recommander** | raccomandare |
| **proroger** | protrarre | **reconnaître** | riconoscere |
| **protagoniste** | protagonista | **recourir** | ricorrere |
| **protéger** | proteggere | **recouvrir** | ricoprire |
| **protestantisme** | protestantesimo | **reçu** ***m*** | ricevuta *f* |
| **proverbe** | proverbio | **reculer** | andare indietro |
| **province** | provincia | **rédacteur** | redattore |
| **proviseur** | preside | **rédiger** | redigere |
| **provision** | provvista | **réduction** | riduzione |
| **provoquer** | provocare | **réduire** | ridurre |
| **prudent** | cauto | **réfrigérateur** | frigorifero |

| | |
|---|---|
| **regard** | sguardo |
| **regarder** | guardare |
| **région** | regione |
| **régner** | regnare |
| **regretter** | rimpiangere |
| **réjouir, se** | rallegrarsi |
| **relatif** | relativo |
| **religieux** | religioso |
| **religion** | religione |
| **remarquer** | osservare, notare |
| **remercier** | ringraziare |
| **remise *f*** | sconto *m* |
| **Renaissance** | Rinascimento |
| **renard *m*** | volpe *f* |
| **rencontre *f*** | convegno *m* |
| **rencontrer, se** | incontrare, si |
| **rendez-vous** | appuntamento |
| **rendre** | rendere |
| **renfermé** | racchiuso |
| **renommé** | rinomato |
| **renseignement *m*** | informazione *f* |
| **rentrer** | entrare, andare dentro; ritornare |
| **répandre** | spargere |
| **répandu** | diffuso |
| **réparer** | riparare |
| **repas** | pasto |
| **repasser** | stirare |
| **repentir, se** | ravvedersi |
| **répéter** | ripetere |
| **répliquer** | replicare |
| **répondeur *m*** | segreteria *f* telefonica |
| **répondre** | rispondere |
| **réponse** | risposta |
| **reporter** | cronista *m* |
| **reposer, se** | riposarsi |
| **repousser** | sospingere |
| **repousser** | respingere |
| **représentatif** | rappresentativo |
| **représenter** | ritrarre |
| **réprimer** | reprimere |
| **reproduire** | riprodurre |
| **république** | repubblica |
| **réservé** | prenotato |
| **résider** | risiedere |
| **resquiller** | fare il portoghese |
| **restaurant** | ristorante |
| **reste (du)** | del resto |
| **rester** | rimanere |
| **résumé** | riassunto |
| **résumer** | riassumere |
| **retard** | ritardo |
| **retenir** | trattenere |
| **retenu** | prenotato |
| **retomber** | ricadere |

| | |
|---|---|
| **retour** | ritorno |
| **retourner** | tornare |
| **retraité** | pensionato |
| **retrocéder** | retrocedere |
| **réussir** | riuscire |
| **revanche (en)** | invece |
| **rêve** | sogno |
| **réveiller, se** | svegliare, si |
| **revenir** | tornare |
| **revenu par tête** | reddito pro capite |
| **rêver** | sognare |
| **revoir** | rivedere |
| **révolte** | rivolta |
| **révolution** | rivoluzione |
| **riche** | ricco |
| **rien** | niente |
| **rire** | riso |
| **rire** | ridere |
| **rire (éclat de) *m*** | risata *f* |
| **risque** | rischio |
| **riz** | riso |
| **robe *f*** | vestito *m* (da donna) |
| **roi** | re |
| **rôle** | ruolo |
| **romain** | romano |
| **roman** | romanzo |
| **rompre** | rompere |
| **rond** | rotondo |
| **rosé** | rosato |
| **rôti** | arrosto |
| **rôtisserie** | rosticceria |
| **rouge** | rosso |
| **route** | strada |
| **royaume** | regno |
| **rue** | via |
| **sabayon** | zabaione |
| **sable *m*** | sabbia *f* |
| **sabot** | zoccolo |
| **sac *m*** | borsa *f* |
| **sain** | sano |
| **saison** | stagione |
| **salade** | insalata |
| **salé** | salato |
| **sale** | sporco |
| **salir** | sporcare |
| **salle de classe** | aula |
| **samedi** | sabato |
| **sandwich** | panino (imbottito); tramezzino |
| **santé** | salute |
| **santé (à la)!** | alla salute! |
| **saoul** | sbronzo |
| **sarde** | sardo |
| **satellite** | satellite |
| **satisfaire** | soddisfare |

| | |
|---|---|
| **saupoudrer** | spolverinare |
| **sauvegarder** | salvare; salvaguardare |
| **sauver** | salvare; salvaguardare |
| **saveur** *f* | sapore *m* |
| **savoir** | sapere |
| **savoureux** | sapido |
| **scénario** | canovaccio |
| **scénario** *m* | scenaggiatura *f* |
| **scénariste** | soggettista; sceneggiatore |
| **scientifique** | scientifico |
| **scolaire** | scolastico |
| **script** | copione |
| **scrutin** | scrutinio |
| **séance** | seduta |
| **sec** | asciutto |
| **sec** | secco |
| **sécher** | asciugare |
| **secouer** | scuotere |
| **secourir** | soccorrere |
| **secret** | segreto |
| **séduire** | sedurre |
| **séduit** | sedotto |
| **séjour** | soggiorno |
| **sel** | sale |
| **self-service** *m* | tavola *f* calda |
| **semaine** | settimana |
| **Sénat** | Senato |
| **sénateur** | senatore |
| **sens** | senso; sentimento |
| **sentiment** | sentimento |
| **sentir** | sentire, ascoltare |
| **sentir, se** | sentirsi |
| **septembre** | settembre |
| **sérieux** | serio |
| **serrer** | stringere |
| **service** | servizio |
| **serviette** *f* **de table** | tovagliolo *m* |
| **servir** | servire |
| **servir, s'en** | servirsene |
| **serviteur** | schiavo |
| **serviteur** | servitore |
| **seulement** | soltanto, solo |
| **Sicile** | Sicilia |
| **sicilien** | siciliano |
| **siècle** | secolo |
| **siège** *m* | sede *f* |
| **sieste** *f* | pennichella, pisolino m |
| **siffler** | fischiare |
| **signature** | firma |
| **signé** | firmato |
| **signer** | firmare |
| **signifier** | significare |
| **silence** | silenzio |
| **silencieux** | silenzioso |
| **simple** | semplice |
| **singulier** | singolare |
| **situation** | situazione |
| **ski** | sci |
| **skier** | sciare |
| **skieur** | sciatore |
| **slave** | slavo |
| **snack** *m* | tavola *f* calda |
| **sociabilité** | socievolezza |
| **socialiste** | socialista |
| **soif** | sete |
| **soigner** | curare |
| **soir** *m* | sera *f* |
| **soirée** | serata |
| **soleil** | sole |
| **solution** | soluzione |
| **somme (en)** | insomma |
| **sonner** | suonare; squillare (tél) |
| **soporifique** | soporifico |
| **sorcière** | strega; befana |
| **sorcière** | strega |
| **sort (tirer au)** | sorteggiare |
| **sortie** | uscita |
| **sortir** | uscire, andare fuori |
| **sortir, s'en** | farcela |
| **sottise** | sciocchezza |
| **souffrir** | soffrire |
| **souhait** | augurio |
| **souhaiter** | augurare |
| **souper** | cenare |
| **sœur** | sorella |
| **sourire** | sorridere |
| **sous-développé** | sottosviluppato |
| **sous** *pl* | soldi, quattrini, denaro *sing* |
| **sous-titre** *m* | didascalia *f* |
| **soustraire** | sottrarre |
| **soutenir** | sostenere; reggere |
| **souvenir** | ricordo |
| **souvent** | spesso |
| **spécialité** | specialità |
| **spectacle** | spettacolo |
| **spectateur** | spettatore |
| **spirituel** | spiritoso; spirituale |
| **spiritueux** | alcolici |
| **spontané** | spontaneo |
| **spontanéité** | spontaneità |
| **stade** | stadio |
| **stage** *m* | tirocinio, pratica *f* |
| **standard** ***(téléph)*** | centralino |
| **standardiste** | centralinista |
| **strapontin** | strapuntino |
| **stupide** | stupido |
| **subir** | subire |

| | |
|---|---|
| **subjonctif** | congiuntivo |
| **successif** | successivo |
| **suffire** | bastare |
| **suggérer** | suggerire |
| **suisse** | svizzero |
| **suivant** | successivo |
| **sujet** | tema |
| **superficie** | superficie |
| **supposer** | supporre |
| **sur** | su |
| **sûr** | sicuro |
| **surface** | superficie |
| **surgir** | sorgere |
| **surprenant** | sorprendente |
| **surprendre** | sorprendere |
| **surprise** | sorpresa |
| **surtout** | soprattutto |
| **surveiller** | sorvegliare |
| **suspendre** | appendere |
| **syllabe** | sillaba |
| **sympathique** | simpatico |
| **système** | sistema |
| **table** ***f*** | tavolo *m*; tavola |
| **tableau** | quadro |
| **tacot** ***m (fam)*** | carretta *f* |
| **taille** | taglia |
| **taire, se** | tacere |
| **tampon** | timbro |
| **tandis que** | mentre |
| **tante** | zia |
| **tard** | tardi |
| **tardif** | tardivo |
| **tasse** | tazza |
| **taux** | tasso |
| **teindre** | tingere |
| **télé** | Tv |
| **télégramme** | telegramma *m* |
| **téléphone** | telefono |
| **téléphoner** | telefonare |
| **télévision** | televisione |
| **témoin** | testimone |
| **temps** | tempo |
| **tendance** | tendenza |
| **tendre** | tendere |
| **tenir** | reggere; tenere |
| **terminer** | terminare |
| **tête** | testa |
| **textuellement** | testualmente |
| **théâtre** | teatro |
| **thyrrhénien** | tirrenico |
| **tirage** ***m (jeu)*** | estrazione *f* |
| **tirage** ***m (presse)*** | tiratura *f* |
| **tirer** | trarre; tirare |
| **titre** | titolo |
| **titre** ***m*** | titolo; testata *f* |
| **titulaire** | ruolo (di) |
| **tomate** ***f*** | pomodoro *m* |
| **tombe** | tomba |
| **tomber** | cadere |
| **tomber amoureux** | innamorarsi |
| **tonneau** ***m*** | botte *f* |
| **tordre** | torcere |
| **tort** | torto |
| **toscan** | toscano |
| **tôt** | presto |
| **toucher** | toccare |
| **toucher** ***(chèque)*** | riscuotere (assegno) |
| **toujours** | sempre |
| **tour** | giro |
| **touriste** | turista |
| **tourner** | girare |
| **tourner** | voltare |
| **tournoi** | torneo |
| **tous** | tutti |
| **Toussaint** | Ognissanti |
| **tout** | tutto |
| **tout à fait** | affatto |
| **tout droit** | diritto |
| **tout seul** | solo (da) |
| **traduire** | tradurre |
| **train** | treno |
| **traité** | trattato |
| **tramway** | tram |
| **transparent** | trasparente |
| **transport** | trasporto |
| **travail** | lavoro |
| **travailler** | lavorare |
| **travelling** ***m*** | carrellata *f* |
| **traverser** | attraversare |
| **tremper** | immergere, bagnare |
| **très** | assai, molto |
| **tricher** | barare |
| **tricolore** | tricolore |
| **tromper, se** | sbagliare, si |
| **troupe** | truppa |
| **trouver** | ritenere, pensare |
| **trouver** | trovare |
| **tuer** | uccidere |
| **turc** | turco |
| **turinois** | torinese |
| **tutoyer** | dare del tu |
| **typiquement** | tipicamente |
| **tyrrhénien** | tirreno |
| **unanimité** | unanimità |
| **unification** | unificazione |
| **uniformément** | uniformemente |
| **unir** | unire |
| **unité** | unità |
| **université** | università |

| | | | |
|---|---|---|---|
| **urgent** | urgente | **vigueur (en)** | in vigore |
| **utile** | utile | **village** | villaggio |
| **utiliser** | utilizzare | **ville** | città |
| **vacance** | vacanza | **vin** | vino |
| **vacances** | ferie | **vin de table** | vino da pasto |
| **vache** | mucca, vacca | **vin (petit)** | vinello |
| **vaincre** | vincere | **virement postal** | postagiro |
| **valise** | valigia | **visage** | viso |
| **valoir** | valere | **visiter** | visitare |
| **varier** | variare | **vite** | presto |
| **vendre** | vendere | **vitre *f*** | vetro *m* |
| **vendredi** | venerdì | **vitrine** | vetrina |
| **vénérable** | venerabile | **vivre** | vivere |
| **venir** | venire | **vocabulaire** | vocabolario |
| **vénitien** | veneziano | **voici** | ecco |
| **vent** | vento | **voir, se** | vedere, si |
| **vente** | vendita | **voisin *(de maison)*** | vicino di casa |
| **ventre** | pancia | **voiture** | macchina |
| **vérité** | verità | **voix** | voce |
| **verre** | vetro | **vol** | furto |
| **verre *(contenant)*** | bicchiere | **voler** | rubare |
| **vers** | verso | **voleur** | ladro |
| **verser** | versare | **volontiers** | volentieri |
| **vert** | verde | **voter** | votare |
| **veste** | giacca | **vouloir** | volere |
| **vêtement** | vestito | **vouvoyer** | dare del voi |
| **vide** | vuoto | **voyager** | viaggiare |
| **vidéocassette** | videocassetta | **voyageur** | viaggiatore |
| **vider** | scòlare, vuotare | **vrai** | vero |
| **vieillard** | vecchietto | **vraiment** | davvero |
| **Vierge (la)** | Madonna (la) | **week-end *m*** | fine settimana *m, f* |
| **vieux** | vecchio | **xylophone** | xilofono |
| **vigne** | vite | **zéro** | zero |
| **vignoble** | vigneto | **zooming *m*** | zumata *f* |

# SOMMAIRE DU PRÉCIS GRAMMATICAL

# INDEX THEMATIQUE

*(Les numéros renvoient aux pages)*

Achevé d'imprimer en juillet 2000
par Maury-Eurolivres S.A.
45300 Manchecourt

Dépôpt légal : avril 1997

POCKET - 12, avenue d'Italie - 75627 PARIS Cedex 13